latarnik

SAGA KRYMINALNA
Camilli Läckberg

Księżniczka z lodu

Kaznodzieja

Kamieniarz

Ofiara losu

Niemiecki bękart

Syrenka

Latarnik

Fabrykantka aniołków

Camilla Läckberg

latarnik

Przełożyła Inga Sawicka

Wydawnictwo Czarna Owca
Warszawa 2014

Tytuł oryginału
FYRVAKTAREN

Redakcja
Grażyna Mastalerz

Koncepcja graficzna serii
www.blacksheep-uk.com

Projekt okładki
Panczakiewicz Art.Design

Zdjęcie na okładce
Nejron Photo/Shutterstock

Skład i łamanie
Maria Kowalewska

Korekta
Maciej Korbasiński

Wydanie II

Druk i oprawa
ABEDIK S.A.

Książka została wydrukowana na papierze Ecco Book Cream 70g/m², vol 2,0 dystrybuowanym przez: antalis

ISBN 978-83-7554-651-4

Wydawnictwo

CZARNA OWCA
ul. Alzacka 15a, 03-972 Warszawa
e-mail: wydawnictwo@czarnaowca.pl
Dział handlowy: tel. (22) 616 29 36
Księgarnia: tel. (22) 616 12 72

Zapraszamy do naszego sklepu internetowego:
www.czarnaowca.pl

Dla Charliego

Dłonie przylepiły jej się do kierownicy. Dopiero wtedy zauważyła, że są zakrwawione. Nie zważając na to, wrzuciła wsteczny bieg i wyjechała z podjazdu tak ostro, że żwir trysnął spod kół.

Mieli przed sobą długą drogę. Rzuciła okiem na tylne siedzenie. Sam spał, zawinięty w kołdrę. Właściwie powinien siedzieć, przypięty pasami, ale nie miała serca go budzić. Trzeba jechać ostrożnie. Odruchowo zdjęła nogę z gazu.

Zaczęło się przejaśniać. W letnią noc ciemność zaczyna rzednąć niemal natychmiast po tym, jak zapadnie. Mimo to wydawało jej się, że noc nie ma końca. Wszystko się zmieniło. Widziała ciemne oczy Fredrika patrzące nieruchomo w sufit i wiedziała, że nic na to nie poradzi. Musi ratować siebie i Sama, nie może myśleć ani o krwi, ani o Fredriku.

Jest tylko jedno miejsce, w którym mogą się schronić.

Sześć godzin później byli na miejscu. Fjällbacka budziła się ze snu. Na chwilę przystanęła koło stacji ratownictwa morskiego. Zastanawiała się, jak to wszystko przewieźć. Sam spał głębokim snem. Sięgnęła do schowka po chusteczki do nosa. Chciała zetrzeć krew z dłoni, ale nie bardzo jej to szło. Potem wyjęła z bagażnika walizki i szybko pociągnęła je w stronę Badholmen, gdzie cumowała motorówka. Bała się. Bała się, że Sam się obudzi, więc na wszelki wypadek, żeby się nie wydostał i nie wpadł do wody, zamknęła samochód. Z wysiłkiem wstawiła walizki do łodzi i zdjęła łańcuch zabezpieczający przed kradzieżą. Pobiegła z powrotem do samochodu i z ulgą stwierdziła, że Sam spokojnie śpi. Wzięła go na ręce razem z kołdrą i zaniosła do łódki, zerkając pod nogi, żeby się nie poślizgnąć. Ostrożnie ułożyła synka na dnie i zapuściła silnik. Zakasłał przy pierwszej próbie. Dawno nie pływała, ale powinno się udać. Powoli wycofała i wypłynęła z portu.

Słońce już wzeszło, ale jeszcze nie grzało. Czuła, jak powoli uchodzi z niej napięcie, zwalnia uścisk po koszmarze ostatniej nocy. Spojrzała na Sama. A jeśli po tym, co się stało, będzie miał uraz do końca życia? Pięcioletnie dziecko jest bardzo kruche, mogło w nim coś pęknąć. Gotowa była zrobić wszystko, żeby go posklejać. Pocałunkami odegnać zło, jak wtedy, gdy się przewrócił na rowerze i rozbił kolana.

Dobrze znała drogę, każdą wyspę, każdy najmniejszy szkier. Odpływała coraz dalej od brzegu, kierowała się na Väderöbod. Fale stawały się coraz wyższe, dziób opadał i mocno uderzał o powierzchnię wody, słone krople pryskały jej na twarz. Przymknęła oczy z rozkoszy. Kiedy je otworzyła, ujrzała w oddali Gråskär. Serce zabiło jej szybciej, jak zawsze, kiedy widziała wysepkę, mały domek i białą latarnię dumnie wznoszącą się ku niebu. Wciąż byli za daleko, żeby dostrzec dom, ale miała w pamięci jasnoszary kolor ścian i białe węgły. I różowe malwy rosnące pod ścianą osłoniętą od wiatru. Tam był jej azyl, jej raj. Jej Gråskär.

Kościół był wypełniony do ostatniego miejsca, całe prezbiterium usłane kwiatami, wieńcami i wiązankami z jedwabnymi wstążkami ze słowami pożegnania.

Patrik nie chciał patrzeć na białą trumnę stojącą w powodzi kwiatów. W wielkim kamiennym kościele panowała niesamowita cisza. Na pogrzebach starych ludzi słyszy się szmer rozmów i uwagi w rodzaju: Tyle się nacierpiała, śmierć to dla niej prawdziwa łaska, a żałobnicy już myślą o konsolacji. Tym razem tak nie było. Ludzie w milczeniu siedzieli w ławkach, rozmyślając o tym, jaka to straszna niesprawiedliwość. Nie powinno tak być.

Patrik chrząknął i spojrzał w górę. Mrugał, żeby odpędzić napływające mu do oczu łzy. Ścisnął Erikę za rękę. Garnitur go uwierał, w ogóle czuł, że się dusi. Musiał poluzować kołnierzyk, żeby odetchnąć głębiej.

Z kościelnej wieży odezwały się dzwony, ich bicie odbijało się echem od ścian. Wszyscy drgnęli, spojrzeli na trumnę. Pani pastor wyszła z zakrystii i podeszła do ołtarza, przed którym kiedyś brali ślub. Wtedy panował nastrój radosnego podniecenia. Teraz – głębokiej powagi. Patrik próbował wyczytać z jej twarzy, czy ona również uważa, że tak być nie powinno. Czy przepełnia ją niewzruszona wiara w boski zamysł i sens tego wszystkiego.

Wierzchem dłoni wytarł łzy. Erika dyskretnie podała mu chusteczkę. Dzwony ucichły, zapadła cisza, pani pastor rozpoczęła nabożeństwo. Głos jej zadrżał, ale już po chwili dźwięczał donośnie.

– Wszystko może się zmienić w jednej chwili. Ale Bóg zawsze jest przy nas. Dzisiaj także.

Patrik patrzył na jej poruszające się wargi, ale przestał słuchać. Nie chciał. Wiara, która towarzyszyła mu od dzieciństwa, znikła. W tym, co się stało, nie ma żadnego sensu. Znów uścisnął dłoń Eriki.

– Z prawdziwą dumą informuję państwa, że prace postępują zgodnie z harmonogramem. Za mniej więcej dwa tygodnie nastąpi uroczyste otwarcie Badhotellet we Fjällbace.

Erling W. Larson wyprostował się i potoczył wzrokiem po sali, jakby się spodziewał oklasków. Radni ograniczyli się do kiwania głowami.

– To wielka sprawa dla mieszkańców całej okolicy – dodał. – Kończymy generalny remont skarbu, jakim jest ten budynek, a jednocześnie otwieramy nowoczesne centrum odnowy biologicznej. Czy też, jak to dziś elegancko mówią, spa. – Palcami zrobił w powietrzu znak cudzysłowu. – Zostały ostatnie prace wykończeniowe, próbny rozruch z udziałem zaproszonych gości i oczywiście przygotowanie wspaniałego przyjęcia inauguracyjnego.

– Bardzo ładnie, ale mam kilka pytań. – Mats Sverin, od niedawna szef wydziału finansów gminy, machnął piórem, żeby zwrócić uwagę Erlinga.

Erling udawał, że nie słyszy. Nie znosił zajmować się administracją i finansami. Szybko oznajmił, że zamyka obrady, i zaszył się w swoim przestronnym gabinecie.

Nikt nie wierzył, że Erling mógłby się podnieść po fiasku, jakim się zakończył reality show *Fucking Ta-*

num*, a jednak mu się udało. Porwał się nawet na jeszcze większy projekt. Nawet gdy zalała go fala krytyki, ani na chwilę w siebie nie zwątpił. Był urodzonym zwycięzcą.

Cała ta historia mocno go jednak wyczerpała. Pojechał odpocząć do centrum odnowy biologicznej do Ljuset do Dalarny. Okazało się to szczęśliwym zrządzeniem losu. Gdyby nie to, nie poznałby Vivianne. Spotkanie z nią wywołało przełom w jego życiu, zarówno zawodowym, jak i prywatnym. Nigdy żadna kobieta nie pociągała go tak mocno. Właśnie realizował jej wizję.

Nie mógł się powstrzymać, żeby do niej nie zadzwonić – po raz czwarty tego dnia – ale sam jej głos przyprawił go o miłe łaskotanie w żołądku. Aż wstrzymał oddech.

– Witaj, kochanie – powiedział, gdy podniosła słuchawkę. – Chciałem się tylko dowiedzieć, co u ciebie.

– Erling – powiedziała takim tonem, że poczuł się jak usychający z miłości sztubak. – To samo, co przed godziną, gdy ostatnio dzwoniłeś.

– To świetnie – zaśmiał się z cielęcym zachwytem. – Chciałem się tylko upewnić, że u ciebie wszystko w porządku.

– Wiem i kocham cię za to. Ale zostało nam jeszcze dużo do zrobienia, a chyba nie chcesz, żebym musiała pracować do późnego wieczoru.

– Oczywiście, kochanie.

Postanowił więcej nie dzwonić, żeby jej nie przeszkadzać. Wieczory są święte i tak ma zostać.

---

* Historia opisana w *Ofierze losu* (wszystkie przypisy tłumaczki).

– No to pracuj, ja też popracuję. – Zanim się rozłączył, cmoknął kilka razy w słuchawkę. Potem rozparł się w fotelu, splótł ręce na karku i pozwolił sobie na chwilę marzeń o wieczornych uciechach.

W całym domu unosił się zapach stęchlizny. Annie pootwierała drzwi i okna, żeby przewietrzyć. Rodzice zawsze spali na pięterku. Zajrzała jeszcze do synka, potem zarzuciła na ramiona szal i z gwoździa przy drzwiach zdjęła wielki zardzewiały klucz. Poszła na skały, wiatr przewiewał ją na wskroś. Przystanęła i patrzyła przed siebie. Dom miała za plecami. Oprócz niego na wyspie stał jeszcze tylko jeden budynek, latarnia morska. Szopa przy pomoście była tak mała, że się nie liczyła.

Podeszła do latarni. Gunnar widocznie naoliwił zamek, bo klucz obrócił się zaskakująco łatwo. Drzwi skrzypnęły, gdy je otwierała. Zaraz za nimi wznosiły się wąskie, strome schody. Trzymając się poręczy, weszła na górę.

Widok zapierał dech w piersi. Zawsze tak na nią działał. Patrząc w jedną stronę, miało się przed sobą morze, aż po horyzont. Z drugiej rozciągał się archipelag większych wysp, skalistych wysepek i szkierów. Latarnia, od wielu lat nieczynna, była pomnikiem minionych czasów. Jej lampa zgasła, niesiona wiatrem słona woda pokryła rdzą metalową obudowę i okucia.

W dzieciństwie uwielbiała się bawić w tym malutkim pomieszczeniu. Przypominało wiszący wysoko nad ziemią domek do zabawy. Mieściło się w nim tylko łóżko, służące latarnikom podczas długich zmian, i krzesło, na którym siedzieli, patrząc na morze.

Położyła się na łóżku. Narzuta pachniała stęchlizną. Słyszała to samo co w dzieciństwie: krzyk mew, chlupot fal tłukących o skały, trzaski i stęknięcia wieży. Kiedyś wszystko było proste. Rodzice martwili się, że wyspa sprzykrzy się jedynaczce. Niepotrzebnie, kochała to miejsce. Zresztą nie była sama, choć akurat tego nie potrafiła im wytłumaczyć.

Mats Sverin przerzucał papiery na biurku i wzdychał. Nie przestawał o niej myśleć. Cały dzień. Nic mu nie wychodziło, ale takie dni zdarzały się coraz rzadziej. Dał sobie spokój, a przynajmniej chciał w to wierzyć. Ale prawda była taka, że wiedział, że nigdy mu się do końca nie uda. Wciąż wyraźnie widział jej twarz i w pewnym sensie był za to wdzięczny. A jednocześnie wolałby, żeby ten obraz się zatarł.

Próbował skupić się na pracy. Czasem nawet go bawiła. Zagłębianie się w finanse gminy było prawdziwym wyzwaniem. Zwłaszcza ciągłe balansowanie między względami politycznymi a gospodarczymi. Odkąd tu pracował, ze zrozumiałych względów poświęcał Projektowi Badis sporo czasu. Cieszył się, że budynek został w końcu wyremontowany. Jak większość mieszkańców Fjällbacki, zarówno tych, którzy zostali na miejscu, jak i tych, którzy wyjechali, żałował pięknego niegdyś hotelu, ilekroć zdarzyło mu się koło niego przechodzić. Teraz budynek odzyskał dawny blask.

Erling. Oby tylko jego składane na wyrost zapewnienia o przyszłym powodzeniu tej inwestycji okazały się słuszne. On sam miał co do tego pewne wątpliwości. Przebudowa okazała się niezwykle kosztowna, natomiast założenia zapisane w biznesplanie przyszłego centrum – aż nadto optymistyczne. W dodatku miał niejasne przeczucie, że coś się nie zgadza, chociaż po wielokrotnym przejrzeniu całej dokumentacji udało mu się tylko stwierdzić, że koszty urosły do ogromnych rozmiarów.

Spojrzał na zegarek, była już pora lunchu. Apetyt od dawna mu nie dopisywał, ale wiedział, że musi jeść. Dziś czwartek. To znaczy, że w restauracji Källaren podają grochówkę i naleśniki*. Może mu się uda trochę w siebie wcisnąć.

Złożenie do grobu odbyło się w obecności najbliższych. Pozostali uczestnicy pogrzebu w milczeniu zeszli do miasteczka. Erika szła za trumną i mocno ściskała Patrika za rękę. Każdy krok był jak cios w serce. Próbowała przekonać Annę, żeby się nie narażała na tak ciężkie przeżycie, ale siostra nalegała na prawdziwy pogrzeb. Do pewnego stopnia otrząsnęła się nawet z apatii, więc Erika przestała się odzywać i włączyła się do przygotowań. Pomagała Annie i Danowi pochować synka.

Nie uległa tylko w jednym punkcie: Anna chciała, żeby dzieci uczestniczyły w pogrzebie, ale ona zdecydowała, że maluchy zostaną w domu. Przyszły tylko dwie najstarsze córki Dana, Belinda i Malin. Reszta dzieci, Lisen, Adrian, Emma i Maja, zostały z matką Patrika. Bliźnięta, rzecz jasna, też. Erika obawiała się, że to jak

* Tradycyjny szwedzki obiad w czwartek składa się z grochówki na boczku i naleśników z dżemem.

dla niej za dużo, ale teściowa spokojnie odpowiedziała, że dzieci jakoś przeżyją z nią tych parę godzin.

Erika patrzyła na niemal łysą głowę Anny i bolało ją serce. Żeby zrobić trepanację, która była konieczna, bo obrzęk mózgu mógł grozić trwałym urazem, musieli jej zgolić włosy. Już zaczęły odrastać, głowę Anny pokrywał puszek, ciemniejszy niż jej dawne włosy.

W odróżnieniu od Anny i kobiety z drugiego samochodu, która zginęła na miejscu, Erika wyszła z wypadku właściwie bez szwanku. Doznała wstrząśnienia mózgu i miała połamane żebra, ale bliźnięta, choć małe, były silne i zdrowe. Urodziły się przez cesarskie cięcie. Po dwóch miesiącach mogli je zabrać do domu.

Przeniosła wzrok na białą trumienkę. Chciało jej się płakać. Anna doznała nie tylko obrażeń czaszki. Złamała także miednicę. Jej również zrobiono cesarskie cięcie, ale dziecko było poszkodowane tak bardzo, że lekarze od początku nie dawali nadziei. Po tygodniu chłopczyk przestał oddychać.

Musieli odłożyć pogrzeb, bo Anna nie mogła opuścić szpitala. Dopiero wczoraj wróciła do domu. A dziś pochowała synka, który powinien żyć, otoczony miłością rodziny. Erika widziała, jak Dan pcha Annę na wózku w stronę grobu i kładzie jej rękę na ramieniu. Anna ją odtrąciła. Od wypadku tak właśnie było. Jakby nie umiała z nikim dzielić bólu, a Dan bardzo tego potrzebował. Patrik i Erika próbowali z nim rozmawiać, wszyscy starali się jak mogli, ale on chciał dzielić ból tylko z Anną. A ona nie była w stanie.

Erika to rozumiała. Znała Annę, wiedziała, ile przeszła, wiedziała, że życie obeszło się z nią bardzo okrutnie.

Teraz wydawało się, że wszystko ma się ostatecznie zawalić. Erika rozumiała, choć wolałaby, żeby było inaczej. Dan i Anna byli sobie potrzebni bardziej niż kiedykolwiek, ale stali obok siebie jak dwoje obcych ludzi. Trumnę ich synka spuszczano do grobu.

Erika położyła rękę na ramieniu Anny. Siostra jej nie strąciła.

Annie z werwą zabrała się do sprzątania i prania. Wietrzenie pomogło, ale firanki i pościel i tak przesiąkły zapachem stęchlizny. Wrzuciła wszystko do kosza na bieliznę i zaniosła na pomost. Uzbrojona w szare mydło i tarę, która była w domu, odkąd pamiętała, podwinęła rękawy i zabrała się do prania. Od czasu do czasu rzucała okiem na dom, upewniając się, czy Sam nie wstał i nie wybiegł na dwór. Ale on spał. Może tak reaguje na szok. Niech się wyśpi. Postanowiła, że za godzinę go obudzi i nakarmi.

W tej samej chwili dotarło do niej, że chyba niewiele jest do jedzenia. Rozwiesiła pranie przed domem, a potem weszła do środka, żeby sprawdzić, co jest w szafkach. Puszka zupy pomidorowej Campbella i jeszcze jedna, z parówkami do piwa. Tylko tyle znalazła. Na termin przydatności do spożycia wolała nie patrzeć. Przecież to trwałe produkty. Dziś musi im to wystarczyć.

Nie miała ochoty płynąć do miasteczka. Tu czuła się bezpiecznie. Nie miała ochoty się z nikim spotykać, chciała mieć spokój. Chwilę się zastanawiała z puszką zupy w dłoni. Doszła do wniosku, że jest tylko jedno rozwiązanie. Musi zadzwonić do Gunnara. Po śmierci rodziców opiekował się domem, na pewno pomoże.

Telefon stacjonarny już nie działał, ale nie było problemu z zasięgiem. Sięgnęła po komórkę i szybko wybrała numer.

– Sverin. Słucham.

Drgnęła, słysząc to nazwisko. Tyle wspomnień obudziło. Minęło kilka sekund, zanim się pozbierała na tyle, żeby móc mówić.

– Halo! Halo!

– Dzień dobry, mówi Annie.

– Annie! – wykrzyknęła Signe Sverin.

Annie uśmiechnęła się. Przepadała za Signe i Gunnarem, a oni za nią.

– To naprawdę ty, kochana? Dzwonisz ze Sztokholmu?

– Nie, jestem na wyspie. – Zdziwiła się, ale głos uwiązł jej w gardle. Niewiele spała, pewnie dlatego jest taka przeczulona. Chrząknęła. – Przyjechałam wczoraj.

– Ojej, szkoda, że nas nie uprzedziłaś. Pojechalibyśmy posprzątać. Dom musi być strasznie zapuszczony...

– Sprzątanie to nie problem – wtrąciła Annie, przerywając jej. Zdążyła już zapomnieć, jak dużo i jak szybko Signe potrafi mówić. – Bardzo dobrze dbaliście o dom, a trochę sprzątania i prania mi nie zaszkodzi.

Signe prychnęła.

– Mimo to uważam, że mogłaś poprosić o pomoc. Przecież nie mamy wiele do roboty. Nawet wnuków do niańczenia. Za to Matte wrócił z Göteborga. Dostał pracę w urzędzie gminy w Tanum.

– Pewnie się cieszycie. Co się stało, że się zdecydował? – Miała go przed oczami. Jasne włosy, opalony, pogodny.

– Właściwie nie wiem. Jakoś nagle mu to przyszło do głowy. Miał jakiś wypadek, potem, zdaje się... Zresztą nic takiego. Nie przejmuj się głędzeniem starej baby. Powiedz lepiej, w czym ci pomóc. Wzięłaś ze sobą małego? Chciałabym go zobaczyć.

– Sam jest ze mną, ale trochę choruje. – Umilkła. Z radością przedstawiłaby synka Sverinom, ale dopiero za jakiś czas, gdy wszystko się uspokoi i okaże się, jak na niego wpłynęły ostatnie wydarzenia. – Właśnie dlatego chciałabym was prosić o pomoc. Krucho tu z jedzeniem, a nie chciałabym wsadzać go do łodzi i płynąć... – Nie zdążyła dokończyć, Signe jej przerwała.

– Ależ oczywiście, że ci pomożemy. Gunnar i tak miał po południu wypłynąć łódką, więc mogę ci zrobić zakupy. Powiedz tylko, czego potrzebujecie.

– Mam pieniądze, oddam Gunnarowi, jeśli możecie wyłożyć.

– No pewnie, kochanie. Podyktuj mi, co kupić.

Annie wyobraziła sobie, jak Signe zakłada okulary i jak je zsuwa na czubek nosa, sięgając jednocześnie po kartkę i długopis. Zaczęła wyliczać, co by im się przydało na wyspie. Nie zapomniała o torebce słodyczy na sobotę dla Sama. Inaczej byłby zawiedziony. Świetnie się znał na dniach tygodnia i już w niedzielę zaczynał odliczać dni do kolejnej sobotniej torebki.

Rozłączyła się i chciała wejść do domu, żeby obudzić Sama, ale zmieniła zdanie. Pozwoli mu jeszcze pospać.

W komisariacie panował spokój. Bertil Mellberg niezwykle delikatnie zapytał Patrika, czy chce, żeby koledzy przyszli na pogrzeb, ale Patrik potrząsnął głową. Kilka dni wcześniej wrócił do pracy i wszyscy chodzili koło niego na palcach. Nawet Mellberg.

Paula i Mellberg jako pierwsi dotarli na miejsce wypadku. Zobaczyli zgniecione samochody, zmienione wprost nie do poznania. Nie wierzyli, żeby ktoś mógł ujść z życiem. Zajrzeli do jednego z nich i natychmiast rozpoznali Erikę. Minęło dopiero pół godziny, odkąd karetka zabrała Patrika, a tu jego żona albo nie żyje, albo jest ciężko ranna. Załoga karetki nie potrafiła powiedzieć, na ile poważne są urazy. Strażacy cięli karoserie w nieskończoność.

Martin i Gösta pojechali z interwencją, więc dopiero po kilku godzinach dowiedzieli się o wypadku i zapaści Patrika. Pojechali do szpitala do Uddevalli. Cały wieczór chodzili po korytarzu, tam i z powrotem. Patrik leżał na OIOM-ie. Erika i Anna, która jechała z nią, trafiły prosto na salę operacyjną.

Patrik zdążył już wrócić do pracy. Na szczęście to nie był zawał, jak się obawiali, tylko ostra niewydolność wieńcowa. Po trzech miesiącach zwolnienia lekarze pozwolili mu wrócić do pracy. Zalecili, żeby unikał stresów. Ciekawe jak, pomyślał Gösta. Przy dwóch niemowlakach w domu i nieszczęściu, które spotkało siostrę Eriki. Sam diabeł by tego nie wytrzymał.

– Może jednak trzeba było iść na pogrzeb? – Martin zamieszał łyżeczką w filiżance. – Może w gruncie rzeczy Patrik wolałby, żebyśmy przyszli?

– Nie, myślę, że mówił szczerze. – Gösta podrapał Ernsta za uchem. – Pewnie i tak było dużo ludzi. Bardziej się przydamy w komisariacie.

– Niby jak? Od rana nic się nie dzieje.

– Cisza przed burzą. Im bliżej lipca, tym częściej będziesz marzył o choćby jednym dniu bez pijackich awantur, bójek i włamań.

– To prawda – przyznał Martin. Był w komisariacie najmłodszy, ale już nie taki zielony. Miał kilkuletnie doświadczenie, brał udział w kilku naprawdę trudnych śledztwach. W dodatku został ojcem. Gdy Pia urodziła córeczkę, poczuł się, jakby urósł o kilkadziesiąt centymetrów.

– Widziałeś zaproszenia? – Gösta sięgnął po markizę i jak zwykle zabrał się do oddzielania jasnego krążka od ciemnego.

– Jakie zaproszenia?

– Będziemy mieli zaszczyt posłużyć za króliki doświadczalne w ośrodku, który powstaje we Fjällbace.

– Tym w Badis? – Martin się ożywił.

– Właśnie, nowy projekt Erlinga. Miejmy nadzieję, że pójdzie mu lepiej niż z tym obłędnym *Fucking Tanum*.

– Mnie się to podoba. Wielu facetów pęka ze śmiechu na samą myśl o tym, że mieliby sobie zrobić maseczkę. Ja kiedyś sobie pozwoliłem na coś takiego, w Göteborgu, i było naprawdę bardzo przyjemnie. Przez kilka tygodni miałem cerę jak pupa niemowlaka.

Gösta z niesmakiem spojrzał na młodszego kolegę. Maseczka? Po moim trupie! W życiu by nie pozwolił, żeby mu rozsmarowywano na twarzy jakieś mazidło.

– Okej, sprawdzimy ofertę. Liczę na jakieś pyszne jedzonko, na przykład bufet deserów.

– Akurat! – zaśmiał się Martin. – W takich miejscach chodzi o dbanie o sylwetkę, nie o napełnianie kałduna.

Gösta zrobił obrażoną minę. Ważył tyle samo co w dniu, kiedy zdawał maturę. Co do grama. Prychnął i sięgnął po jeszcze jedną markizę.

W domu zastali totalny zamęt. Maja i Lisen skakały po kanapie, Emma i Adrian bili się o płytę DVD, bliźnięta darły się na cały głos. Mama Patrika wyglądała, jakby chciała wyskoczyć przez okno.

– Dzięki Bogu, że już jesteście – wymknęło jej się i natychmiast wręczyła synowi i synowej po wrzeszczącym dziecku. – Nie rozumiem, co ich napadło. Zupełnie powariowali. Próbowałam nakarmić maluchy, ale gdy karmię jednego, drugi wrzeszczy, a wtedy ten pierwszy się rozprasza, nie może jeść i też wrzeszczy i... – Zaparło jej dech, umilkła.

– Siadaj, mamo – powiedział Patrik. Z Antonem na ręku poszedł po butelkę. Synek aż poczerwieniał od krzyku.

– Weź też dla Noela. – Erika próbowała pocieszyć drugiego synka. On również krzyczał ile sił.

Obaj byli jeszcze bardzo mali. Nie to co Maja. Ona od początku była duża i krzepka. A i tak wydawali się ogromni w porównaniu z tym, jacy byli, kiedy się urodzili. Leżeli w inkubatorach, podłączeni do różnych rurek, i przypominali dwa ptaszki. W szpitalu mówili, że mają naturę wojowników. Szybko doszli do siebie, zwykle mieli apetyt i szybko przybierali na wadze. Mimo to Erika i Patrik od czasu do czasu się niepokoili.

– Dziękuję. – Erika wzięła od Patrika butelkę i usiadła w fotelu z Noelem. Zaczął łapczywie pić. Patrik usiadł w drugim fotelu, z Antonem. Ucichł równie szybko jak braciszek. Erika nie mogła karmić piersią i pomyślała, że ma to nawet pewne zalety. Mogli się podzielić obowiązkami. Przy Mai było to znacznie trudniejsze. Wtedy miała wrażenie, że córeczka jest na stałe przyklejona do jej piersi.

– Jak było? – spytała Kristina. Zdjęła z kanapy Maję i Lisen i kazała im iść na górę, pobawić się w pokoju Mai. Nie dały się długo prosić, bo Emma i Adrian już tam byli.

– Czy ja wiem? Martwię się o Annę – odparła Erika.

– Ja też. – Patrik ostrożnie usadowił się wygodniej. – Mam wrażenie, że zupełnie odsunęła Dana.

– Wiem. Próbowałam z nią o tym rozmawiać. Ale po tym, co przeszła... – Erika potrząsnęła głową na myśl o tej niesprawiedliwości. Anna miała za sobą małżeństwo, które było piekłem. Ostatnio wydawało się, że wreszcie osiągnęła spokój. Bardzo się cieszyła, że będzie miała dziecko z Danem. To, co się stało, jest tak okrutne, że aż niepojęte.

– Wydaje się, że Emma i Adrian jakoś sobie z tym wszystkim radzą. – Kristina spojrzała w górę. Dochodził stamtąd śmiech dzieci.

– Może – odparła Erika. – Chyba po prostu się cieszą, że mama wróciła do domu. Nie jestem pewna, czy już wszystko odreagowali.

– Pewnie masz rację – przyznała Kristina i zerknęła na syna. – A ty? Nie powinieneś przypadkiem posiedzieć jeszcze w domu, żeby porządnie odpocząć? Zarzynasz się w pracy i nikt ci za to nawet nie podziękuje. Powinieneś potraktować to, co się stało, jako sygnał ostrzegawczy.

– W komisariacie jest teraz spokojniej niż tu. – Erika kiwnęła głową, wskazując na bliźniaki. – Ale zgadzam się, mówię mu to samo.

– Praca mi służy, ale wiesz, że zostałbym w domu dłużej, gdybyś poprosiła. – Patrik odstawił pustą butelkę i trzymał Antona pionowo, żeby mu się odbiło.

– Poradzimy sobie.

Mówiła szczerze. Kiedy urodziła Maję, miała wrażenie, że żyje we mgle. Teraz było zupełnie inaczej. Może okoliczności przyjścia na świat bliźniaków nie zostawiły miejsca na depresję. Pomogło również to, że chłopcy już w szpitalu przyzwyczaili się do stałego rytmu snu i karmienia. Jedli o stałych porach, w dodatku jednocześnie. Erika nie obawiała się, że nie poradzi sobie z opieką nad nimi. Wiedziała, jak niewiele brakowało, żeby je straciła, więc cieszyła się z każdej chwili spędzonej z dziećmi.

Przymknęła oczy, pochyliła się i przytknęła nos do puszystej główki Noela. Pomyślała o Annie. Zacisnęła powieki. Musi wymyślić, jak pomóc siostrze. Na razie czuła się bezradna. Odetchnęła głęboko, szukała pocieszenia w zapachu synka.

– Moje kochanie – szepnęła. – Moje kochanie.

– Jak ci idzie w pracy? – powiedziała lekkim tonem Signe, nakładając na talerz solidną porcję purée z ziemniaków, zielonego groszku i klopsa z sosem.

Matte od powrotu do Fjällbacki tylko dłubał widelcem w talerzu, chociaż zawsze gdy przychodził do nich na obiad, gotowała mu ulubione dania. Nie wierzyła, że w domu je cokolwiek. Był chudy jak szczapa. Na szczęście odkąd zniknęły ślady pobicia, wyglądał trochę lepiej. Aż krzyknęła, kiedy go zobaczyła w szpitalu Sahlgrenska*, taki był skatowany. Miał bardzo spuchniętą twarz, ledwo go poznali.

– Dobrze.

Drgnęła. Zwlekał z odpowiedzią tak długo, że zdążyła zapomnieć, że o coś pytała. Nabrał na widelec trochę purée i kawałeczek klopsa. Signe złapała się na tym, że wstrzymuje oddech i podąża wzrokiem za widelcem zmierzającym do ust syna.

– Przestań się na niego gapić, jak je – mruknął Gunnar, biorąc dokładkę.

– Przepraszam – odpowiedziała. – Po prostu... tak się cieszę, kiedy jesz.

– Mamo, ja się naprawdę nie głodzę. Zobacz. Jem. – Ostentacyjnie nabrał na widelec sporą porcję i szybko wsunął do ust, żeby nic nie spadło.

– A nie wykorzystują cię za bardzo?

Gunnar rzucił jej kolejne gniewne spojrzenie. Uważał, że jest nadopiekuńcza i powinna dać synowi spokój, ale ona nie mogła się powstrzymać. Matte był jej jedynym dzieckiem i od czasu, kiedy przyszedł na świat, owego grudniowego dnia prawie czterdzieści lat temu, co chwilę budziła się w nocy zlana potem. Śniło

* Sahlgrenska sjukhuset – szpital uniwersytecki w Göteborgu, największy szpital w Europie Północnej.

jej się, że przytrafiają mu się makabryczne rzeczy. Nic nie było dla niej ważniejsze niż to, żeby mu się dobrze wiodło. Zawsze tak było. Wiedziała, że Gunnar czuje to samo. On też uwielbiał syna, ale robił wszystko, żeby odpędzić od siebie te mroczne obawy.

Nie opuszczała jej myśl, że w jednej chwili mogłaby go stracić. Kiedy był niemowlęciem, śniło jej się, że ma niewykrytą wadę serca. Zmusiła lekarzy do przeprowadzenia gruntownych badań. Wykazały, że jest zdrów jak ryba. Przez pierwszy rok nigdy nie spała dłużej niż godzinę, ciągle się upewniała, że oddycha. Kiedy podrósł, a nawet później, kiedy poszedł do szkoły, kroiła mu jedzenie na małe kawałeczki, żeby się nie udławił. Ciągle śniły jej się samochody miażdżące jego miękkie ciałko.

Gdy dorastał, miewała jeszcze gorsze sny: że się upił do nieprzytomności, że prowadził samochód po pijanemu albo się bił. Czasem rzucała się we śnie tak strasznie, że budziła Gunnara. Po jednym koszmarze przychodził następny. W końcu wstawała i czekała na powrót syna, wodząc wzrokiem od okna do telefonu i z powrotem. Kiedy w końcu słyszała kroki przed domem, jej serce zaczynało bić szybciej.

Kiedy się wyprowadził, trochę się uspokoiła. Uważała nawet, że to dziwne, że kiedy już nie może nad nim czuwać, powinna się bać jeszcze bardziej. Wiedziała, że nie będzie się niepotrzebnie narażał. Był ostrożny. Udało jej się mu to wpoić. Był również wrażliwy i nigdy by nikogo nie skrzywdził. W związku z tym założyła, że również jemu nikt nie zrobi krzywdy.

Uśmiechnęła się. Przypomniała sobie, ile zwierzaków przyprowadzał do domu. Ranne, porzucone albo po prostu zaniedbane. Trzy koty, dwa jeże potrącone przez samochód i wróbel ze złamanym skrzydłem. I wąż, którego znalazła w szufladzie, wkładając do niej uprane kalesony. Potem musiał jej dać słowo honoru, że zostawi gady ich losowi, niezależnie od tego, czy będą ranne, czy porzucone. Zgodził się, choć niechętnie.

Dziwiła się, że nie został weterynarzem albo lekarzem. Ale wyglądało na to, że podobały mu się studia w Wyższej Szkole Handlowej. Miał głowę do liczb. Praca w gminie też mu chyba odpowiadała. Mimo to coś nie dawało jej spokoju. Nie umiałaby powiedzieć co, ale nocne koszmary wróciły. Co noc budziła się spocona. To te obrazy, które stawały jej przed oczyma. Coś było nie w porządku, ale jej ostrożne pytania zderzały się z murem milczenia. Skupiła się więc na dokarmianiu go. Niechby utył kilka kilogramów, a będzie dobrze.

– Może byś jeszcze trochę zjadł? – spytała, bo Matte odłożył widelec, zostawiając na talerzu połowę ogromnej porcji.

– Przestań, Signe – powiedział Gunnar. – Daj mu spokój.

– Nie szkodzi – zapewnił Matte z bladym uśmiechem.

Synuś mamusi. Nie chce, żeby z jego powodu miała przykrości, chociaż po przeszło czterdziestu latach małżeństwa wiedziała, że mąż sobie pogada, i tyle. Lepszego chłopa ze świecą szukać. Zrobiło jej się głupio, jak wiele razy przedtem. To jej wina, za bardzo się o wszystko trzęsie.

– Przepraszam, Matte. Oczywiście nie musisz jeść.

Użyła zdrobnienia z czasów dzieciństwa, gdy jeszcze nie umiał dobrze wymówić własnego imienia. Sam nazwał siebie Matte i tak już zostało.

– Wiesz, kto przyjechał w odwiedziny? – spytała lekkim tonem, zbierając ze stołu talerze.

– Nie mam pojęcia.

– Annie.

Matte drgnął i spojrzał na matkę.

– Moja Annie?

Gunnar zarechotał.

– Wiedziałem, że cię to zainteresuje. Nadal masz do niej słabość.

– Daj spokój, tato.

Signe przypomniał się Matte jako nastolatek. Jak z opadającą na oczy grzywką oświadczył, że ma dziewczynę.

– Zawiozłem jej dziś trochę jedzenia – powiedział Gunnar. – Jest na Wyspie Duchów*.

– Fuj, nie mów tak. – Signe się wzdrygnęła. – Nazywa się Gråskär.

– Kiedy przyjechała? – spytał Matte.

– Chyba wczoraj. Z synem.

– Długo zostanie?

– Powiedziała, że jeszcze nie wie. – Gunnar włożył prymkę tytoniu pod górną wargę i rozparł się wygodnie na krześle.

– Jak wygląda... nie zmieniła się?

Gunnar skinął głową.

* Po szwedzku Gastholmen.

– Nie, skąd. Ładna jak dawniej. Tylko w oczach ma jakiś smutek, ale może mi się zdawało. Może jakieś nieporozumienia małżeńskie. Czy ja wiem?

– Nie wiesz, to nie mów – upomniała go Signe. – Widziałeś chłopca?

– Nie. Annie wyszła do mnie na pomost, nie miałem czasu zostać dłużej. Ale mógłbyś popłynąć, zobaczyć się z nią. – Gunnar odwrócił się do Mattego. – Na pewno się ucieszy, że ktoś ją odwiedzi na Wyspie Duchów. To znaczy na Gråskär – dodał z wyraźną kpiną, zerkając na żonę.

– To zwykłe brednie i zabobony. Uważam, że nie ma co powtarzać. – Signe zmarszczyła czoło.

– Annie w to wierzy – powiedział cicho Matte. – Zawsze mówiła, że oni tam są.

– Jacy oni? – Signe wolałaby zmienić temat, ale była ciekawa.

– Zmarli. Mówiła, że czasem ich słyszy, a nawet widuje. Nie robią nikomu nic złego, po prostu zostali na wyspie.

– Coś okropnego. Lepiej zjedzmy deser. Ugotowałam kisiel rabarbarowy. – Signe zerwała się od stołu. – Tata gada głupstwa, ale w jednym ma rację. Annie na pewno by się ucieszyła z odwiedzin.

Matte nie odpowiedział. Myślami błądził gdzieś daleko.

Fjällbacka 1870

Emelie była przerażona. Nigdy nawet nie widziała morza, a teraz płynęła łodzią, która wydawała jej się wyjątkowo chybotliwa. Mocno chwyciła za reling, by nie dać się falom, które rzucały nią po pokładzie. Szukała wzroku Karla, ale on uparcie patrzył przed siebie, w punkt, który był celem ich podróży.

Ciągle miała w uszach tamte słowa. Pomyślała, że to tylko głupie gadanie przesądnej starej baby. Ale i tak nie mogła się od nich uwolnić. Rano, gdy ładowali bagaże na niewielką żaglówkę cumującą w porcie we Fjällbace, stara spytała, dokąd płyną.

– Na Gråskär – odparła wesoło. – Mój mąż, Karl, jest nowym latarnikiem.

Na babie nie zrobiło to wrażenia. Przeciwnie. Prychnęła i z dziwnym uśmieszkiem powiedziała:

– Gråskär? No, no! W całej okolicy nikt tak nie mówi na tę wyspę.

Emelie czuła, że lepiej nie pytać, ale ciekawość zwyciężyła.

– A jak mówicie?

Baba milczała chwilę, potem zniżyła głos.

– U nas mówią Wyspa Duchów.

– Wyspa Duchów? – Zaśmiała się nerwowym śmiechem. Poniósł się po wodzie. – A to dopiero. Skąd ta nazwa?

W oczach baby pojawił się błysk.

– Mówią, że kto tu umrze, zostaje na wyspie. – Odwróciła się na pięcie i poszła. Emelie została wśród tobołków i kufrów, z uczuciem dziwnego ściskania w brzuchu. Wyparło wcześniejsze radosne oczekiwanie.

Teraz miała wrażenie, jakby lada chwila miała umrzeć. Morze było takie ogromne, nieokiełznane. Wydawało jej się, że ją wessie. Nie umiała pływać, była przekonana, że jeśli te ogromne fale przewrócą łódź, wciągną ją odmęty. Choć Karl mówił, że to nie fale, tylko zmarszczki na wodzie. Mocno trzymała się relingu, ze wzrokiem wbitym w podłogę, którą Karl nazywał pokładem.

– Spójrz przed siebie, to Gråskär – powiedział. Nabrała powietrza i spojrzała. Uderzyła ją uroda tego miejsca, małej wysepki. Dom lśnił w słońcu, od szarych skał odbijały się błyski. Przy jednym z narożników domu zobaczyła malwy i zdziwiła się, że rosną tak bujnie w tak jałowym miejscu. Na zachodzie wyspa kończyła się stromym urwiskiem, jakby skała została przecięta na pół. Z innych stron schodziła łagodnie ku morzu.

Nagle morze przestało jej się wydawać dzikie, ale bardzo pragnęła poczuć stały ląd pod stopami. Gråskär już ją oczarowała. Odsunęła od siebie słowa staruchy. Wyspa Duchów. W tak pięknym miejscu nie może się czaić zło.

W nocy Annie znów je słyszała. Te same szepty i głosy co w dzieciństwie. Gdy się obudziła, zegar wskazywał trzecią. W pierwszej chwili nie wiedziała, co ją zbudziło. Po chwili usłyszała z dołu rozmowę, szuranie krzesłem. O czym rozmawiają zmarli? O tym, co się działo, zanim umarli, czy o tym, co się dzieje teraz, wiele lat później?

Czuła ich obecność zawsze, jak daleko sięgała pamięcią. Mama mówiła, że już w niemowlęctwie nagle zaczynała się śmiać i machać rączkami, jakby zobaczyła kogoś, kto dla innych był niewidzialny. W miarę jak dorastała, była coraz bardziej świadoma ich obecności. Jakiś głos, przemykający cień albo poczucie, że w pokoju ktoś jest. Ale i wtedy, i teraz wiedziała, że nie chcą jej zrobić nic złego. Długo leżała, nasłuchując głosów, w końcu ukołysały ją do snu.

Rano pamiętała to tak, jak się pamięta sen. Przygotowała śniadanie dla siebie i Sama, ale nie chciał jeść, choć dała mu jego ulubione płatki.

– Kochanie, proszę, chociaż łyżkę. Łyżeczkę – namawiała, ale nie przełknął ani jednej. Z westchnieniem odłożyła łyżkę. – Zrozum, musisz jeść. – Pogłaskała go po policzku.

Od tamtego czasu nie odezwał się nawet słowem, ale Annie odsuwała wszelkie obawy. Powinna mu dać czas, nie naciskać, być z nim. Z czasem wspomnienia się otorbią i wyprą je inne, nowe. Najlepiej zrobi mu pobyt na Gråskär, z dala od wszystkiego, bliskość skał, słońca i słonego morza.

– Wiesz co? Dajmy sobie spokój z jedzeniem i chodźmy się kąpać.

Nie odpowiadał, więc po prostu wzięła go na ręce i wyniosła na słońce. Potem go delikatnie rozebrała i zaniosła do wody, jakby był rocznym niemowlęciem, a nie dużym pięciolatkiem. Woda nie była zbyt ciepła, ale nie protestował. Przytuliła jego głowę do piersi. To dla niego najlepsze lekarstwo. Zostaną tu, dopóki burza nie ucichnie. Potem wszystko będzie jak dawniej.

– Myślałam, że wracasz dopiero w poniedziałek. – Annika zsunęła okulary na czubek nosa i patrzyła badawczo na Patrika. Przystanął w drzwiach jej pokoju, który był jednocześnie dyżurką.

– Erika mnie wygoniła. Powiedziała, że już nie może na mnie patrzeć. – Próbował się uśmiechnąć, ale tkwiło w nim jeszcze wspomnienie poprzedniego dnia i uśmiech nie objął oczu.

– Świetnie ją rozumiem – powiedziała Annika. W oczach miała ten sam smutek. Śmierć dziecka nie pozostawia nikogo obojętnym. Jej wrażliwość na dziecięcą krzywdę wzrosła jeszcze bardziej, odkąd się dowiedziała, że wkrótce przyleci do nich z Chin wytęskniona adoptowana córeczka.

– Dzieje się coś?

– Nie powiedziałabym. To co zwykle. Trzeci w tym tygodniu telefon od pani Strömberg. Zięć ją morduje. Złapaliśmy kilku małolatów na kradzieży w domu towarowym Hedemyrs.

– Innymi słowy jazda na całego.

– Tematem dnia jest zaproszenie. Mamy spróbować wspaniałości, jakie oferuje nowy ośrodek w Badis.

– Nie mam nic przeciwko temu. Mogę się poświęcić i pójść.

– Tak czy inaczej, cieszę się, że zrobiło się tam tak ładnie – powiedziała Annika. – Przedtem to była rudera. W każdej chwili mogła się zawalić.

– Tak, fajna sprawa, chociaż nie jestem pewien, czy interes się opłaci. Remont musiał kosztować majątek, ale czy ludzie będą tu przyjeżdżać do spa?

– Jeśli się okaże, że nie, to Erling będzie miał przechlapane. Według mojej koleżanki, która pracuje w gminie, poszło na to sporo kasy z gminnego budżetu.

– Wyobrażam sobie. A ile gadania o tym przyjęciu! Na to też pójdzie sporo kasy.

– Cały komisariat jest zaproszony, gdybyś nie wiedział. Trzeba się przygotować, pełna gala.

– Wszyscy wyszli? – Patrik zmienił temat. Nie bawiły go ani wieczorowe stroje, ani imprezy.

– Tak, oprócz Mellberga. Pewnie jak zwykle siedzi u siebie. Nic się nie zmieniło, ale on opowiada, że musiał wrócić do pracy wcześniej, ponieważ w komisariacie mogło dojść do katastrofy. Ale z tego, co mi mówiła Paula, wynika, że musiały poszukać innego rozwiązania, bo zanosiło się na to, że Leo już jako dziecko zostanie zawodnikiem sumo. Kroplą, która przelała czarę, było to, że pewnego dnia Rita wróciła do domu wcześniej i zastała Bertila przy miksowaniu na papkę hamburgera. Poszła do pracy i złożyła podanie o czasowe przejście na pół etatu.

– Żartujesz.

– Słowo daję. Dlatego my będziemy się z nim męczyć na cały etat. Chociaż Ernst się cieszy. Mellberg zostawiał go w komisariacie, gdy się zajmował małym, i psisko usychało z tęsknoty. Cały czas leżał na posłaniu i piszczał.

– To nawet dobrze, że wszystko jest jak zwykle – zauważył Patrik. Zanim wszedł do swojego pokoju, zaczerpnął tchu. Może praca pomoże mu zapomnieć o wydarzeniach poprzedniego dnia.

Chciałaby już nigdy nie wstawać. Chciałaby zostać w łóżku i przez okno patrzeć na niebo, raz błękitne, raz szare. Przez chwilę myślała, że wolałaby nawet znów być w szpitalu. Tam było jakoś łatwiej. Cicho i spokojnie. Wszyscy zachowywali się taktownie i delikatnie, mówili cicho, karmili i pomagali się umyć. W domu przeszkadzało jej wiele rzeczy. Odgłosy zabawy, krzyki dzieci odbijające się echem od ścian. Od czasu do czasu któreś z nich zaglądało do pokoju i patrzyło na nią wielkimi oczami. Miała wrażenie, że czegoś chcą, czegoś, czego nie mogła im dać.

– Anno, śpisz?

Dan. Wolałaby udawać, że śpi, ale wiedziała, że nie da się nabrać.

– Nie.

– Zrobiłem coś do jedzenia. Zupę pomidorową i grzanki z twarożkiem. Pomyślałem, że może zejdziesz i zjesz z nami. Dzieci się o ciebie dopytują.

– Nie.

– Nie... znaczy, że nie zejdziesz czy że nie będziesz jadła?

W jego głosie słyszała desperację, ale była nieporuszona. Nic już nie było w stanie jej poruszyć. W środku była zupełnie pusta. Niezdolna ani do płaczu, ani do złości.

– Nie.

– Musisz jeść. Musisz... – Głos mu się załamał. Z głośnym stuknięciem odstawił tacę na nocny stolik, zupa chlupnęła.

– Nie.

– Anno, ja też straciłem dziecko. A dzieci braciszka. Jesteś nam potrzebna. My też...

Szukał słowa. Anna miała w głowie tylko jedną odpowiedź. Odwróciła wzrok.

– Nie.

Po chwili usłyszała, jak Dan wychodzi. Znów spojrzała w okno.

Niepokoiła się, bo Sam sprawiał wrażenie nieobecnego.

– Kochanie moje. – Kołysała go w ramionach i głaskała po głowie. Do tej pory nie wymówił nawet jednego słowa. Uderzyła ją myśl, że powinna go zabrać do lekarza, ale natychmiast ją odrzuciła. Nie chciała wpuszczać do ich świata nikogo obcego. Syn dojdzie do siebie, trzeba go zostawić w spokoju.

– Pośpisz trochę po obiedzie, tak?

Nie odpowiedział, zaniosła go do łóżeczka i przykryła. Zaparzyła kawę w dzbanku, nalała do filiżanki, dolała mleka i poszła na pomost. Dzień nadal był bardzo piękny, słońce przyjemnie grzało w twarz. Fredrik kochał, wręcz uwielbiał słońce. Ciągle narzekał, że w Szwecji jest zimno i słońce świeci tak rzadko. Skąd się nagle wzięły myśli o Fredriku? Przecież odepchnęła je daleko. W ich życiu już nie ma miejsca ani dla Fredrika, ani dla jego bezustannych wymagań i potrzeby sprawowania kontroli nad wszystkim i wszystkimi wokół, zwłaszcza nad nią i Samem.

Na Gråskär nie ma śladu Fredrika. Nigdy go nie było, wyspa jest jej wyłączną własnością. Nie chciał tu przyjeżdżać. Po cholerę siedzieć na jakiejś skalistej wyspie, odpowiedział, gdy go parę razy poprosiła. Teraz była nawet zadowolona. Nie zbrukał wyspy swoją obecnością. Pozostała czysta, należy tylko do niej i do Sama.

Mocno zacisnęła dłoń na filiżance. Jak szybko minęły te lata. Staczała się po równi pochyłej, w końcu utknęła. Nie miała wyjścia, żadnej możliwości ucieczki. Nie miała nikogo poza Fredrikiem i Samem. Gdzie miała się podziać?

Teraz wreszcie są wolni. Na twarzy czuła słoną morską bryzę. Udało się. Niech tylko Sam wyzdrowieje, wtedy będą mogli żyć swoim życiem.

Annie wróciła do domu. Przyszedł od rodziców i myślał o niej cały wieczór. Annie z długimi jasnymi włosami i piegami na nosku i ramionach, pachnąca morzem i latem. Wciąż czuł jej ciepło w ramionach. To prawda, co mówią: stara miłość nie rdzewieje. A lato spędzone na Gråskär było po prostu magiczne, inaczej nie da się tego nazwać. Przez trzy kolejne lata pływał do niej łódką, jak najczęściej, i razem brali wyspę w posiadanie.

Ale czasem budziła w nim lęk. Wtedy, gdy nagle przestawała się śmiać i miał wrażenie, jakby się zapadała w ciemność, do której nie miał dostępu. Nie potrafiła nazwać uczuć, które ją ogarniały, a on nauczył się, że trzeba ją zostawić w spokoju. Ostatniego lata tych ciemnych chwil było coraz więcej. Annie powoli się od niego oddalała. W sierpniu, gdy odprowadzał ją na pociąg do Sztokholmu, wiedział, że to już koniec.

Od tamtej pory nie mieli ze sobą kontaktu. Próbował jeszcze do niej dzwonić, gdy rok później jej rodzice umarli, jedno po drugim, ale usłyszał tylko jej głos nagrany na automatyczną sekretarkę. Nie oddzwoniła. Dom na Gråskär stał pusty. Wiedział, że jego rodzice go doglądają i że Annie raz na jakiś czas przysyła im jakieś pieniądze. Ale już nie przyjeżdżała i z upływem lat wspomnienia wyblakły.

Teraz znów tu była. Siedział przy biurku i patrzył przed siebie. Był coraz bardziej pewien, że powinien się zająć pewnymi sprawami. Ale jego myśli ciągle zaprzątała Annie. Gdy słońce zaczęło zachodzić nad budynkiem urzędu gminy Tanumshede, zebrał leżące przed nim papiery. Musi się z nią spotkać. Zdecydowanym krokiem wyszedł z pokoju. Przystanął, żeby zamienić kilka słów z Erlingiem, i ruszył do samochodu. Ręka mu drżała, gdy przekręcał kluczyk w stacyjce.

– Wcześnie dziś wróciłeś, kochanie!

Vivianne wyszła mu na spotkanie i złożyła chłodny pocałunek na jego policzku. Nie mógł się powstrzymać, objął ją wpół i przyciągnął do siebie.

– Uspokój się. To zostawimy sobie na później. – Zatrzymała go, położyła mu rękę na piersi.

– Jesteś pewna? Ostatnio wieczorami jestem jakiś zmęczony. – Znów ją przyciągnął. Ku jego rozczarowaniu znów się uwolniła z objęć i poszła do swojego pokoju.

– Trochę cierpliwości. Mam tyle do zrobienia, że w ogóle nie mogłabym się odprężyć, a wiesz, co się wtedy ze mną dzieje.

– No tak.

Erling patrzył na nią z nosem spuszczonym na kwintę. Pewnie, że może poczekać, ale od przeszło tygodnia zasypiał wieczorami na kanapie. Co rano budził się z poduchą wsuniętą pod głowę, czule okryty kocem. Zupełnie tego nie rozumiał. To na pewno z przemęczenia. Powinien więcej zadań zlecać podwładnym.

– Kupiłem trochę pyszności – zawołał.

– Kochany jesteś. A co takiego?

– Krewetki od Braci Olssonów i butelkę dobrego chablis.

– Pycha. Skończę koło ósmej. Byłoby wspaniale, gdybyś się do tej pory ze wszystkim uwinął.

– Oczywiście, kochanie – mruknął w odpowiedzi.

Chwycił torby z zakupami i zaniósł je do kuchni. Musiał przyznać, że dziwnie się z tym czuł. Kiedy był mężem Viveki, to ona zajmowała się domem. A potem wprowadziła się Vivianne i jakoś jej się udało przerzucić to na niego. Ciągle zachodził w głowę, jak to się stało.

Westchnął głośno i zaczął wstawiać zakupy do lodówki. Potem pomyślał o czekających go wieczornych atrakcjach i trochę się rozchmurzył. Dopilnuje, żeby się odprężyła. Warto odsłużyć swoje w kuchni.

Erika szła przez Fjällbackę. Sapała. Ciąża bliźniacza, potem jeszcze cesarskie cięcie. Niezbyt to korzystne dla figury, dla kondycji też nie. Teraz jednak ten problem wydawał jej się wręcz trywialny. Jej chłopcy przeżyli i są zdrowi. Co rano budzili się około wpół do siódmej. Słyszała ich krzyki i oczy wilgotniały jej z wdzięczności.

Cios, który spadł na Annę, wydawał się tym boleśniejszy. Erika po raz pierwszy zupełnie nie wiedziała, jak rozmawiać z siostrą. Ich relacje nie zawsze były łatwe, ale opiekowała się nią już od wczesnego dzieciństwa, opatrywała jej skaleczenia i wycierała łzy. Teraz było inaczej. Już nie chodziło o zwykłe skaleczenie, tylko o głęboką ranę duszy. Erika miała wrażenie, że się przygląda, jak z Anny uchodzi wola życia. Co zrobić, żeby zaleczyć tę straszną ranę? Erika bolała nad tym, że synek Anny umarł, a jednocześnie nie potrafiła ukryć radości, że jej dzieci żyją. Po wypadku Anna nie chciała na nią spojrzeć. Erika często przychodziła do szpitala i siadała przy jej łóżku, ale Anna ani razu nie spojrzała jej w oczy.

Odkąd Anna wróciła ze szpitala, Erika nie mogła się zebrać, żeby ją odwiedzić. Kilka razy dzwoniła do Dana. Był wyraźnie przybity i załamany. Ale nie mogła dłużej zwlekać. Poprosiła Kristinę, żeby posiedziała z Mają i bliźniętami. Przecież to jej siostra. Czuła się za nią odpowiedzialna.

Mocno zapukała w drzwi. Słyszała krzyki bawiących się dzieci. Otworzyła Emma.

– Ciocia Erika! – zawołała radośnie. – A gdzie dzidziusie?

– Zostały w domu, z Mają i z babcią. – Erika pogłaskała siostrzenicę po policzku. Emma była taka podobna do małej Anny.

– Mama jest – powiedziała Emma, podnosząc wzrok. – Nic tylko śpi i śpi, a tata mówi, że to dlatego. Smutno jej, że dzidziuś z jej brzuszka poszedł do nieba, zamiast zamieszkać z nami. Ja go nawet rozumiem, bo Adrian strasznie psoci, a Lisen ciągle się drażni. Ale ja byłabym dla niego miła. Naprawdę.

– Kochanie, jestem tego najzupełniej pewna. Ale pomyśl, jak mu fajnie tak sobie skakać z chmurki na chmurkę.

– Tak jak na trampolinie? – Emma aż się rozpromieniła.

– Żebyś wiedziała. Tam jest mnóstwo trampolin.

– Ojej, ja też bym chciała mieć mnóstwo trampolin – powiedziała Emma. – U nas w ogrodzie jest tylko jedna, mała, jednoosobowa, a Lisen zawsze chce być pierwsza i nigdy nie mogę się doczekać swojej kolejki. – Obróciła się na pięcie i mrucząc pod nosem, poszła do salonu.

Do Eriki dopiero teraz dotarło, co Emma powiedziała. Nazwała Dana tatą. Erika się uśmiechnęła. Nawet się nie zdziwiła, bo Dan pokochał dzieci Anny,

a one od początku pokochały jego. Ich wspólne dziecko zespoliłoby rodzinę jeszcze mocniej. Erika przełknęła ślinę i poszła za Emmą do pokoju. Wyglądał jak
po wybuchu bomby.

– Przepraszam za bałagan. – Dan był zmieszany. –
Nie nadążam ze wszystkim i cały czas mam wrażenie,
że doba jest za krótka.

– Doskonale cię rozumiem. Zobaczyłbyś, jak wygląda nasz dom. – Erika zatrzymała się w drzwiach i zerknęła na piętro. – Mogę iść?

– Tak, zrób to. – Dan przesunął dłonią po twarzy.
Widać było, że jest bardzo zmęczony i przybity.

– Ja chcę z tobą – powiedziała Emma.

Dan kucnął przy niej i spokojnie przekonał, żeby
pozwoliła cioci pójść samej.

Sypialnia Dana i Anny znajdowała się na prawo od
schodów. Erika już miała zapukać, ale zatrzymała rękę i ostrożnie otworzyła drzwi. Anna leżała twarzą do
okna, promienie zachodzącego słońca prześwietla-
ły jej króciutkie włosy. Prześwitywała spod nich skóra.
Erikę zabolało serce. Przez długie lata była dla Anny raczej mamą niż starszą siostrą i dopiero ostatnio stały się
prawdziwymi siostrami. Teraz w jednej chwili wróciły
do dawnego układu: malutka i bezbronna Anna i nadopiekuńcza i pełna obaw Erika.

Anna oddychała równo, spokojnie. W pewnej chwili jęknęła żałośnie. Erika domyśliła się, że siostra śpi.
Podeszła na palcach i ostrożnie usiadła na brzegu łóżka, żeby jej nie obudzić. Z czułością dotknęła jej biodra.
Będzie przy niej bez względu na to, czy Anna tego chce,
czy nie. Są siostrami. I przyjaciółkami.

– Tata przyszedł! – zawołał głośno Patrik, czekając na ten sam co zawsze odzew. I rzeczywiście. Najpierw rozległ się tupot nóżek, potem zza rogu wypadła Maja. Pędziła wprost na niego.

– Tataaa! – Obcałowała go po twarzy, jakby wracał z dalekiej podróży, a nie z pracy.

– Cześć, kochanie moje. – Uściskał ją mocno i wtulił nos w jej szyjkę. Wdychał ten szczególny Majowy zapach. Zawsze go przyprawiał o szybsze bicie serca.

– Myślałam, że będziesz pracował tylko pół dnia. – Matka wycierała ręce w kuchenną ścierkę. Rzuciła mu takie samo spojrzenie jak wtedy, gdy był nastolatkiem i wracał później, niż obiecał.

– Tak miało być, ale było mi tak dobrze, że znów jestem w pracy, że zostałem trochę dłużej. Ale bez nerwów. Nic się nie dzieje.

– Sam wiesz najlepiej. Ale trzeba słuchać własnego organizmu. To poważne sprawy.

– Tak, tak. – Patrik wolałby, żeby przestała o tym mówić. Niepotrzebnie się niepokoi. Nadal siedział w nim strach, który czuł w karetce, gdy jechał do Uddevalli. Myślał wtedy, że umiera, był nawet o tym święcie przekonany. Przed oczami stawała mu Maja z Eriką i nawet bliźnięta, których już nie pozna. Te obrazy mieszały się z bólem w piersi.

Przytomność odzyskał na OIOM-ie. Dopiero wtedy do niego dotarło, że żyje, ale jego organizm dał mu sygnał, że powinien zwolnić. Potem dowiedział się o wypadku i przyszedł nowy ból. Gdy go zawieźli do bliźniąt, w pierwszym odruchu chciał zawrócić. Byli tacy mali i bezbronni. Ich drobniutkie ciałka z trudem się unosiły i opadały wraz z oddechem, od czasu do czasu przeszywał je skurcz. Nie wierzył, że coś tak małego może przeżyć. Dlatego nie chciał się nawet zbliżać, nie chciał ich dotykać. Nie miał pewności, czy potem potrafiłby się z nimi pożegnać.

– Gdzie braciszkowie? – spytał Maję. Trzymał ją na rękach, a ona mocno obejmowała go za szyję.

– Śpią. Zrobili kupę. Okropnie wielką. Babcia ich wycierała. Fu, jak śmierdziało! – Skrzywiła się.

– Prawdziwe aniołki. – Kristina aż pojaśniała. – Wypili prawie po dwie butelki, a potem usnęli bez najmniejszego kłopotu. No tak, najpierw, jak mówiła Maja, zrobili kupę.

– Zajrzę do nich – powiedział Patrik. Od kiedy przyjechali ze szpitala, zawsze starał się być blisko. A dziś zdążył się za nimi porządnie stęsknić.

Poszedł na górę, do sypialni. Postanowili nie rozdzielać chłopców, spali w jednym łóżku. Leżeli przytuleni, nos w nos. Noel położył rączkę na Antonie, jakby go osłaniał. Patrik był ciekaw, jak to będzie w przyszłości. Noel wydawał się bardziej energiczny i głośniejszy od Antona. Jego można było określić jako zadowolonego z życia. Gaworzył radośnie i były to jedyne dźwięki, jakie wydawał, pod warunkiem że mógł zjeść i pospać, ile i kiedy chciał. Natomiast Noel bywał niezadowolony i wyrażał to w sposób bardzo zdecydowany. Nie lubił być ubierany ani przewijany, a najbardziej nie lubił kąpieli. Sądząc po wrzaskach, jakie wtedy urządzał, woda jawiła mu się jako śmiertelne zagrożenie.

Patrik długo stał nad łóżeczkiem. Obserwował, jak oczy chłopców poruszają się pod powiekami. Był ciekaw, czy śni im się to samo.

Annie siedziała na schodkach przed domem. Słońce zachodziło. Zauważyła zbliżającą się łódź. Sam poszedł już spać. Powoli wstała i zeszła na pomost.

– Mogę się tu zdesantować?

Jego głos brzmiał znajomo jak dawniej, a jednak zmienił się. Słychać było, że wiele przeżył. W pierwszej chwili chciała krzyknąć: Nie wysiadaj! Już nie przynależysz do tego miejsca! Ale złapała koniec liny, wprawnym ruchem zawiązała półsztyk i przycumowała łódkę. W następnej chwili stał przed nią na pomoście. Już zapomniała, jaki jest wysoki. Zawsze mogła oprzeć głowę o jego pierś, chociaż dorównywała wzrostem większości mężczyzn. Od Fredrika była nawet kilka centymetrów wyższa, co go okropnie złościło. To i wiele innych rzeczy. Jeśli wychodzili gdzieś razem, nie pozwalał jej wkładać wysokich obcasów.

Nie wolno myśleć o Fredriku. Nie wolno myśleć...

Nagle znalazła się w jego objęciach. Sama nie wiedziała ani jak, ani kto zrobił pierwszy krok. Po prostu się stało, jej policzek ocierał się o szorstki sweter. Poczuła się bezpieczna. Wciągała w nozdrza znajomy zapach, którego nie czuła od tylu lat. Zapach Mattego.

– Witaj. – Uścisnął ją jeszcze mocniej, jakby chciał przytrzymać, żeby nie upadła. Tak było. Chciałaby na zawsze zostać w tych objęciach, przypomnieć sobie wszystko, co kiedyś było nią, ale przepadło w mrokach rozpaczy. W końcu ją wypuścił z objęć i trzymając przed sobą, przyglądał się, jakby ją widział po raz pierwszy.

– Nie zmieniłaś się – powiedział. Ale w jego oczach widziała, że to nieprawda. Zmieniła się, stała się kimś innym. Widziała, że czytał to z jej twarzy, z bruzd wokół oczu i ust. Mimo to gotów był udawać, że jest inaczej. Kochała go za to. Zawsze dobrze mu szło udawanie, że wystarczy mocno zacisnąć powieki, a zło samo zniknie.

– Chodź – powiedziała, wyciągając rękę.

Chwycił ją i poszli do domu.

– Wyspa wygląda tak jak zawsze. – Wiatr poniósł jego słowa na skały.

– Tak, nic się nie zmieniło. – Chciała coś dodać, ale Matte już wszedł do środka. Musiał się pochylić w drzwiach. Chwila przeminęła. Z nim zawsze tak się działo. Przypomniała sobie, jak to było, kiedy chciała mu wyjawić to, co w sobie nosiła, ale w końcu wszystko zostawało w niej, nie potrafiła mu powiedzieć. Było mu wtedy przykro. Wiedziała o tym. Było mu przykro, że się przed nim zamyka, gdy nadchodzą te mroczne chwile.

Teraz też nie chciała go do siebie dopuścić, ale mogła przynajmniej pozwolić, żeby z nią posiedział w domu. Chociaż chwilkę. Potrzebowała go. Jego ciepła. Tak długo żyła w chłodzie.

– Napijesz się herbaty? – Nie czekając na odpowiedź, wstawiła garnek wody. Musiała się czymś zająć, żeby nie dostrzegł, że cała drży.

– Z przyjemnością. A gdzie mały? Ile ma lat?

Spojrzała na niego pytającym wzrokiem.

– Rodzice zadbali, żebym był informowany na bieżąco – odparł z uśmiechem.

– Ma pięć lat. Już śpi.

– Ach tak. – Był wyraźnie zawiedziony.

Wzruszyło ją to. To coś znaczy. Często się zastanawiała, jak by to było, gdyby miała dziecko z Mattem, a nie z Fredrikiem. Ale wtedy nie byłby to Sam, tylko zupełnie inne dziecko, i tej myśli nie chciała do siebie dopuścić.

Cieszyła się, że Sam śpi. Nie chciała, żeby Matte zobaczył go w tym stanie. Jeszcze zdążą się poznać. Niech tylko Sam wyzdrowieje, wróci to szelmowskie spojrzenie, wtedy się spotkają. Już się na to cieszyła.

Przez chwilę w milczeniu popijali gorącą herbatę, minęło dużo czasu, czuli się sobie obcy. Ale po chwili zaczęli mówić, choć nie bardzo im to szło. Już nie byli tymi samymi ludźmi co kiedyś. Stopniowo odnajdywali znajomy rytm i ton, w końcu mogli odrzucić to, co narosło przez lata.

Kiedy go wzięła za rękę i zaprowadziła na piętro, czuł, że wszystko jest tak, jak być powinno. Potem zasnęła w jego ramionach, z jego oddechem przy uchu. Słyszała, jak fale biją o skały.

Vivianne przykryła Erlinga kocem. Środek nasenny jak zwykle go znokautował. Zaczął się nawet zastanawiać, dlaczego co wieczór nagle zasypia na kanapie. Wiedziała, że musi być ostrożna, ale już nie potrafiła się przemóc, nie chciała czuć na sobie jego ciała. Nie mogła, i już.

Poszła do kuchni, wyrzuciła do kosza skorupki krewetek, opłukała talerze i wstawiła je do zmywarki.

Resztkę wina, która została w butelce, wlała do czystego kieliszka i poszła z nim do pokoju z telewizorem.

Byli już blisko i zaczęła się denerwować. W ostatnich dniach miała wrażenie, że pieczołowicie budowana konstrukcja zawali się lada chwila. Wystarczy wyjąć jeden element, żeby wszystko runęło. Wiedziała o tym bardzo dobrze. Kiedy była młodsza, znajdowała perwersyjną przyjemność w podejmowaniu ryzyka. Uwielbiała to poczucie, że balansuje nad przepaścią. Teraz już nie. Jakby wiek obudził w niej tęsknotę za poczuciem bezpieczeństwa, jakby się chciała rozsiąść wygodnie i przestać myśleć. Anders na pewno też tak czuje. Są do siebie tacy podobni. Znają swoje myśli i nie muszą o nich mówić. Zawsze tak było.

Podniosła kieliszek do ust, ale gdy poczuła zapach wina, powstrzymała się. Przywołał wspomnienie, o którym przysięgła sobie nigdy nie myśleć. To było tak dawno. Była wtedy kimś zupełnie innym. Już nigdy, pod żadnym pozorem taka nie będzie. Teraz jest Vivianne.

Zdawała sobie sprawę, że potrzebuje Andersa, żeby nie wpaść w czarną dziurę wspomnień, które ją plamią i umniejszają.

Rzuciła jeszcze okiem na leżącego na kanapie Erlinga, narzuciła kurtkę i wyszła. Spał głęboko. Nie zauważy, że jej nie ma.

Fjällbacka 1870

Gdy Karl poprosił Emelie o rękę, nie posiadała się z radości. Nigdy by nie pomyślała, że to możliwe. Pewnie, że marzyła. Pięć lat służyła w gospodarstwie jego rodziców. Zasypiając, często miała pod powiekami jego twarz. Zdawała sobie jednak sprawę, że jest dla niej nieosiągalny, a ostre uwagi Edith pozbawiły ją resztki złudzeń. Gospodarski syn nie ożeni się z dziewką służebną, nawet po wpadce.

Karl jej nie tknął. Służył na latarniowcu. Kiedy odwiedzał rodzinny dom podczas urlopu, ledwie mówił do niej kilka słów. Odsuwał się z uprzejmym uśmiechem, gdy przechodziła, w najlepszym razie pytał, co u niej słychać. Absolutnie nie dawał do zrozumienia, że odwzajemnia jej uczucia. Edith nazwała ją wariatką, kazała wybić sobie z głowy takie pomysły i przestać bujać w obłokach.

Ale marzenia mogą się spełniać, a modlitwy bywają wysłuchiwane. Pewnego dnia podszedł i poprosił o chwilę rozmowy. Przestraszyła się, że zrobiła coś głupiego i że każe jej pakować manatki. Tymczasem on stał i wpatrywał się w podłogę. Ciemna grzywka opadła mu na oczy. Musiała się powstrzymać, żeby jej nie odgarnąć. Jąkając się, spytał, czy wyobraża sobie, że mogłaby za niego wyjść. Nie wierzyła własnym uszom. Omiotła go spojrzeniem od stóp do głów, upewniając się, czy nie stroi sobie z niej żartów. Mówił dalej. Powiedział, że chciałby ją pojąć za żonę, i to już jutro. Uprzedził rodziców i pastora, więc jeśli się zgodzi, wszystko zostanie załatwione natychmiast.

Chwilę się zastanawiała, w końcu wyszeptała: tak. Karl pochylił się w ukłonie, podziękował i tyłem wyszedł z pokoju. Dłuższą chwilę stała bez ruchu. Czuła błogie ciepło w piersi i dziękowała Bogu, że wysłuchał cichych modlitw, które zanosiła co wieczór. Potem pobiegła rzucić się w objęcia Edith.

Ale wbrew jej przewidywaniom Edith nie okazała ani zdziwienia, ani zazdrości. Ściągnęła tylko czarne brwi i potrząsając głową, powiedziała, że powinna uważać. Zza zamkniętych drzwi słyszała dziwne rozmowy, głosy raz się podnosiły, raz cichły. Tak było, odkąd Karl wrócił z latarniowca. Był to powrót niespodziewany. W każdym razie nikt spośród zatrudnionych w gospodarstwie nie słyszał, żeby najmłodszy syn gospodarzy miał wracać do domu. Edith przekonywała, że to dziwne. Emelie jej nie słuchała, a jej słowa uznała za znak, że jej zazdrości, że ją spotkało takie szczęście. Odwróciła się do niej plecami i więcej z nią nie rozmawiała. Nie będzie słuchać głupich plotek. Wyjdzie za Karla.

Od ślubu minął tydzień, od dwudziestu czterech godzin mieszkali w nowym domu. Emelie złapała się na tym, że nuci pod nosem. Jakie to wspaniałe zajmować się własnym domem, nawet tak małym i zwyczajnym. Od chwili kiedy przyjechali, bez przerwy sprzątała albo pucowała, wszystko aż lśniło, wszędzie pachniało szarym mydłem. Nie mieli jeszcze zbyt wielu okazji być we dwoje, ale wszystko przed nimi. Najpierw musiał wszystko urządzić. Przyjechał również pomocnik, Julian. Od pierwszej nocy pracowali na zmianę w latarni.

Nie wiedziała, co myśleć o człowieku, który miał z nimi mieszkać na Gråskär. Od chwili gdy przypłynął i wysiadł z łodzi, prawie się nie odzywał. Patrzył tylko na nią. Patrzył tak, że zaczynała się czuć nieswojo. Może jest nieśmiały. Trudno nie być, gdy człowiek nagle się znajdzie w towarzystwie zupełnie obcej osoby. Z Karlem znali się z czasów służby na latarniowcu, tyle się domyśliła, ale będzie potrzebował trochę czasu, żeby się oswoić z nią. A czego jak czego, ale czasu na tej wyspie nie zabraknie. Emelie krzątała się po kuchni. Karl nie będzie żałował, że pojął ją za żonę.

Wyciągnęła rękę, szukała go obok siebie. Jak dawniej. Wydawało jej się, że od chwili gdy ostatni raz leżeli w tym łóżku, minął zaledwie dzień, może dwa. Dziś są dojrzałymi ludźmi. On bardziej kościsty i owłosiony, z bliznami na ciele, i chyba też na duszy. Leżąc z głową na jego piersi, długo wodziła palcem po bliznach. Chciała go zapytać, ale czuła, że jeszcze za wcześnie na rozmowy o minionych latach.

Miejsce obok było puste. Zaschło jej w ustach. Była wyczerpana i poczuła się samotna. Szukała jeszcze, przesuwając dłoń po prześcieradle i poduszce, ale Mattego nie było. Czuła się tak, jakby w nocy straciła kawałek ciała. Nagle pomyślała z nadzieją, że może jest na dole. Wstrzymała oddech i nasłuchiwała, ale nic nie było słychać. Owinęła się kołdrą i spuściła nogi na stare, wytarte deski. Ostrożnie podeszła do okna wychodzącego na pomost. Łódki nie było. Odpłynął bez pożegnania. Osunęła się po ścianie, poczuła, że głowa jej pęka. Chciało jej się pić.

Ubierała się z wysiłkiem. Miała wrażenie, jakby przez całą noc nie zmrużyła oka, a przecież spała. Zasnęła w jego objęciach i dawno nie spała tak dobrze. Mimo to ból rozsadzał jej czaszkę.

Na parterze było cicho. Weszła do pokoju Sama. Już nie spał, ale leżał cichutko. Bez słowa wzięła go na ręce, zaniosła do kuchni i posadziła przy stole. Pogłaskała go po głowie, nastawiła kawę i poszła po wodę. Musiała wypić duszkiem dwie duże szklanki, zanim suchość w ustach ustąpiła. Otarła usta wierzchem dłoni. Gdy zaspokoiła pragnienie, zmęczenie stało się jeszcze dotkliwsze. Sam powinien coś zjeść, ona również. Poruszała się mechanicznie. Ugotowała jajka, zrobiła sobie kanapkę i ugotowała zupę mleczną dla Sama. Rzuciła okiem na pudło stojące w przedpokoju. Niewiele. Trzeba będzie wydzielać. Spojrzała na łódkę przycumowaną do pomostu. Pobiegła do przedpokoju i wyciągnęła dolną szufladę komody. Wsunęła rękę pod ubrania, ale nic nie znalazła. Jeszcze raz przeszukała szufladę, w końcu ją opróżniła, wyrzucając ubrania, ale nie znalazła. A może to nie ta szuflada? Wyciągnęła dwie pozostałe i wyrzuciła ich zawartość na podłogę, ale też nie znalazła. Wpadła w panikę. Zrozumiała, dlaczego gdy się obudziła, Mattego nie było i dlaczego się nie pożegnał.

Padła na podłogę i skuliła się, obejmowała własne kolana. Słyszała, jak w kuchni kipi woda.

– Zostaw go w spokoju. – Gunnar powiedział to kolejny raz, nawet nie podniósł wzroku znad „Bohusläningen".

– Może by przyszedł do nas na kolację? Jutro. Albo w niedzielę, na obiad? Jak myślisz? – nalegała Signe.

Gunnar westchnął zza gazety.

– W weekend na pewno ma co innego do roboty. Jest dorosły. Jak będzie chciał przyjść, to nas uprzedzi telefonicznie albo po prostu wpadnie. Przestań go zamęczać. Przecież dopiero co u nas był.

– Jednak zadzwonię. Tylko się dowiem, co u niego. – Sięgnęła po telefon, ale Gunnar pochylił się, żeby jej przeszkodzić.

– Zostaw go w spokoju – powiedział z naciskiem.

Signe cofnęła rękę, ale aż ją skręcało. Chciała zadzwonić do niego na komórkę, usłyszeć jego głos i upewnić się, że wszystko w porządku. Od czasu gdy został pobity, niepokoiła się jeszcze bardziej. Zawsze wiedziała, że świat jest dla jej syna miejscem niebezpiecznym.

Niby wiedziała, że nie powinna się narzucać. Ale co mogła poradzić na to, że wszystko w niej aż krzyczało, że powinna go chronić? Wiedziała, że jest dorosły, ale nie potrafiła przestać się o niego niepokoić.

Cichutko wyszła do przedpokoju i zadzwoniła. Odezwała się poczta głosowa. Rozłączyła się. Dlaczego nie odbiera?

– Nie mam pojęcia, co robić.

Erika zwiesiła głowę. Rzadko mieli chwilę dla siebie wśród tego chaosu. Dzieci już spały, cała trójka. Mogli posiedzieć w kuchni, jeść zapiekanki i spokojnie porozmawiać. A jednak nie potrafiła się cieszyć. Wciąż myślała o Annie. Nie dawało jej to spokoju.

– Jedyne, co możesz zrobić, to być pod ręką, jeśli będzie cię potrzebować. Zresztą ma Dana. – Patrik sięgnął przez stół i położył rękę na jej dłoni.

– A jeśli ona mnie nienawidzi? – powiedziała Erika piskliwym głosem, na granicy płaczu.

– Dlaczego miałaby cię nienawidzić?

– Bo moje maleństwa żyją, a jej nie.

– Ale na to nic nie poradzisz. Nie wiem, jak to powiedzieć... Może los tak chciał... – Pogłaskał ją po ręce.

– Los? – Spojrzała na niego z niedowierzaniem. – Anna doświadczyła od losu tyle, że naprawdę wystarczy. Wreszcie była szczęśliwa, udało nam się zbliżyć. A teraz... znienawidzi mnie, jestem pewna.

– A jak było wczoraj?

Dopiero teraz mogli o tym porozmawiać. Patrik zapalił świecę. Płomień migotał, to rozświetlając twarz Eriki, to pogrążając ją w cieniu.

– Spała. Posiedziałam u niej chwilę. Wydawała się taka drobna i krucha.

– Co Dan na to wszystko?

– Jest załamany. Widać, że mu strasznie ciężko, chociaż udaje, że daje radę. Emma i Adrian bez przerwy pytają, gdzie się podział dzidziuś z brzuszka i dlaczego mama bez przerwy śpi. Dan nie wie, co odpowiadać.

– Zobaczysz, wyjdzie z tego. Nie raz dowiodła, że jest silna.

– Nie jestem pewna. Ile można znieść, zanim się człowiek w końcu rozleci? Boję się, że tak będzie z Anną. – Gardło jej się ścisnęło.

– Możemy tylko być w pogotowiu. – Patrik zdawał sobie sprawę, że to niewiele znaczy, ale nic lepszego nie przyszło mu do głowy. Jak można się uchronić przed wyrokiem losu? Jak przeżyć stratę dziecka?

Drgnęli, na górze rozległ się podwójny krzyk. Ruszyli oboje. Oto ich los. Radość zmieszana z poczuciem winy.

– Dzwonili od Mattego z pracy. Wczoraj go nie było, dziś też nie przyszedł. Nie zgłaszał, że jest chory. – Gunnar znieruchomiał ze słuchawką w ręku.

– Dzwoniłam do niego cały weekend, ale nie odbierał – powiedziała Signe.

– Pojadę tam, sprawdzę.

Gunnar już szedł do drzwi, narzucając po drodze kurtkę. Uzmysłowił sobie, że czuje to samo co Signe od tylu lat: niewysłowiony, wręcz zwierzęcy strach.

– Jadę z tobą – powiedziała zdecydowanym tonem. Wiedział, że nie ma sensu się spierać. Kiwnął głową i niecierpliwie czekał, aż żona włoży płaszcz.

W samochodzie milczeli. Przez całą drogę. Jechali w stronę osiedla domów czynszowych. Gunnar pojechał objazdem, nie przez miasteczko. Przejechali obok górki zwanej Sju guppen*. Zimą dzieci zjeżdżały z niej na sankach. Matte też, kiedy był dzieckiem. Gunnar przełknął ślinę. Musi być jakieś logiczne wytłumaczenie. Może ma gorączkę i nie przyszło mu do głowy zadzwonić, zgłosić, że jest chory. Chyba że... Żaden inny powód nie przychodził mu do głowy. Matte był bardzo sumienny, na pewno by zgłosił, że nie może przyjść do pracy.

Signe siedziała obok niego. Była blada. Patrzyła przed siebie. Na kolanach miała torebkę i ściskała ją kurczowo.

* *Sju guppen* – szw. siedem wybojów.

Zastanawiał się, na co jej torebka. Potem pomyślał, że to coś w rodzaju koła ratunkowego, coś, czego można się chwycić.

Zaparkowali przed domem Mattego. Klatka B. Chciał biec, ale ze względu na żonę udawał spokój. Szedł normalnie, musiał się do tego zmuszać.

– Masz klucze? – Signe pierwsza dopadła do klatki i otworzyła drzwi.

– O, tu. – Pokazał jej pęk zapasowych kluczy, który Matte im dał.

– Pewnie jest w domu i nie będą potrzebne. Na pewno sam nam otworzy...

Słyszał jej paplaninę, gdy wbiegali po schodach. Matte mieszkał na samej górze i gdy stanęli przed jego drzwiami, byli mocno zasapani. Gunnar musiał się pohamować, żeby od razu nie włożyć klucza do zamka.

– Najpierw zadzwonię. Jeśli wparadujemy, a okaże się, że siedzi w domu, to się na nas wścieknie. Może ktoś u niego jest i dlatego nie poszedł do pracy.

Signe już zdążyła nacisnąć guzik. Dźwięk dzwonka rozszedł się po mieszkaniu. Nacisnęła jeszcze raz i jeszcze raz. Czekali na kroki, liczyli na to, że Matte zaraz otworzy. Było cicho.

– Proszę cię, otwórz – powiedziała Signe, patrząc twardo na męża.

Gunnar skinął głową, przecisnął się obok niej i zaczął gmerać kluczem w zamku. Przekręcił i szarpnął klamkę. Zmieszał się, kiedy zdał sobie sprawę, że właśnie zamknął otwarte drzwi. Zerknął na Signe. Oboje mieli w oczach panikę. Dlaczego drzwi były otwarte, jeśli nie ma go w domu? A jeśli jest, dlaczego nie otworzył? Gunnar jeszcze raz przekręcił klucz. Usłyszeli szczęk. Trzęsącymi się rękami nacisnął klamkę i pociągnął.

Zajrzał do przedpokoju i natychmiast zrozumiał, że Signe miała rację.

Annie rozchorowała się tak jak jeszcze nigdy. W nozdrzach czuła woń wymiocin. Nie była pewna, ale wydawało jej się, że wymiotowała do kubła stojącego przy materacu. W głowie miała watę. Poruszyła się ostrożnie. Bolało ją całe ciało. Zmrużyła oczy i próbowała spojrzeć na zegar, ale oczy ją bolały. Jaki dziś dzień? I co z Samem?

Jak tylko o nim pomyślała, zebrała siły i usiadła. Jego łóżko stało obok jej materaca. Spał. Wytężyła wzrok, żeby zobaczyć, która godzina. Parę minut po pierwszej. Sam śpi po obiedzie. Pogładziła go po główce.

Musiała o niego zadbać, mimo gorączki. Zadziałał matczyny instynkt. Poczuła ulgę, ból wydał jej się do zniesienia. Rozejrzała się. W jego łóżku leżała butelka wody, na podłodze paczki herbatników, owoce, kawałek sera. Jednak dopilnowała, żeby miał co jeść i pić.

Mdliło ją od zapachu z kubła. Widocznie postawiła go przy materacu, gdy się źle poczuła. Brzuch miała zupełnie pusty, wszystko zwymiotowała.

Podniosła się. Musiała się zmusić, żeby nie jęknąć. Nie chciała obudzić Sama. W końcu udało jej się wstać, choć nogi się pod nią uginały. Powinna coś wypić, coś zjeść. Nie była głodna, chociaż burczało jej w pustym brzuchu. Odwróciła wzrok, wzięła kubeł i wyniosła go z pokoju. Pchnęła ramieniem drzwi i zaskoczona zatrzęsła się z zimna. Widocznie nadchodzące lato na czas jej choroby zrobiło sobie przerwę.

Ostrożnie zeszła na pomost i nie patrząc na to, co robi, wylała zawartość kubła do morza. Wzięła sznur i przywiązała go do uchwytu. Zanurzyła kubeł po drugiej stronie pomostu i wypłukała.

Gdy wracała do domu, wiatr targał jej ubranie. Ciało protestowało przeciw wysiłkowi, była zlana potem. Z obrzydzeniem zrzuciła ubranie. Chciała się chociaż obmyć, zanim włoży suchy T-shirt i dres. Trzęsącymi się rękami zrobiła sobie kanapkę, nalała szklankę soku i usiadła przy stole. Dopiero po kilku kęsach zaczęło jej smakować. Łapczywie zjadła jeszcze dwie kanapki. Poczuła, że wstępuje w nią życie.

Zerknęła na zegarek, na datę. Policzyła, wyszło jej, że jest wtorek. Chorowała trzy dni. Trzy dni pustki i snów. O czym śniła? Starała się przywołać obrazy, które krążyły jej po głowie. Jeden wrócił. Potrząsnęła głową, znów zrobiło jej się niedobrze. Nadgryzła czwartą kanapkę i żołądek się uspokoił. Śniła jej się kobieta, w jej twarzy było coś szczególnego. Zmarszczyła czoło. Kobieta ze snu wydała jej się znajoma. Gdzieś ją widziała, chociaż nie mogła sobie przypomnieć gdzie.

Wstała. Z czasem sobie przypomni. Ale nastrój snu pozostał. W twarzy kobiety był wielki smutek. Z takim samym smutkiem Annie poszła do pokoju, żeby się zająć Samem.

Patrik miał za sobą kiepską noc. Udzielił mu się niepokój Eriki o Annę. Budził się kilka razy, mroczne myśli nie dawały mu spać. Jedna chwila i życie może się całkowicie zmienić. To, co mu się przytrafiło, również mocno nim wstrząsnęło. Może dobrze, że już nie podchodzi do życia bez obaw, jak do czegoś oczywistego. Łapał się na tym, że jest nadopiekuńczy, jak nigdy dotąd. Wolałby na przykład, żeby Erika nie woziła dzieci samochodem. Właściwie byłoby lepiej, gdyby w ogóle nie prowadziła samochodu. A już najlepiej, żeby dzieci wcale nie wychodziły z domu. Powinni je trzymać z dala od wszelkich niebezpieczeństw.

Oczywiście zdawał sobie sprawę, że nie jest to ani normalne, ani racjonalne. Ale tak niewiele brakowało, żeby stracił życie, Erikę i bliźnięta. Byli o włos od śmierci.

Chwycił się biurka i starał się spokojnie oddychać. Od czasu do czasu miewał ataki panicznego lęku. Może trzeba się przyzwyczaić. W końcu jego rodzina ocalała.

– Co się dzieje? – W drzwiach stała Paula.

Patrik odetchnął głęboko.

– W porządku. To tylko zmęczenie. Nocne karmienie, wiesz, jak jest – powiedział z wymuszonym uśmiechem.

– Nie udawaj. – Patrzyła mu w oczy, jej spojrzenie mówiło, że nie nabierze się na wykręty ani fałszywe uśmiechy. – Pytam: co się dzieje?

– Wzloty i upadki – niechętnie przyznał Patrik. – Trzeba czasu, żeby się przestawić. U nas właściwie wszystko w porządku. Gorzej z siostrą Eriki.

– Co z nią?

– Nie za bardzo.

– Trzeba czasu.

– Pewnie tak. Ale zupełnie się zamknęła w sobie. Nawet z Eriką nie chce rozmawiać.

– Dziwisz się? – spokojnie spytała Paula.

Patrik nie od dziś wiedział, że jego koleżanka ma talent do nazywania rzeczy po imieniu. Mówiła rzeczy, które się nie tyle chce, ile powinno usłyszeć. I często miała rację.

– Wasze bliźniaki przeżyły. Anna swoje dziecko straciła. Nie ma się co dziwić, że się zamknęła przed Eriką.

– Erika właśnie tego się boi. I co z tym robić?

– Na razie nic. Anna ma rodzinę, partnera, ojca zmarłego dziecka. Najpierw oni muszą się na nowo odnaleźć, dopiero potem przyjdzie czas na siostrę. Choć to przykre, Erika powinna się usunąć w cień. Co wcale nie znaczy, że ma zostawić Annę. Przecież będzie gotowa na każde wezwanie.

– Ja to rozumiem, ale nie wiem, jak przekonać Erikę. – Patrik głęboko nabrał tchu. Przestało go tak strasznie uciskać w piersi.

– Wydaje mi się... – zaczęła Paula, ale przerwało jej pukanie do drzwi.

– Przepraszam. – Annika była zarumieniona. – Był telefon z Fjällbacki, znaleźli zwłoki mężczyzny. Został zastrzelony. Znaleźli go w jego mieszkaniu.

Zapadła cisza. Zaczęli się gorączkowo przygotowywać. Minutę później Paula i Patrik szli do garażu. Słyszeli, jak Annika puka do Gösty i Martina. Niech biorą drugi samochód i jadą za nimi.

– To po prostu olśniewające! – Erling rozejrzał się po wnętrzu, a potem odwrócił się do Vivianne. – Nie wyszło tanio, ale warto było. Gmina dobrze zainwestowała pieniądze. To będzie sukces. A zważywszy na to, ile zainwestowałaś, dla nas też będzie niezły pieniądz, gdy otrzymamy zwrot kosztów. Nie płacicie im za wysokich pensji, co? – Podejrzliwie spojrzał na przechodzącą obok nich młodą kobietę.

Vivianne wsunęła mu rękę pod ramię i zaprowadziła do jednego ze stołów.

– Nie ma obaw, pilnujemy kosztów. Anders zawsze umiał liczyć pieniądze. Dzięki niemu zarobiliśmy na Ljuset i mogliśmy zainwestować tutaj.

– Dobrze, że masz Andersa. – Erling usiadł przy nakrytym do kawy stole. – Właśnie, czy Matte się do ciebie dodzwonił? W zeszłym tygodniu wspominał, że chciałby o coś spytać.

Sięgnął po bułeczkę, ale po jednym kęsie odłożył ją na talerzyk.

– A to co?

– Bułka orkiszowa.

– Hmmm... – mruknął Erling. Wolał poprzestać na kawie.

– Nie, nie dzwonił. Widocznie to nic ważnego. Pewnie wpadnie albo zadzwoni przy okazji.

– Dziwne. Wczoraj nie przyszedł do pracy, chociaż nie zgłosił, że jest chory. Rano, jak wyjeżdżałem z biura, też go nie widziałem.

– Na pewno nic się nie stało – odparła Vivianne, sięgając po bułkę.

– Można się dosiąść czy wolicie pogruchać sam na sam? – Anders podszedł cicho, nie zauważyli go. Drgnęli, ale Vivianne od razu się uśmiechnęła i przysunęła bratu krzesło.

Erlinga jak zwykle uderzyło, jak bardzo są do siebie podobni. Jasnowłosi, niebieskoocy, takie same usta o wyraźnie zarysowanej górnej wardze. Ale o ile Vivianne była energiczna i otwarta, określiłby ją nawet jako magnetycznie pociągającą, o tyle jej brat był cichy i zamknięty w sobie. Już kiedy się spotkali po raz pierwszy, w Ljuset, Erling pomyślał, że to typ księgowego. Co bynajmniej nie przynosiło Andersowi ujmy. W grę wchodziły takie sumy, że Erling czuł się pewniej, wiedząc, że finansami zajmuje się ktoś z rzeczowym podejściem do sprawy, ktoś znający się na liczbach.

– Czy Mats się do ciebie odzywał? Erling mówi, że miał jakieś pytania. – Vivianne zwróciła się do Andersa.

– Tak, wpadł w piątek po południu. Bo co?

Erling odchrząknął.

– Właśnie. Pod koniec zeszłego tygodnia wspominał o jakichś wątpliwościach.

Anders kiwnął głową.

– Tak, był u mnie, jak już powiedziałem. Wyjaśniliśmy sobie wszystko.

– Aha. Dobrze, że wszystko w porządku – powiedział Erling, uśmiechając się z zadowoleniem.

Przed klatką schodową stało dwoje starszych ludzi. Tulili się do siebie. Patrik się domyślił, że to rodzice ofiary. Znaleźli ciało i zawiadomili policję. Wysiedli z Paulą z samochodu i podeszli do nich.

– Patrik Hedström, komisariat w Tanum. To państwo dzwonili? – spytał, choć znał odpowiedź.

– Tak, my. – Mężczyzna miał policzki mokre od łez. Żona przyciskała twarz do jego piersi.

– To nasz syn – powiedziała, nie podnosząc wzroku. – On... tam na górze...

– Pójdziemy zobaczyć.

Mężczyzna zrobił ruch, jakby chciał im towarzyszyć, ale Patrik go powstrzymał.

– Lepiej, żeby państwo tu poczekali. Zaraz przyjedzie pogotowie, zajmą się wami. Paula zostanie z państwem.

Pokazał, żeby odprowadziła ich na bok. Wszedł do klatki. Drzwi na drugim piętrze zastał otwarte na oścież. Nie musiał nawet wchodzić do przedpokoju, żeby stwierdzić, że mężczyzna leżący twarzą do podłogi jest martwy. W potylicy ziała wielka dziura. Rozbryzgi krwi i tkanki mózgowej na podłodze i ścianach zdążyły dawno zaschnąć. Miejsce zbrodni. Patrik pomyślał, że nie ma tu nic do roboty, dopóki Torbjörn Ruud i jego ekipa nie przeprowadzą dokładnych oględzin. Lepiej porozmawiać z rodzicami ofiary.

Zszedł na dół i podszedł do Pauli i starszych państwa. Rozmawiali z załogą karetki. Kobieta miała koc na ramionach, trzęsła się od płaczu. Patrik postanowił spróbować porozmawiać z mężczyzną. Sprawiał wrażenie bardziej opanowanego, choć on też płakał.

– Jesteśmy tam potrzebni? – spytał jeden z ratowników, wskazując na dom.

Patrik potrząsnął głową.

– Jeszcze nie. Czekamy na ekipę.

Zapadło milczenie, przerywane rozdzierającym płaczem kobiety. Patrik podszedł do jej męża.

– Czy mogę z panem zamienić kilka słów?

– Zrobimy wszystko, żeby pomóc, ale nie rozumiemy, kto... – Głos mu się załamał, ale zgodził się pójść z Patrikiem do samochodu. Rzucił jeszcze okiem na żonę, która chyba nie rejestrowała, co się wokół niej dzieje.

Usiedli na tylnym siedzeniu.

– Na drzwiach jest nazwisko Mats Sverin. To państwa syn?

– Tak. Mówiliśmy na niego Matte.

– A pan się nazywa... – Patrik zaczął zapisywać w notatniku.

– Gunnar Sverin. Moja żona ma na imię Signe. Ale dlaczego...

Patrik położył dłoń na jego ramieniu.

– Zrobimy wszystko, żeby ująć sprawcę. Może pan odpowiedzieć na kilka pytań?

Mężczyzna przytaknął.

– Kiedy po raz ostatni widzieliście syna?

– W czwartek wieczorem. Był u nas na obiedzie. Odkąd wrócił do Fjällbacki, często u nas bywał.

– O której wyszedł?

– Chyba zaraz po dziewiątej.

– Czy potem jeszcze się kontaktowaliście? Rozmawialiście przez telefon?

– Nie. Żona zawsze ma mnóstwo obaw. Dzwoniła do niego przez cały weekend, ale nie odbierał. A ja... ja jej mówiłem, żeby mu dała spokój i przestała się o niego trząść. – Z oczu popłynęły mu łzy, zawstydzony wytarł je rękawem.

– Domowego telefonu nie odbierał. Komórki też nie?

– Nie, włączała się poczta głosowa.

– Czy to było dziwne?

– Tak mi się zdaje. Signe chyba za często dzwoni, ale Matte miał anielską cierpliwość. – Znów wytarł oczy w rękaw.

– I dlatego tu przyszliście?

– I tak, i nie. Signe bardzo się niepokoiła. Ja też, chociaż nie chciałem tego okazywać. Ale kiedy zadzwonili z urzędu gminy, że Matte nie przyszedł do pracy... To naprawdę niepodobne do niego. Zawsze taki skrupulatny i punktualny. Ma to po mnie.

– Czym się zajmował w urzędzie gminy?

– Kilka miesięcy temu został szefem działu finansów. Wrócił wtedy do Fjällbacki. Miał szczęście, że dostał tę pracę, bo nie ma tu zbyt wielu posad dla ekonomistów.

– A jak to się stało, że wrócił do Fjällbacki? Gdzie mieszkał przedtem?

– W Göteborgu. – Gunnar napierw odpowiedział na drugie pytanie. – Nie wiemy, dlaczego postanowił wrócić, ale wcześniej spotkało go coś strasznego. Został ciężko pobity przez jakichś ludzi, w centrum miasta, i spędził kilka tygodni w szpitalu. Dziwna historia. W każdym razie bardzo się ucieszyliśmy, że wrócił. Zwłaszcza Signe. Była przeszczęśliwa.

– Wiadomo, kto go wtedy pobił?

– Nie, policja ich nie złapała. Matte ich nie rozpoznał. Bardzo był pokiereszowany. Gdy pojechaliśmy do Sahlgrenska go odwiedzić, ledwo go poznaliśmy.

– Mhm... – mruknął Patrik i postawił wykrzyknik przy notatce o pobiciu. Trzeba się temu jak najprędzej przyjrzeć. Musi się skontaktować z göteborską policją.

– I nie przychodzi panu do głowy nikt, kto by mu źle życzył? Syn nie miał z nikim żadnych zatargów?

Gunnar zdecydowanie potrząsnął głową.

– Matte nigdy się z nikim nie kłócił. Wszyscy go lubili i on lubił wszystkich.

– A jak mu się układało w pracy?

– Wydaje mi się, że dobrze. Wprawdzie w czwartek, gdy się widzieliśmy, wydawało mi się, że coś go martwi, ale może to tylko takie wrażenie. Może był przepracowany. W każdym razie nie mówił, żeby się z kimś pokłócił. Erling, jak mówią, jest dosyć osobliwy, ale Matte powiedział, że jest nieszkodliwy i że umie do niego podejść.

– Wiedzą państwo coś o tym, jak żył w Göteborgu? O przyjaciołach, dziewczynach, kolegach z pracy...

– Niestety. Syn nie był zbyt rozmowny. Signe próbowała go ciągnąć za język, wypytywała o dziewczyny i tak dalej. Ale nie chciał o tym mówić. Jeszcze kilka lat temu docierało do nas to i owo na temat kolegów i tak dalej, ale gdy zaczął pracować w tym ostatnim miejscu w Göteborgu, jakby w ogóle przestał się udzielać towarzysko i całkowicie skupił się na pracy. Już taki był.

– A jak było, kiedy wrócił do Fjällbacki? Spotykał się z dawnymi kolegami?

Gunnar znów potrząsnął głową.

– Nie, nie ciągnęło go do nich. Ale nie zostało ich zbyt wielu, większość zdążyła się wyprowadzić. Chyba wolał być sam. Signe bardzo się tym przejmowała.

– Dziewczyny też nie miał?

– Nie sądzę. Oczywiście pewnie nie o wszystkim wiedzieliśmy.

– I nigdy wam nikogo nie przedstawił? – Patrik był zdziwiony. Ile lat miał ten Matte? Zapytał Gunnara, Gunnar odpowiedział. Rówieśnik Eriki – pomyślał Patrik.

– Nie, nigdy. Ale to nie musi znaczyć, że nikogo nie miał – dodał jakby w odpowiedzi na rozmyślania Patrika.

– Gdyby się państwu coś przypomniało, proszę do mnie zadzwonić, na ten numer. – Wręczył mu wizytówkę. – Cokolwiek, nawet coś, co uznają państwo za nieważne. Będziemy jeszcze musieli porozmawiać z pańską żoną. Z panem również. Mam nadzieję, że pan się zgadza.

– Tak. – Gunnar wziął od niego wizytówkę. – Oczywiście.

Spojrzał przez okno na żonę, przestała płakać. Pewnie dostała coś na uspokojenie.

– Składam panu wyrazy współczucia – powiedział Patrik. Zapadła cisza. Nie zostało nic do dodania.

Wysiadali z radiowozu, gdy na parking zajechał samochód ekipy Torbjörna Ruuda. Zaczyna się mozolne zbieranie dowodów.

Teraz trudno zrozumieć, dlaczego nie od razu przejrzała Fredrika. Ale to nie było takie proste. Był bardzo miły w obejściu, nawet sobie nie wyobrażała, że można się tak zalecać. Z początku się z tego śmiała, co jeszcze go zdopingowało, i starał się tak bardzo, że w końcu ją zdobył. Rozpieszczał ją, zabierał za granicę, mieszkali w pięciogwiazdkowych hotelach, częstował szampanem i przysyłał kwiaty w takich ilościach, że zajmowały niemal całe mieszkanie. Powtarzał, że jest warta wszelkich luksusów. Uwierzyła. Jakby przemówił do czegoś, co zawsze w niej tkwiło. Do braku pewności siebie i pragnienia, żeby usłyszeć, że się jest kimś nadzwyczajnym i zasługuje na więcej niż inni. Skąd miał pieniądze? Nie pamiętała, żeby kiedykolwiek zadała sobie to pytanie.

Wiało coraz bardziej. Siedziała na ławce przed domem, po południowej stronie. Kawa zdążyła już wystygnąć, ale od czasu do czasu wypijała łyk. Dłonie z filiżanką lekko drżały. Nogi miała miękkie, żołądek wciąż się buntował. Nic nowego. Wiedziała, że to musi potrwać.

Świat Fredrika powoli ją wciągnął. Świat rozrywek, podróży, pięknych ludzi i przedmiotów. Pięknego domu. Bardzo szybko się do niego wprowadziła, bez żalu porzuciła ciasną kawalerkę w Farsta*. Jak miałaby tam mieszkać, wracać po nocach i dniach spędzonych w ogromnej, luksusowej, białej willi Fredrika w Djursholmie**?

Gdy się w końcu zorientowała, jak zarabia pieniądze, było za późno. Jej życie splotło się z jego życiem.

---

* Farsta – dzielnica na południu Sztokholmu z licznymi osiedlami bloków.
** Djursholm – eleganckie willowe przedmieście na północy Sztokholmu.

Mieli wspólnych przyjaciół, na palcu nosiła pierścionek zaręczynowy, ale nie miała pracy, ponieważ Fredrik chciał, żeby siedziała w domu, żeby dbała o dom i o to, żeby mu się przyjemnie żyło. Przykra prawda była taka, że niespecjalnie się oburzyła, kiedy się dowiedziała. Wzruszała ramionami. Był przekonana, że Fredrik jest w tej branży szefem i nie musi sobie brudzić rąk. Pewną rolę grało również swego rodzaju napięcie, bo podniecała ją świadomość, co się wokół niej dzieje.

Z zewnątrz nic nie było widać. Oficjalnie Fredrik był importerem wina, co do pewnego stopnia było zgodne z prawdą. Firma wykazywała umiarkowany zysk. Fredrik uwielbiał jeździć do swojej toskańskiej winnicy. Zamierzał wprowadzić na rynek wino pod własną marką. Z zewnątrz widać było tylko, że jest elegancki. I nikt tego nie kwestionował. Annie bywała na przyjęciach z arystokratami i biznesmenami. Dziwiła się, że tak łatwo dają się Fredrikowi zwieść i że tak gładko łykają wszystko, co mówi. Zakładali, że krążące wokół nich olbrzymie sumy pochodzą z jego firmy. Pewnie chcieli w to wierzyć. Tak jak ona.

Wszystko się zmieniło, kiedy na świat przyszedł Sam. Fredrik nalegał na dziecko. Chciał mieć syna. Annie nie była pewna. Teraz na samą myśl o tym ogarniał ją wstyd. Bała się, że ciąża źle wpłynie na jej figurę, że już nie będzie mogła chodzić na wielogodzinne obiadki z koleżankami i całodzienne zakupy. Ale Fredrik był nieugięty i w końcu niechętnie się zgodziła.

W chwili gdy położna podała jej Sama, cała reszta przestała się liczyć. Fredrik dostał upragnionego syna, ale stwierdził, że znalazł się na drugim planie. Nie należał do mężczyzn, którzy są gotowi pogodzić się z utratą pierwszego miejsca. Zazdrość o Sama wyrażał w szczególny sposób. Zabronił Annie karmić piersią i wbrew jej woli zatrudnił opiekunkę. Ale nie dała się oderwać od synka. Opiekunce przekazała sprzątanie i prasowanie, a sama całe godziny spędzała z Samem. Nic nie mogło ich rozdzielić. Przedtem była zagubiona i zdemoralizowana. Teraz, w roli matki, poczuła się pewnie.

Pojawienie się Sama było początkiem końca jej dotychczasowego życia. Fredrik stosował przemoc i przedtem, gdy za dużo wypił albo odleciał po kokainie. Kończyło się na kilku siniakach, bolało przez parę dni, czasem poleciała krew z nosa. W sumie nie było tak źle.

Ale po narodzinach Sama zaczęło się prawdziwe piekło. Na to wspomnienie, a może również od wiatru, łzy napłynęły jej do oczu. Zatrzęsły jej się ręce, rozlała kawę na spodnie. Zamrugała oczami, żeby się pozbyć łez i wspomnień. Krew. Było bardzo dużo krwi. Obrazy z przeszłości nakładały się jeden na drugi, jak negatywy tworzące jedno zdjęcie. Annie czuła się zagubiona i bardzo się bała.

Wstała gwałtownie. Musi pójść do Sama. Bardzo go potrzebuje.

– To bardzo smutny dzień. – Stojąc u szczytu wielkiego stołu konferencyjnego, Erling spojrzał z powagą na współpracowników.

– Jak to się stało? – Sekretarka Gunilla Kjellin wytarła nos w chustkę. Łzy spływały jej po policzkach.

– Policjant, który do mnie zadzwonił, niewiele powiedział, ale zrozumiałem, że to było przestępstwo.

– Został zabity? – Uno Brorsson wychylił się do tyłu na krześle. Rękawy kraciastej flanelowej koszuli miał jak zwykle wysoko podwinięte.

– Mówiłem już, niewiele wiem, liczę, że policja będzie nas informować.

– Jaki to będzie miało wpływ na nasz projekt? – Uno jak zawsze ze zdenerwowania pociągał za wąsy.

– Żadnego, podkreślam to bardzo mocno. Matte poświęcił projektowi Badis wiele godzin i z pewnością powiedziałby, że powinniśmy kontynuować jego dzieło. Wszystko będzie przebiegało zgodnie z planem i dopóki nie znajdziemy kogoś na miejsce Mattego, osobiście przejmę odpowiedzialność za stronę finansową projektu.

– Jak można już teraz mówić o następcy Mattego? – Gunilla zaszlochała głośno.

– Ależ Gunillo. – Erling nie wiedział, jak odpowiedzieć na ten nadmiar emocji. Wydał mu się nie na miejscu, nawet w tych okolicznościach. – Jesteśmy odpowiedzialni za gminę, jej mieszkańców i wszystkich, którzy zaangażowali się całą duszą nie tylko w ten projekt, ale we wszystkie przedsięwzięcia mające służyć rozkwitowi naszej społeczności. – Przerwał, mile zaskoczony, że udało mu się tak zgrabnie to sformułować. – To tragedia, że życie młodego człowieka zgasło przedwcześnie, ale nie wolno nam opuszczać rąk. Jak to mówią w Hollywood, *the show must go on*.

W sali zapadła absolutna cisza. Ostatnie zdanie wypadło tak znakomicie, że Erling musiał powiedzieć to jeszcze raz. Wyprostował się, wypiął pierś i z silnym szwedzkim akcentem powtórzył:

– *The show must go on, people. The show must go on.*

Siedzieli przy kuchennym stole, bezsilni, bezradni. Jeden z policjantów był uprzejmy odwieźć ich do domu. Gunnar wolałby wrócić własnym samochodem, ale nalegali. Ich samochód został na parkingu. Trzeba będzie po niego iść. Przy okazji może będzie mógł zajrzeć do...

Gwałtownie zaczerpnął tchu. Jak mógł choćby na sekundę zapomnieć, że Matte nie żyje? Przecież widzieli, jak leżał na pasiastym dywaniku utkanym przez Signe. Kiedyś miała taki okres. Leżał na brzuchu, z tyłu głowy miał dziurę. Jak mógł zapomnieć?

– Zaparzyć kawy? – Musiał przerwać ciszę, w której słyszał bicie własnego serca. Gotów był zrobić cokolwiek, byle tylko nie słyszeć miarowych uderzeń, przypominających mu, że żyje, oddycha, podczas gdy jego syn jest martwy.

– Zaparzę nam po filiżance. – Podniósł się, chociaż Signe milczała. Wciąż była pod wpływem środków uspokajających. Siedziała bez ruchu, z dłońmi splecionymi na ceracie, tępo patrzyła przed siebie.

Gunnar poruszał się jak automat. Włożył papierowy filtr, nalał wody, otworzył puszkę, odmierzył porcję kawy i nacisnął guzik. Maszynka zasyczała i zabulgotała.

– Chcesz coś do kawy? Kawałek babki biszkoptowej? – Mówił dziwnie normalnie. Podszedł do lodówki i wyjął babkę. Została od wczoraj. Delikatnie zdjął folię, położył ciasto na desce do krojenia i ukroił dwa spore kawałki. Nałożył na talerzyki i jeden postawił przed żoną, drugi przed sobą. Nie poruszyła się, ale nie miał siły się tym przejmować. Wciąż słyszał łomotanie w swojej piersi. Brzęk talerzy i bulgotanie maszynki zagłuszyły je tylko na krótką chwilę.

Kawa spłynęła do imbryka, sięgnął po filiżanki. Z wiekiem coraz ważniejsza stawała się siła przyzwyczajenia. Oboje mieli własne, ulubione naczynia. Signe zawsze piła kawę z delikatnej białej porcelanowej filiżanki w różyczki. On wolał solidną, ceramiczną, kupioną podczas wycieczki autobusowej do Gränna. On pił czarną kawę z kostką cukru, Signe z mlekiem i dwiema kostkami.

– Dla ciebie – powiedział, stawiając filiżankę obok talerzyka z ciastem.

Nawet nie drgnęła. Wypił duży łyk, oparzył się w przełyk i długo kaszlał. W końcu pieczenie ustąpiło. Ugryzł kęs ciasta. Urósł mu w ustach, zamieniając się w grudę cukru, jajek i mąki. Żółć podeszła mu do gardła, czuł, że musi się pozbyć tej pęczniejącej masy.

Pobiegł do ubikacji i ukląkł nad sedesem. Patrzył, jak kawa, okruchy ciasta i żółć mieszają się z zielonym płynem spływającym z kostki czyszczącej, którą Signe z uporem wieszała w muszli.

Gdy opróżnił żołądek, usłyszał bicie własnego serca. Puk, puk. Pochylił się i znów zwymiotował. W kuchni w białej filiżance w różyczki stygła kawa.

Zapadał wieczór, gdy kończyli oględziny. Było jeszcze widno, ale już ustawał wszelki ruch, na ulicy było coraz mniej ludzi, wyraźnie mniej przechodniów.

– Już dojechali do zakładu – zameldował Torbjörn Ruud.

Gdy z komórką w dłoni podszedł do Patrika, wyglądał na zmęczonego. Współpracowali ze sobą podczas kilku śledztw i Patrik darzył siwobrodego kolegę wielkim szacunkiem.

– Jak myślisz, kiedy będą mogli zrobić sekcję? – Patrik potarł nos u nasady. Dzień okazał się wyjątkowo długi, już to odczuwał.

– Pytaj Pedersena. Ja nic nie wiem.

– A jak brzmi twoja wstępna opinia? – Stali na niewielkim trawniku przed domem. Bardzo wiało. Patrik zatrząsł się z zimna i ściągnął mocniej kurtkę.

– Sprawa nie wydaje się skomplikowana. Rana postrzałowa w potylicy. Jeden strzał, śmierć na miejscu. Kula tkwi w głowie. Łuska, którą znaleźliśmy, pochodzi z pistoletu kaliber dziewięć milimetrów.

– Znaleźliście w mieszkaniu jakieś ślady?

– Zdjęliśmy wszystkie odciski palców, jest też kilka włókien. To już coś, jeśli znajdzie się podejrzany, jeśli będzie materiał do porównania.

– Pod warunkiem, że odciski palców i włókna będą należały do podejrzanego – zauważył Patrik. Technika to dobra rzecz, wiedział jednak z doświadczenia, że do rozwikłania zagadki potrzeba jeszcze szczęścia. Ślady mogli równie dobrze zostawić przyjaciele i rodzina. Jeśli mordercą był ktoś z nich, staną przed zupełnie innym problemem: jak powiązać sprawcę z miejscem zbrodni.

– Nie za wcześnie na pesymizm? – Torbjörn trącił Patrika w bok.

– Masz rację, przepraszam. – Patrik zaśmiał się. – Chyba jestem zmęczony.

– Mam nadzieję, że nie przesadzasz z pracą. Słyszałem, że szedłeś na czołowe z własnym sercem. To się długo czuje.

– Nie bardzo mi się podoba to określenie. Szedłem na czołowe – mruknął Patrik. – Ale zgadza się, dostałem ostrzeżenie.

– Nie jesteś taki stary, pewnie popracujesz w policji jeszcze wiele lat.

– Co myślisz o śladach, które zebraliście? – spytał Patrik, żeby zmienić temat. Dobrze pamiętał tamten ból w piersi.

– Trochę tego jest. Wyślemy wszystko do Państwowego Laboratorium Kryminalistycznego. Jak wiesz, to może potrwać, ale są mi winni kilka przysług, więc mam nadzieję, że uda się to przyśpieszyć.

– Będziemy wdzięczni. Im wcześniej dostaniemy wyniki, tym bardziej. – Patrik zmarzł. Jak na czerwiec było zimno, pogoda okazała się zupełnie nieprzewidywalna. Teraz jest jak wczesną wiosną, a dopiero co było tak ciepło, że siedzieli z Eriką w ogrodzie w krótkich rękawkach.

– A wy? Dowiedzieliście się czegoś? Ktoś coś widział albo słyszał? – Torbjörn kiwnął głową, wskazując na pobliskie domy.

– Pukaliśmy do wszystkich drzwi, ale na razie niewiele to dało. Jeden z sąsiadów mówi, że coś słyszał w nocy z piątku na sobotę, nawet go to obudziło, ale nie potrafił powiedzieć, co to było. Poza tym nic. Mats Sverin nie utrzymywał kontaktów z sąsiadami. Kłaniali się sobie na klatce, i tyle. Ludzie na ogół wiedzieli, kim jest, bo przecież pochodzi stąd i tu mieszkają jego rodzice. Wiedzieli również, że pracował w urzędzie gminy, i tak dalej.

- Tak, wydaje się, że miejscowa poczta pontoflowa działa sprawnie – zauważył Torbjörn. – Przy odrobinie szczęścia i wy z niej korzystacie, prawda?
- O tak. Na razie wygląda na to, że żył jak pustelnik. Jutro zabieramy się do roboty.
- Jedź do domu, odpocznij. – Torbjörn klepnął Patrika po ramieniu.
- Dziękuję, zaraz to zrobię – skłamał Patrik. Dzwonił już do Eriki, żeby uprzedzić, że wróci późno. Jeszcze dziś trzeba obmyślić strategię. Potem kilka godzin snu i wcześnie rano zabierają się do pracy. Zdawał sobie sprawę, że powinien wyciągnąć wnioski z tego, co go spotkało, ale praca była ważniejsza. Taki już był.

Erika wpatrywała się w kominek. Kiedy Patrik zadzwonił, starała się nie okazać niepokoju. Ostatnio lepiej wyglądał, kolory wróciły mu na policzki, ruszał się energiczniej. Oczywiście rozumiała, że musi popracować dłużej, ale przecież obiecywał, że będzie się oszczędzał. Chyba jednak zapomniał.

Zastanawiała się, kim był zmarły. Patrik nie chciał o tym mówić przez telefon, powiedział tylko, że we Fjällbace znaleziono zwłoki mężczyzny. Erika zawsze była ciekawa, może wynikało to z jej zawodu. Jako pisarka była ciekawa ludzi i wydarzeń. Z czasem się dowie, bo nawet gdyby Patrik nic nie powiedział, wszystkie szczegóły i tak będą podawane z ust do ust. Takie są zalety i wady mieszkania we Fjällbace.

Wzruszała się do łez, kiedy wspominała, jak wielkie wsparcie okazywali im ludzie po wypadku. Wszyscy chcieli pomagać, zarówno dobrzy znajomi, jak i ci, których znali tylko z widzenia. Opiekowali się Mają i pilnowali domu, a kiedy wrócili ze szpitala, przywozili posiłki. W szpitalu omal nie utonęli w powodzi kartek z życzeniami powrotu do zdrowia, kwiatów, czekolady i zabawek dla dzieci. Wszystko od mieszkańców Fjällbacki. Tutejsi trzymają się razem.

A jednak dziś poczuła się samotna. Po rozmowie z Patrikiem w pierwszym odruchu chwyciła za słuchawkę, żeby zadzwonić do Anny, i zabolało ją, gdy zdała sobie sprawę, że nic z tego nie będzie.

Dzieci już spały. Ogień trzaskał w kominku, za oknami gęstniał zmierzch. W ostatnich miesiącach często się bała, ale nie bywała sama. Zawsze otaczali ją ludzie. Tego wieczoru panowała cisza.

Usłyszała krzyk i zerwała się na równe nogi. Trzeba nakarmić bliźnięta, a potem uśpić. Nie będzie miała czasu martwić się o Patrika.

– Dzień był długi, ale pomyślałem, że zanim się rozejdziemy do domów, powinniśmy się spotkać na godzinkę.

Patrik spojrzał na kolegów. Byli zmęczeni, ale skupieni. Zebrali się w pokoju socjalnym. Inne pomieszczenia już od dawna nie wchodziły w rachubę. Gösta z niezwykłą troską zadbał, żeby wszyscy dostali po filiżance kawy.

– Martinie, mógłbyś podsumować, czego się dowiedzieliście od sąsiadów ofiary?

– Pukaliśmy do wszystkich i większość lokatorów zastaliśmy. Zostało tylko kilka mieszkań, do których trzeba wrócić. Interesowaliśmy się zwłaszcza tym, czy ktoś słyszał jakieś odgłosy z mieszkania Matsa Sverina. Awanturę, hałasy albo strzały. Wynik jest w zasadzie zerowy. Jedyną osobą, która coś wniosła, był sąsiad z mieszkania obok. Nazywa się Leandersson. W nocy z piątku na sobotę obudził go jakiś odgłos, może wystrzału, ale równie dobrze mogło to być coś innego. Nie umie powiedzieć. Pamięta tylko, że coś go obudziło.

– Widzieli kogoś? Ktoś do niego przyszedł albo wychodził? – spytał Mellberg.

Annika pilnie notowała.

– Nikt nie pamięta, żeby go ktoś odwiedzał.

– Od jak dawna tam mieszkał? – spytał Gösta.

– Jego ojciec mówił, że niedawno przeprowadził się z Göteborga. Jutro, jak będzie trochę spokojniej, zamierzam porozmawiać z jego rodzicami. Wypytam ich – powiedział Patrik.

– Więc chodzenie po sąsiadach nic nie dało. – Mellberg patrzył na Martina, jakby go za to winił.

– Rzeczywiście, niewiele. – Martin odpowiedział takim samym spojrzeniem. Nadal był najmłodszym funkcjonariuszem w komisariacie, ale zdążył się pozbyć dawnego respektu dla Mellberga.

– Idziemy dalej – powiedział Patrik. – Rozmawiałem z ojcem ofiary, z matką się nie dało, była w szoku. Jak już powiedziałem, jutro chcę do nich pojechać na dłuższą rozmowę, może mi się uda wyciągnąć od nich coś więcej. Gunnar Sverin powiedział, że nic im nie wiadomo o tym, żeby ktoś coś miał do ich syna. Od powrotu do Fjällbacki raczej nie udzielał się towarzysko, chociaż stąd pochodzi. Paula i Gösta jutro przesłuchają jego kolegów z pracy, dobrze?

Paula i Gösta spojrzeli na siebie i skinęli głowami.

– Martinie, a ty spróbuj porozmawiać z sąsiadami, których dziś nie zastałeś. A ja sprawdzę to, o czym wspomniał Gunnar Sverin. Wkrótce przed przeprowadzką do Fjällbacki jego syn został ciężko pobity. W Göteborgu.

Na koniec, pamiętając o konieczności zminimalizowania skutków udziału w śledztwie szefa, zwrócił się do Mellberga: – Bertilu – powiedział z powagą. – Jako nasz szef jesteś potrzebny na miejscu, w komisariacie. Najlepiej radzisz sobie z mediami, a nigdy nie wiadomo, kiedy zaczną węszyć.

Mellberg natychmiast się ożywił.

– Naturalnie. Mam duże doświadczenie w kontaktach z mediami.

– Doskonale. – W głosie Patrika nie było śladu ironii. – Wszyscy wiedzą, od czego jutro zacząć. Anniko, będziemy ci zlecać zadania. Będziemy potrzebować pomocy w szukaniu informacji.

– Będę na miejscu – powiedziała Annika, zamykając notes.

– Dobrze. Idziemy do domu, do rodzin, i trochę się przespać.

Mówiąc to, Patrik poczuł, jak bardzo tęskni za Eriką i dziećmi. Zrobiło się późno, ze zmęczenia padał na nos. Dziesięć minut później był w drodze do Fjällbacki.

Fjällbacka 1870

Karl jeszcze ani razu jej nie dotknął. Emelie czuła się zagubiona. Niewiele wiedziała o tych sprawach, ale orientowała się, że między mężem i żoną powinno dojść do pewnych rzeczy.

Żałowała, że nie ma Edith i że tak się między nimi popsuło, zanim wyjechała z Karlem. Mogłaby z nią porozmawiać albo przynajmniej napisać z prośbą o radę. Żonie chyba nie wypada rozmawiać o tym z mężem? Przecież tego się nie robi. Swoją drogą to dziwne.

Już nie zachwycała się wyspą tak bardzo jak na początku. Jesienne słońce ustąpiło wichrom, fale waliły o skały. Kwiaty zwiędły, na rabatce zostały smutne nagie badyle. Niebo dzień w dzień miało ołowiany kolor. Emelie przeważnie siedziała w domu. Na dworze aż się trzęsła z zimna, choćby się ubrała nie wiadomo jak ciepło. A dom był mały i ciasny, miewała wrażenie, jakby ściany powoli na nią napierały.

Czasem przyłapywała Juliana, jak patrzy na nią złośliwie, ale natychmiast odwracał wzrok. Ani razu się do niej nie odezwał. Nie mogła zrozumieć, co mu takiego zrobiła. Może przypomina mu kogoś, kto go skrzywdził? Jakąś kobietę. Ale to, co gotowała, mu smakowało. Obaj jedli z wielkim apetytem. Nieźle jej nawet wychodziło gotowanie z tego, co miała pod ręką, czyli makreli. Codzienne krótkie wyprawy łódką, na które Karl wypływał z Julianem, przynosiły obfity połów. Kilka rybek smażyła i podawała na obiad z ziemniakami, resztę soliła na zimę, na ciężkie czasy.

Łatwiej by jej było żyć na wyspie, gdyby Karl od czasu do czasu powiedział jej dobre słowo. Nie patrzył jej w oczy, nie klepał przyjaźnie, kiedy obok niej przechodził. Zachowywał się tak, jakby nie istniała, jakby nie przyjął do wiadomości, że ma żonę. Wszystko było inaczej, niż sobie wymarzyła, i czasem przypominało jej się ostrzeżenie Edith. Powinna uważać.

Takie myśli starała się jak najszybciej odsuwać. Życie na wyspie było ciężkie, ale nie zamierzała narzekać. Taki los przypadł jej w udziale i musi sobie radzić, jak umie. Tego ją nauczyła matka i tego zamierzała się trzymać. Nigdy nie jest tak, jak by się chciało.

Martin nie znosił chodzenia po domach i wypytywania ludzi. Przypominały mu się czasy podstawówki, gdy musiał sprzedawać losy, skarpetki albo inne bzdety, żeby uzbierać pieniądze na szkolną wycieczkę. Wiedział jednak, że to wchodzi w zakres jego obowiązków, więc nie pozostawało mu nic innego, jak przejść do następnej bramy i biegać po piętrach, i pukać do wszystkich drzwi. Na szczęście już wczoraj zaliczyli większość mieszkań. Zerknął na listę, sprawdził, ile jeszcze zostało. Zaczął od najbardziej obiecującego, od mieszkania sąsiadów z piętra Matsa Sverina.

Na drzwiach widniało nazwisko Grip. Martin najpierw spojrzał na zegarek. Dopiero ósma. Miał nadzieję, że zastanie lokatora lub lokatorkę, zanim wyjdą do pracy. Nikt nie otwierał, Martin westchnął i jeszcze raz nacisnął przycisk. Aż mu zadzwoniło w uszach, ale nadal nic się nie działo. Odwrócił się i już miał zejść na dół, gdy usłyszał zgrzyt klucza w zamku.

– Słucham? – powiedział ktoś opryskliwie.

Martin zawrócił.

– Policja, nazywam się Martin Molin.

Drzwi przytrzymywał łańcuch, w szparze widać było tylko bujną brodę i mieniący się czerwienią nos.

– Czego chcesz?

To, że jest z policji, najwyraźniej nie zrobiło na nim wrażenia.

– W mieszkaniu obok zginął człowiek. – Martin wskazał palcem dokładnie opieczętowane drzwi Matsa.

– Słyszałem. – Broda zafalowała. – A co ja mam z tym wspólnego?

– Mógłbym wejść na parę minut? – Martin starał się mówić jak najuprzejmiej.

– Po co?

– Chciałbym panu zadać kilka pytań.

– Ja nic nie wiem. – Mężczyzna już chciał zamykać drzwi, ale Martin odruchowo wsadził stopę w szparę.

– Albo pogadamy, albo zabiorę pana na przesłuchanie do komisariatu i będzie pan miał zepsute przedpołudnie. – Oczywiście wiedział, że nie ma uprawnień, żeby zabrać Gripa na komisariat, ale liczył, że tamten nie ma o tym pojęcia.

– Wchodź – odparł Grip.

Zdjął łańcuch i otworzył drzwi. Martin wszedł i natychmiast pożałował. W środku panował straszny smród.

– Nie uciekaj, łobuzie.

Martinowi mignęło przed oczami coś kudłatego. Brodacz rzucił się naprzód i złapał za ogon kota. Kot miauknął gniewnie, ale dał się wziąć na ręce i zanieść do mieszkania.

Grip zamknął drzwi, a Martin zaczął oddychać ustami, żeby nie zwymiotować od smrodu i zaduchu. Czuł odór śmieci i stęchlizny, ale głównie kociego moczu. Sprawa szybko się wyjaśniła. Martin jak wryty stanął w progu pokoju. Wszędzie były koty. Siedziały, leżały i chodziły. Na oko ocenił, że jest ich co najmniej piętnaście. W mieszkaniu o powierzchni nie większej niż czterdzieści metrów kwadratowych.

– Siadaj – burknął Grip, przeganiając z kanapy kilka kotów.

Martin przysiadł na samym brzegu.

– Pytaj. Szkoda dnia. Jest co robić, gdy się ma pod opieką tyle stworzeń.

Na kolana wskoczył mu tłusty rudy kot. Ułożył się wygodnie i zaczął mruczeć. Miał skołtunioną sierść i rany na tylnych łapach.

Martin odchrząknął.

– W mieszkaniu pańskiego sąsiada, Matsa Sverina, znaleziono wczoraj jego zwłoki. Próbujemy ustalić, czy ktoś z mieszkańców nie widział lub nie słyszał ostatnio czegoś niezwykłego.

– To nie moja rzecz. Ja się nie wtrącam w nie swoje sprawy i tego samego oczekuję od innych.

– Więc nie słyszał pan żadnych odgłosów z mieszkania sąsiada? I nie widział pan nikogo nieznajomego na klatce? – drążył Martin.

– Już mówiłem. Pilnuję własnych spraw. – Podrapał kota po skudłaconym grzbiecie.

Martin zamknął notatnik. Dał za wygraną.

– A właśnie, jak się pan nazywa?

– Nazywam się Gottfrid Grip. Ich imiona też mam ci podać?

– Ich? – Martin się rozejrzał. Czyżby mieszkał tu ktoś jeszcze?

– To jest Marilyn. – Grip wskazał na kota, którego trzymał na kolanach. – Nie znosi kobiet. Prycha na ich widok.

Martin znów sięgnął po notatnik i zaczął notować. Będzie kupa śmiechu, dobre i to.

– Tamten szary to Errol, biały z brązowymi łapkami to Humphrey, a dalej Cary, Audrey, Bette, Ingrid,

Lauren i James. – Wskazywał palcem kolejne koty i wymieniał imiona. Martin notował. Będzie co opowiadać w komisariacie.

Wychodząc, zatrzymał się jeszcze w drzwiach.

– Więc ani pan, ani koty nie widzieliście i nie słyszeliście niczego podejrzanego?

– Nie mówiłem, że koty nie widziały. Powiedziałem, że ja nie widziałem. W sobotę o świcie Marilyn widziała z okna w kuchni jakiś samochód. Siedziała na parapecie i prychała jak szalona.

– Marilyn? Co to był za samochód? – Martinowi jakoś nie przyszło do głowy, że to co najmniej dziwne pytanie.

Grip spojrzał na niego z politowaniem.

– Myślisz, że koty znają się na samochodach? Masz nierówno pod sufitem, czy co? – Popukał się w skroń i ze śmiechem potrząsnął głową. Zamknął za Martinem drzwi i założył łańcuch.

– Czy zastałem Erlinga? – Gösta delikatnie zapukał we framugę pierwszego z brzegu pokoju. Przyjechał z Paulą do urzędu gminy.

Siedząca tyłem do drzwi Gunilla aż podskoczyła na krześle.

– Ale mnie przestraszyliście – powiedziała i nerwowo zamachała rękami.

– Nie chciałem – odparł Gösta. – Szukamy Erlinga.

– Chodzi o Matsa? – Zatrząsł jej się podbródek. – To straszne. – Sięgnęła po paczkę chusteczek i starła łzy z kącików oczu.

– Tak – przyznał Gösta. – Chcemy przesłuchać wszystkich pracowników, ale najpierw chcielibyśmy porozmawiać z Erlingiem.

– Jest w swoim gabinecie. Zaprowadzę was.

Wstała, głośno wytarła nos i poszła przodem, do pokoju w końcu korytarza.

– Erling, masz gości – powiedziała, odsuwając się.

– Cześć. Kogo ja widzę! – powiedział Erling, wstając, i serdecznie potrząsnął dłonią Gösty.

Spojrzał na Paulę. Wyraźnie szukał w pamięci.

– Petra, prawda? Główka pracuje jak dobrze naoliwiona maszyna. Nigdy nie zapominam.

– Paula – powiedziała Paula, podając mu rękę.

Erling się speszył, ale wzruszył ramionami.

– Przyjechaliśmy popytać o Matsa Sverina – szybko powiedział Gösta. Usiadł na krześle naprzeciwko Erlinga, zmuszając pozostałych, żeby również usiedli.

– Tak, to straszne. – Twarz Erlinga wykrzywił grymas. – Jest nam wszystkim bardzo przykro i oczywiście zastanawiamy się, co się mogło stać. Czy już coś wiadomo?

– Na razie nie. – Gösta potrząsnął głową. – Mogę tylko potwierdzić to, co mówiliśmy wczoraj. Że znaleziono go martwego w jego mieszkaniu i że wszczęliśmy śledztwo.

– Czy został zamordowany?

– Nie mogę ani potwierdzić, ani zaprzeczyć. – Gösta zdawał sobie sprawę, że brzmi to drętwo, ale wiedział, że będzie miał do czynienia z Hedströmem, jeśli się niepotrzebnie wygada i zaszkodzi śledztwu. – Potrzebujemy waszej pomocy – mówił dalej. – Jak rozumiem, Sverin nie przyszedł do pracy ani w poniedziałek, ani we wtorek. Wtedy zadzwoniliście do jego rodziców. Często mu się zdarzało nie przyjść do pracy?

– Wprost przeciwnie. Odkąd do nas przyszedł, nie opuścił ani jednego dnia. O ile pamiętam, nie zdarzyło się, żeby nie przyszedł. Nawet z powodu wizyty u dentysty. Był bardzo obowiązkowy i skrupulatny. Właśnie dlatego się zaniepokoiliśmy, gdy ani nie przyszedł, ani nie zadzwonił.

– Od jak dawna u was pracował? – spytała Paula.

– Od dwóch miesięcy. Mieliśmy szczęście, że do nas przyszedł. Pięć tygodni wcześniej daliśmy ogłoszenie, że szukamy pracownika. Zgłosiło się kilka osób, ale żadna nie miała wymaganych kwalifikacji. Natomiast gdy zgłosił się Mats, mieliśmy obawy, że ta posada jest poniżej jego kwalifikacji. Uspokoił nas jednak, że właśnie czegoś takiego szukał. Przede wszystkim zaś bardzo chciał wrócić do Fjällbacki. Trudno się dziwić. Bądź co bądź perła naszego wybrzeża. – Erling rozłożył ręce.

– Podał jakiś szczególny powód powrotu? – Paula wychyliła się do przodu.

– Nie, powiedział tylko, że chce uciec od wielkomiejskiego stresu i podnieść jakość życia. Szukał dokładnie tego, co oferuje nasza gmina. Spokój, cisza i jakość życia. – Erling powiedział to dobitnie, akcentując każde słowo.

– Nie podał żadnych osobistych powodów? – Gösta zaczął się niecierpliwić.

– Nie, był bardzo skryty. Oczywiście wiem, że pochodził z Fjällbacki, ale nie opowiadał o swoim życiu prywatnym.

– Jeszcze w Göteborgu przydarzyło mu się coś bardzo nieprzyjemnego. Został ciężko pobity i wylądował w szpitalu. O tym też nie wspomniał? – spytała Paula.

– Ależ skąd, nigdy – odparł zdumiony Erling. – Miał jakieś blizny na twarzy, ale mówił, że się przewrócił na rowerze, nogawka wkręciła się w szprychy.

Gösta i Paula wymienili pełne zdziwienia spojrzenia.

– Kto go pobił? Ten sam, co... – ostatnie słowa Erling wypowiedział szeptem.

– Zdaniem jego rodziców został pobity zupełnie bez powodu. Nie dostrzegamy związku między tymi sprawami, ale nie można go wykluczyć – odpowiedział Gösta.

– Naprawdę nigdy nie wspominał o tym, jak żył w Göteborgu? – dopytywała się Paula.

Erling potrząsnął głową.

– Naprawdę. Nigdy nie opowiadał o sobie. Jakby wcześniej nic nie było, jakby jego życie zaczęło się dopiero, gdy zaczął u nas pracować.

– Nikogo to nie dziwiło?

– Czy ja wiem? Nikt się nad tym nie zastanawiał. On nie był mrukiem. Chętnie się śmiał i żartował, włączał się do rozmowy, gdy przy kawie gadało się o tym, co było w telewizji, i tak dalej. Nie rzucało się w oczy, że nie mówił o sprawach prywatnych. Dopiero teraz sobie to uzmysłowiłem.

– Czy był dobrym pracownikiem? – spytał Gösta.

– Był świetnym dyrektorem finansowym. Jak już mówiłem: dokładny, skrupulatny i sumienny. Bez wątpienia posiadał wszystkie cechy, których się oczekuje od człowieka pilnującego finansów. Zwłaszcza gdy chodzi o sprawy tak delikatne z politycznego punktu widzenia jak nasze.

– Więc nie było na niego żadnych skarg? – spytała Paula.

– Nie. Był bardzo sprawny. Nieoceniony przy realizacji projektu Badis. Dołączył wprawdzie dość późno, ale szybko się wdrożył i bardzo nam pomógł.

Gösta spojrzał na Paulę. Potrząsnęła głową. Na razie nie mieli więcej pytań, choć Gösta nie mógł się oprzeć refleksji, że wie o Matsie Sverinie tak samo niewiele jak przed rozmową z jego szefem. Ciekaw był, co wyjdzie na jaw, gdy poskrobią trochę mocniej.

Domek Sverinów był ładnie położony, nad wodą, w Mörhult. Zrobiło się cieplej, piękna pogoda zapowiadała lato i Patrik zostawił kurtkę w samochodzie. Wcześniej zadzwonił, żeby ich uprzedzić, i gdy Gunnar Sverin otworzył drzwi, od razu zobaczył kuchenny stół nakryty do kawy. Taki już zwyczaj w tej okolicy: zapraszają na kawę i ciasteczka zarówno z okazji wydarzeń radosnych, jak i żałoby. Od kiedy pracował w policji, odwiedzając mieszkańców gminy, zdążył wypić hektolitry kawy.

– Proszę do środka. Zobaczę, czy uda mi się namówić Signe... – Gunnar nie skończył. Ruszył schodami na górę.

Patrik stał chwilę w przedpokoju, ale czekanie się przedłużało, więc wszedł do kuchni. W całym domu panowała cisza. Patrik pozwolił sobie wejść dalej, do salonu, wysprzątanego i schludnego, pełnego ładnych starych mebli i obrusów, jak to u starszych ludzi. Wszędzie oprawione zdjęcia Matsa. Oglądając je, można było prześledzić całe jego życie: od niemowlęctwa do dorosłości. Miał miłą, sympatyczną twarz. Wyglądał na pogodnego, zrównoważonego człowieka. Musiał mieć szczęśliwe dzieciństwo.

– Signe zaraz zejdzie.

Patrik był tak pogrążony w myślach, że kiedy usłyszał Gunnara, omal nie upuścił zdjęcia.

– Dużo tu ładnych zdjęć. – Ostrożnie odstawił ramkę na komodę i poszedł za Gunnarem do kuchni.

– Zawsze mnie bawiło fotografowanie. Przez lata sporo się zebrało. Dziś się z tego cieszę. Dzięki temu coś zostało. – Z zakłopotaniem zaczął nalewać kawę. – Może cukru albo mleka? A może jednego i drugiego?

– Dziękuję, piję czarną. – Patrik usiadł na białym kuchennym krześle.

Gunnar postawił przed nim filiżankę i usiadł naprzeciwko.

– Zacznijmy, żona zaraz przyjdzie – powiedział, patrząc z niepokojem na schody. Z góry nie dochodziły żadne odgłosy.

– Jak ona się czuje?

– Od wczoraj się nie odezwała. Niedługo przyjdzie doktor, tak powiedział. Żona ciągle tylko leży w łóżku, chociaż przypuszczam, że przez całą noc nie zmrużyła oka.

– Widzę, że dostaliście dużo kwiatów. – Patrik wskazał na wazony i wazoniki na blacie.

– Ludzie są tacy mili. Chcieli przychodzić z kondolencjami, ale nie dałbym rady. – Wrzucił do kawy kostkę cukru, sięgnął po ciasteczko, umoczył je w filiżance i dopiero potem włożył do ust. Musiał popić, bo ciasteczko rosło mu w ustach.

– O, jesteś – powiedział do Signe, która stanęła w przedpokoju.

Nie słyszeli, jak schodziła. Gunnar wstał, ostrożnie wziął ją pod rękę i przyprowadził do stołu, jak staruszkę. Signe wyglądała, jakby od wczoraj postarzała się o wiele lat.

– Zaraz przyjdzie doktor. Napij się kawy i zjedz ciasteczko. Powinnaś coś zjeść. Może bym ci zrobił kanapkę?

Potrząsnęła głową, po raz pierwszy zareagowała na jego słowa.

– Tak mi przykro. – Patrik nie mógł się powstrzymać, położył rękę na jej dłoni. Signe nie cofnęła ręki, ale w żaden sposób nie zareagowała. Jej dłoń wydawała się martwa. – Wolałbym państwu nie przeszkadzać w takiej chwili. W każdym razie tak wcześnie.

Jak zwykle z trudem dobierał słowa. Odkąd został ojcem, było mu jeszcze trudniej spotykać się z ludźmi, którzy stracili dziecko, nieważne, czy małe, czy duże. Co się mówi komuś, komu wydarto serce z piersi? Domyślał się, że tak właśnie się czują.

– Rozumiemy, na tym polega wasza praca. Oczywiście zależy nam, żebyście złapali tego, kto... to zrobił. Chętnie pomożemy... w miarę możliwości.

Gunnar przysunął się z krzesłem do żony. Signe jeszcze nie ruszyła filiżanki.

– Wypij trochę – powiedział, podnosząc jej ją do ust. Niechętnie wypiła kilka łyków.

– Wczoraj już trochę rozmawialiśmy, ale może moglibyście mi państwo opowiedzieć o synu coś więcej? Wszystko, co według was może mieć znaczenie.

– Był takim dobrym dzieckiem, od niemowlęctwa. – Signe zaskrzeczała dawno nieużywanym głosem. – Od samego początku przesypiał całe noce, w ogóle nie sprawiał kłopotu. A mimo to ciągle się o niego bałam. Jakbym czekała, aż się stanie coś strasznego.

– No i miałaś rację. Powinienem był cię słuchać. – Gunnar spuścił wzrok.

– Nie, to ty miałeś rację – powiedziała Signe i spojrzała na męża. Sprawiała wrażenie, jakby się ocknęła z odrętwienia. – Zmarnowałam tyle czasu na zamartwianie się, a ty umiałeś się cieszyć, że go mamy. Człowiek i tak nie jest w stanie się przygotować na to, co się zdarzy. Przez całe jego życie bałam się, że coś mu się stanie, ale na to nie mogłam się przygotować. Należało się cieszyć tym, co się miało. – Zrobiła przerwę. – Co pan chce wiedzieć? – spytała i teraz już sama podniosła filiżankę do ust.

– Czy kiedy się wyprowadził z domu, od razu zamieszkał w Göteborgu?

– Tak, po maturze dostał się do Wyższej Szkoły Handlowej. Miał bardzo dobre stopnie – odparł Gunnar z wyraźną dumą.

– Często do nas przyjeżdżał na weekendy – dodała Signe. Widać było, że mówienie o synu dobrze jej robi. Policzki jej się zaróżowiły, spojrzenie pojaśniało.

– Oczywiście potem trochę rzadziej, ale z początku rzeczywiście w prawie każdy weekend – przyznał Gunnar.

– Dobrze mu szło na studiach? – Patrik postanowił ciągnąć temat, bo działał na nich kojąco.

– Na uczelni też miał dobre oceny – odparł Gunnar. – Sam nie wiem, po kim miał taką głowę do nauki, na pewno nie po mnie. – Uśmiechnął się, jakby zapomniał, dlaczego rozmawiają. Przypomniał sobie i przestał się uśmiechać.

– A co robił po studiach?

– Najpierw pracował chyba w tej firmie audytorskiej, co? – Signe zwróciła się do męża, a on zmarszczył czoło.

– Też mi się tak wydaje, ale za nic nie mogę sobie przypomnieć, jak się nazywała. Jakoś po amerykańsku. Pracował tam tylko parę lat. Nie bardzo mu się podobało. Powiedział, że za dużo liczb, za mało ludzi.

– A potem? – Patrik popijał kawę. Zdążyła już wystygnąć.

– Pracował w kilku miejscach. Jeśli musicie wiedzieć dokładnie, to na pewno udałoby mi się to ustalić. W każdym razie przez ostatnie cztery lata zajmował się finansami organizacji pozarządowej Fristad*.

– Co to za organizacja?

– Pomaga kobietom, które uciekły od mężów stosujących przemoc. Pomaga im sobie radzić i zacząć nowe życie. Matte uwielbiał tę pracę. Właściwie o niczym innym nie mówił.

– Co się stało, że stamtąd odszedł?

Gunnar i Signe spojrzeli po sobie. Patrik domyślił się, że również się nad tym zastanawiali.

* Fristad – szw. azyl.

– To chyba miało związek z tym, co mu się przydarzyło. Może już nie czuł się bezpiecznie w Göteborgu – powiedział Gunnar.

– Tu też nie było bezpiecznie – zauważyła Signe.

Rzeczywiście, pomyślał Patrik. Mats Sverin wyprowadził się z Göteborga, ale nie uchroniło go to przed przemocą.

– Jak długo leżał w szpitalu po tym pobiciu?

– Chyba ze trzy tygodnie – odparł Gunnar. – Byliśmy w szoku, kiedy go zobaczyliśmy w szpitalu.

– Pokaż zdjęcia – powiedziała cicho Signe.

Gunnar wstał i poszedł do salonu. Po chwili wrócił z pudełkiem w rękach.

– Sam nie wiem, po co je zachowaliśmy. Raczej nie chciałbym ich oglądać. – Zgrabiałymi palcami ostrożnie wyjął zdjęcia, te leżące na wierzchu.

– Mogę zobaczyć? – Patrik wyciągnął rękę, Gunnar podał mu plik. – Ojej – wyrwało mu się, gdy zobaczył zdjęcie Matsa Sverina na szpitalnym łóżku. Widział go na zdjęciach w salonie, ale na tych był nie do poznania. Całą twarz, właściwie całą głowę, miał opuchniętą. Pokrywały ją czerwone i sine plamy, w różnych odcieniach.

– Właśnie. – Gunnar odwrócił wzrok.

– Mówili, że mogło się skończyć gorzej, że miał szczęście w nieszczęściu. – Signe zamrugała oczami.

– Czy dobrze zrozumiałem, że nie złapali sprawców?

– Zgadza się. Myśli pan, że to ma związek z tym, co się teraz stało? Wtedy pobiła go na ulicy grupa zupełnie obcych ludzi. Banda wyrostków. Zwrócił jednemu uwagę, żeby nie sikał przed jego domem. Mówił, że nigdy wcześniej ich nie widział. Dlaczego mieliby... – Jej głos przeszedł w pisk.

Gunnar pogłaskał ją uspokajająco po ramieniu.

– Na razie nic nie wiadomo. Policja po prostu chce się dowiedzieć jak najwięcej.

– Tak jest – potwierdził Patrik. – W tej chwili niczego nie zakładamy. Chcemy się dowiedzieć jak najwięcej o Matsie i o jego życiu. – Zwrócił się do Signe. – Mąż powiedział, że o ile wam wiadomo, ostatnio Mats nie miał dziewczyny.

– To prawda, nic o tym nie mówił. Już zaczęłam tracić nadzieję na wnuki – odparła. Rozpłakała się, bo nagle do niej dotarło, co powiedziała. Już nie ma nadziei na wnuki.

Gunnar uścisnął jej rękę.

– Ale wydaje mi się, że w Göteborgu kogoś miał – mówiła dalej przez łzy. – Nic mi nie mówił, ale takie odniosłam wrażenie. Czasem, gdy do nas przyjeżdżał, jego ubranie pachniało perfumami. Zawsze ten sam zapach.

– Ale żadnego imienia nie wymienił? – upewnił się Patrik.

– Nie. Bynajmniej nie dlatego, że matka go nie pytała – uśmiechnął się Gunnar.

– Nie mogłam zrozumieć, po co robi z tego tajemnicę. Co by się stało, gdyby przyjechał z nią do nas na weekend, żebyśmy ją poznali? Na pewno potrafilibyśmy się zachować.

Gunnar potrząsnął głową.

– Jak pan widzi, delikatna sprawa.

– Czy nie odnieśliście wrażenia, że ta kobieta, kimkolwiek była, nadal była obecna w życiu Matsa, kiedy wrócił do Fjällbacki?

– Czy ja wiem... – Gunnar zerknął na żonę.

– Nie, na pewno nie – powiedziała zdecydowanie. – Matka wie takie rzeczy. Mogłabym niemal przysiąc, że nikogo nie miał.

– Myślę, że nie potrafił zapomnieć o Annie – wtrącił Gunnar.

– Co ty pleciesz? To było całe wieki temu. Byli wtedy dzieciakami.

– To nie ma znaczenia. Annie miała w sobie coś szczególnego. Zawsze tak uważałem i wydaje mi się, że Matte... Pamiętasz, jak zareagował, gdy mu powiedzieliśmy, że wróciła?

– No tak, ale ile oni mieli wtedy lat? Siedemnaście? Osiemnaście?

– Swoje wiem. – Gunnar wysunął podbródek. – Zresztą miał ją odwiedzić.

– Przepraszam – wtrącił Patrik. – Kto to jest Annie?

– Annie Wester. Znali się od dziecka. Nawiasem mówiąc, chodzili do jednej klasy z pańską żoną. I Matte, i Annie.

Gunnar wydawał się trochę zakłopotany tym, że zna Erikę, ale Patrik się nie zdziwił. Mieszkańcy Fjällbacki i tak wiedzieli o sobie prawie wszystko, a Erice od czasu sukcesu jej książki przyglądali się jeszcze uważniej.

– Czy ona tu jeszcze mieszka?

– Nie, wyprowadziła się dawno temu. Wyjechała do Sztokholmu i od tamtej pory nie mieli ze sobą kontaktu. Ale ma wyspę niedaleko stąd. Nazywa się Gråskär.

– Więc sądzi pan, że Mats ją odwiedził?

– Nie wiem, czy zdążył – odparł Gunnar. – Ale można zadzwonić, spytać Annie. – Wstał i przyniósł kartkę przyklejoną do drzwi lodówki. – To numer jej komórki. Nie wiem, jak długo zamierza zostać. Jest tu z synkiem.

– Często przyjeżdża?

– Nie, nawet się zdziwiliśmy, że przyjechała. Nie było jej od czasu, kiedy wyjechała do Sztokholmu, a to było wiele lat temu. Wyspa jest jej własnością. Dawno temu kupił ją jej dziadek. Tylko ona została, nie ma rodzeństwa. Pomagaliśmy jej opiekować się domem, ale latarni niedługo nic nie pomoże, jeśli czegoś szybko nie zrobią.

– Latarni?

– Na wyspie jest stara latarnia morska, z dziewiętnastego wieku. I dawny dom latarnika.

– To chyba odludne miejsce. – Patrik skrzywił się, wypijając ostatni łyk zimnej kawy.

– Odludne albo takie, gdzie jest spokój i cisza, zależy, jak na to spojrzeć – zauważyła Signe. – Ja nie przespałabym tam nawet jednej nocy.

– A nie mówiłaś przypadkiem, że to brednie i zabobony? – powiedział Gunnar.

– Co mianowicie? – zaciekawił się Patrik.

– Gråskär nazywają Wyspą Duchów. U nas mówi się, że kto tam umrze, nigdy stamtąd nie odejdzie – wyjaśnił Gunnar.

– Straszy, tak?

– E tam... ludzie plotą – prychnęła Signe.

– Tak czy inaczej, zadzwonię do Annie Wester. Dziękuję za kawę i za rozmowę. – Patrik wstał i dosunął krzesło.

– Dobrze było móc porozmawiać o nim – odparła cicho Signe.

– Mógłbym pożyczyć? – Patrik wskazał na zdjęcia ze szpitala. – Obiecuję, że będziemy się z nimi obchodzić ostrożnie.

– Może pan zatrzymać. – Gunnar podał mu odbitki. – Mamy aparat cyfrowy, przerzuciłem zdjęcia do komputera.

– Dziękuję. – Patrik włożył zdjęcia do teczki.

Odprowadzili go do drzwi. Siadając za kierownicą, miał przed oczami Matsa Sverina jako małego chłopca, potem nastolatka, i w końcu dorosłego mężczyznę. Postanowił, że pojedzie do domu na lunch. Poczuł palącą potrzebę ucałowania swoich bliźniaków.

– Jak się miewa mój kochany wnuczek? – Mellberg też pojechał do domu na lunch. Jak tylko wszedł, wyrwał Ricie małego i zaczął go podrzucać. Leo aż piszczał z radości.

– No proszę. Dziadek przyszedł, więc babcia już się nie liczy. – Rita zrobiła smutną minę, ale po chwili podeszła i ucałowała obu w pulchne policzki.

Bertil był przy jego narodzinach. Nawiązała się między nimi szczególna więź. Nic nie mogłoby jej bardziej ucieszyć. Mimo to ulżyło jej, gdy dał się przekonać, że powinien wrócić do pracy na cały etat. Pomysł, żeby w opiece nad dzieckiem odciążył Paulę, wydawał się dobry, ale chociaż kochała swego supermana od siedmiu boleści, nie miała złudzeń co do jego rozsądku, chwilami mocno szwankującego.

– Co jest do jedzenia? – Mellberg ostrożnie posadził chłopca na jego krzesełku i zawiązał mu śliniak.

– Kurczak z twoją ulubioną salsą mojej roboty.

Mellberg aż zamruczał z zadowolenia. Kiedyś najbardziej egzotycznym daniem w jego menu była potrawka cielęca z koperkiem i ziemniakami, ale Ricie udało się go przekonać do swoich smaków. Jej salsa była tak ostra, że niemal wypalała dziury w zębach, ale Mellberg ją uwielbiał.

– Późno wczoraj wróciliście.

Postawiła na stole talerz z mniej pikantnym jedzeniem dla wnuka, żeby Bertil mógł go nakarmić.

– Mamy mnóstwo roboty. Paula i chłopaki pracują w terenie. Hedström słusznie zauważył, że w komisariacie powinien zostać ktoś, kto umie sobie radzić z mediami, a nikt nie nadaje się do tego lepiej niż ja. – Podał wielką łychę wnukowi. Leo połowę wypluł.

Rita ukryła uśmiech. Patrikowi znów się udało go wykołować. Polubiła Hedströma za to, że umiał postępować z Bertilem. Odrobina cierpliwości, dyplomacji i parę pochlebstw, a robił dokładnie to, czego się od niego chciało. Sama tak robiła i dobrze im się układało.

– Mój biedaku, przepracujesz się. – Nałożyła mu kawał kurczaka i dużo salsy.

Leo już opróżnił talerz, więc Mellberg rzucił się na jedzenie. Wchłonął swoją porcję i dokładkę, rozparł się na krześle i poklepał po brzuchu.

– Dobre było. Wiem, co by nam teraz podeszło, prawda, Leo? – Wstał i podszedł do zamrażarki.

Rita wiedziała, że powinna go powstrzymać, ale nie miała serca. Mellberg wyjął trzy wielkie lody Magnum i z zadowoloną miną rozdał wszystkim. Małego prawie nie było zza loda widać. Jak tak dalej pójdzie, niedługo będzie szerszy niż dłuższy. Trudno, dziś można zrobić wyjątek.

Fjällbacka 1870

Karl leżał na środku łóżka. Przysunęła się do niego. Spał w kalesonach i podkoszulku. Niedługo będzie musiał wstać i zmienić Juliana w latarni. Ręka jej drżała, gdy delikatnie pogładziła go po udzie. Nie ona powinna to robić, ale coś jest nie tak. Dlaczego w ogóle jej nie dotyka? Prawie się nie odzywa. Ledwie podziękuje, wstając od stołu. Omija ją wzrokiem, jakby była przezroczysta, niezauważalna.

W domu spędzał niewiele czasu. Siedział w latarni, krzątał się po obejściu albo przy łódce. Albo wypływał w morze. Całymi dniami siedziała sama i gdy w niewielkim domu zrobiła, co do niej należało, zostawało jej sporo wolnego czasu. Chwilami myślała, że wkrótce zwariuje. Gdyby miała dziecko, miałaby towarzystwo i coś do roboty. Wtedy nie przeszkadzałoby jej ani to, że Karl pracuje od świtu do nocy, ani to, że się nie odzywa. Gdyby mieli dziecko, któremu mogłaby się poświęcić.

Pracując całe lata w gospodarstwie, nauczyła się tyle, że najpierw między mężczyzną a kobietą musi dojść do czegoś, co im się jeszcze nie zdarzyło. Więc przesuwała dłonią po jego udzie. Serce jej waliło z napięcia i podniecenia, gdy wsunęła rękę do jego rozporka.

Karl drgnął i usiadł na łóżku.

– Co ty wyprawiasz? – Oczy mu pociemniały, takiego jeszcze go nie widziała. Cofnęła dłoń.

– Ja... pomyślałam tylko... – Nie znajdowała słów. Jak wyjaśnić coś tak oczywistego? Coś, co nawet dla niego powinno być oczywiste, bo choć byli po ślubie już trzy miesiące, ani razu nie doszło między nimi do zbliżenia. Łzy napłynęły jej do oczu.

– Pójdę spać do latarni, bo tu nie mam spokoju. – Przepchnął się obok niej, ubrał i zbiegł na dół.

Emelie czuła się tak, jakby ją spoliczkował. Do tej pory ją tylko ignorował. Nigdy nie mówił do niej takim tonem. Twardym, zimnym i pogardliwym. I patrzył jak na jakieś paskudztwo, które wypełzło spod kamienia.

Przysunęła się do okna, policzki miała mokre od łez. Wiał silny wiatr i Karl, idąc do latarni, musiał się z nim zmagać. Szarpnął drzwi i wszedł do środka. Po chwili zobaczyła zarys jego sylwetki na tle lampy.

Wróciła do łóżka i rozpłakała się. Dom trzeszczał i skrzypiał, jakby miał odlecieć w siną dal, hen, nad wyspy. Jakoś się nie bała. Wolałaby odlecieć dokądkolwiek, byle tu nie tkwić.

Poczuła muśnięcie na policzku, dokładnie w miejscu, gdzie ją zapiekło po tym, co powiedział Karl. Drgnęła. Nikogo nie było. Naciągnęła kołdrę pod brodę i rozejrzała się po kątach. Pusto. Znów się położyła. Na pewno jej się zdawało. To samo było z odgłosami. Słyszała je, odkąd przypłynęła na wyspę. I z otwartą szafą, którą na pewno zamknęła. I z cukiernicą, która ni stąd, ni zowąd przemieściła się ze stołu na szafkę. To musiały być przywidzenia. Z samotności wyobraźnia płata czasem figle.

Z dołu dobiegł odgłos przesuwania krzesła. Usiadła i wstrzymała oddech. W uszach miała słowa tamtej baby. Do tej pory wolała o nich nie pamiętać. Nie chciała schodzić i sprawdzać. Lepiej nie wiedzieć, co tam jest i co jeszcze przed chwilą było tu i musnęło ją po policzku.

Naciągając kołdrę na głowę, trzęsła się jak dziecko chowające się przed upiorami. Leżała tak do świtu. Nic już nie słyszała.

– Co o tym wszystkim myślisz? – spytała Paula. Siedzieli z Göstą w pokoju socjalnym i jedli kupiony w Konsumie lunch.

– Że to dziwna sprawa. – Gösta nabrał na widelec kawałek rybnej zapiekanki. – Nikt nic o nim nie wie, ale lubili go, uważali, że jest otwarty i towarzyski. Coś tu się nie zgadza.

– Hm... też mi się tak wydaje. Jak można być aż tak skrytym? Przecież jak się rozmawia przy kawie albo podczas lunchu, to człowiekowi musi się coś wypsnąć.

– Wiesz co, ty na początku też nie byłaś zbyt rozmowna.

Paula się zaczerwieniła.

– No tak, masz rację. Zresztą właśnie o to mi chodzi. Milczałam, bo miałam coś do ukrycia. Nie wiedziałam, jak zareagujecie na wieść, że żyję z kobietą. Pytanie: co chciał ukryć Mats Sverin?

– Pewnie się dowiemy.

Coś trąciło ją w nogę. Ernst poczuł zapach jedzenia i pełen nadziei usiadł przy nich.

– Przykro mi, stary. Postawiłeś na niewłaściwego konia. Mam tylko sałatę.

Ernst się nie ruszył, nadal patrzył na nią błagalnie. Paula pomyślała, że trzeba mu to pokazać. Wzięła listek sałaty i podstawiła mu pod nos. Zaczął uderzać ogonem o podłogę. Powąchał, spojrzał na nią, wyraźnie zawiedziony, i manifestacyjnie odwrócił się do niej zadkiem. Podszedł do Gösty, a on ukradkiem dał mu ciasteczko.

– Jeśli uważasz, że w ten sposób mu się przysłużysz, to się grubo mylisz – powiedziała Paula. – Będzie nie tylko tłusty, ale i chory, jeśli obaj z Bertilem będziecie go dokarmiać. Już by nie żył, gdyby mama ciągle nie chodziła z nim na spacer, żeby się wybiegał.

– No tak, wiem. Ale to jego spojrzenie...

– Hm... – Paula popatrzyła na niego surowo.

– Miejmy nadzieję, że Martin albo Patrik dowiedzą się czegoś istotnego. – Gösta szybko zmienił temat. – Bo na razie jesteśmy niewiele mądrzejsi niż wczoraj.

– Masz rację. – Paula zrobiła przerwę. – Straszna sprawa. Pomyśl tylko, został zastrzelony we własnym mieszkaniu, czyli tam, gdzie człowiek czuje się najbezpieczniej.

– Zgaduję, że to ktoś znajomy. Zamek był nienaruszony, musiał go wpuścić.

– To jeszcze gorzej – powiedziała Paula. – Zginął we własnym mieszkaniu z rąk kogoś, kogo znał.

– W zasadzie nie musiał go znać. Tyle piszą w gazetach o ludziach, którzy dzwonią do drzwi, prosząc o możliwość skorzystania z telefonu, a potem okradają mieszkanie do cna. – Gösta wbił widelec w zapiekankę.

– Tak, ale wybierają raczej starych ludzi. Nie kogoś młodego i silnego, jak Mats Sverin.

– Masz rację, ale nie da się tego wykluczyć.

– Zobaczymy, z czym wrócą Martin i Patrik. – Paula odłożyła sztućce i wstała. – Kawy?

– Poproszę – odparł Gösta. Ukradkiem podsunął

Ernstowi jeszcze jedno ciasteczko. W nagrodę dostał mokre liźnięcie w rękę.

– Ojej, tego mi było trzeba – stęknął Erling. Leżał na stole do masażu.

Palce Vivianne uciskały go umiejętnie, poczuł, jak napięcie puszcza. Spoczywała na nim wielka odpowiedzialność, nic dziwnego, że sporo go to kosztuje.

– Czy ten zabieg znajdzie się w naszej ofercie?

– Oczywiście. To masaż klasyczny, więc będzie w ofercie, podobnie jak masaż tajski i gorącymi kamieniami. Można będzie również wybrać między całościowym a częściowym. – Vivianne mówiła spokojnym, usypiającym tonem.

– To wspaniale, wspaniale.

– Poza ofertą podstawową będzie też kilka zabiegów specjalnych, na przykład nacieranie solą i algami, terapia światłem, maseczki z alg i tak dalej. Wszystko będzie. Przecież wiesz, napisaliśmy o tym w ulotce.

– Wiem. Dla moich uszu to brzmi jak muzyka. Personel już skompletowany? – Masaż, półmrok i głos Vivianne sprawiły, że zachciało mu się spać.

– Wkrótce kończymy szkolenia. Osobiście się tym zajęłam. Mamy świetnych ludzi. Młodych, pełnych entuzjazmu i ambitnych.

– To wspaniale, wspaniale – Erling westchnął z zadowoleniem. – Czuję, że to będzie sukces. – Skrzywił się, Vivianne ucisnęła bolesne miejsce na plecach.

– Masz tu napięty mięsień – powiedziała, masując dalej.

– Boli – powiedział, całkiem już rozbudzony.

– Złe złym pozbywają, klin klinem wybijają. – Vivianne ucisnęła jeszcze mocniej, aż jęknął. – Strasznie jesteś spięty.

– To przez tę historię z Matsem – odparł z wysiłkiem. Z bólu łzy napłynęły mu do oczu. – Przed południem do biura przyszli policjanci. Wypytywali. Coś okropnego.

Vivianne zastygła w pół ruchu.

– O co pytali?

Ból na chwilę ustąpił i Erling odetchnął z ulgą.

– Tak ogólnie. Jak się zachowywał, co o nim wiemy, jak się sprawował w pracy.

– I co powiedzieliście? – Vivianne znów zaczęła masować, ale na szczęście omijała to miejsce.

– Niewiele było do powiedzenia. Mats był skryty, więc nie mieliśmy wyrobionego zdania na jego temat. W każdym razie przejrzałem dziś jego papiery i muszę powiedzieć, że miał wzorowy porządek. Dzięki temu będzie mi łatwiej pilnować finansów, dopóki nie znajdziemy kogoś na jego miejsce.

– Doskonale sobie poradzisz. – Vivianne masowała mu kark tak, że aż dostał gęsiej skórki. – To znaczy, że w papierach nie ma śladu, że coś mu się nie podobało?

– Na ile się zorientowałem, nie. Wszystko jest w porządku. – Znów zaczął przysypiać. Vivianne masowała dalej.

Dan siedział przy kuchennym stole i patrzył w okno. W domu panowała cisza. Dzieci w szkole i w przedszkolu. Wrócił do pracy. Wracał stopniowo, ale tego dnia miał wolne. A wolałby być w pracy. Ostatnio, gdy szedł do domu, zaczynał go boleć brzuch. Wszystko mu przypominało o tym, co stracili. Nie tylko dziecko. Również dotychczasowe wspólne życie. W głębi duszy podejrzewał, że na zawsze, i nie miał pojęcia, co robić. Czuł się kompletnie bezradny i nienawidził tego uczucia.

Serce go bolało, kiedy myślał o Emmie i o Adrianie. Im jeszcze trudniej niż jemu było zrozumieć, dlaczego mama ciągle leży w łóżku, nie rozmawia z nimi, nie przytula, nawet nie patrzy na rysunki, które jej przynoszą do podziwiania. Wiedzieli, że miała wypadek, że braciszek poszedł do nieba, ale nie rozumieli, dlaczego z tego powodu leży bez ruchu i patrzy w okno. Dan nie był w stanie wypełnić im pustki po Annie. Byli do niego przywiązani, ale najbardziej kochali mamę.

Odreagowywali to każde na swój sposób. Emma zamykała się w sobie, z każdym dniem coraz bardziej, podczas gdy Adrian wyładowywał się na wszystkim i wszystkich. Zadzwonili z przedszkola, żeby powiedzieć, że bije i gryzie inne dzieci. Telefonował też nauczyciel Emmy. Zwrócił uwagę, że bardzo się zmieniła, milczy na lekcjach, a dawniej była żywa, wesoła i otwarta. Ale co miał zrobić? Potrzebowali Anny, nie jego. Własne córki mógł pocieszać, gdy podchodziły o coś spytać albo się przytulić. Bywały smutne i zamyślone, ale nie tak jak Emma i Adrian. Zresztą co drugi tydzień spędzały u mamy. Tam nie były obciążone żałobą, która zaległa nad jego codziennością jak ciężki, mokry koc.

Pernilla okazała się bardzo pomocna. Rozwód nie odbył się wprawdzie bez tarć, ale po wypadku zachowała się wspaniale. Fakt, że wszystkie dziewczynki, Lisen,

Belinda i Malin, poradziły sobie z tą sytuacją, w znacznej mierze był jej zasługą. Emma i Adrian nie mieli nikogo poza nimi. Erika próbowała pomóc, ale miała mnóstwo zajęć przy bliźniętach i zwyczajnie nie dawała rady. Dan to rozumiał i doceniał jej starania.

W rezultacie Emma, Adrian i on sami musieli się zmierzyć z paraliżującym lękiem o Annę. Zastanawiał się, czy już do końca życia będzie leżała i patrzyła w okno. Miną dni, tygodnie i lata, a ona będzie leżała i powoli się starzała. Zdawał sobie sprawę, że to skrajny pesymizm. Lekarze mówili, że z czasem wyjdzie z depresji, ale to musi potrwać. Problem polegał na tym, że już w to nie wierzył. Od wypadku minęło wiele miesięcy, a miał wrażenie, że Anna oddala się coraz bardziej.

Za oknem kilka sikorek dziobało kulki z łoju. Dziewczynki uparły się, żeby je zawiesić, choć była już późna wiosna. Popatrzył na ptaki i z zazdrością pomyślał, że one nie mają problemów. Życie upływa im na podstawowych rzeczach: szukaniu pożywienia, spaniu i rozmnażaniu się. Żadnych wyższych uczuć, skomplikowanych relacji. Żadnej żałoby.

Przyszedł mu na myśl Matte. Erika dzwoniła, żeby mu powiedzieć, co się stało. Dobrze znał jego rodziców. Ile razy wypływali z Gunnarem łódką, a przy okazji snuli różne opowieści, prawdziwe albo i nie. Gunnar zawsze mówił o synu z taką dumą. Zresztą on też znał Mattego. Chodził z Eriką do jednej klasy, on do równoległej. Ale nie kolegowali się. Gunnar i Signe muszą być pogrążeni w bólu. Przyszło mu to do głowy i natychmiast inaczej spojrzał na własną żałobę. Jeśli jego tak strasznie boli po stracie synka, którego nie zdążył poznać, to jak bolesna musi być utrata syna, który przy nich dorastał?

Sikorki nagle rozleciały się na wszystkie strony. Po chwili zobaczył dlaczego. Przyszedł kot sąsiadów. Usiadł i łakomie spozierał na drzewo. Tym razem musi się obejść smakiem.

Dan wstał. Nie może tak siedzieć i nic nie robić. Musi porozmawiać z Anną, skłonić ją, żeby się obudziła, wróciła do żywych. Powoli ruszył schodami na górę.

– Jak ci poszło? – Patrik rozsiadł się na krześle. Spotkali się w pokoju socjalnym na kolejnej odprawie.

Martin potrząsnął głową.

– Tak sobie. Rozmawiałem z większością z tych, których wczoraj nie zastaliśmy, ale nic nie widzieli, nic nie słyszeli. Może z wyjątkiem... – Zawahał się.

– No? Co? – spytał Patrik.

Wszyscy spojrzeli na Martina.

– Sam nie wiem. Facet ma chyba nierówno pod sufitem.

– Dawaj.

– Okej. Nazywa się Grip, mieszka na tym samym piętrze co Sverin. Jak mówiłem, wydaje się, że ma nie po kolei tutaj. – Martin popukał się w skroń. – I trzyma w domu obrzydliwie dużo kotów, ale... – Zaczerpnął tchu. – Otóż powiedział, że w sobotę o świcie jeden z kotów widział jakiś samochód. W tym samym czasie, gdy innego sąsiada, Leanderssona, obudził jakiś odgłos, może wystrzału.

Gösta zachichotał.

– Kot widział samochód?

– Cicho, Gösta – wtrącił Patrik. – Co jeszcze mówił?

– Tylko tyle. Nie potraktowałem go poważnie. Gość gra w innej drużynie, że tak to ujmę.

– Człowiek dowiaduje się prawdy z ust dzieci i szaleńców – mruknęła Annika. Cały czas robiła notatki.

Martin wzruszył ramionami.

– To jedyna rzecz, jakiej się dowiedziałem.

– To i tak dobrze – stwierdził zachęcająco Patrik. – Chodzenie po sąsiadach to niewdzięczna robota. Albo słyszeli i widzieli aż za dużo, albo nic.

– Rzeczywiście, bez świadków bez wątpienia byłoby łatwiej – mruknął Gösta.

– A wam jak poszło? – Patrik zwrócił się do Gösty i Pauli. Siedzieli obok siebie przy stole.

Paula potrząsnęła głową.

– Niestety również tak sobie. Gdyby go oceniać na podstawie wypowiedzi kolegów z pracy, w ogóle nie miał życia osobistego. W każdym razie nic o tym nie wiedzą. Nigdy nie opowiadał o swoich zainteresowaniach, przyjaciołach ani dziewczynach. Ale wszyscy mówią, że był sympatyczny i towarzyski. Trudno to pogodzić.

– Opowiadał coś o Göteborgu?

– Nie, nic. – Gösta potrząsnął głową. – Jak powiedziała Paula, wydaje się, że mówił wyłącznie o pracy i o codziennych sprawach.

– Słyszeli o pobiciu? – Patrik wstał i zaczął nalewać kawy do filiżanek.

– Nie – odparła Paula. – Powiedział, że się przewrócił na rowerze i jakiś czas spędził w szpitalu. Jak wiemy, nie była to cała prawda.

– A jaki był w pracy? Mieli jakieś uwagi? – Patrik odstawił dzbanek z kawą.

– Dobrze się spisywał. Byli z niego bardzo zadowoleni. Uważali, że zatrudniając magistra ekonomii z doświadczeniem, złapali Pana Boga za nogi. W dodatku pochodził stąd. – Gösta podniósł filiżankę do ust i oparzył się w język. – Aua! Cholera!

– To znaczy, że nie mamy żadnego tropu?

– W każdym razie my na nic nie wpadliśmy – powiedziała Paula z taką samą zrezygnowaną miną jak wcześniej Martin.

– Na razie musimy się tym zadowolić. Przypuszczam, że będzie jeszcze powód, żeby ich odwiedzić. Ja rozmawiałem z rodzicami Matsa i wynik jest mniej więcej taki sam. Im też niewiele mówił. Ale dowiedziałem się, że na Gråskär jest teraz jego była dziewczyna. Jego ojciec uważa, że Mats się do niej wybierał. Skontaktuję się z nią. – Patrik położył na stole zdjęcia ze szpitala Sahlgrenska. – Pozwolili mi to wziąć.

Podawali sobie z rąk do rąk.

– Rany boskie – powiedział Mellberg. – Musiał strasznie oberwać.

– Tak, sądząc po zdjęciach, było to ciężkie pobicie. Nie twierdzę, że ma to związek z morderstwem, ale uważam, że trzeba się temu bliżej przyjrzeć. Potrzebujemy dokumentacji ze szpitala. Musimy też sprawdzić, co jest w doniesieniu. Jeśli złożyli doniesienie. Poza tym trzeba pogadać z pracownikami organizacji, w której pracował. Pomagała kobietom, ofiarom przemocy w rodzinie. To też jest ciekawe. Może tu jest jakiś motyw? Najlepiej, żeby ktoś pojechał do Göteborga i pogadał z nimi na miejscu.

– Czy to naprawdę konieczne? – zapytał Mellberg. – Nic nie wskazuje na to, żeby przyczyną zabójstwa było coś, co się stało w Göteborgu. To pewnie miejscowa sprawa.

– Ja uważam, że to ma sens. Biorąc pod uwagę, jak mało wiemy i że Sverin był taki skryty.

Mellberg się zamyślił. Zmarszczył czoło, jakby musiał głęboko kopać, żeby się dokopać do decyzji.

– Niech będzie – powiedział w końcu. – Miejmy nadzieję, że coś z tego wyniknie, bo zdaje się, że zabierze ci to prawie cały dzień.

– Postaramy się. Zabiorę Paulę – wyjaśnił.

– A co my mamy w tym czasie robić? – spytał Martin.

– Moglibyście z Anniką sprawdzić rejestry publiczne, co mają na temat Sverina. Jakiś potajemny ślub albo rozwód? Może ma dzieci? Stan majątkowy. Czy był karany? Wszystko, co wam przyjdzie do głowy.

– Pewnie – powiedziała Annika, patrząc na Martina.

– Gösta... – Patrik się zastanawiał. – Zadzwoń do Torbjörna i dowiedz się, kiedy będziemy się mogli rozejrzeć w jego mieszkaniu. Przyciśnij go, niech się pośpieszy z badaniami. Mamy tak mało tropów, potrzebujemy wyników jak najprędzej.

– Zrobi się – odparł Gösta bez entuzjazmu.

– Bertil? Ty nadal będziesz strzegł pozycji?

– Naturalnie. – Mellberg się wyprostował. – Jestem gotów na przyjęcie szturmu.

– Dobrze. Jutro z nowymi siłami zabieramy się do roboty. – Patrik wstał na znak, że zebranie skończone. Był strasznie zmęczony.

Annie drgnęła. Obudził ją hałas. Przysnęła na kanapie i przyśnił jej się Matte. Ciągle czuła ciepło jego ciała, gdy miała go w sobie, słyszała jego tak dobrze znany głos. Ten głos zawsze sprawiał, że czuła się bezpieczna. Ale widocznie on tego nie czuł. Nawet go rozumiała. On kochał dawną Annie, ta dzisiejsza go rozczarowała.

Dreszcze ustąpiły, ręce i nogi już nie bolały, ale niepokój pozostał. Czuła mrowienie w rękach i nogach, musiała chodzić po domu, tam i z powrotem. Sam patrzył na nią wielkimi oczami.

Gdyby chociaż mogła wyjaśnić Mattemu, dlaczego wszystko przybrało tak zły obrót. Trochę mu o sobie opowiedziała, gdy siedzieli przy stole w kuchni. Zwierzyła się z rzeczy, o których dotychczas nikomu nie mówiła. Ale nie potrafiła opowiedzieć o najgorszym upokorzeniu, o tym, do czego została zmuszona i co ją do głębi zmieniło.

Wiedziała, że już nie jest taka jak dawniej. A Matte zobaczył, że jest zepsuta, wręcz przeżarta zgnilizną.

Zrobiło jej się duszno, musiała usiąść. Podciągnęła kolana pod brodę i objęła się ramionami. W domu było cicho. Nagle coś uderzyło o podłogę. Piłka Sama. Spojrzała, powoli toczyła się w jej stronę. Odkąd przypłynęli na wyspę, Sam nie bawił się nią ani razu. Czyżby się obudził i zaczął bawić? Serce zabiło jej szybciej z radości, ale zdała sobie sprawę, że to niemożliwe. Drzwi jego pokoju były na prawo, a piłka wypadła z lewej, z kuchni.

Powoli wstała i poszła w tamtą stronę. W pierwszej chwili się przestraszyła: na ścianach i suficie zobaczyła poruszające się cienie. Ale strach zniknął tak szybko, jak się pojawił. Poczuła spokój. Nikt nie chce jej skrzywdzić. Nie umiałaby powiedzieć, dlaczego tak uważa, ale czuła to bardzo wyraźnie.

Z kąta dobiegł ją chichot. Spojrzała w tę stronę. Mignął jej chłopczyk. Zanim zdążyła się przyjrzeć, pobiegł do drzwi. Bez namysłu ruszyła za nim. Szarpnęła drzwi, poczuła silny powiew wiatru. Wiedziała, że musi za nim iść, że on tego chce.

Pobiegł do latarni. Co jakiś czas oglądał się za siebie, jakby chciał się upewnić, że biegnie za nim. Jasne włosy rozwiewał mu wiatr, biegła za nim aż do utraty tchu.

Drzwi były ciężkie, ale chłopiec był już za nimi, więc ona też musiała się dostać do środka. Wbiegając po stromych schodach, słyszała go na górze. Chichotał.

Ale gdy dotarła na górę, okrągłe pomieszczenie okazało się puste. Kimkolwiek był ten chłopiec, już sobie poszedł.

– Jak wam idzie? – Erika przytuliła się do siedzącego na kanapie Patrika.

Wrócił w sam raz na kolację. Dzieci już spały. Ziewnęła i położyła nogi na stoliku.

– Zmęczona? – spytał, głaszcząc ją po ramieniu. Nie odrywał wzroku od telewizora.

– Jak nie wiem co.

– To idź się połóż, kochanie. – Z nieobecnym wyrazem twarzy pocałował ją w policzek.

– Powinnam to zrobić, ale mi się nie chce. – Spojrzała na niego. – Potrzebuję trochę czasu dla siebie, trochę Patrika i telewizyjnych wiadomości, jako przeciwwagi do zafajdanych pieluch, zarzyganych kaftaników i szczebiotania do dzieci.

Patrik przyjrzał jej się uważnie.

– Wszystko w porządku?

– Oj, tak – odparła. – Nie to co przy Mai. Tylko czasem za dużo tego dobrego.

– Jak się skończy lato, wezmę wszystko na siebie, żebyś mogła pisać.

– Wiem, ale najpierw czeka nas właśnie całe lato. Jest dobrze, po prostu miałam ciężki dzień. I jeszcze ta straszna historia z Mattem. Nie znałam go dobrze, chociaż dość długo chodziliśmy do jednej klasy. I w gimnazjum, i w liceum. – Umilkła. – Jak wam idzie śledztwo? Nie odpowiedziałeś.

– Kiepsko – westchnął Patrik. – Rozmawialiśmy z jego rodzicami i z kolegami z pracy. Musiał być samotnikiem, bo nikt nie ma o nim nic do powiedzenia. Albo był potwornym nudziarzem, albo...

– Albo co? – spytała Erika.

– Albo są sprawy, o których na razie nic nie wiemy.

– W szkolnych czasach bynajmniej nie był nudziarzem. Przeciwnie, był towarzyski i wesoły. Bardzo lubiany. Taki chłopak, o którym się myśli, że cokolwiek będzie w życiu robił, odniesie sukces.

– Chodziła też z wami jego dziewczyna, prawda? – spytał Patrik.

– Annie? Tak, rzeczywiście. Ale ona... – Erika szukała właściwego określenia. – Miałam wrażenie, że zadzierała nosa. Trochę od nas odstawała. Tylko nie zrozum mnie źle, ona też była lubiana, byli z Mattem świetną parą.

Ale zawsze miałam wrażenie, że on, jak by to powiedzieć... biegał za nią jak psiak. Radośnie merdał ogonem, gdy tylko raczyła zwrócić na niego uwagę. Nikt się specjalnie nie zdziwił, gdy postanowiła wyjechać do Sztokholmu i go zostawiła. Był, zdaje się, naprawdę załamany, ale chyba też się nie zdziwił. Annie nie należała do osób, które można zatrzymać. Rozumiesz, co mam na myśli, czy truję bez sensu?

– Rozumiem.

– Dlaczego pytasz o Annie? Chodzili ze sobą w liceum. Aż przykro o tym mówić, ale od tamtej pory minęły całe wieki.

– Ona tu jest.

Erika spojrzała na niego zdumiona.

– We Fjällbace? Całymi latami tu nie przyjeżdżała.

– Niezupełnie tutaj. Rodzice Matsa powiedzieli, że jest razem z synkiem na tej wyspie, która jest własnością jej rodziny.

– Na Wyspie Duchów?

Patrik przytaknął.

– Tak na nią mówią, ale nazywa się chyba inaczej, co?

– Gråskär – odparła Erika. – Ale wszyscy miejscowi mówią Wyspa Duchów. Podobno zmarli...

– ...nigdy jej nie opuszczają – dokończył Patrik i uśmiechnął się. – Dzięki, już słyszałem o tych zabobonach.

– Skąd pewność, że to zabobony? Raz tam nocowaliśmy i od tamtej pory jestem przekonana, a ze mną pół mojej klasy, że tam naprawdę straszy. Nastrój był niesamowity, widzieliśmy i słyszeliśmy takie rzeczy, że w życiu nikt z nas nie chciałby tam nocować jeszcze raz.

– Nie dałbym wiele za takie fantazje nastolatków.

Erika szturchnęła go łokciem.

– Nie marudź. Kilka duchów działa bardzo ożywczo.

– Cóż, można i tak na to spojrzeć. Tak czy inaczej, muszę z nią porozmawiać. Zdaniem rodziców Mats się do niej wybierał, ale nie wiedzą, czy się spotkali. Od wielu lat nie byli w bliskich stosunkach, ale mógł jej coś o sobie opowiedzieć... – powiedział Patrik.

– To ja wybiorę się z tobą – powiedziała Erika. – Powiedz tylko, kiedy chcesz popłynąć. Poprosimy twoją mamę, żeby została z dziećmi. Annie cię nie zna – dodała, zanim Patrik zdążył zgłosić sprzeciw. – A ze mną chodziła do jednej klasy. Chociaż, przyznaję, nie przyjaźniłyśmy się. Może ci się przysłużę, może przy mnie się otworzy.

– Dobrze – niechętnie odparł Patrik. – Ale dopiero w piątek, bo jutro muszę jechać do Göteborga.

– Jesteśmy umówieni. – Erika zwinęła się w kłębek i przytuliła do ramienia męża.

Fjällbacka 1870

– Smakowało? – Emelie zadawała to pytanie po każdym posiłku, chociaż wiedziała, że zawsze usłyszy mruknięcie, najpierw Karla, potem Juliana. Jadłospis był mało urozmaicony, ale cóż mogła na to poradzić. Najczęściej trafiały na stół makrele i flądry z połowów Karla i Juliana. Z zakupami bywało różnie. Jak dotąd ani razu nie zabrali jej ze sobą do sklepu do Fjällbacki. Wolno im było tam jeździć kilka razy w miesiącu.

– Karl, chciałam o coś spytać... – Emelie odłożyła sztućce, choć nawet nie zaczęła jeść. – Czy tym razem mogłabym popłynąć z wami do Fjällbacki? Od dawna nie widuję ludzi, poza tym byłoby miło pobyć na lądzie.

– Mowy nie ma. – Julian patrzył na nią tak samo mrocznie jak zawsze.

– Pytałam Karla – odparła spokojnie, chociaż serce jej stanęło. Po raz pierwszy zdobyła się na sprzeciw.

Julian prychnął i spojrzał na Karla.

– Słyszałeś? Mam znosić coś takiego od twojej baby? Karl ze znużeniem patrzył w talerz.

– Nie możemy cię zabrać – odrzekł. Uważał rozmowę za zakończoną.

Ale jej samotność dopiekła tak bardzo, że już nie mogła się powstrzymać.

– Ale dlaczego? Przecież w łódce jest miejsce, poza

tym zrobię lepsze zakupy, żebyśmy mogli zjeść co innego, a nie na okrągło makrelę z ziemniakami. Chyba dobrze by było?

Julian, blady z wściekłości, wpatrywał się w Karla. Karl zerwał się od stołu.

– Nie pojedziesz z nami, i koniec. – Włożył kurtkę i wyszedł. Trzasnął drzwiami.

Zachowywał się tak od tamtej nocy, gdy próbowała się do niego zbliżyć. Obojętność przeszła w coś, co przypominało odrazę, jaką jej okazywał Julian, w niepojętą antypatię, przed którą nie potrafiła się bronić. Czy naprawdę zrobiła coś strasznego? Czy była wstrętna i odstręczająca? Przypomniała sobie, jak wyglądały oświadczyny. Oświadczył się wprawdzie całkiem znienacka, ale w jego głosie słyszała ciepło i tęsknotę. A może to było tylko echo jej własnych uczuć i marzeń? Spuściła wzrok.

– Widzisz, co narobiłaś. – Julian rzucił sztućce, z brzękiem spadły na talerz.

– Dlaczego tak mnie traktujesz? Przecież nie zrobiłam ci nic złego. – Aż ją zdziwiła własna odwaga. Widocznie w końcu musiała to z siebie wyrzucić.

Nie odpowiedział. Spojrzał na nią ponuro, wstał i poszedł za Karlem. Kilka minut później zobaczyła, jak łódź odbija od pomostu i kieruje się w stronę Fjällbacki. Właściwie wiedziała, dlaczego jej nie zabierają. W gospodzie Abeli na Florö, gdzie zawsze kończyli wyprawę, towarzystwo żony nie byłoby dobrze widziane. Wrócą przed zmierzchem. Zawsze przypływali na czas, żeby zdążyć do latarni.

Trzasnęły drzwi szafy. Emelie aż podskoczyła. Drzwi wejściowe były zamknięte, więc to nie mógł być wiatr. Nie wierzyła, że mogą chcieć ją nastraszyć, ale to nie pomagało. Znieruchomiała i zaczęła nasłuchiwać. Rozejrzała się. Nikogo nie było. Wsłuchała się uważniej i wtedy usłyszała stłumiony odgłos, jakby z pewnej odległości, miarowy, cichy oddech. Nie umiała określić, skąd dochodzi. Miała wrażenie, że to dom oddycha. Próbowała dosłyszeć, czego od niej chcą, ale oddech ucichł. Znów zrobiło się cicho.

Zabrała się do zmywania i z ciężkim sercem wróciła myślą do Karla i Juliana. Przecież jest dobrą żoną, a jednak wszystko robi nie tak. Poczuła się samotna, sama jak palec. Chociaż właściwie już nie była sama. Coraz częściej czuła ich obecność. Słyszała i czuła różne rzeczy, jak przed chwilą. Już się ich nie bała. Nie chcą jej zrobić nic złego.

Pochyliła się nad kadzią, łzy kapały do brudnej wody. Nagle poczuła czyjąś dłoń na ramieniu. Nie obejrzała się za siebie. Wiedziała, że i tak nikogo nie zobaczy.

Paula wyciągnęła się na łóżku, musnęła włosy Johanny i zostawiła tam rękę. Znów odżył niepokój. Od kilku miesięcy jakby się od siebie oddalały. Nie dotykały się już tak spontanicznie, chociaż naprawdę się kochały.

Właściwie nie była to kwestia ostatnich miesięcy. Zaczęło się zaraz po narodzinach synka. Chciały mieć dziecko i musiały o nie zawalczyć. Wierzyły, że zwiąże je jeszcze bardziej. Tak się stało, ale tylko do pewnego stopnia. Paula uważała, że ona sama nie zmieniła się tak bardzo. Natomiast Johanna całkowicie weszła w rolę matki. Traktowała ją nawet z pewną wyższością, jakby Paula się nie liczyła albo jakby ona, Johanna, liczyła się bardziej, ponieważ urodziła Lea, była biologiczną matką ich synka. Leo nie miał genów Pauli, tylko jej miłość, i to od pierwszej chwili. Kochała go już wtedy, gdy był w brzuchu Johanny. Kiedy przyszedł na świat, gdy wzięła go na ręce, ta miłość stała się tysiąc razy silniejsza. Czuła, że jest jego mamą tak samo jak Johanna. Niestety Johanna nie podzielała tego przekonania, choć nie chciała się do tego przyznać.

Słyszała, jak matka krząta się po kuchni i jak rozmawia z wnukiem. Pomyślała, że dobrze się złożyło, że jest rannym ptaszkiem i z przyjemnością wstaje razem z nim. Dzięki temu ona i Johanna mogą pospać dłużej. A gdy w związku ze śledztwem nie mogła pracować na pół etatu, matka od razu zaofiarowała pomoc. O dziwo, nawet Bertil był gotów wcześnie wstawać, żeby pomóc.

Ale ostatnio Johanna ciągle miała jakieś zastrzeżenia do Rity. Jakby tylko ona wiedziała, jak należy się zajmować małym.

Paula z westchnieniem spuściła nogi z łóżka. Johanna się poruszyła, ale nie obudziła. Paula się nachyliła i czułym gestem odsunęła jej z twarzy kosmyk włosów. Do tej pory była pewna, że ich związek jest trwały i stabilny. Teraz tej pewności zabrakło i sama myśl o tym ją przestraszyła. Gdyby się rozstały, straciłaby synka. Johanna na pewno nie zostałaby w Tanumshede, a nie wyobrażała sobie, żeby się miała stąd wyprowadzić. Dobrze jej się tu mieszkało, lubiła swoją pracę i kolegów. Nie podobało jej się tylko to, co się działo między nią a Johanną.

Bardzo była ciekawa, co przyniesie wyprawa do Göteborga. Była ciekawa, kim był Mats Sverin, chciała się o nim dowiedzieć czegoś więcej. Instynkt podpowiadał jej, że odpowiedzi na pytanie, kto go zastrzelił, należy szukać w przeszłości, o której nigdy nie mówił.

– Dzień dobry – powitała ją matka, gdy weszła do kuchni.

Leo siedział na swoim krzesełku. Wyciągnął do niej rączki. Wzięła go na ręce i przytuliła.

– Dzień dobry. – Usiadła przy stole, z małym na kolanach.

– Śniadanie?

– Z przyjemnością. Jestem strasznie głodna.

– Zaraz temu zaradzimy.

Postawiła przed nią talerz z jajkiem sadzonym.

– Mamo, rozpuszczasz nas. – Paula objęła ją w talii i przytuliła głowę do pulchnego ciała.

– Kochanie, wiesz, że robię to z przyjemnością. –

Matka odwzajemniła uścisk i przy okazji pocałowała Lea w głowę.

Przyczłapał Ernst. Przysiadł na podłodze, tuż przy Pauli. Zanim zdążyły się zorientować, Leo rzucił mu jajko. Pies połknął je w mgnieniu oka. Leo zaklaskał w rączki. Bił sobie brawo – nakarmił ukochanego pieska.

– Oj, malutki – westchnęła matka. – Nie zdziwię się, jeśli ten pies zejdzie przedwcześnie z powodu otyłości.

Odwróciła się do kuchenki i wbiła na patelnię kolejne jajko.

– Co u was? – spytała cicho. Nie patrzyła na Paulę.

– Co masz na myśli? – odpowiedziała Paula, choć wiedziała, o co chodzi.

– Co z tobą i Johanną? Wszystko w porządku?

– Oczywiście, tylko mamy trochę za dużo pracy. – Na wszelki wypadek, gdyby matka się odwróciła, patrzyła na Lea. Nie chciała, żeby oczy ją zdradziły.

– Czy... – Matka nie zdążyła dokończyć.

– Dają tu jakieś śniadanie? – Mellberg wtelepał się do kuchni w samych gatkach. Z zadowoleniem podrapał się po brzuchu i usiadł przy stole.

– Właśnie mówiłam mamie, że nas rozpieszcza. – Paula z ulgą zmieniła temat.

– Co prawda, to prawda – potwierdził Mellberg, patrząc pożądliwie na smażące się jajko.

Rita spojrzała pytającym wzrokiem na Paulę, a ona kiwnęła głową.

– Wolę kanapkę.

Ernst obserwował, jak Rita kładzie jajko na talerzu. Usiadł obok pana. Raz się udało, może uda się i drugi?

– Muszę uciekać – powiedziała Paula, kończąc kanapkę. – Jadę z Patrikiem do Göteborga.

Mellberg kiwnął głową.

– Powodzenia. Dawaj małego, niech go trochę potrzymam. – Wyciągnął ręce po Lea. Mały chętnie poszedł do dziadka.

Wychodząc z kuchni, Paula zobaczyła jeszcze kątem oka, jak Leo błyskawicznie rzuca jajko Ernstowi. Niektórzy mają dzisiaj szczęście.

Erika rozłożyła na podłodze miękki koc, na nim położyła bliźnięta i pobiegła na strych. Żeby nie zostawiać ich samych na dłużej niż parę minut, wbiegła po stromych schodach tak szybko, że na górze musiała przystanąć, żeby złapać oddech.

Po chwili znalazła właściwe pudło. Schodziła tyłem z ciężkim kartonem, próbowała łapać równowagę. Chłopcy nawet nie zwrócili na nią uwagi. Usiadła na kanapie, karton postawiła na podłodze i zaczęła wykładać jego zawartość na stół. Zastanawiała się, kiedy ostatnio przeglądała te wszystkie albumy, zdjęcia, pocztówki i listy. Zajmowały cały blat. Wszystko było pokryte kurzem. Zdjęcia wyblakły i straciły trochę ostrości. Nagle poczuła się strasznie stara.

Po kilku minutach znalazła to, czego szukała. Album klasowy. I drugi, jej własny. Rozsiadła się na kanapie i zaczęła przewracać kartki. Album klasowy z czarno-białymi zdjęciami był mocno wyświechtany. Twarze niektórych kolegów i koleżanek były przekreślone, inne zakreślone kółkiem, zależnie od tego, kogo nienawidzili, a kogo uwielbiali. Tu i ówdzie jakieś uwagi. Przystojny, słodki, głupek albo kretyn, epitety bez szczególnej finezji. Kiedy wspominała czas dojrzewania, nie była z siebie dumna. A gdy doszła do strony ze swoim zdjęciem, aż się zaczerwieniła. Boże, naprawdę tak wyglądała? Miała taką fryzurę i nosiła takie ciuchy? Już wiedziała, dlaczego od dawna nie oglądała tych zdjęć.

Musiała nabrać tchu, żeby się sobie przyjrzeć. Robiła się wtedy na Farrah Fawcett. Długie jasne włosy, starannie skręcone w loki, wywinięte na zewnątrz. Okulary zasłaniające pół twarzy. Kiedy je zobaczyła, z wdzięcznością pomyślała o wynalazcy soczewek kontaktowych.

Brzuch ją rozbolał, gdy sobie przypomniała swoje lęki z tamtych lat, z gimnazjum. To poczucie, że odstaje od reszty, że nie należy do grupy. Gorączkowe starania o wstęp do paczki tych fajnych i cool. Próbowała. Naśladowała ich fryzury i styl ubierania się, nawet sposób mówienia koleżanek, które jej imponowały. Takich jak Annie. Wszystko na nic. Ale z drugiej strony nie zaliczała się do tych z samego dołu hierarchii, prześladowanych, ale już pogodzonych z losem. Należała do niewidzialnej szarej masy. Nauczyciele dostrzegali ją i doceniali, ale nieszczególnie ją to pocieszało. Kto by chciał być kujonem? Kto by chciał być Eriką, gdyby mógł być Annie?

Spojrzała na zdjęcie całej klasy. Annie siedziała na samym przodzie. Niektórzy wyraźnie pozowali, a ona wyglądała, jakby po prostu usiadła na swoim miejscu. Przyciągała wszystkie spojrzenia. Miała długie, lśniące jasne włosy aż do pasa, bez grzywki, czasem niedbale związane w koński ogon. W ogóle wszystko robiła niedbale. Była oryginałem, inne były zaledwie kopiami.

Za nią stał Matte. Wtedy jeszcze ze sobą nie chodzili, ale można się było spodziewać, że kiedyś będą. Matte nie patrzył w obiektyw jak inni. Aparat uchwycił go w chwili, gdy zerkał na Annie, a raczej na jej piękne długie włosy. Erika nie pamiętała, czy już wtedy się domyślała, że się kocha w Annie. Podejrzewała raczej, że durzą się w niej wszyscy chłopcy. Nie miała powodu przypuszczać, że Matte jest wyjątkiem.

Jaki on był śliczny, pomyślała, patrząc na zdjęcie. Wtedy chyba tak nie uważała, ale wtedy głowę miała zajętą Johanem, chłopakiem z równoległej klasy. Kochała się w nim bez wzajemności przez całe gimnazjum. Patrzyła na zdjęcie Mattego i pomyślała, że był słodki. Wysoki, z jasnymi rozwichrzonymi włosami. Poważne spojrzenie, które wydawało jej się bardzo pociągające. Dość chudy, jak większość chłopaków w tym wieku. Nie miała żadnych związanych z nim wspomnień z tamtych czasów. Nie przyjaźnili się. Matte był bardzo popularny, ale nie robił wokół siebie szumu, w odróżnieniu od chłopaków, którzy ciągle tokowali, zachwyceni własną pozycją. Matte raczej dawał się nieść prądowi.

Erika sięgnęła po własny album. Całe mnóstwo zdjęć: ze szkolnych wycieczek w czasach gimnazjum, z zakończenia roku i kilku imprez, na które rodzice pozwolili jej pójść. Na wielu z nich była Annie. Zawsze w centrum, jakby przyciągała obiektyw. Cholera, ale ładna, pomyślała Erika. Przyznała się sobie w myślach, że nie miałaby nic przeciwko temu, żeby dzisiejsza Annie była tęgawa i żeby ostrzygła włosy na paniusię. Dawna Annie była jednocześnie ucieleśnieniem marzeń i obiektem zawiści. Chciało się być jak ona albo chociaż przebywać w jej towarzystwie. Ani jedno, ani drugie nie było dla Eriki osiągalne. Nie było jej również na zdjęciach. To ona trzymała aparat. Nikt go od niej nie wziął, żeby też mogła być na zdjęciu. Była niewidzialna. Schowana za obiektywem, uwieczniała na obrazkach to, w czym sama chciałaby uczestniczyć.

Zirytowało ją, że wspomnienia okazały się tak gorzkie. Poczuła się upokorzona. Znów była tą dziewczyną co dawniej, nie kobietą, którą jest dziś, wziętą pisarką, szczęśliwą żoną i matką trojga wspaniałych dzieci, mającą piękny dom i przyjaciół. Męczyła ją dawna zazdrość, tęsknota za akceptacją grupy i ból, że jej nie dostanie, choćby nie wiem jak próbowała.

Bliźnięta zaczęły popłakiwać. Erika z ulgą opuściła szklaną bańkę. Wstała, żeby się zająć chłopcami. Albumy i zdjęcia zostawiła na stole. Patrik na pewno będzie chciał je obejrzeć.

– Od czego zaczniemy? – Paula zmagała się z chorobą lokomocyjną. Zaczęło ją mdlić już pod Uddevallą, potem było tylko gorzej.

– Chcesz się na chwilę zatrzymać? – Patrik zerknął na jej zielonkawą twarz.

– Nie, zaraz dojedziemy – odparła, przełykając ślinę.

– Chciałbym zacząć od Sahlgrenska – powiedział Patrik. Z zaciętą miną włączył się do göteborskiego, nader skomplikowanego ruchu. – Dostaliśmy zgodę na wgląd do dokumentacji medycznej Sverina. Uprzedziłem jego lekarza, że się do niego wybieramy.

– Dobrze – powiedziała Paula, przełykając ślinę. Nienawidziła tego uczucia.

Dziesięć minut później wjechali na parking przed szpitalem. Paula wyskoczyła z samochodu, oparła się o drzwi i zaczęła głęboko oddychać. Trochę jej ulżyło, ale wiedziała, że dopiero gdy coś zje, poczuje się lepiej.

– Jesteś gotowa? Może chcesz jeszcze trochę poczekać? – spytał, choć aż się gotował z niecierpliwości.

– Już dobrze, możemy iść. Trafisz? – Wskazała głową olbrzymi budynek.

– Wydaje mi się, że tak – odparł, kierując się do głównego wejścia.

Kilka razy zabłądzili, ale w końcu stanęli przed gabinetem doktora Nilsa Erika Lunda, lekarza Matsa Sverina podczas jego pobytu w szpitalu.

– Proszę wejść – usłyszeli władczy ton.

Wstał i wyszedł zza biurka.

– Domyślam się, że państwo z policji.

– Tak, rozmawialiśmy przez telefon. Nazywam się Patrik Hedström, to moja koleżanka Paula Morales.

Przywitali się, wymienili uprzejmości i mogli usiąść.

– Przygotowałem dokumenty, które państwa interesują. – Nils Erik Lund podsunął im teczkę.

– Dziękuję. Czy pamięta pan Matsa Sverina?

– Mam tysiące pacjentów i nie mogę pamiętać wszystkich. Ale przeczytałem tę dokumentację i odświeżyłem sobie pamięć. – Pociągnął się za obfitą siwą brodę. – Pacjent został przyjęty z ciężkimi obrażeniami po pobiciu, prawdopodobnie przez kilka osób, ale o to powinniście pytać policję.

– Tak zrobimy – zapewnił Patrik. – Ale mam prośbę. Niech pan nie zatrzymuje dla siebie obserwacji, tylko się z nami podzieli. Każde spostrzeżenie może być cenne.

– Proszę bardzo – odparł Lund. – Nie będę się posługiwał terminami medycznymi, bo te znajdziecie w dokumentacji, ale w skrócie mogę powiedzieć, że pacjent był uderzany i kopany w głowę. Spowodowało to niewielkie krwawienie do mózgu, złamania kości twarzy, obrzęki, uszkodzenia tkanki i siniaki. Miał również obrażenia jamy brzusznej, dwa złamane żebra i pękniętą śledzionę. Stan był ciężki, więc natychmiast przeprowadzono operację. Musieliśmy go również prześwietlić, żeby ocenić rozmiar krwawienia.

– Czy te obrażenia zagrażały jego życiu? – spytała Paula.

– Oceniliśmy jego stan jako krytyczny, w chwili przyjęcia do szpitala był nieprzytomny. Dopiero gdy się okazało, że krwawienie do mózgu nie jest duże i nie wymaga interwencji chirurgicznej, skupiliśmy się na obrażeniach jamy brzusznej. Były obawy, że któreś ze złamanych żeber mogło przebić płuco. Byłoby to bardzo niepożądane.

– Ale udało się go ustabilizować?

– Ośmieliłbym się nawet powiedzieć, że to był prawdziwy wyczyn. Szybka i skuteczna akcja. Sukces całego zespołu.

– Czy Mats Sverin powiedział, co mu się przydarzyło? Cokolwiek o samym pobiciu? – spytał Patrik.

Nils Erik Lund zastanawiał się chwilę, pociągając za brodę. Cud, że jeszcze jej sobie nie wyrwał, pomyślał Patrik.

– O ile pamiętam, nie.

– Myśli pan, że się czegoś bał? Że czuł się zagrożony i dlatego coś ukrywał?

– Niczego takiego sobie nie przypominam. Ale, jak już powiedziałem, minęło kilka miesięcy i od tamtej pory miałem wielu pacjentów. Powinniście spytać policjantów, którzy prowadzili dochodzenie w tej sprawie.

– Nie wie pan, czy ktoś go odwiedzał w szpitalu?

– Niestety nic o tym nie wiem.

– Dziękujemy, że zechciał pan nam poświęcić czas – powiedział Patrik, wstając. – Czy to są kopie? – Wskazał na leżącą na biurku teczkę.

– Tak, może je pan zabrać – odparł Nils Erik Lund. On również wstał.

Szli do drzwi, gdy Patrikowi przyszła do głowy pewna myśl.

– Wstąpimy do Pedersena? Może coś dla nas ma.

– Oczywiście – zgodziła się Paula. Poszła za Patrikiem. Tym razem trafił. Wciąż ją mdliło i miała wątpliwości, czy wizyta w prosektorium na pewno dobrze jej zrobi.

Po co żyć? Signe wstała, przygotowała śniadanie, później lunch. I tak nic nie zjedli. Włączyła odkurzacz i sprzątnęła cały parter, włożyła do pralki pościel i zaparzyła kawę, której nie wypili. Robiła to, co zawsze, jak w życiu sprzed zaledwie kilku dni, ale czuła się, jakby była martwa, jak Matte. Ciało przemieszczało się po domu, ale pozbawione treści, bez życia.

Opadła na kanapę. Wąż od odkurzacza wypadł jej z ręki. Żadne z nich go nie podniosło. Gunnar cały dzień siedział przy kuchennym stole. Zamienili się rolami. Jeszcze wczoraj to on się krzątał, podczas gdy ona resztkami woli zmuszała się do ruchu. Dziś Gunnar siedział bez ruchu, a ona krzątała się gorączkowo, usiłując zapełnić pustkę w duszy.

Spojrzała na kark męża i jak wiele razy przedtem pomyślała, że Matte odziedziczył po nim wicherek na karku, nad samym kołnierzykiem. Już go nie przekaże jasnowłosemu wnukowi, którego tyle razy widziała w marzeniach. Ani wnuczce. Też mogłaby być. Nieważne, chłopiec czy dziewczynka, byleby mieć wnuka do rozpieszczania, karmienia słodyczami przed obiadem i zasypywania prezentami na Gwiazdkę. Dziecko o oczach Mattego i ustach kogoś innego. Na to też czekała. Chciała zobaczyć, kogo przyprowadzi. Jaka ona będzie? Czy znajdzie sobie dziewczynę podobną do niej, czy całkowite przeciwieństwo? Nie ukrywała, że ją to ciekawi, wiedziała też, że byłaby dobrą teściową, nie postrachem, o jakich się opowiada. Nigdy by się nie wtrącała i zawsze, gdyby tylko poprosili, zostawałaby z dzieckiem.

Ostatnio zaczęła tracić nadzieję. Czasem się nawet zastanawiała, czy Mattego nie ciągnie w inną stronę. Musiałaby się przestawić, choć byłoby jej żal ze względu na wnuki, ale pogodziłaby się z tym. Byle był szczęśliwy. Ale nikogo nie przyprowadził i już nie ma nadziei. Nie będzie uroczego blondaska z wicherkiem na karku, nie będzie komu podsuwać słodyczy przed obiadem, kupować niepotrzebnych głośnych prezentów, które się zepsują po paru tygodniach. Została pustka. Nadchodzące lata jawiły się jej jak droga donikąd. Spojrzała na siedzącego bez ruchu przy stole męża. Dla kogo mają żyć? Dla kogo ona ma żyć?

– Pewnie wolałbyś pojechać do Göteborga, co? – Annika oderwała wzrok od monitora i uważnie spojrzała na Martina. Był jej ulubieńcem, łączyła ich szczególna więź.

– Tak – przyznał. – Ale to, co robimy, jest równie ważne.

– Chcesz wiedzieć, dlaczego Patrik wziął Paulę? – spytała Annika.

– To nie ma znaczenia. Sam decyduje, kogo weźmie – odparł z naburmuszoną miną. Dawniej, zanim Paula zjawiła się w komisariacie, zawsze jego zabierał. Właściwie nie miał wielkiego wyboru, ale teraz Martin nie mógłby zaprzeczyć, że czuje się trochę dotknięty.

– Paulę coś gnębi i przypuszczam, że Patrik chce jej pomóc, chce, żeby się zajęła czym innym.

– Ojej, nie zauważyłem. – Martinowi zrobiło się głupio. – Co się dzieje?

– Nie wiem. Paula nie jest zbyt wylewna, ale zgadzam się z Patrikiem, że coś się dzieje. Zrobiła się zupełnie do siebie niepodobna.

– Prawdę mówiąc, załamałbym się na samą myśl o tym, że mam mieszkać pod jednym dachem z Mellbergiem.

– Ja też. – Annika się roześmiała, ale natychmiast spoważniała. – Ale chyba chodzi o coś innego. Trzeba jej dać spokój, może w końcu sama powie. W każdym razie już wiesz, dlaczego Patrik ją zabrał.

– Dziękuję. – Martin się zawstydził. Jest niedojrzały. Ważne, żeby robota została zrobiona, a nie, kto się tym zajmie. – Zabieramy się do pracy? – spytał, prostując się. – Dobrze byłoby przed ich powrotem czegoś się o nim dowiedzieć.

– Tak jest. – Annika zaczęła stukać w klawisze.

– Zdarza ci się czasem o nim myśleć? – Anders małymi łykami popijał kawę. Spotkali się na lunchu w Lilla Berith, jak niemal co dzień. Uciekali od remontu i bałaganu.

– O kim? – odpowiedziała pytaniem Vivianne, chociaż na pewno wiedziała, kogo miał na myśli. Zacisnęła dłonie na filiżance.

– O Olofie.

Zawsze zwracali się do niego po imieniu. Nalegał na to, zresztą inna forma byłaby nienaturalna. Nie zasługiwał na nic innego.

– Zdarza się. – Patrzyła na trawnik nad Galärbacken. Fjällbacka się budziła, na ulicach pojawiało się coraz więcej ludzi, jakby cała miejscowość przygotowywała się do szturmu. W porównaniu z odrętwieniem panującym przez większość roku różnica była uderzająca.

– I co myślisz?

Vivianne odwróciła się i spojrzała na niego ostro.

– Co ci nagle przyszło do głowy? Nie ma go. Nic dla nas nie znaczy.

– Sam nie wiem – odparł. – Chyba Fjällbacka tak na mnie działa. Nie wiem dlaczego, ale czuję się taki bezpieczny, że pozwalam sobie nawet myśleć o nim.

– Żebyś się tylko nie zadomowił, bo nie zostaniemy tu długo – burknęła, ale natychmiast zrobiło jej się głupio. W gruncie rzeczy nie jest zła na Andersa, tylko na Olofa. Jest też zła, że Anders zaczął o nim mówić. Po co? Odetchnęła głębiej i postanowiła jednak odpowiedzieć. Choć tyle może zrobić, odwdzięczyć się za to, że ją wspierał, jeździł za nią i zapewniał poczucie bezpieczeństwa.

– Myślę o tym, jak bardzo go nienawidzę. – Zacisnęła szczęki. – O tym, ile nam zepsuł w życiu i ile zabrał. Ty o tym nie myślisz?

Przestraszyła się. Nienawiść do Olofa ich połączyła, dawno temu. Stała się ich spoiwem, sprawiła, że nie poszli każde swoją drogą, że szli razem, na dobre i na złe. Częściej na złe.

– Sam nie wiem. – Anders odwrócił wzrok, spojrzał na morze. – Może już pora...

– Pora na co?

– Pora wybaczyć.

Powiedział to, o czym nie chciała ani słuchać, ani nawet myśleć. Jak mogliby mu wybaczyć? Pozbawił ich dzieciństwa. Przez niego, już jako dorośli, trwali kurczowo uczepieni siebie, jak dwoje rozbitków. Był motorem wszystkiego, co robili, kiedyś i teraz.

– Ostatnio dużo o tym myślałem – mówił dalej. – I uważam, że nie możemy tego ciągnąć bez końca. Vivianne, my bez przerwy uciekamy. Ale od tego nie da się uciec, bo to jest tutaj. – Wskazał palcem na głowę. Patrzył na nią przenikliwie, z determinacją.

– Co chcesz przez to powiedzieć? Strach cię obleciał? – Poczuła łzy pod powiekami. Miałby ją teraz zostawić? Zawieść, jak Olof?

– Zachowujemy się, jakbyśmy nieustannie szukali skarbu na końcu tęczy, jakbyśmy się spodziewali, że gdy go znajdziemy, Olof zniknie. Ale coraz wyraźniej widzę, że to na nic. Nigdy go nie znajdziemy, bo on nie istnieje.

Vivianne przymknęła oczy. Aż za dobrze pamiętała tamten brud, smród, Olofa, który ich nie chronił przed ciągle przychodzącymi i wychodzącymi ludźmi. Ciągle powtarzał, że niepotrzebnie przyszli na świat, że są karą za jego grzechy. I jeszcze że są wstrętni i głupi, że wpędzili do grobu matkę.

Otworzyła oczy. Jak on może mówić o przebaczeniu? Tyle razy rzucał się pomiędzy nich, osłaniał ją własnym ciałem i brał na siebie ciosy przeznaczone dla niej.

– Nie chcę o nim rozmawiać. – Powiedziała to głosem zmienionym przez powściągane emocje. Także strach. Co to znaczy? Dlaczego on mówi o przebaczeniu? Przecież nie ma komu przebaczyć.

– Kocham cię, siostro – powiedział Anders, głaszcząc ją po policzku, ale Vivianne nie usłyszała. Szumiało jej w uszach od przykrych wspomnień.

– No proszę. Co za goście. – Tord Pedersen spojrzał na nich znad okularów.

– Uznaliśmy, że tym razem góra może przyjść do Mahometa – powiedział z uśmiechem Patrik i podszedł się przywitać. – To moja koleżanka, Paula Morales. Byliśmy w Sahlgrenska, popytać o Matsa Sverina, i pomyśleliśmy, że wpadniemy dowiedzieć się, jak ci idzie.

– Za wcześnie na odpowiedź – odparł Pedersen.

– Nic nie ustaliłeś?

– Zdążyłem tylko na niego zerknąć.

– I co pan sądzi? – spytała Paula.

Pedersen się roześmiał.

– Myślałem, że nikt nie może być gorszy od Patrika. Zawsze mnie pogania.

– Przepraszam – odparła, ale i tak czekała na odpowiedź.

– Chodźmy do mnie. – Pedersen otworzył drzwi po lewej stronie. Weszli i usiedli przy biurku, Pedersen po drugiej stronie. Splótł ręce.

– Przeprowadziliśmy zewnętrzne oględziny i mogę powiedzieć, że w oczy rzuca się dziura w potylicy, po kuli. Oprócz tego zauważyłem zaleczone obrażenia, stosunkowo niedawne, zapewne powstałe podczas pobicia sprzed kilku miesięcy.

Patrik kiwnął głową.

– Właśnie o to pytaliśmy w szpitalu. Jak długo tam leżał martwy?

– Nie dłużej niż tydzień. Ale potwierdzi to dopiero sekcja zwłok.

– Jak pan sądzi, jakiego typu broni użył sprawca? – Paula wychyliła się do przodu.

– Kula nadal tkwi w głowie, odpowiedź poznacie, gdy ją wyjmę. Pod warunkiem, że jest w dobrym stanie.

– No tak – odparła. – Ale domyślam się, że widział pan nieprzebrane mnóstwo ran postrzałowych. Musi pan mieć jakiś pomysł. – Specjalnie nie wspomniała o łusce, chciała poznać jego opinię.

– Jeszcze jedna, która się nie poddaje – roześmiał się Pedersen z zachwyconą miną. – Jeśli obiecacie, że potraktujecie to wyłącznie jako domysł, powiem, że prawdopodobnie kaliber dziewięć. Ale mogę się mylić. – Podniósł ostrzegawczo palec.

– Obiecujemy – powiedział Patrik. – Kiedy zrobisz sekcję i przekażesz nam kulę?

– Zaraz sprawdzę... – Odwrócił się do komputera i kliknął myszą. – Sekcję wyznaczono na następny poniedziałek. Czyli raport dostaniecie w środę.

– Nie dałoby się wcześniej?

– Niestety. Od miesiąca jesteśmy koszmarnie zarobieni. Z nieznanego powodu ludzie mrą jak muchy, w dodatku dwoje naszych pracowników poszło na dłuższe zwolnienia. Z powodu wypalenia. Na niektórych tak działa ta praca. – Był przekonany, że sam do takich nie należy.

– Trudno. Zadzwoń, jak będziesz wiedział coś więcej. Rozumiem, że kula zostanie jak najszybciej wysłana do Państwowego Laboratorium Kryminalistycznego.

– Oczywiście – z urażoną miną odparł Pedersen. – Chwilowo jesteśmy przeciążeni, ale pracujemy jak należy.

– Wiem, przepraszam. – Patrik podniósł ręce. – Jak zwykle się niecierpliwię. Odezwij się, jak skończysz, obiecuję, że nie będę naciskał.

– Nie ma problemu. – Pedersen wstał. Pożegnali się. Do środy jeszcze daleko.

– Więc można już wejść do mieszkania, tak? – Gösta mówił z niezwykłym zapałem. – Raport będzie jutro. Świetnie. To się Hedström ucieszy.

Uśmiechnął się, kiedy odkładał słuchawkę. Torbjörn Ruud właśnie dał znać, że jego ludzie skończyli zabezpieczać ślady w mieszkaniu Matsa Sverina i droga wolna, można wejść. Nagle przyszedł mu do głowy doskonały pomysł. Nie ma co siedzieć i kręcąc palcami młynka, czekać na powrót Hedströma i Pauli. Kręcenie młynka należało wprawdzie do jego ulubionych zajęć, ale złościło go, że decydujący głos zawsze ma Patrik, chociaż najdłuższy staż w policji mają on i Bertil. I chociaż z niechęcią myślał o niepotrzebnym wysiłku, zapragnął mu się zrewanżować. Fajnie byłoby pokazać młodzieży, kto tu rządzi. Szybko podjął decyzję i pośpieszył do Mellberga. Z tego entuzjazmu zapomniał zapukać i kiedy otworzył drzwi, zobaczył, jak Bertil budzi się z drzemki, najwyraźniej bardzo przyjemnej.

– Co jest, do cholery. – Mellberg rozglądał się zmieszany. Ernst usiadł na swoim posłaniu i strzygł uszami.

– Przepraszam. Chciałem tylko...

– No, czego chciałeś?! – wrzasnął Mellberg, poprawiając pożyczkę. Znów zjechała na bok.

– Właśnie rozmawiałem z Torbjörnem Ruudem.

– I co? – spytał Mellberg, wciąż gburowato, ale Ernst znów ułożył się wygodnie.

– Powiedział, że już można wejść do mieszkania.

– Jakiego znowu mieszkania?!

– Matsa Sverina. Skończyli. Znaczy technicy. Więc pomyślałem... – Gösta zaczął żałować, że się wygłupił. Pomysł już nie wydawał mu się taki dobry. – Pomyślałem, że...

– Mów wreszcie, o co chodzi!

– No więc Hedström zawsze nalega, żeby wszystko robić natychmiast, najlepiej na wczoraj. Powinniśmy od razu przystąpić do oględzin. Nie czekać na niego.

Twarz Mellberga się rozjaśniła. Domyślił się, o co chodzi, i bardzo mu się spodobał ten pomysł.

– Masz absolutną rację. Wstyd byłoby czekać z tym na Hedströma. Zresztą kto to zrobi lepiej od nas? Trzeba posunąć śledztwo do przodu. – Uśmiechnął się szeroko.

– To samo sobie pomyślałem – odparł Gösta i również się uśmiechnął. – Trzeba pokazać tym kogucikom.

– Przyjacielu, jesteś genialny.

Mellberg wstał i razem poszli do garażu. Weterani ruszyli w pole.

Wykąpała go jeszcze raz. Polewała jego ciałko zimną morską wodą. Zmoczyła mu włosy, uważając, żeby mu się nie nalało do oczu. Nie okazał, że to przyjemne, ale też nie protestował. Cicho leżał w jej ramionach, pozwalając się myć.

Annie wiedziała, że w końcu się obudzi z odrętwienia. Jego umysł nadal był zajęty przetwarzaniem tego, co się stało, tego, czego żaden człowiek nie powinien być świadkiem, a już z pewnością nie małe dziecko. Żaden pięciolatek nie powinien być zmuszony do rozstania z tatą, ale nie miała wyboru. Ucieczka okazała się w tej sytuacji jedynym wyjściem, ale cena, jaką musieli zapłacić, była wysoka.

Sam kochał ojca. Nie znał go od tej strony co ona, nie przeżywał takich rzeczy. Dla niego tata był bohaterem bez skazy. Uwielbiał go i właśnie dlatego tak trudno jej było dokonać wyboru. Jeśli w ogóle miała jakiś wybór.

Mimo to bolało ją, że Sam nie będzie miał ojca. Bo niezależnie od tego, co Fredrik jej zrobił, dla syna był ważny. Może nie ważniejszy niż ona, ale jednak. Sam już go nie zobaczy.

Wyciągnęła synka z wody i położyła na ręczniku rozłożonym na pomoście. Jej ojciec mawiał, że słońce ma dobroczynny wpływ na ciało i na duszę. Istotnie, ciepłe promienie wydawały się wręcz zbawienne. Nad ich głowami krążyły mewy. Annie pomyślała, że gdy Sam poczuje się lepiej, będzie lubił je obserwować.

– Kochanie moje malutkie. – Pogłaskała go po głowie. Był jeszcze taki mały, bezbronny. Miała wrażenie, że zupełnie niedawno był niemowlęciem, które nosiła na rękach. Może jednak powinna go zabrać do lekarza? Ale jej matczyny instynkt się sprzeciwiał. Tu jest bezpieczny. Niepotrzebny mu szpital ani lekarstwa. Potrzebna mu cisza, spokój i jej opieka. To go uzdrowi.

Wstrząsnął nią dreszcz. Powiał zimny wiatr, zaniepokoiła się, że Sam się przeziębi. Z trudem wstała, trzymając go w ramionach, i poszła do domu. Pchnęła nogą drzwi i wniosła go do środka.

– Jesteś głodny? – spytała, ubierając go.

Nie odpowiedział. Posadziła go na krześle i zaczęła karmić. Z czasem do niej wróci. Morze, słońce i jej miłość uleczą rany w jego duszy.

Codziennie po południu, kiedy odbierała Maję z przedszkola, starała się pospacerować, żeby chłopcy odetchnęli świeżym powietrzem. Przy okazji ona zażywała ruchu. Wózek dla bliźniąt to całkiem niezły przyrząd gimnastyczny, a gdy się jeszcze doda platformę, na której w drodze powrotnej stała Maja, pchanie go stawało się prawdziwym wyzwaniem.

Postanowiła, że tym razem zamiast krótszą drogą, pod górkę na Galärbacken, pójdzie dłuższą drogą, koło Badis i należącej do Lorentzów fabryki konserw. Przystanęła na chwilę na nabrzeżu poniżej Badis i osłaniając oczy ręką, podniosła wzrok na lśniący w słońcu, odnowiony, pomalowany na biało stary dom. Cieszyła się, że został odrestaurowany. Dawny budynek kąpieliska i kościół najbardziej rzucały się w oczy, gdy się wpływało do portu. Wiele lat stał zaniedbany, a pod koniec wyglądał, jakby lada chwila miał się rozsypać. A teraz znów stanie się dumą Fjällbacki.

Rozpierała ją radość. A po chwili zaśmiała się z zażenowaniem: wzrusza ją stary dom, deski i świeża farba. Ale to jednak coś więcej. Miała wiele miłych wspomnień, a ten budynek zajmował w jej sercu szczególne miejsce. Tak było z większością mieszkańców Fjällbacki. Badis to kawał historii, i tak już będzie. Nic dziwnego, że się wzruszyła.

Znów pchnęła wózek, zbierała siły przed długim, nużącym podejściem przy oczyszczalni i polu do gry w minigolfa. Nagle jakiś samochód zajechał jej drogę. Przystanęła i zmrużyła oczy, żeby zobaczyć, kto siedzi za kierownicą. Z samochodu wysiadła kobieta. Erika od razu ją rozpoznała. Nie znały się wprawdzie, ale Vivianne Berkelin trafiła na języki, jak tylko tu przyjechała, kilka miesięcy temu. To musi być ona.

– Dzień dobry! – zawołała przyjaźnie i podeszła z wyciągniętą ręką. – Ty jesteś Erika Falck.

– Zgadza się. – Erika się uśmiechnęła i uścisnęła jej dłoń.

– Już dawno chciałam cię zaczepić. Czytałam wszystkie twoje książki i bardzo mi się podobały.

Erika poczuła, że się czerwieni, jak zawsze, gdy ktoś chwalił jej książki. Nie zdążyła się jeszcze przyzwyczaić do tego, że niemal co druga osoba je czytała.

Po kilku miesiącach urlopu macierzyńskiego było jej miło, że ktoś widzi w niej przede wszystkim pisarkę, a nie mamę Noela, Antona i Mai.

– Podziwiam ludzi, którzy mają dość cierpliwości, żeby usiąść i napisać książkę.

– Wystarczy wytrwale siedzieć – zaśmiała się Erika.

Vivianne promieniowała zaraźliwym entuzjazmem. W Erice obudziło to uczucie, którego z początku nie umiała nazwać. Dopiero po chwili dotarło do niej, że bardzo pragnie, żeby Vivianne ją polubiła.

– Pięknie się zrobiło. – Podniosła głowę, patrząc na Badis.

– Rzeczywiście, bardzo jesteśmy z tego dumni. – Vivianne również spojrzała w górę. – Masz ochotę pozwiedzać?

Erika zerknęła na zegarek. Zamierzała wcześniej odebrać Maję, ale Maja tak świetnie się czuje w przedszkolu... nic się nie stanie, jeśli ją odbierze o zwykłej porze. Miała wielką ochotę sprawdzić, czy piękna fasada kryje równie piękne wnętrze.

– Bardzo chętnie. Tylko nie wiem, co z tym. – Wskazała na wózek i spojrzała na strome schody.

– Razem wniesiemy. – Vivianne, nie czekając na odpowiedź, ruszyła w stronę schodów.

Wtaszczenie wózka zajęło im pięć minut. Erika ruszyła do wejścia, ale przystanęła w drzwiach i patrzyła wielkimi oczami. Wszystko, co stare i zniszczone, zniknęło, ale bez szkody dla charakteru wnętrza. Potoczyła wzrokiem po detalach, które pamiętała z letnich dyskotek, gdy była nastolatką. Wyglądały jak nowe. Postawiła wózek przy ścianie i wzięła na ręce Noela. Już miała chwycić nosidełko z Antonem, gdy Vivianne spytała miękko:

– Mogę go wziąć?

Erika skinęła głową. Vivianne nachyliła się i ostrożnie wzięła Antona na ręce. Obaj byli przyzwyczajeni, że zajmują się nimi różne osoby, i nie płakali na widok obcych. Anton spojrzał uważnie, a potem uśmiechnął się szeroko.

– Jaki czaruś – zaszczebiotała Vivianne i delikatnie zdjęła mu kurteczkę i cienką czapeczkę.

– Masz dzieci?

– Jakoś nie. – Vivianne odwróciła głowę. – Napijesz się herbaty? – spytała, idąc w stronę jadalni z Antonem na ręku.

– Raczej kawy, jeśli macie. Nie jestem specjalną amatorką herbaty.

– Nie zalecamy zatruwania organizmu kofeiną, ale mogę zrobić wyjątek i sprawdzić, może znajdę trochę prawdziwej kawy.

– Będę wdzięczna. – Erika poszła za Vivianne. Kawa była jej siłą napędową. Codziennie piła tyle, że w żyłach miała pewnie kawę zamiast krwi. – Skoro już człowiek musi być od czegoś uzależniony, kofeina nie wydaje się najgorsza.

– Nie powiedziałabym – odparła Vivianne, ale na tym skończyła. Pewnie doszła do wniosku, że byłoby to gadanie do obrazu. – Zaraz przyjdę, a ty sobie usiądź. Zwiedzać będziemy po kawie. – Zniknęła za wahadłowymi drzwiami, które zapewne prowadziły do kuchni.

Erika była ciekawa, jak Vivianne sobie poradzi z przygotowaniem kawy z dzieckiem na ręku. Sama nauczyła się robić niemal wszystko w domu jedną ręką, ale dla kogoś nieprzyzwyczajonego mógł to być problem. Nie ma się co zastanawiać. Jeśli Vivianne będzie potrzebowała pomocy, powie.

Vivianne zaparzyła kawę, nakryła do stołu i usiadła. Stoły i krzesła również były nowe, współczesne. Mimo to pasowały do starego wnętrza. Wybrał je ktoś z dobrym gustem. Z ciągu okien rozpościerał się fantastyczny widok na cały archipelag Fjällbacki.

– Kiedy otwarcie? – Erika wzięła dziwnie wyglądające kruche ciastko i natychmiast pożałowała. Z czegokolwiek je upieczono, było w nim zdecydowanie za mało cukru. Jak na ciasteczko było aż nadto zdrowe.

– Za tydzień z kawałkiem. Jeśli zdążymy na czas. – Vivianne westchnęła i umoczyła ciasteczko w herbacie. Pewnie zielonej, pomyślała Erika, z przyjemnością popijając czarną kawę. – Mam nadzieję, że przyjdziesz na przyjęcie.

– Przyszłabym z przyjemnością. Dostałam zaproszenie, ale jeszcze nic nie postanowiliśmy. Nie tak łatwo zorganizować opiekę dla trójki dzieci.

– Postarajcie się, byłoby bardzo miło. Nawiasem mówiąc, w sobotę twój mąż przychodzi z kolegami na rekonesans. Sprawdzą ofertę.

– Coś takiego! – Erika się roześmiała. – Nic mi o tym nie mówił. Podejrzewam, że nigdy w życiu nie postawił nogi w spa, więc na pewno będzie to dla niego duże przeżycie.

– Miejmy nadzieję. – Vivianne głaskała Antona po główce. – Jak się czuje twoja siostra? Mam nadzieję, że cię nie uraziłam tym pytaniem, ale oczywiście słyszałam o wypadku.

– W porządku. – Erika czuła, że zaraz się rozpłacze. Była na siebie zła. Przełknęła ślinę i w końcu zapanowała nad głosem. – Szczerze mówiąc, niedobrze z nią. Bardzo dużo przeszła.

Nagle przypomniał jej się były mąż Anny, Lucas. O wielu rzeczach nie chciała mówić, ale, o dziwo, ta kobieta miała w sobie coś takiego, że chciała jej opowiedzieć. Wyrzuciła z siebie wszystko. Nigdy nie rozmawiała o siostrze z innymi ludźmi, ale czuła, że Vivianne zrozumie. Skończyła i rozpłakała się.

– Rzeczywiście, ciężkie życie. Potrzebowała tego dziecka – powiedziała Vivianne. Wyraziła dokładnie to, o czym Erika tak często myślała. Anna zasłużyła na to dziecko. Zasłużyła, by być szczęśliwa.

– Nie wiem, co robić. Mam wrażenie, że ona nawet nie zauważa mojej obecności. Jakby znikła. I boję się, że już nie wróci.

– Nie znikła. – Vivianne huśtała Antona na kolanie. – Tylko się schowała tam, gdzie ból wydaje się łatwiejszy do zniesienia. Ale wie, że z nią jesteś. Bądź przy niej i dotykaj jej. Zapominamy, jak ważny jest dotyk, a jest nam do życia niezbędny. Dotykaj jej i powiedz jej mężowi, że ma robić to samo. Często popełniamy błąd i ludzi będących w żałobie pozostawiamy samych sobie. Zakładamy, że tego właśnie potrzebują, jak spokoju i ciszy. Ale to wielki błąd. Człowiek jest zwierzęciem stadnym, potrzebuje bliskości, stada, jego ciepła i fizycznego kontaktu z innymi ludźmi. Postarajcie się, żeby ją otaczało stado. Niech nie leży sama, nie pozwalajcie, żeby się chowała przed bólem, ale również przed innymi emocjami. Zmuście ją, żeby wyszła z mroku.

Erika w milczeniu zastanawiała się nad tym, co powiedziała Vivianne. Ma rację. Trzeba było nie pozwolić Annie się schować. Powinni się bardziej starać.

– A ty nie czuj się winna – dodała Vivianne. – Bo jej żałoba nie ma nic wspólnego z twoim szczęściem.

– Przecież ona na pewno myśli... – Erika rozpłakała się na dobre. – Musi myśleć, że ja mam wszystko, a ona nic.

– Ona wie, że jedno z drugim nie ma nic wspólnego. Jeśli cokolwiek stanęło między wami, to twoje poczucie winy. Żadna zazdrość czy też złość, że twoje dzieci przeżyły. To twój wymysł.

– Skąd wiesz? – Erika bardzo chciała jej uwierzyć, ale nie miała odwagi. Co ona może wiedzieć o tym, co myśli i czuje Anna? Przecież nawet jej nie zna. Ale z drugiej strony zabrzmiało to przekonująco i prawdziwie.

– Nie umiem wyjaśnić, skąd wiem. Po prostu czuję pewne rzeczy, zresztą trochę się znam na ludziach. Wierz mi – odparła Vivianne z przekonaniem. Erika ze zdziwieniem stwierdziła, że naprawdę jej ufa.

Gdy nieco później szła do przedszkola, pomyślała, że od dawna nie szło jej się tak lekko. Zniknęła bezradność, która jej nie pozwalała porozumieć się z Anną.

Fjällbacka 1871

Mróz w końcu skuł morze. Wyjątkowo późno, dopiero w lutym. Emelie poczuła się trochę swobodniejsza. Po tygodniu lód był już na tyle gruby, że można było po nim chodzić. Po raz pierwszy, gdyby zapragnęła, mogłaby się wydostać z wyspy. Musiałaby długo wędrować i byłoby to trochę ryzykowne, bo ludzie mówili, że nawet w grubym lodzie zawsze mogą się trafić zdradzieckie pęknięcia, jeśli pod spodem płyną prądy. Ale mogła spróbować.

Z drugiej strony czuła się jeszcze bardziej zamknięta. Karl i Julian nie mogli wypływać do Fjällbacki i chociaż kiedyś z przerażeniem oczekiwała ich powrotu, bo wracali pijani i agresywni, ich nieobecność dawała jej chwilę wytchnienia. Teraz wszyscy troje częściej przebywali pod jednym dachem, co prowadziło do napięć. Emelie schodziła im z drogi, w milczeniu wykonywała swoje obowiązki. Karl nadal jej nie dotykał, a ona już nie próbowała. Leżała w łóżku bez ruchu, przyciśnięta do zimnej ściany. Ale już się stało. Jego awersja okazała się trwała. Emelie czuła się coraz bardziej samotna.

Głosy odzywały się wyraźniej, coraz częściej też widywała rzeczy, przeciw którym burzył się rozsądek. Ale to nie były przywidzenia. Tylko dzięki zmarłym czuła się bezpieczna, byli jej jedynym towarzystwem, a ich melancholia współbrzmiała z jej smutkiem. Im również życie nie ułożyło się tak, jak chcieli. Rozumieli się nawzajem, choć ich losy rozdzielał najgrubszy ze wszystkich murów: śmierć.

Karl i Julian nie dostrzegali ich. Ale chwilami również ogarniał ich niepokój, którego nie rozumieli. Widziała, że się boją, i z satysfakcją myślała, że dobrze im tak. Już nie żyła miłością do Karla. Nie okazał się tym, za kogo go brała, ale takie jest życie, nic na to nie poradzi. Mogła się tylko cieszyć, że się boi, i szukać pociechy u zmarłych. Czuła się wybrana. Tylko ona wiedziała o ich istnieniu. Należeli do niej.

Miesiąc później zdała sobie sprawę, że ona też się boi. Atmosfera stała się jeszcze bardziej napięta. Julian korzystał z każdej okazji, żeby ją zrugać. Wyładowywał złość, bo czuł się odcięty od świata. Karl patrzył na to obojętnie. I ciągle coś do siebie szeptali. Siedzieli na kuchennej ławie, popatrując na nią, i z głową przy głowie cicho rozmawiali. Nie słyszała, o czym, ale była pewna, że nic dobrego z tego nie wyniknie. Czasem, gdy myśleli, że ich nie słyszy, do jej uszu dochodziły urywki słów. Ostatnio o liście od rodziców, który Karl dostał, zanim morze zamarzło. Byli wzburzeni, nie wiedziała, o co chodzi. Właściwie nawet wolała nie wiedzieć. Słowa Juliana brzmiały tak ponuro, a w głosie Karla słyszała taką rezygnację, że mróz jej chodził po krzyżu.

Nie rozumiała też, dlaczego teściowie nie przyjeżdżają do nich w odwiedziny ani dlaczego oni do nich nie jeżdżą. Od rodzinnego domu Karla dzieliła ich godzina drogi z Fjällbacki. Gdyby wyruszyli wcześnie, zdążyliby wrócić *przed zmrokiem. Nie zdobyła się jednak na to, żeby spytać. Po każdym liście z domu Karl przez kilka dni chodził zły. Po ostatnim było jeszcze gorzej. Emelie jak zwykle nie wiedziała, co się dzieje.*

– Schludnie – zauważył Gösta, rozglądając się po mieszkaniu. Cieszył się, że wpadł na ten pomysł, ale trochę go ssało w żołądku na myśl o tym, co powie Hedström.

– Na pewno pedał – powiedział Mellberg.

Gösta westchnął.

– Skąd ten wniosek?

– Tak czysto jest tylko u pedałów. Prawdziwy facet musi mieć trochę brudu po kątach. No i na pewno nie ma firanek. – Zmarszczył nos i wskazał palcem na udrapowane firanki w kolorze kości słoniowej. – Zresztą wszyscy mówią, że nie miał dziewczyny.

– Tak, ale... – Gösta westchnął, jednak poddał się, uznał, że nie ma sensu polemizować. Mellberg ma uszy, jak wszyscy, ale rzadko robi z nich użytek.

– Zajmij się sypialnią, ja wezmę salon. – Mellberg zaczął grzebać w książkach stojących na regale.

Gösta skinął głową i rozejrzał się po pokoju. Wydał mu się bezosobowy. Beżowa kanapa, ciemny stolik, jasny dywan, szafka pod telewizor, telewizor i regał z niewieloma książkami. Co najmniej połowę stanowiła literatura fachowa: ekonomia i księgowość.

– Dziwny facet – stwierdził Mellberg. – Prawie nic nie miał.

– Może lubił prostotę – powiedział Gösta, idąc do sypialni.

Taki sam porządek jak w salonie. Łóżko z białym wezgłowiem, stolik nocny, rząd białych szaf i komoda.

– W każdym razie tu trzymał zdjęcie dziewczyny! – zawołał do Mellberga, biorąc do ręki zdjęcie. Stało oparte o lampkę, na nocnym stoliku.

– Daj zobaczyć. Fajna? – Mellberg wszedł do sypialni.

– Powiedziałbym raczej, że ładna.

Mellberg rzucił okiem i zrobił obojętną minę. Wrócił do salonu. Gösta został ze zdjęciem w ręku. Był ciekaw, kim jest ta dziewczyna. Musiała dla niego coś znaczyć. To jedyne zdjęcie w całym mieszkaniu, w dodatku trzymał je w sypialni.

Ostrożnie odstawił je na miejsce i zaczął zaglądać do szuflad i szaf. Same ubrania, zupełnie nic osobistego. Żadnego kalendarza, starych listów, albumów ze zdjęciami. Sprawdził wszystko dokładnie i doszedł do wniosku, że rzeczywiście w tym pokoju nie ma nic ciekawego. Można by sądzić, że zanim Sverin się tu wprowadził, w ogóle nie miał żadnego życia. Zdjęcie stanowiło jedyny dowód, że było inaczej.

Gösta znów podszedł do nocnego stolika i wziął do ręki zdjęcie. Naprawdę ładna. Drobna, szczupła, z długimi jasnymi włosami rozwianymi przez wiatr. Zmrużył oczy i przyjrzał się dokładnie. Szukał czegoś, co by mu powiedziało, kim ona jest albo przynajmniej, kiedy zrobiono zdjęcie. Na odwrocie nie było podpisu, za dziewczyną była tylko zieleń. Spojrzał jeszcze raz i wtedy coś zauważył. Po prawej widać było rękę. Jakby ktoś wszedł w kadr, a może z niego wyszedł. Mała ręka. Zdjęcie nie było na tyle ostre, żeby można było mieć pewność, ale wydawało mu się, że to ręka dziecka. Odstawił zdjęcie. Jeśli nawet ma rację, to nie wiadomo, kto to jest.

Odwrócił się na pięcie i już miał wyjść, gdy nagle zmienił zdanie. Wrócił i włożył zdjęcie do kieszeni.

– Szkoda naszej fatygi – mruknął Mellberg, zaglądając pod kanapę. – Może trzeba było to zostawić Hedströmowi. Mam wrażenie, że marnujemy czas.

– Została jeszcze kuchnia – powiedział Gösta, nie zwracając uwagi na jego narzekania.

Zajrzał do szuflad i szafek, ale nie znalazł nic szczególnego. Serwis z Ikei, chyba ze startboxu. Ani w lodówce, ani w spiżarni nie było prawie nic do jedzenia.

Odwrócił się i oparł o blat. Nagle zauważył, że ze stołu opada jakiś kabel, drugi koniec był włączony do kontaktu. Przyjrzał się, kabel od komputera.

– Wiadomo coś o tym, żeby miał laptopa? – spytał.

Nie dostał odpowiedzi, ale usłyszał szuranie stóp zmierzających do kuchni.

– A bo co? – spytał Mellberg.

– Jest tu kabel od komputera, ale nikt nic nie mówił o komputerze.

– Pewnie miał go w pracy.

– Powinni o tym wspomnieć, kiedy tam byliśmy z Paulą, prawda? Nietrudno się domyślić, że zainteresowałby nas jego komputer.

– A pytaliście? – Mellberg uniósł brew.

Gösta musiał mu przyznać rację. Zupełnie zapomnieli poprosić o zgodę na dostęp do komputera Matsa Sverina. Pewnie stoi w urzędzie gminy. Stał z końcówką kabla w ręce i zrobiło mu się głupio. Wypuścił ją z ręki, opadła na podłogę.

– Później zajrzę do urzędu – powiedział, wychodząc.

– Boże, jak ja nie znoszę czekać. Że też wszystko musi trwać tak długo. – Patrik mruczał pod nosem. Wjeżdżali na parking przed göteborską komendą.

– W przyszłą środę... to i tak szybko – odparła Paula. Wstrzymała oddech, bo Patrik przejechał za blisko latarni.

– Masz rację – powiedział, wysiadając. – Tylko później trzeba nie wiadomo jak długo czekać na wyniki z laboratorium kryminalistycznego. Przede wszystkim chodzi o kulę. Jeśli w rejestrach jest taka sama, powinniśmy to wiedzieć już teraz, a nie dopiero za kilka tygodni.

– Jest, jak jest, nic na to nie poradzimy. – Paula ruszyła do drzwi.

Dzwonili, żeby uprzedzić, że przyjadą, ale recepcjonistka kazała im usiąść i poczekać. Dziesięć minut później zobaczyli bardzo wysokiego mężczyznę. Szedł w ich stronę zdecydowanym krokiem. Musi mieć ze dwa metry, pomyślał Patrik. Poczuł się jak karzeł. Paula sięgała mu tylko trochę powyżej pasa.

– Witajcie. Jestem Walter Heed. Rozmawialiśmy przez telefon.

Patrik i Paula również się przedstawili i poszli za nim. Patrik pomyślał, że facet musi kupować buty w jakimś specjalnym sklepie. Zafascynowany patrzył na jego stopy. Numer mniejsze od kajaka. Paula szturchnęła go w bok i Patrik podniósł wzrok.

– Wejdźcie, bardzo proszę. To mój pokój. Napijecie się kawy?

Skinęli głowami i za chwilę dostali po kubku ze stojącego w korytarzu automatu.

– Chcecie się dowiedzieć czegoś o pobiciu.

Zabrzmiało to jak stwierdzenie, więc Patrik tylko skinął głową.

– Mam te akta, ale wydaje mi się, że niewiele wnoszą.

– Możesz nam w skrócie przedstawić sprawę? – spytała Paula.

– Tak, niech spojrzę. – Walter otworzył teczkę i przebiegł wzrokiem papiery. Odchrząknął. – Mats Sverin późno wrócił do mieszkania przy Erik Dahlbergsgatan. Nie umiał powiedzieć, która dokładnie była godzina, ale prawdopodobnie tuż po północy. Był na kolacji z przyjaciółmi. Pamiętał to jak przez mgłę, między innymi dlatego, że mnóstwo razy dostał w głowę. Miał luki w pamięci. – Walter podniósł wzrok znad papierów i teraz już mówił od siebie. – W końcu nam się udało z niego wyciągnąć, że przed wejściem zastał grupkę młodych ludzi. Zwrócił jednemu uwagę, żeby nie sikał. I wtedy się na niego rzucili. Nie umiał powiedzieć, ani jak wyglądali, ani ilu ich było. Przesłuchaliśmy go kilkakrotnie, ale niewiele to dało. – Z westchnieniem zamknął teczkę.

– Tylko tyle ustaliliście? – powiedział Patrik.

– Tak. Za mało, żeby mieć na czym oprzeć dochodzenie. Nie było świadków. Ale... – Zawahał się i wypił łyk kawy.

– Ale co?

– To oczywiście tylko spekulacje... – Znów się zawahał.

– Nie szkodzi, przydadzą się – powiedziała Paula.

– Cały czas mi się wydawało, że wie więcej, niż mówi.

Gdy z nim rozmawialiśmy, czasem miałem wrażenie, choć niczym niepoparte, że coś ukrywa.

– Chcesz powiedzieć, że wiedział, kto go pobił? – spytał Patrik.

– Nie mam pojęcia. – Walter rozłożył ręce. – Jak już mówiłem, miałem uczucie, że nie chce nam czegoś powiedzieć. Wiecie równie dobrze jak ja, że ofiary i świadkowie miewają wiele powodów, żeby milczeć.

Patrik i Paula przytaknęli.

– Uważałem, że powinniśmy mieć więcej czasu na tę sprawę. Myślałem, że uda się nam dowiedzieć czegoś więcej, ale nie było takiej możliwości i w końcu ją odłożyliśmy. Doszliśmy do wniosku, że dalej się nie posuniemy, chyba że pojawi się coś nowego.

– Można by uznać, że tak się właśnie stało – powiedział Patrik.

– Myślicie, że istnieje związek między pobiciem a morderstwem? Taka jest robocza hipoteza?

Patrik założył nogę na nogę. Zastanawiał się.

– Na razie nie mamy żadnej hipotezy. Nie robimy żadnych założeń. Oczywiście taki związek jest możliwy. Bez wątpienia to szczególny zbieg okoliczności, że został ciężko pobity, a kilka miesięcy później zastrzelony.

– To prawda. Mówcie, gdybyśmy mogli wam w czymś pomóc. – Walter wstał, wyprostował swe długie ciało. – Nie umorzyliśmy dochodzenia. Gdyby wyszło coś nowego, moglibyśmy sobie nawzajem pomóc.

– Naturalnie – odparł Patrik, wyciągając rękę. – Dostaniemy kopie akt?

– To dla was. – Walter podał Patrikowi plik papierów. – Traficie do wyjścia?

– Tak. I jeszcze jedno. – Patrik odwrócił się, stał już w drzwiach. – Chcemy porozmawiać z pracownikami organizacji, w której pracował. Możesz nam wytłumaczyć, jak tam dojechać? – Wyciągnął kartkę z adresem i wskazał nazwę ulicy.

Wysłuchali krótkich wyjaśnień, podziękowali i pojechali.

– Niewiele to dało – westchnęła Paula, gdy już siedzieli w samochodzie.

– Nie mów tak. Powiedział, że podejrzewał, że Sverin coś ukrywał. Musimy się dowiedzieć więcej o tym, co się wtedy stało. Może w Göteborgu jest coś, przed czym nie zdołał uciec, nawet gdy wrócił do Fjällbacki.

– Więc zaczynamy od jego ostatniego pracodawcy w Göteborgu – stwierdziła Paula, zapinając pasy.

– Tak, wydaje mi się, że tak będzie najlepiej.

Patrik cofnął i o mało nie wjechał w bok granatowego volva 740. Nie wiadomo dlaczego nie zauważył go we wstecznym lusterku. Paula zamknęła oczy. Postanowiła, że następnym razem się uprze, że sama poprowadzi. Nie wytrzyma nerwowo następnej takiej jazdy.

Dzieciaki biegały po podwórku. Madeleine paliła papierosa za papierosem, choć wiedziała, że powinna rzucić. Ale w Danii pali się jakoś inaczej, jest przyzwolenie.

– Mamo, mogę iść do domu? Do Mette? – Stała przed nią córeczka, Vilda. Loczki miała w nieładzie, na policzkach rumieńce od świeżego powietrza i podniecenia.

– No pewnie, że możesz – odpowiedziała, całując małą w czoło.

Jedną z największych zalet tego mieszkania było wielkie podwórko, na którym zawsze bawiły się jakieś dzieci. Wciąż biegały jedne do drugich, jak w jednej wielkiej rodzinie. Uśmiechnęła się, zapalając kolejnego papierosa. Dziwny stan. Czuła się bezpieczna. Już nie pamiętała, kiedy ostatnio tak się czuła. Było to tak dawno. Od czterech miesięcy mieszkali w Kopenhadze. Dni mijały jeden za drugim. Przestała się przemykać pod oknami, chodziła spokojnie i nawet nie zaciągała zasłon.

Wszystko załatwili. Nie pierwszy raz zresztą, ale teraz było inaczej. Sama się zgłosiła, tłumaczyła, dlaczego znów musi wraz z dziećmi zniknąć. Wysłuchali jej. Następnej nocy dostała wiadomość, że ma się spakować i zejść do samochodu. Czekał z włączonym silnikiem.

Postanowiła nie oglądać się za siebie. Ani przez chwilę nie wątpiła w słuszność swojej decyzji. A jednak chwilami nie radziła sobie z bólem. Nachodził ją w nocy, budził i długo nie pozwalał zasnąć. Leżała, wpatrując się w ciemność. Przed oczami miała to, o czym nie pozwalała sobie myśleć.

Zaklęła i rzuciła papierosa, oparzył jej palce. Kevin spojrzał na nią przenikliwie. Pogrążyła się w myślach tak głęboko, że nawet nie zauważyła, kiedy usiadł koło niej na ławce. Nie zaprotestował, gdy żartobliwie potargała mu włosy. Był taki poważny. Jej duży synek, mimo zaledwie ośmiu lat zdążył tyle przeżyć.

Radosne okrzyki odbijały się echem od domów. Zauważyła, że do słownictwa dzieci zdążyło się już wkraść kilka duńskich słów. Rozbawiło ją to, ale i przestraszyło. Porzucenie dotychczasowego życia i tożsamości to pod pewnymi względami strata. Dzieci z czasem utracą język, wszystko, co szwedzkie i göteborskie. Była gotowa na takie wyrzeczenie, bo wreszcie mieli dom. Nie będą się więcej przeprowadzać. Zostaną tu i zapomną o przeszłości.

Pogłaskała Kevina po policzku. Kiedyś znów będzie jak inne dzieci. A to jest warte wszystkiego.

Maja jak zwykle przybiegła i rzuciła jej się w ramiona. Uściskała ją, dała mokrego całusa, a potem wyciągnęła rączki do wózka, żeby pogłaskać braciszków.

– Widzę, że jest zachwycona braciszkami – powiedziała Ewa, przedszkolanka. Stała przed budynkiem i odhaczała na liście odebrane dzieci.

– Przeważnie tak, ale od czasu do czasu lubi im przyłożyć. – Erika pogłaskała Noela po policzku.

– To nic dziwnego, gdy się pojawia rodzeństwo i dziecko nie ma już rodziców tylko dla siebie. – Ewa nachyliła się nad wózkiem.

– To zrozumiałe. Poza tym wszystko się układa aż nieprzyzwoicie dobrze.

– Śpią w nocy? – Ewa robiła do malców miny, a oni odpowiadali bezzębnymi uśmiechami.

– Bardzo dobrze. Jedynym problemem jest to, że Maja się nudzi, gdy śpią, i przy każdej okazji zakrada się, żeby ich obudzić.

– Jakbym to widziała. Dzielna i energiczna dziewczynka.

– Dziękuję. Ładnie to pani ujęła.

Bliźnięta zaczęły się kręcić. Erika rozejrzała się za córką. Zniknęła jej z oczu.

– Proszę sprawdzić przy drabinkach. – Ewa kiwnęła głową w kierunku placu zabaw. – Najczęściej tam przesiaduje.

Rzeczywiście. W tej samej chwili Erika zobaczyła, jak Maja z zadowoloną miną zjeżdża ze zjeżdżalni. Po chwili dała się przekonać. Stanęła na platformie i mogli jechać.

– Do domu? – spytała, bo Erika skręciła w prawo zamiast jak zwykle w lewo.

– Nie, idziemy do cioci Anny i wujka Dana – odparła Erika. Odpowiedział jej okrzyk radości.

– Pobawię się z Lisen. I z Emmą. A z Adrianem nie – oznajmiła Maja z przekonaniem.

– A dlaczego z Adrianem nie?

– Bo Adrian to chłopak.

Widocznie rzecz nie wymagała wyjaśnień. Więcej nie udało jej się wyciągnąć. Westchnęła. Czyżby podział na dziewczyny i chłopaków dokonywał się aż tak wcześnie? Podział na to, co się robi, a czego nie, jak się ubiera i z kim bawi? Pomyślała, że może to jej wina, że nie potrafiła się oprzeć żądaniu córeczki, żeby wszystko w jej pokoju było różowe, jak u królewny. Wszystkie ubrania miała różowe. Nic nieróżowego by nie włożyła, natychmiast wybuchłaby awantura. Może popełniła błąd, pozwalając jej decydować.

Nie chciała o tym myśleć. Nie miała siły. W zupełności jej wystarczało pchanie ciężkiego wózka. Przy rondzie przystanęła na chwilę, nabrała tchu i skręciła w lewo, w Dinglevägen, w stronę Falkeliden. Widać już było dom Dana i Anny. Droga okropnie jej się dłużyła, ale w końcu dotarła. Ostatni pagórek o mało jej nie wykończył. Stała przed drzwiami i dłuższą chwilę próbowała złapać oddech. Uspokoiła tętno na tyle, żeby móc nacisnąć dzwonek. Drzwi otworzyły się już po kilku sekundach.

– Maja! – krzyknęła Lisen. – I dzidziusie! – Odwróciła się i zawołała w głąb domu: – Przyszła ciocia Erika, z Mają i dzidziusiami! Jakie śliczne!

Widząc taki entuzjazm, Erika musiała się roześmiać. Odsunęła się, żeby przepuścić Maję.

– Jest tata?

– Tato! – wrzasnęła Lisen.

Z kuchni wyszedł Dan.

– No proszę. Bardzo się cieszę. – Otworzył przed Mają ramiona. Był jej ulubionym wujkiem. – Chodźcie, chodźcie. – Wyściskał Maję i postawił ją na podłodze. Pobiegła do dzieci. Sądząc po odgłosach, oglądały coś w telewizji.

– Przepraszam, że was nachodzę – powiedziała Erika, zdejmując kurtkę. Chwyciła nosidełka z bliźniętami i poszła za Danem do kuchni.

– Bardzo nam miło – odparł Dan, przesuwając dłonią po twarzy. Malowało się na niej przemęczenie i rezygnacja. – Właśnie zaparzyłem kawę. – Spojrzał na Erikę pytającym wzrokiem.

– Od kiedy pytasz? – odparła z uśmiechem. Wyjęła z torby koc i położyła na nim chłopców.

Usiadła przy stole, Dan naprzeciwko. Nalał kawy. Chwilę milczeli. Znali się tak dobrze, że milczenie ich nie krępowało. Mąż siostry był kiedyś jej chłopakiem. Tak dawno, że ledwo o tym pamiętali. Dawny związek zamienił się w serdeczną przyjaźń. Erika nie mogłaby sobie wymarzyć lepszego mężczyzny dla siostry.

– Miałam dziś ciekawą rozmowę – odezwała się w końcu.

– Tak? – Dan małymi łykami popijał kawę. Nie należał do ludzi szczególnie rozmownych. Poza tym wiedział, że Erika nie potrzebuje zachęty.

Opowiedziała mu o spotkaniu z Vivianne i powtórzyła, co powiedziała o Annie.

– Pozwoliliśmy, żeby się od nas odsunęła, a nie powinniśmy.

– Sam nie wiem – odparł Dan. Wstał, żeby dolać kawy. – Mam wrażenie, że i tak wszystko robię źle.

– A ja myślę, że Vivianne ma rację. Jestem wręcz pewna. Nie możemy jej tak zostawić. Nie może leżeć na górze i powoli gasnąć. Uważam, że powinniśmy jej się nawet narzucać.

– Może masz rację – powiedział z powątpiewaniem.

– W każdym razie warto spróbować – nalegała. Wychyliła się zza stołu, sprawdziła, czy u chłopców wszystko w porządku. Leżeli na kocu, zadowoleni machali rączkami i nóżkami. Rozsiadła się wygodnie.

– Zawsze warto próbować, ale... – Urwał, jakby się bał, że ta myśl stanie się rzeczywistością. – A jeśli to nie pomoże? Jeśli już całkiem odpuściła?

– Anna nie odpuszcza – odparła Erika. – Jest na dnie, ale ona nigdy nie daje za wygraną. Uwierz. Uwierz w nią.

Wpatrywała się w Dana. Zmusiła go, żeby jej spojrzał w oczy. Anna się nie podda, ale potrzebuje pomocy, żeby pokonać pierwszy odcinek. Trzeba jej pomóc wrócić.

– Mógłbyś popilnować dzieci? Pójdę do niej na chwilę.

– Pewnie, że ich popilnuję. – Uśmiechnął się blado i usiadł na podłodze obok Noela i Antona.

Erika weszła na górę i ostrożnie otworzyła drzwi sypialni. Anna leżała na łóżku, w tej samej pozycji co poprzednio. Na boku, twarzą do okna. Erika, nic nie mówiąc, położyła się obok niej. Na łyżeczki. Objęła ją i mocno przytuliła. Grzała ją własnym ciałem.

– Jestem przy tobie – szepnęła. – Pamiętaj, nie jesteś sama.

Jedzenie, które przywiózł ojciec Mattego, kończyło się, ale nie chciała do nich dzwonić. Wolała nie myśleć ani o nim, ani o tym, że go rozczarowała.

Zamrugała oczami, żeby się pozbyć łez. Postanowiła poczekać do jutra. Jeszcze do jutra sobie poradzą. W końcu Sam je tak niewiele. Nadal musiała go karmić jak małe dziecko, wmuszać w niego każdy kęs. Ale większość i tak zwracał.

Wstrząsnął nią dreszcz, objęła się za ramiona. Nie było nawet tak zimno, ale miała wrażenie, jakby wiatr wyjący nad wyspą przenikał przez ściany domu, grube ubranie i skórę, aż do kości. Włożyła jeszcze jeden gruby sweter. Kiedyś nosił go ojciec, gdy wypływał na ryby. Nie pomogło. Zimno szło gdzieś od środka.

Fredrik nie spodobałby się jej rodzicom. Wiedziała o tym od samego początku, gdy tylko go poznała. Ale nie chciała się nad tym zastanawiać. Umarli, porzucili ją, dlaczego mieliby się wtrącać w jej życie? Tak właśnie to widziała: porzucili ją.

Najpierw umarł ojciec. Pewnego dnia dostał zawału.

Przewrócił się w domu i już nie wstał. Śmierć na miejscu, pocieszał lekarz. Trzy tygodnie wcześniej matka usłyszała wyrok. Rak wątroby. Żyła jeszcze pół roku i po prostu zasnęła, po raz pierwszy od wielu miesięcy z wyrazem spokoju, niemal szczęścia na twarzy. Była przy niej, kiedy umierała. Trzymała ją za rękę i usiłowała wykrzesać z siebie to, co powinna czuć w takiej chwili, smutek i żal. A tak naprawdę była zła. Jak mogli zostawić ją samą? Przecież ona ich potrzebuje. Zapewniali jej poczucie bezpieczeństwa, zawsze mogła liczyć na to, że jeśli zrobi głupstwo, otworzą przed nią ramiona i potrząsając głowami, powiedzą z czułością: Ależ Annie... Kto ją teraz przywoła do porządku i poskromi jej szaleństwa?

Siedziała przy łóżku umierającej matki. W jednej chwili została sierotą. Pomyślała: *little orphan Annie**, i przed oczami stanęły jej sceny z ulubionego filmu z dzieciństwa. Tyle że ona nie była dziewczynką o rudych lokach, którą adoptował sympatyczny milioner. Ona jest Annie, która pod wpływem impulsu podejmuje głupie decyzje, sprawdza, jak daleko może się posunąć, choć nie powinna. Annie, która spotykała się z Fredrikiem, do którego rodzice na pewno mieliby mnóstwo zastrzeżeń. Mogliby ją przekonać, żeby nie dała się zaciągnąć na skraj przepaści. Zabrakło ich i w głębi duszy nadal była zła, że ją porzucili.

Usiadła na kanapie i podciągnęła kolana. Matte mógłby jej pomóc. Krótki wieczór i wspólna noc... Po raz pierwszy od śmierci rodziców nie czuła się samotna.

---

* *Little orphan Annie – Mała sierotka Annie*, amerykański film z 1982 roku.

A teraz go nie ma. Oparła głowę na kolanach i rozpłakała się. Wciąż była małą, porzuconą Annie.

– Jest Erling?

– W gabinecie, wystarczy zapukać. – Gunilla uniosła się na krześle i wskazała palcem na zamknięte drzwi.

– Dzięki. – Gösta skinął głową i ruszył korytarzem. Nie mógł sobie darować tej niepotrzebnej wyprawy. Gdyby nie zapomniał spytać o komputer, gdy był tu z Paulą, nie musiałby przyjeżdżać jeszcze raz. Niestety oboje zapomnieli.

– Proszę! – zawołał Erling. Gösta otworzył drzwi i wszedł.

– Dzięki tak częstym wizytom policji nie musimy się martwić o bezpieczeństwo w biurze. – Erling uśmiechnął się jak polityk i serdecznie potrząsnął ręką Gösty.

– Cóż, jest coś, o co muszę spytać – mruknął Gösta, siadając.

– Proszę pytać. Jesteśmy do dyspozycji policji.

– Chodzi o komputer Matsa Sverina. Przeprowadziliśmy oględziny w jego mieszkaniu i wygląda na to, że miał laptopa. Jest tutaj?

– Komputer Matsa? Nie zwróciłem uwagi. Proszę poczekać, pójdę sprawdzić.

Erling wyszedł na korytarz i od razu wszedł do innego pokoju. Po chwili wrócił.

– Nie, nie ma go. Czyżby został skradziony? – Wyraźnie się zaniepokoił.

– Nic o tym nie wiemy, ale bardzo chcielibyśmy go dostać.

– A znaleźliście jego teczkę? – spytał Erling. – Brązowa, skórzana. Zawsze ją nosił i często wkładał do niej laptopa.

– Nie było żadnej brązowej teczki.

– Oj, to niedobrze. Jeśli ukradziono teczkę z laptopem, to poufne dane mogły się dostać w niepowołane ręce.

– O czym pan mówi?

– Nie chcielibyśmy, żeby informacje o finansach gminy, i tak dalej, były rozpowszechniane poza naszą kontrolą. Oczywiście są to informacje jawne, nie ma mowy o żadnej tajemnicy, ale wolelibyśmy wiedzieć, jak i gdzie są rozpowszechniane. A z tym internetem nigdy nic nie wiadomo.

– To prawda – potwierdził Gösta.

Sprawa laptopa bardzo go zmartwiła. Gdzie mógł się podziać? Czy obawy Erlinga, że został skradziony, są słuszne? Czy może Sverin sam go gdzieś zostawił?

– W każdym razie dziękuję za pomoc. – Gösta wstał. – Na pewno do tego wrócimy. Proszę zadzwonić, gdybyście znaleźli laptopa albo teczkę.

– Naturalnie – odpowiedział Erling, odprowadzając Göstę na korytarz. – Możemy liczyć na wzajemność? To bardzo przykre, gdy ginie sprzęt będący własnością gminy. Zwłaszcza teraz, gdy realizujemy największą inwestycję, centrum Badis. – Erling się zatrzymał. – No właśnie. W piątek, wychodząc z pracy, Mats wspomniał o jakichś niejasnościach, że coś go niepokoi. Miał je omówić z Andersem Berkelinem, który odpowiada za finanse Badis. Spytajcie go, czy wie coś o laptopie. Może to niewiele da, ale bardzo nam zależy na jego odzyskaniu.

165

– Porozmawiamy z nim i odezwiemy się, gdyby laptop się znalazł.

Wychodząc z urzędu, Gösta westchnął. Aż za dużo tej roboty. A właśnie się zaczął sezon golfowy.

Fristad miała siedzibę w biurowcu na Hisingen*. Patrik przeoczył dyskretne wejście. Chwilę krążył, sprawdził kilka razy i dopiero wtedy je znalazł.

– Spodziewają się nas? – spytała Paula, wysiadając z samochodu.

– Nie. Postanowiłem ich nie uprzedzać.

– Co ci wiadomo o ich działalności? – Paula kiwnęła głową w stronę wiszącej w hallu tablicy z nazwami firm.

– Pomagają kobietom, ofiarom przemocy w rodzinie. Jeśli muszą uciekać, oferują im schronienie, stąd nazwa. Wspierają również kobiety, które nadal tkwią w związkach, pomagają im i ich dzieciom wyjść z trudnej sytuacji. Annika mówiła, że nie znalazła o nich zbyt wiele. Wygląda na to, że starają się działać dyskretnie.

– To zrozumiałe – powiedziała Paula, naciskając na dzwonek pod tabliczką z nazwą. – Niełatwo tu trafić. Myślę, że nie przyjmują tych kobiet tutaj.

– Chyba nie, na pewno mają lokale gdzie indziej.

– Fristad, słucham. – W domofonie zatrzeszczało. Paula spojrzała na Patrika pytającym wzrokiem, Patrik chrząknął.

* Hisingen – wyspa i dzielnica Göteborga.

– Nazywam się Patrik Hedström. Jestem z policji z Tanum. Chcielibyśmy z koleżanką zadać państwu kilka pytań. – Zrobił pauzę. – Chodzi o Matsa Sverina.

Zapadła cisza. Po chwili odezwał się brzęczyk i mogli pchnąć drzwi. Weszli na drugie piętro, do biura. Patrik zwrócił uwagę, że drzwi różnią się od pozostałych w budynku. Masywne, stalowe, z blokadami. Kolejny dzwonek i znów trzask domofonu.

– Jeszcze raz Patrik Hedström.

Dopiero po kilku sekundach usłyszeli odgłos otwieranych drzwi.

– Przepraszam, ale musimy zachowywać jak największą ostrożność. – Stała przed nimi kobieta około czterdziestoletnia, w wytartych dżinsach i białej koszulce. Wyciągnęła do nich rękę. – Leila Sundgren. Szefowa Fristad.

– Patrik Hedström, moja koleżanka Paula Morales.

– Proszę wejść, usiądziemy w moim pokoju. Chodzi o Mattego, tak? – W jej głosie usłyszeli niepokój.

– Może najpierw usiądźmy – powiedział Patrik.

Zaprowadziła ich do niewielkiego jasnego pokoju. Ściany pokrywały dziecięce rysunki, biurko było czyste i schludne. Całkiem niepodobne do jego własnego. Usiedli.

– Ilu kobietom pomagacie w ciągu roku? – spytała Paula.

– Około trzydziestu. Zgłaszają się do nas, a potem mieszkają w naszym ośrodku. Zapotrzebowanie jest ogromne. Mam wrażenie, że to kropla w morzu potrzeb, ale mamy ograniczone możliwości finansowe.

– A jak finansujecie swoją działalność? – Paula była naprawdę ciekawa, więc Patrik dał jej wolną rękę. Rozsiadł się wygodnie.

– Pieniądze pochodzą z dwóch źródeł: z dotacji od samorządów i z darowizn. Ale, jak już wspomniałam, jest ich ciągle za mało. Moglibyśmy zdziałać więcej.

– Ile osób zatrudniacie?

– Trzy na etacie. Oprócz tego mamy wolontariuszy, ich liczba się zmienia. Zaznaczam, że płace nie są wysokie. Wszyscy zarabiamy mniej niż w poprzednich miejscach pracy. Nie przyszliśmy tu dla zarobku.

– Ale Mats Sverin pracował na etacie, prawda? – wtrącił Patrik.

– Tak, odpowiadał za finanse. Był z nami cztery lata i robił fantastyczną robotę. W porównaniu z tym, co zarabiał wcześniej, za nędzne grosze. Był prawdziwym zapaleńcem. Nie musiałam go długo namawiać do udziału w tym eksperymencie.

– W jakim eksperymencie? – spytał Patrik.

Leila zastanawiała się, co powiedzieć.

– Fristad jest organizacją jedyną w swoim rodzaju – powiedziała w końcu. – Zazwyczaj w ośrodkach pomocy dla kobiet nie pracują mężczyźni. Powiedziałabym nawet, że to absolutne tabu. Natomiast u nas, w czasach, gdy pracował z nami Matte, obowiązywał parytet. Dwie kobiety i dwóch mężczyzn. I właśnie o to mi chodziło, gdy zakładałam Fristad. Ale nie było łatwo.

– Co to znaczy? – spytała Paula. Nigdy się nad tym nie zastanawiała, bo nigdy nie miała do czynienia ze schroniskami dla kobiet.

– To bardzo drażliwy temat. Zderzają się dwa punkty widzenia, mające zdecydowanych orędowników. Jedni uważają, że mężczyzn należy trzymać z dala od schronisk, ponieważ kobiety po przejściach potrzebują strefy wolnej od nich. Inni, tak jak ja, są zdania, że to zła droga. Uważam, że mężczyźni mają w schroniskach ważną rolę do odegrania. Są wśród nas, więc wyłączenie ich daje złudne poczucie bezpieczeństwa. Przede wszystkim zaś uważam, że ważne jest, żeby pokazać tym kobietom, że są mężczyźni inni od tych, z którymi miały do czynienia. Trzeba im pokazać, że są też dobrzy mężczyźni. Dlatego poszłam pod prąd i jako pierwsza zorganizowałam schronisko dla kobiet, w którym pracują zarówno kobiety, jak i mężczyźni. – Zrobiła krótką przerwę. – Oznacza to również, że musimy sprawdzać zatrudnianych mężczyzn, musimy mieć do nich pełne zaufanie.

– Dlaczego pani uznała, że Mats Sverin jest godny zaufania? – spytał Patrik.

– Przyjaźnił się z moim siostrzeńcem. Często się spotykali, więc i ja widywałam Mattego. Mówił, że praca nie daje mu satysfakcji i że szuka czegoś innego. Bardzo się zapalił, gdy usłyszał o Fristad, i przekonał mnie, że się nadaje do tej pracy. Naprawdę chciał pomagać ludziom i my daliśmy mu tę możliwość.

– A dlaczego odszedł? – Patrik spojrzał na Leilę. W jej oczach dostrzegł błysk, który już po chwili zniknął.

– Chciał się rozwijać. A po tym, jak został pobity, zapewne przyszło mu do głowy, żeby wrócić do domu. Nie ma w tym nic niezwykłego. Pewnie wiecie, że był w ciężkim stanie.

– Tak, byliśmy w Sahlgrenska – odparł Patrik.

Leila odetchnęła głębiej.

– Dlaczego o niego pytacie? Minęło kilka miesięcy od jego odejścia.

– Czy potem utrzymywaliście kontakt? – Patrik nie chciał odpowiedzieć.

– Nie, poza pracą nie utrzymywaliśmy kontaktów, więc tym bardziej kiedy odszedł. A teraz domagam się odpowiedzi. Dlaczego mi zadajecie te pytania? – Powiedziała to nieco podniesionym głosem i zacisnęła pięści.

– Przedwczoraj znaleziono go martwego. Został zastrzelony.

Leila aż przestała oddychać.

– Niemożliwe.

– Niestety to prawda – odpowiedział Patrik. Zastanawiał się, czy jej nie przynieść szklanki wody. Była blada jak ściana.

Przełknęła ślinę, opanowała się, ale jej głos lekko drżał:

– Dlaczego? Wiadomo, kto to zrobił?

– Jeszcze nie znaleźliśmy sprawcy. – Patrik zdał sobie sprawę, że zaczyna mówić policyjnym żargonem, jak zwykle, gdy w grę wchodziły wielkie emocje.

Leila była wstrząśnięta.

– Czy to miało jakiś związek z... – Nie dokończyła.

– Jeszcze nie wiemy – odpowiedziała Paula. – Chcemy się o nim dowiedzieć jak najwięcej. Chcemy też wiedzieć, czy był ktoś, kto mógłby chcieć go zabić.

– Prowadzicie dość szczególną działalność – powiedział Patrik. – Domyślam się, że pogróżki to dla was chleb powszedni.

– Rzeczywiście – odparła Leila. – Ale kierowane są

raczej pod adresem naszych podopiecznych. Poza tym Matte zajmował się przede wszystkim sprawami finansowymi i z kobietami kontaktował się sporadycznie. Jak już mówiłam, trzy miesiące temu od nas odszedł. Jakoś nie widzę...

– Nie przypomina sobie pani nic szczególnego z czasów, gdy tu pracował? Żadnej nietypowej sytuacji? Żadnych pogróżek pod jego adresem?

Znów miał wrażenie, że w jej oczach dostrzegł błysk, ale może to było złudzenie.

– Nie, nic. Matte pracował na zapleczu, zajmował się księgowością. Przychodami i rozchodami.

– Czy miał styczność z kobietami, które szukały u was pomocy? – spytała Paula.

– Bardzo ograniczoną. Należały do niego przede wszystkim sprawy administracyjne. – Leila nadal wyglądała na wstrząśniętą. Patrzyła pytającym wzrokiem na Paulę i Patrika.

– Na razie nie mamy więcej pytań – powiedział Patrik. Wyjął wizytówkę i położył ją na wysprzątanym biurku Leili. – Proszę zadzwonić, gdyby pani albo pani współpracownikom coś się przypomniało.

Leila kiwnęła głową i wzięła wizytówkę.

– Oczywiście.

Pożegnali się, ciężkie stalowe drzwi zamknęły się za nimi.

– Co myślisz? – spytał cicho, gdy schodzili na dół.

– Że coś ukrywa – powiedziała Paula.

– Ja też tak myślę – powiedział ponuro. – Trzeba się im przyjrzeć bliżej.

Fjällbacka 1871

Przez cały dzień panował szczególny nastrój. Karl i Julian dyżurowali w latarni, poza tym trzymali się od niej z daleka i nie patrzyli jej w oczy.

Oni też wyczuli, że zanosi się na coś złego. Wyraźniej niż zwykle czuła ich obecność. Szybko się pojawiali i błyskawicznie znikali. Trzaskali drzwiami, na piętrze słychać było kroki. Milkły, gdy szła na górę. Domyśliła się, że czegoś chcą, ale nie wiedziała czego. Wiele razy czuła na policzku czyjś oddech, ktoś dotykał jej barku albo ramienia. Dotknięcie lekkie jak piórko i tak zwiewne, jakby było złudzeniem. Ale wiedziała, że były tak samo rzeczywiste jak pewność, że powinna uciekać.

Spojrzała tęsknym wzrokiem na morze. Powinna się odważyć. Ledwo o tym pomyślała, gdy na plecach poczuła dłoń. Popchnęła ją lekko do drzwi. Może chcieli jej powiedzieć, że powinna uciekać, póki czas? Ale zabrakło jej odwagi. Snuła się po domu jak pokutująca dusza. Sprzątała, chodziła z kąta w kąt i próbowała nie myśleć. Brak złych spojrzeń był bardziej złowróżbny niż złe spojrzenia.

Tamci ciągle usiłowali zwrócić jej uwagę, chcieli, żeby ich posłuchała. Próbowała, ale nic nie rozumiała. Czuła dotyk rąk, chodzili za nią krok w krok, gdziekolwiek szła, i ciągle słyszała ich wzburzone, pomieszane szepty, nie do rozróżnienia.

Gdy nadszedł wieczór, ze zdenerwowania cała się trzęsła. Wiedziała, że wkrótce Karl zacznie zmianę w latarni, więc musi szybko przygotować kolację. Jak automat przyrządzała soloną rybę. Kiedy odcedzała ziemniaki, ręce trzęsły jej się tak bardzo, że o mało nie oblała się wrzątkiem.

Usiedli do stołu. Nagle z góry dobiegło dudnienie. Coraz głośniejsze, coraz bardziej miarowe. Karl i Julian chyba nie słyszeli, ale kręcili się nieswojo na ławie.

– Daj na stół wódkę – odezwał się chrapliwym głosem Karl. Kiwnął głową, wskazując na szafkę, w której stała.

Nie wiedziała, co robić. Od Abeli wracali pijani jak świnie, ale w domu rzadko sięgali po flaszkę.

– Powiedziałem, daj wódkę – powtórzył Karl. Poderwała się, otworzyła szafkę i wyjęła prawie pełną butelkę. Postawiła ją na stole i sięgnęła po dwa kieliszki.

– Dla ciebie też – powiedział Julian. Oczy błyszczały mu tak, że ciarki jej przeszły po krzyżu.

– Sama nie wiem – wyjąkała. Wolałaby nie pić. Kilka razy umoczyła język i stwierdziła, że jej nie smakuje.

Karl wstał z wyraźną złością, wyjął z szafki jeszcze jeden kieliszek, postawił go przed Emelie z głośnym stuknięciem i nalał do pełna.

– Ja nie chcę... – Głos jej się załamał, trzęsła się coraz bardziej. Żadne z nich jeszcze nie tknęło jedzenia. Powoli podniosła kieliszek do ust i wypiła odrobinę.

– Duszkiem – powiedział Karl. Wrócił na swoje miejsce i tyle samo nalał sobie i Julianowi. – Duszkiem. No już.

Z góry dochodziło coraz głośniejsze dudnienie. Pomyślała o lodzie ciągnącym się aż do Fjällbacki. Na pewno uniósłby ją bezpiecznie, gdyby tylko posłuchała i zebrała się na odwagę. Ale zrobiło się ciemno i już nie mogła uciec. Poczuła dłoń na ramieniu, szybkie muśnięcie na znak, że nie jest sama.

Uniosła kieliszek i wypiła duszkiem. Nie miała wyboru, znalazła się w pułapce. Sama nie wiedziała jak ani dlaczego. Stała się ich więźniem.

Widząc jej pusty kieliszek, Karl i Julian wychylili swoje. Julian sięgnął po butelkę i znów nalał do pełna. Trochę się wylało na stół. Nie musieli nic mówić, wiedziała, co ma zrobić. Wlepiając w nią spojrzenia, napełniali kieliszki. Zrozumiała, że bez względu na wszystko musi pić, kieliszek za kieliszkiem.

Po pewnym czasie zaczęła mieć wrażenie, że cały pokój wiruje. Poczuła, że zaczynają ją rozbierać. Nie opierała się. Była otępiała od alkoholu i nie miała siły się przeciwstawić. Dudnienie na górze stało się tak głośne, że gdy Karl się na niej położył, aż jej huczało w głowie. Potem był ból i ciemność. Julian trzymał ją za ręce, zdążyła jeszcze zobaczyć jego oczy. Były pełne nienawiści.

Był piękny, słoneczny piątkowy poranek. Erika odwróciła się na łóżku i objęła Patrika. Poprzedniego wieczoru wrócił późno, zdążyła już zasnąć. Rozbudziła się na tyle, żeby wykrzesać z siebie krótkie hej, a potem znów zasnęła. Teraz była całkiem rześka i bardzo za nim stęskniona, za jego ciałem i bliskością. Od miesięcy mieli jej bardzo mało. Czasem się zastanawiała, kiedy będą mogli do tego wrócić. Od paru lat wszystko działo się bardzo szybko. Różni ludzie mówili jej, że okres, kiedy dzieci są małe, jest trudny dla związku, bo nie ma się czasu dla siebie nawzajem. Teraz, gdy sama to przeżywała, gotowa była przyznać, że to prawda, ale tylko częściowo. Kiedy Maja była niemowlęciem, rzeczywiście bywało ciężko, ale kiedy urodziły się bliźnięta, jej relacja z Patrikiem wcale nie stała się trudniejsza. Zresztą wypadek jeszcze mocniej ich ze sobą związał. Byli przekonani, że nic ich nie rozdzieli. Ale Erice brakowało fizycznej bliskości. Między zmienianiem pieluszek a kolejnym karmieniem i odprowadzaniem i przyprowadzaniem z przedszkola mieli na nią za mało czasu.

Przytuliła się do Patrika. Leżał na boku, tyłem do niej. Był to jeden z pierwszych poranków, gdy nie obudził jej krzyk dziecka. Przytuliła się jeszcze mocniej i wsunęła mu rękę między nogi. Zaczęła go powoli pieścić. Po chwili poczuła, że reaguje na jej dotyk. Nie poruszył się, ale po jego oddechu poznała, że on też nie śpi. Oddychał coraz ciężej. Po jej ciele rozeszło się rozkoszne ciepło. Patrik się odwrócił. Spojrzeli sobie w oczy tak, że załaskotało ją w żołądku. Powoli zaczął ją całować w szyję. Jęknęła cicho i wyciągnęła się, by mógł się łatwiej dostać do tego miejsca za uchem. Wiedział, że jest szczególnie wrażliwe.

Ich ręce wędrowały po ciałach, Patrik ściągnął spodnie. Erika szybko zdjęła T-shirt, w którym spała, potem, chichocząc, figi.

– Już prawie się odzwyczaiłem – mruknął, gryząc ją lekko w kark. Nie mogła uleżeć spokojnie.

– Hm... powinniśmy poćwiczyć.

Przesunęła palcami po jego plecach. Przewrócił ją na wznak i właśnie miał się na niej położyć, gdy z pokoju naprzeciwko dobiegł znajomy głos.

– Uaaaa!

Natychmiast dołączył do niego drugi, a potem usłyszeli tupot nóżek. W drzwiach stanęła Maja. Ssała kciuk. W drugiej ręce trzymała ulubioną lalkę.

– Dzidzie krzyczą – zakomunikowała, marszcząc czoło. – Wstawaj, mamo, wstawaj, tato.

– Już idziemy, burczymucho mała. – Patrik z westchnieniem wytoczył się z łóżka, naciągnął dżinsy i koszulkę i poszedł do pokoju dzieci, rzucając Erice pełne żalu spojrzenie.

Tym razem nici z seksu. Erika włożyła dres, który znalazła na podłodze przy łóżku, i zeszła z Mają do kuchni, żeby przygotować śniadanie i butelki dla bliźniaków. Nadal była rozpalona, ale łaskotanie w brzuchu ustało.

Rzuciła okiem na piętro i zobaczyła, jak Patrik schodzi z bliźniakami na rękach. Znów ją załaskotało i pomyślała, że jest strasznie zakochana w swoim mężu.

– Niestety nie dowiedzieliśmy się niczego szczególnie ważnego – oznajmił Patrik, gdy wszyscy się zebrali. – Pojawiło się natomiast kilka znaków zapytania. Przydadzą się jako punkt wyjścia do dalszych poszukiwań.

– To znaczy, że nic nie wiadomo o pobiciu? – Martin wyglądał na przygnębionego.

– Nie, według policji nie było żadnych świadków. Opierali się tylko na zeznaniach Sverina. Powiedział, że został napadnięty przez grupę nieznanych mu młodych ludzi.

– Jakbym usłyszał jakieś ale, zgadza się? – spytał Martin.

– Rozmawialiśmy o tym w drodze powrotnej – włączyła się Paula. – Oboje mamy wrażenie, że w tej historii jest drugie dno, więc chcemy trochę poszperać.

– Nie szkoda czasu? – odezwał się Mellberg.

– Niczego nie gwarantuję, to oczywiste, ale wierzymy, że warto się temu przyjrzeć bliżej – odparł Patrik.

– A co z poprzednim miejscem pracy? – spytał Gösta.

– To samo. Niby nic konkretnego, ale nie dajemy za wygraną. Rozmawialiśmy z szefową organizacji. Bardzo ją wzburzyła wiadomość o śmierci Sverina, ale nie wydawała się... jak by to powiedzieć?

– Nie wydawała się specjalnie zaskoczona – dopowiedziała Paula.

– Znów tylko wrażenia – zauważył z westchnieniem Mellberg. – Pamiętajcie, że mamy ograniczone środki. Nie możecie sobie jeździć wte i wewte, nie wiadomo po co. Osobiście uważam, że grzebanie w göteborskim okresie życia Sverina to strata czasu. Wieloletnie doświadczenie nauczyło mnie, że odpowiedzi często należy szukać znacznie bliżej. Czy na przykład przyjrzeliśmy się jego rodzicom? Wiecie, co mówią statystyki. Większość zabójstw jest dziełem krewnych lub znajomych ofiary.

– Nie wydaje mi się, żeby Gunnar i Signe Sverinowie mogli nas interesować jako podejrzani. – Patrik musiał się pohamować, żeby nie przewrócić oczami.

– Uważam jednak, że nie należy ich zbyt szybko skreślać. Z rodziną nigdy nic nie wiadomo.

– Niby racja, ale w tym przypadku nie zgadzam się z tobą. – Patrik oparł się o zlew, skrzyżował ręce na piersi. Szybko zmienił temat. – Martinie, Anniko, znaleźliście coś?

– Nie, chyba wszystko się zgadza z tym, co już wiedzieliśmy. Nie odnotowano żadnych szczególnych wydarzeń w jego życiu. Nie był żonaty, nie miał dzieci. Kiedy się wyprowadził z Fjällbacki, mieszkał w Göteborgu pod trzema adresami. Ostatnio przy Erik Dahlbergsgatan. Zachował to mieszkanie, wynajął je. Spłacał dwa kredyty, studencki i na samochód, nie zalegał ze spłatami. Miał czteroletnią toyotę corollę. – Martin zrobił przerwę i zerknął do notatek. – Co do poprzednich miejsc pracy, wszystko się zgadza. Nie był karany. To wszystko, co nam się udało znaleźć. Sądząc po ogólnie dostępnych danych, żył normalnie, bez dziwactw.

Annika przytaknęła. Liczyli, że znajdą coś więcej, ale tylko tyle udało im się ustalić.

– Okej, tyle wiemy – powiedział Patrik. – Musimy jeszcze przeszukać jego mieszkanie. Kto wie, co znajdziemy.

Gösta chrząknął i Patrik spojrzał na niego pytającym wzrokiem.

– Co takiego?

– No więc... – zaczął Gösta.

Patrik ściągnął brwi. Chrząknięcia Gösty nigdy nie wróżyły nic dobrego.

– Co chcesz mi powiedzieć? – spytał, choć nie był pewien, czy chce to usłyszeć. Gdy chwilę później Gösta rzucił błagalne spojrzenie Mellbergowi, Patrik poczuł, jak mu rośnie gula w brzuchu. Gösta i Bertil stanowili raczej nieciekawą kombinację.

– Więc tak... Wczoraj, gdy byłeś w Göteborgu, zadzwonił Torbjörn. – Gösta umilkł i przełknął ślinę.

– I co? – dopytywał się Patrik. Miał ochotę podejść i wytrząsnąć z niego odpowiedź.

– Powiedział, że skończyli zabezpieczać ślady i możemy wejść. Wiadomo, że nie lubisz tracić czasu. Pomyśleliśmy z Bertilem, że moglibyśmy od razu pojechać i trochę się rozejrzeć.

– Mówisz, że co zrobiliście? – Patrik chwycił się zlewu. Pomyślał, że musi spokojnie oddychać. Dobrze pamiętał tamten ucisk w piersi i wiedział, że pod żadnym pozorem nie wolno mu się denerwować.

– Nie masz się co tak oburzać – powiedział Mellberg. – Nie zapominaj, że ja tu jestem szefem. Jako twój zwierzchnik podjąłem decyzję o wejściu do mieszkania Sverina.

Patrik zdał sobie sprawę, że Mellberg ma rację, co wcale nie ułatwiało sytuacji. Przecież w praktyce komisariatem kierował on, i to od początku, jak tylko Mellberga oddelegowano z Göteborga i został jego szefem.

– Znaleźliście coś? – spytał po chwili.

– Niewiele – przyznał Mellberg.

– Wygląda na tymczasowe lokum – stwierdził Gösta. – Prawie żadnych rzeczy osobistych. Powiedziałbym nawet, że żadnych.

– Dziwne – zauważył Patrik.

– Brakuje komputera – wtrącił obojętnie Mellberg, drapiąc Ernsta za uchem.

– Komputera?

Patrik poczuł, jak narasta w nim złość. Nawet o tym nie pomyślał. To oczywiste. Mats Sverin musiał mieć komputer. To była pierwsza rzecz, o którą powinien spytać ekipę techniczną. Zaklął w duchu.

– Skąd wiecie, że był? – zapytał. – Może zostawił go w pracy. A może w ogóle nie miał.

– Miał. Jeden – odparł Gösta. – W kuchni znaleźliśmy kabel od laptopa. Erling potwierdził, że Sverin miał służbowego laptopa i że go zabierał do domu.

– Czyli rozmawiałeś znów z Erlingiem?

Gösta przytaknął.

– Pojechałem tam wczoraj, prosto od Sverina. Był zaniepokojony, że komputer zniknął.

– Ciekawe, czy to morderca go zabrał. A jeśli tak, to dlaczego – powiedział Martin. – Właśnie, a co z jego komórką? Komórki też nie ma?

Patrik znów zaklął w duchu. Kolejna rzecz, która mu umknęła.

– Może w komputerze jest motyw i wskazówka, kto jest mordercą? – powiedział Mellberg. – Znajdziemy komputer i będzie po sprawie.

– Nie wyciągajmy pochopnych wniosków – powiedział Patrik. – Nie wiemy, ani gdzie jest komputer, ani kto go zabrał. Koniecznie musimy znaleźć laptopa i komórkę. Do tego czasu wstrzymamy się z wnioskami.

– Jeśli w ogóle je znajdziemy – wtrącił Gösta. Po chwili się rozjaśnił. – Erling powiedział, że Sverin zgłaszał jakieś obawy o sprawy finansowe. Miał się spotkać z Andersem Berkelinem, który zajmuje się finansami centrum Badis. Komputer mógł zostać u niego. Pracowali nad tym projektem razem, więc nie jest to wykluczone.

– Gösta, jedźcie do niego z Paulą, a ja pojadę z Martinem do mieszkania Sverina. Też chciałbym się rozejrzeć. Zdaje się, że dziś powinniśmy dostać raport od Torbjörna, tak?

– Zgadza się – powiedziała Annika.

– Dobrze. Bertil, będziesz czuwał w komisariacie?

– Oczywiście. Jakżeby inaczej. Nie zapominajcie, co nas czeka jutro.

– Co takiego? – Wszyscy spojrzeli po sobie.

– Jesteśmy zaproszeni do Badis. Mamy tam być o wpół do jedenastej.

– Czy to na pewno odpowiednia pora? – Patrik miał wątpliwości. – Sądziłem, że to odwołujemy, mamy na głowie ważniejsze sprawy.

– Dobro gminy i jej mieszkańców jest najważniejsze. – Mellberg wstał. – Powinniśmy świecić przykładem w swoim środowisku, dlatego nie należy lekceważyć lokalnych imprez. A zatem: jutro o wpół do jedenastej spotykamy się w Badis.

Rozległ się pomruk niezadowolenia, choć wszyscy wiedzieli, że to nic nie da. Zresztą przerwa na masaż i inne zabiegi na ciele i duchu może mieć na człowieka zbawienny wpływ. Potem zabiorą się do pracy z nową energią.

– Co za cholerne schody. – Gösta musiał przystanąć w połowie.

– Mogliśmy podjechać z drugiej strony i zostawić samochód nad budynkiem – zauważyła Paula. Ona również przystanęła, żeby na niego poczekać.

– Dopiero teraz mi to mówisz? – Zanim ruszył dalej, musiał wyrównać oddech. Rundki na polu golfowym nie wystarczyły, żeby mu się poprawiła kondycja. Wiek pewnie też robi swoje, przyznawał to z niechęcią.

– Patrik nie był zachwycony, że tam poszliście. – W drodze unikali tego tematu, ale Paula już nie mogła się powstrzymać.

Gösta prychnął.

– O ile dobrze pamiętam, to nie Hedström jest szefem.

Paula nie odpowiedziała. Po chwili Gösta westchnął.

– Okej, może to nie był najlepszy pomysł, że poszliśmy bez porozumienia z Patrikiem. Nam, starym grzybom, czasem trudno się pogodzić z tym, że pałeczkę przejmuje młode pokolenie. Za nami przemawia doświadczenie i wiek, ale okazuje się, że to diabła warte.

– Chyba sam siebie nie doceniasz. Patrik bardzo cię chwali. A co do Mellberga...

– Naprawdę? – Gösta był przyjemnie zdziwiony.

Paula miała nadzieję, że jej małe kłamstewko się nie wyda. Gösta nieczęsto wnosił istotny wkład do pracy komisariatu i Patrik raczej nie obsypywał go pochwałami. Ale stary nie był zły, a na pewno chciał dobrze. Przyda mu się trochę zachęty.

– No tak, Mellberg to osobliwy typ. – Doszli do szczytu schodów i Gösta znów musiał przystanąć. – A teraz przyjrzymy się tutejszym typom. Nasłuchałem się o tym projekcie. Trzeba szczególnego charakteru, żeby wytrzymać z Erlingiem. – Potrząsnął głową, odwrócił się i spojrzał na morze. Był piękny dzień, zapowiadał szybkie nadejście lata. Morze było gładkie i czyste. Tu i ówdzie widać było zieleń, ale dominowała szarość skał. – Trzeba przyznać, że cholernie pięknie – stwierdził filozoficznie.

– Rzeczywiście. Położenie Badis jest tak wyjątkowe, że nic nie może się z nim równać. Aż dziwne, że przez tyle lat budynek stał i niszczał.

– Kwestia pieniędzy. Remont na pewno kosztował grube miliony, bo budynek prawie się rozlatywał. Efekt jest, nie da się zaprzeczyć, ale pozostaje pytanie, jaką część rachunku będziemy musieli zapłacić z podatków.

– Teraz cię poznaję, a już się niepokoiłam. – Paula uśmiechnęła się i ruszyła do drzwi. Chciała się zabrać do pracy.

– Halo! – zawołali. Po chwili wyszedł im naprzeciw wysoki mężczyzna. Wyglądał przeciętnie. Jasne włosy odpowiednio przystrzyżone, okulary odpowiednio modne, uścisk dłoni odpowiednio mocny. Paula pomyślała, że gdyby go spotkała na ulicy, pewnie by go nie poznała.

– To my dzwoniliśmy. – Paula przedstawiła siebie i Göstę, po czym wszyscy usiedli przy jednym ze stołów w jadalni. Wokół laptopa leżało mnóstwo papierów.

– Niezłe biuro – powiedziała Paula, rozglądając się po jadalni.

– Mam jeszcze pokoik tam, z tyłu – powiedział Anders Berkelin, machając ręką w nieokreślonym kierunku. – Ale tu jest lepiej, nie jest tak duszno. Kiedy ośrodek zostanie otwarty, będę musiał wrócić do swojej nory. – Uśmiechnął się. Nawet uśmiech miał odpowiedni. – Domyślam się, że chcecie pytać o Matsa. – Zamknął laptopa i spojrzał na nich. – Straszna historia.

– Tak. Zdaje się, że był tu lubiany – powiedziała Paula, sięgając po notatnik. – Czy współpracowaliście ze sobą przy projekcie Badis od początku?

– Nie, dopiero od kilku miesięcy, odkąd gmina go zatrudniła. Wcześniej mieli tam niezły bałagan, musieliśmy sobie radzić sami. Mats spadł nam z nieba.

– Pewnie potrzebował trochę czasu, żeby się w to wszystko wgryźć? Przypuszczam, że taki projekt to bardzo skomplikowana sprawa.

– Aż tak to nie. Jest dwoje inwestorów: gmina i my, to znaczy ja i moja siostra. Kosztami dzielimy się po połowie, tak samo będzie z zyskami.

– A jak szacujecie, ile czasu musi upłynąć, zanim ośrodek zacznie przynosić zysk? – spytała Paula.

– Staraliśmy się, żeby biznesplan był jak najbardziej realny, budowanie zamków na lodzie nie przysporzyłoby nikomu korzyści. Szacujemy, że *break even* osiągniemy mniej więcej za cztery lata.

– *Break even*? – powtórzył Gösta.

– Wyjść na zero – wyjaśniła Paula.

– Aha. – Göscie zrobiło się głupio, zawstydził się, że tak kiepsko zna angielski. Śledząc rozgrywki golfowe na kanałach sportowych, przyswoił sobie sporo słówek, ale w życiu raczej się nie przydawały.

– Jak wyglądała wasza współpraca? – spytała Paula.

– My z siostrą pilnujemy wszystkich spraw praktycznych, koordynujemy prace remontowe, zatrudniamy pracowników, krótko mówiąc, kładziemy podwaliny pod przyszłą działalność. Wystawiamy gminie rachunki na jej część kosztów. Do Matsa należało sprawdzenie ich i pilnowanie przelewów. Oprócz tego dyskutowaliśmy na temat kosztów i wpływów. Gmina miała tu sporo do powiedzenia. – Anders poprawił okulary na nosie. Miał bladoniebieskie oczy.

– Spieraliście się o coś? – Paula cały czas notowała, jedną kartkę prawie już zapełniła nieczytelnymi bazgrołami.

– Zależy, co przez to rozumieć. – Anders splótł dłonie na stole. – Nie we wszystkim się zgadzaliśmy, ale potrafiliśmy konstruktywnie dyskutować, nawet gdy mieliśmy różne zdania.

– Inni się na niego nie skarżyli? – dopytywał się Gösta.

– W związku z projektem? – Anders zrobił minę, jakby samo pytanie było niedorzeczne. – Mogły się pojawiać różnice zdań, jak między nami, ale dotyczyły drobiazgów. Nic poważnego, nie na tyle, żeby... naprawdę nie. – Gwałtownie potrząsnął głową.

– Według Erlinga Larsona w zeszły piątek Sverin zamierzał podjechać do pana. Chciał porozmawiać o czymś, co go niepokoiło. Przyjechał? – spytała Paula.

– Tak, wpadł na chwilę, był może pół godziny. Ale to przesada, że się niepokoił. Nie zgadzało się kilka liczb, musieliśmy skorygować kalkulacje, ale nie było w tym nic dziwnego. Bardzo szybko wszystko sobie wyjaśniliśmy.

– Ktoś może to potwierdzić?

– Nie, byliśmy sami. Zjawił się dość późno, koło piątej. Prosto z pracy, jak sądzę.

– Pamięta pan, czy miał ze sobą laptopa?

– Mats zawsze nosił ze sobą laptopa, więc jestem raczej pewien, że miał. Tak, pamiętam, miał teczkę.

– Czy przypadkiem nie zostawił jej tutaj? – spytała Paula.

– Nie, zauważyłbym. Dlaczego? Laptop zginął? – Anders spojrzał na nich z niepokojem.

– Jeszcze nie wiadomo – odparła. – Ale gdyby go pan znalazł, będziemy wdzięczni, jeśli od razu się pan z nami skontaktuje.

– Naturalnie. W każdym razie tu go nie zostawił. Dla nas też byłoby niedobrze, gdyby ten laptop zginął. Są w nim wszystkie dane dotyczące projektu Badis. – Znów poprawił okulary.

– Rozumiem. – Paula wstała, co Gösta uznał za hasło do odwrotu. – Proszę do nas dzwonić, jeśli coś panu przyjdzie do głowy. – Podała Berkelinowi wizytówkę. Włożył ją do wizytownika, który wyjął z kieszeni.

– Oczywiście – odparł, odprowadzając ich swoim jasnym spojrzeniem aż do drzwi.

A jeśli ich tu znajdą? O dziwo, dopiero teraz przyszło jej to do głowy. Gråskär jawiła jej się zawsze jako bezpieczna przystań i dopiero teraz uzmysłowiła sobie, że jeśli będą chcieli, znajdą ją i tu.

Ciągle miała w uszach strzały. Odbiły się echem w nocnej ciszy, potem cisza wróciła. Uciekła, zabrała Sama, zostawiając za sobą chaos i spustoszenie. I Fredrika.

Jego ludzie łatwo mogliby ją schwytać. Zdała sobie jednak sprawę, że nie ma wyboru, musi zostać i czekać. Albo ją znajdą, albo zapomną. Wiedzieli, że jest słaba. W ich oczach była dodatkiem do Fredrika, ozdobą, cieniem dyskretnie dbającym o to, żeby kieliszki i pudło na cygara zawsze były pełne. Dla nich nie była prawdziwym człowiekiem, co teraz przemawiało na jej korzyść. Nie mieli powodu ścigać cienia.

Wyszła na słońce, próbowała uwierzyć, że jest bezpieczna. Ale wciąż miała wątpliwości. Zajrzała za dom, spojrzała na morze, na wyspy, na odległy ląd. Może pewnego dnia przypłynie łódź. Wtedy się okaże, że utknęli z Samem jak myszy w pułapce. Opadła na ławkę. Ta zatrzeszczała pod jej ciężarem i oparła się o ścianę domu. Rozchwiała się od nieubłaganej słonej wody i wiatru. Na wyspie było sporo do zrobienia. Na rabatkach uparcie odrastało kilka kwiatków. Pamiętała przede wszystkim malwy. Kiedy była mała, zapełniały wszystkie najdalsze grządki. Rosły pod troskliwą opieką mamy. Zostało tylko kilka pojedynczych łodyg. Pomyślała, że musi poczekać, żeby się przekonać, jakiego są koloru. Róże też jeszcze nie zakwitły. Miała nadzieję, że przetrwały te, które lubiła najbardziej, jasnoróżowe. Natomiast ogródek ziołowy dawno usechł. Tylko kilka źdźbeł szczypiorku wskazywało na to, że rosły tu kiedyś zioła. Przepięknie pachniały, gdy się je poruszyło ręką.

Wstała i zajrzała przez okno do pokoju. Sam leżał na boku, plecami do niej. Długo teraz spał, zresztą nie było powodu wyciągać go z łóżka. Oby sen dał mu to, czego trzeba, żeby się wszystko zagoiło.

Znów usiadła, miarowy plusk rozbijających się o skały fal powoli łagodził niepokój. Są na Gråskär, ona jest tylko cieniem i nikt ich tu nie znajdzie. Tu są bezpieczni.

– Mama dziś nie może? – Patrik był wyraźnie rozczarowany. Rozmawiał z Eriką przez komórkę i jednocześnie aż za szybko wchodził w ciasny zakręt za Mörhult. – Jutro po południu? Trudno, niech będzie jutro. Buźka, pa.

Martin spojrzał na niego pytającym wzrokiem.

– Popłynę na tę wyspę, do byłej dziewczyny Sverina, Annie Wester. Chcę zabrać Erikę. Według jego rodziców wybierał się do niej, ale nie wiedzą, czy dotarł.

– Nie możesz po prostu zadzwonić i spytać?

– Oczywiście mogę, ale rozmowa twarzą w twarz daje więcej. Chcę pogadać, z kim się da, z każdym, kto znał Matsa, choćby to były dawne dzieje. On wciąż jest dla nas zagadką. Muszę się o nim dowiedzieć czegoś więcej.

– A po co ci do tego Erika? – Martin z ulgą wysiadł na parkingu przed blokami.

– Chodziła z nimi do klasy.

– No tak, słyszałem. Rzeczywiście, to sprytne posunięcie. Może przy Erice tamta się rozluźni.

Weszli na górę i stanęli przed drzwiami Matsa Sverina.

– Mam nadzieję, że Mellberg i Gösta nie narozrabiali za bardzo – powiedział Martin.

– Nadzieja nic nie kosztuje. – Patrik nie robił sobie

złudzeń co do ich roztropności. Zwłaszcza Mellberga. Gösta czasem potrafił błysnąć zawodowstwem.

Ostrożnie obeszli plamę zaschniętej krwi w przedpokoju.

– Ktoś się chyba tym zajmie? – powiedział Martin.

– Boję się, że to sprawa rodziców ofiary. Mam nadzieję, że mają kogo poprosić o pomoc. Nikt nie powinien być zmuszony do zmywania krwi własnego dziecka. – Patrik wszedł do kuchni. – Tu jest ten kabel, o którym mówił Gösta. Ciekaw jestem, czy znaleźli komputer. Ale pewnie by zadzwonili – zauważył głośno. Mówił do siebie.

– Po co miałby go zostawiać w Badis? – powiedział Martin. – Mogę się założyć, że komputer zabrał ten, kto go zastrzelił.

– W każdym razie widać, że Torbjörn i jego ekipa zabezpieczyli odciski palców na kablu. Może one nam coś powiedzą.

– Myślisz, że mamy do czynienia z partaczem?

– Jest ich mnóstwo. Na szczęście dla nas.

– Ale są coraz ostrożniejsi, zwłaszcza odkąd w telewizji nadają programy o zbrodniach i technikach śledczych. W dzisiejszych czasach byle złodziejaszek dysponuje podstawową wiedzą na temat odcisków palców i śladów DNA.

– To prawda, ale są jeszcze kretyni na tym świecie.

– Więc miejmy nadzieję, że mamy do czynienia z kimś takim. – Martin poszedł do salonu. – Już rozumiem, co Gösta miał na myśli! – zawołał.

Patrik stanął na środku kuchni.

– No?

– Gdy mówił, że mieszkanie wygląda na tymczasowe lokum. Odpychająca bezosobowość. Nie ma nic, co by coś o nim mówiło, żadnych zdjęć, ozdób, na półkach wyłącznie literatura fachowa.

– No właśnie, przecież mówię, że facet jest zagadką. – Patrik wszedł do salonu.

– Moim zdaniem był po prostu skryty. Co w tym zagadkowego? Niektórzy ludzie są bardziej skryci od innych, a w tym, że w pracy nie opowiadał o dziewczynach i tak dalej, nie widzę nic dziwnego.

– Gdyby tylko o to chodziło – powiedział Patrik, przechadzając się powoli po pokoju. – Wygląda na to, że w ogóle z nikim się nie spotykał. To mieszkanie jest, jak sam zauważyłeś, totalnie bezosobowe. Ukrył też okoliczności ciężkiego pobicia...

– Ale na to nie masz dowodów, prawda?

– Nie mam. Ale coś tu nie gra. Został zastrzelony we własnym mieszkaniu, a byle Svensson nie ginie od kuli. Wieża i telewizor stoją na swoim miejscu, więc jeśli chodziło o kradzież, mamy do czynienia albo z nieudolnym, albo leniwym złodziejem.

– Komputera nie ma – przypomniał Martin. Wysunął szufladę spod telewizora.

– Tak, ale... po prostu czuję, że coś tu się nie zgadza. – Patrik wszedł do sypialni i zaczął się rozglądać. Musiał przyznać rację Martinowi. Rzeczywiście nie miał żadnych dowodów, że jest coś, co się domaga odkrycia.

W ciągu godziny starannie przejrzeli wszystko i doszli do tego samego wniosku co dzień wcześniej Gösta i Mellberg. Nic tu nie ma. To mieszkanie mogłoby równie dobrze robić za ekspozycję w Ikei, choć nawet na to było zbyt bezosobowe.

– Poddajemy się? – z westchnieniem spytał Patrik.

– Chyba nie ma rady. Mam nadzieję, że Torbjörn coś znalazł.

Patrik zamknął drzwi. Może przynajmniej tamci coś znajdą, coś, co im posłuży za trop. Ciągle miał tylko przeczucia. I sam nie potrafił im zaufać.

– Lunch w Lilla Berith? – spytał Martin, wsiadając do samochodu.

– Dobrze – odparł Patrik bez entuzjazmu i tyłem wyjechał z parkingu.

Vivianne ostrożnie otworzyła drzwi jadalni i podeszła do Andersa. Nie podniósł wzroku, szybko stukał w klawiaturę.

– Czego chcieli? – Usiadła naprzeciwko, na ciepłym jeszcze krześle Pauli.

– Wypytywali o Matsa i o to, jak nam się współpracowało. Pytali, czy jest tu jego komputer. – W dalszym ciągu na nią nie patrzył.

– I co im powiedziałeś? – Pochyliła się nad stołem.

– Jak najmniej. Że dobrze nam się współpracowało i że jego komputera tu nie ma.

– Czy to jest... – Zawahała się. – Czy to się na nas odbije w jakiś sposób?

Anders potrząsnął głową i dopiero teraz spojrzał na siostrę.

– Nie, chyba że do tego dopuścimy. On tu był w piątek. Pogadaliśmy chwilę, uporządkowaliśmy kilka kwestii. Gdy skończyliśmy, pojechał i od tej pory nikt z nas go nie widział. To wszystko, co powinni wiedzieć.

– Gdyby to było takie proste – powiedziała Vivianne. Czuła, jak wzbiera w niej niepokój. Niepokój i pytania, które bała się zadać.

– To proste. – Anders mówił szybko, jakby obojętnie, głosem niezdradzającym żadnych emocji. Ale Vivianne znała brata i wiedziała, że choć patrzy na nią niewzruszenie tymi swoimi błękitnymi oczami ukrytymi za okularami, tak naprawdę się niepokoi. I bardzo się stara tego nie okazywać.

– Czy to jest tego warte? – spytała na koniec.

Spojrzał na nią ze zdumieniem.

– Przecież właśnie o tym próbowałem z tobą rozmawiać, ale nie chciałaś słuchać.

– Wiem. – Uniosła rękę i zaczęła nakręcać na palec kosmyk jasnych włosów. – Właściwie nie mam wątpliwości. Chciałabym tylko, żeby już było po wszystkim, żebyśmy wreszcie zaznali trochę spokoju.

– I myślisz, że zaznamy? A może jesteśmy pokiereszowani w środku tak bardzo, że nigdy nie znajdziemy tego, czego szukamy?

– Nie mów tak – powiedziała ostro.

Wyraził słowami to, co w ciężkich chwilach nachodziło ją w ciemnościach, zanim zasnęła.

– Nie wolno tak mówić. Ani nawet myśleć – powiedziała dobitnie. – Przez całe życie trafiały nam się same puste losy, wszystko musieliśmy wydzierać pazurami, nic nie było za darmo. Zasłużyliśmy na to. – Nagle się zerwała, przewróciła krzesło. Huknęło o podłogę. Nie podniosła go, uciekła do kuchni. Tam miała mnóstwo roboty i mało czasu na myślenie. Drżącymi rękoma otworzyła lodówkę. Zajrzała do spiżarni, żeby się upewnić, czy ma wszystko, co będzie potrzebne podczas jutrzejszej imprezy.

Mette, sąsiadka zza ściany, była tak miła, że zaproponowała, że przez parę godzin popilnuje dzieci. Madeleine nie miała do załatwienia nic konkretnego. Inaczej niż u większości ludzi, jej życia nie wypełniały codzienne obowiązki, za czym zresztą bardzo tęskniła. Po prostu potrzebowała chwili samotności.

Szła spacerkiem wzdłuż Ströget*, w kierunku Kongens Nytorv. Wystawy kusiły letnią ofertą, rozmaitością ubrań, kostiumów kąpielowych, kapeluszy, sandałów, biżuterii i zabawek do kąpieli. Wszystkim, co normalni ludzie, normalnie żyjący, mogą pójść i kupić, nie zdając sobie sprawy, jakimi są szczęściarzami. Nie była niewdzięczna. Przeciwnie, naprawdę się cieszyła, że jest w obcym mieście, które może jej zaoferować coś, czego nie doświadczyła od wielu lat: poczucie bezpieczeństwa. Zazwyczaj to jej wystarczało, ale czasem, jak dziś, rozpaczliwie tęskniła za byciem kimś zwyczajnym. Nie pragnęła luksusów ani kupowania mnóstwa niepotrzebnych rzeczy, które potem jedynie zalegają w szafach. Marzyła tylko o tym, żeby móc sobie pozwolić na coś tak zwyczajnego jak pójście do sklepu i kupienie kostiumu kąpielowego. W następny weekend mogłaby się wybrać

---

* Ströget – główna ulica handlowa Kopenhagi. Z jednej strony kończy się placem Kongens Nytorv.

z dziećmi na basen. Albo iść do BR* i kupić Kevinowi poszwę ze Spidermanem. Może lepiej by spał, gdyby dzielił łóżko ze swoim ulubieńcem. Tymczasem musiała porządnie pogrzebać w kieszeni w poszukiwaniu duńskich koron, żeby pojechać autobusem do centrum. Nie było w tym upragnionej normalności, ale przynajmniej była bezpieczna. Choć na razie docierało to tylko do jej rozumu, nie do serca.

Weszła do Illum** i zdecydowanym krokiem ruszyła do stoiska cukierniczego. Czuła piękny zapach świeżych wypieków i czekolady. Ślinka jej pociekła na widok drożdżówek z czekoladą. Nie chodzili głodni, a sąsiedzi, którzy się domyślali, w jakiej są sytuacji, czasem przynosili im obiad, mówiąc, że nagotowali za dużo. Naprawdę nie mogła narzekać, ale bardzo chciałaby podejść do dziewczyny stojącej za ladą i pokazując palcem, powiedzieć: Poproszę trzy drożdżówki z czekoladą. Albo jeszcze lepiej: Sześć drożdżówek z czekoladą proszę. Żeby mogli spałaszować po dwie i aż do mdłości zlizywać z palców czekoladę. Zwłaszcza Vilda byłaby zachwycona. Zawsze była czekoladowym potworem. Z bombonierki Aladdin lubiła nawet pralinkę z likierem wiśniowym, którą inni gardzili. Pochłaniała ją z zachwytem. On zawsze przynosił dzieciom czekoladę.

Odpędziła od siebie te myśli. Nie wolno jej o nim myśleć, bo wtedy się boi. Strach ściska ją za gardło i nie może oddychać. Szybko wyszła na ulicę i poszła w stronę Nyhavn. Patrzyła na wodę i znów oddychała swobodnie.

---

* BR – duńska sieć sklepów z zabawkami.
** Illum – najstarszy i najbardziej elegancki dom towarowy w Kopenhadze.

Patrząc przed siebie, szła przez śliczną starą dzielnicę. Kawiarniane ogródki były pełne ludzi. Dumni właściciele czyścili i malowali łodzie cumujące w kanale. Na drugim brzegu była Szwecja, Malmö. Wystarczyło wsiąść w pociąg albo samochód i przejechać przez most. Wydawało się, że to tak blisko, a jednak daleko. Może już nigdy tam nie wrócą. Ścisnęło ją w gardle. Zdziwiła się, że tak się stęskniła za krajem. Nie wyjechała daleko, zresztą Dania okazała się łudząco podobna do Szwecji. Ale było też wiele różnic. Poza tym nie miała tu rodziny ani przyjaciół. Pytanie, czy jeszcze kiedykolwiek spotka tych, których miała w Szwecji.

Odwróciła się i powoli ruszyła z powrotem do centrum. Szła, głęboko pogrążona w myślach, gdy nagle poczuła dłoń na ramieniu. Wpadła w panikę. Znaleźli ją? Krzyknęła i odwróciła się, gotowa bić, drapać i gryźć. Zobaczyła obcą, przerażoną twarz.

– Przepraszam, jeśli panią przestraszyłem. – Gruby starszy pan wyglądał, jakby miał dostać zawału. Nie wiedział, co zrobić. – Zgubiła pani szal i nie słyszała, kiedy wołałem.

– Przepraszam, bardzo przepraszam – wyjąkała i ku jego przerażeniu wybuchnęła płaczem.

Uciekła bez słowa, pobiegła do najbliższego autobusu, który miał ją zawieźć do domu. Musi jechać do domu, do dzieci, poczuć ich ramionka na szyi, dotyk ich ciepłych ciał. Tylko wtedy czuła się naprawdę bezpieczna.

– Torbjörn przysłał raport – powiedziała Annika, gdy Patrik i Martin weszli do komisariatu.

Patrik ledwo oddychał z przejedzenia, porcja spaghetti w Lilla Berith była stanowczo za duża.

– Gdzie jest? – spytał, podchodząc do recepcji.

– Na twoim biurku – odparła Annika.

Patrik pośpieszył do swojego pokoju, Martin za nim.

– Siadaj. – Wskazał palcem na krzesło stojące przy biurku. Rzucił się na swój fotel i zaczął czytać.

Martin miał minę, jakby chciał mu te kartki wydrzeć.

– Co pisze? – spytał po paru minutach, ale Patrik zbył go machnięciem ręki i czytał dalej. Po nieznośnie długiej chwili z wyrazem zawodu na twarzy odłożył raport. – Nic?

– W każdym razie nic nowego nie wnosi. – Patrik głęboko zaczerpnął tchu, odchylił się do tyłu i splótł ręce na karku.

Chwilę milczeli.

– Żadnych obiecujących śladów? – Zadając to pytanie, Martin właściwie znał odpowiedź.

– Przeczytaj. Większość odcisków palców to, o dziwo, odciski Sverina. Na klamce i na dzwonku jest kilka innych. Dwa pewnie należą do jego rodziców. Jeden z pozostałych znajduje się również na klamce od środka, więc może należeć do mordercy. Przyda się jako dowód, że sprawca był na miejscu zbrodni, ale w rejestrze nie ma tego odcisku.

– Miejmy nadzieję, że we wtorek Pedersen będzie dla nas miał coś więcej – powiedział Martin.

– Nie wiem, co by to mogło być. Ktoś mu strzelił w tył głowy, a potem sobie poszedł. Nawet nie musiał wchodzić. Albo był na tyle sprytny, że po sobie posprzątał.

– Jest coś o tym w raporcie? Powycierane klamki albo coś w tym rodzaju? – Martin powiedział to z nadzieją.

– Słuszna uwaga, ale sądzę... – Patrik nie dokończył, znów zaczął przerzucać kartki. Po chwili potrząsnął głową. – Raczej nie. Odciski palców Sverina znajdowały się tam, gdzie należało się ich spodziewać: na klamkach, na uchwytach szafek, na zlewie i tak dalej. Chyba nic nie zostało starte.

– To rzeczywiście może świadczyć o tym, że morderca wszedł tylko do przedpokoju.

– Właśnie, a to z kolei znaczy, że nadal nie wiemy, czy Sverin go znał. Równie dobrze mógł być jego znajomym, jak i zupełnie obcym człowiekiem.

– Ale musiał się czuć bezpiecznie, bo odwrócił się do niego plecami.

– Zależy, jak na to spojrzeć. Może próbował uciekać.

– Masz rację – przyznał Martin. Po chwili dodał: – Co robimy?

– To jest pytanie. – Patrik się wyprostował i przeczesał palcami włosy. – Oględziny na miejscu zbrodni nic nie przyniosły. Przesłuchania nic nie przyniosły. Raport ekipy kryminalistycznej też nie. A prawdopodobieństwo, że Pedersen znajdzie coś ciekawego, jest niewielkie. Więc co dalej?

Patrik był wyraźnie przygnębiony. Było to dość niezwykłe, ale rzeczywiście nie miał wielu tropów. Nagle się rozzłościł, na siebie. Musi być coś, czego jeszcze o Sverinie nie wiedzą, a co jest decydujące. Przecież nie ginie się ot tak, od strzału w tył głowy, w dodatku we własnym mieszkaniu. Coś w tym musi być. Postanowił, że nie spocznie, dopóki się nie dowie co.

– W poniedziałek jedziesz ze mną do Göteborga. Odwiedzimy Fristad jeszcze raz – oznajmił.

Martin się rozpromienił.

– Oczywiście. Wiesz, że bardzo chętnie z tobą pojadę. – Wstał i ruszył do drzwi. Był tak uszczęśliwiony, że Patrikowi zrobiło się głupio. Chyba go trochę zaniedbał.

– Weź raport – powiedział, gdy Martin stał już w drzwiach. – Lepiej, żebyś ty też go przeczytał, gdyby coś mi umknęło.

– Okej. – Martin sięgnął po papiery.

Wyszedł i Patrik uśmiechnął się do siebie. Przynajmniej sprawił komuś radość.

Czas płynął przeraźliwie wolno. Chodzili po domu w milczeniu. Nie mieli nic do powiedzenia, nie otwierali ust ze strachu, że wyrwie się z nich przyczajony w środku krzyk.

Gunnar próbował namówić Signe, żeby coś zjadła. Do tej pory to ona zawsze namawiała do jedzenia i zamartwiała się, że inni nie jedzą. Teraz on robił kanapki, kroił je na kawałeczki i prosił, żeby chociaż spróbowała. Starała się, ale jedzenie rosło jej w ustach i zbierało jej się na wymioty. W końcu nie wytrzymał. Nie mógł patrzeć jej w oczy. Czytał w nich własne spojrzenie.

– Pójdę zerknąć na łódkę. Niedługo wracam – powiedział. Nawet nie drgnęła, jakby nie słyszała.

Niezdarnie włożył kurtkę. Zrobiło się późne popołudnie, słońce było już nisko. Czy jeszcze kiedyś będzie umiał się zachwycać zachodem słońca? Jeśli w ogóle będzie coś czuł.

Droga przez Fjällbackę wydała mu się nagle obca, choć taka znajoma. Nic nie było takie jak zawsze. Nawet samo chodzenie. To, co dotychczas było całkowicie naturalne, teraz wydało mu się sztuczne, jakby musiał sobie nakazywać stawianie kolejnych kroków. Pożałował, że nie wziął samochodu. Z Mörhult był spory kawałek, w dodatku zauważył, że ludzie się za nim oglądają. Niektórzy, sądząc, że ich nie widzi, przechodzili na drugą stronę. Nie chcieli się zatrzymywać i rozmawiać z nim. Pewnie nie wiedzieli, co powiedzieć, a on nie wiedziałby, co odpowiedzieć. Może i dobrze, że traktowali go jak trędowatego.

Łódź cumowała przy Badholmen. Mieli ją od wielu lat. Odruchowo skręcił w prawo, na kamienny mostek. Tak się zagłębił we własnym świecie, że dopiero kiedy dotarł na miejsce, spostrzegł, że łodzi nie ma. Rozejrzał się zdezorientowany. Powinna tu być, zawsze tu była. Mała, drewniana, z niebieską osłonką. Przeszedł jeszcze kawałek, do końca pontonowego pomostu. Może z jakiegoś niezrozumiałego powodu stoi nie tam, gdzie trzeba. Może się zerwała i zdryfowała między inne łodzie. Ale morze było zupełnie spokojne, a Matte zawsze bardzo dokładnie ją przywiązywał. Wrócił, popatrzył na puste miejsce i sięgnął po komórkę.

Patrik właśnie wchodził do domu, gdy zadzwoniła Annika. Ramieniem przytrzymał telefon przy uchu, żeby móc wziąć na ręce Maję. Biegła i wyciągała do niego rączki.

– Przepraszam, co powiedziałaś? Nie ma łódki? – Zmarszczył czoło. – Tak, jestem w domu, ale mogę pojechać sprawdzić. Nie, nie ma problemu. Biorę to na siebie.

Postawił Maję na podłodze, rozłączył się, wziął córeczkę za rękę i poszedł do kuchni. Erika szykowała butelki dla chłopców. Leżeli w nosidełkach na kuchennym stole i gorąco ją dopingowali. Patrik nachylił się, dał im po całusie, potem podszedł do żony i ją też pocałował.

– Cześć, kto dzwonił? – spytała, wstawiając butelki do mikrofalówki.

– Annika. Muszę jeszcze na chwilę wyjść. Sverinom chyba ukradli łódkę.

– Ojej, jakby jeszcze było mało. – Erika odwróciła się i spojrzała na Patrika. – Kto mógł zrobić coś tak podłego? Właśnie teraz?

– Nie mam pojęcia. Gunnar przypuszcza, że Mats korzystał z niej jako ostatni, jeśli oczywiście popłynął odwiedzić Annie. Dziwne, że właśnie ta łódka zginęła.

– No to leć. – Pocałowała go w usta.

– Niedługo wracam – powiedział, idąc do drzwi. Potem sobie uzmysłowił, że Maja będzie się awanturować, gdy zobaczy, że tata wyszedł, choć dopiero wrócił. Gryzło go sumienie, ale powiedział sobie, że Erika na pewno jakoś sobie poradzi. Zresztą wkrótce wróci.

Gunnar czekał na niego na Badholmen, na drugim końcu kamiennego mostka.

– Pojęcia nie mam, co się z nią mogło stać. – Uchylił czapkę i podrapał się po głowie.

– Może ją po prostu zniosło? – powiedział Patrik. Szedł za Sverinem do pustego miejsca przy pomoście.

– Ja już niczego nie jestem pewien, poza tym, że tu jej nie ma – odparł Gunnar. – Matte bardzo starannie cumował, nauczył się jeszcze, jak był mały. Niepogody też nie było, więc nie wierzę, żeby mogła się zerwać. – Potrząsnął głową. – Musiał ją ktoś ukraść, chociaż nie rozumiem, na co komu stara łódź.

– Pewnie była warta parę koron. – Patrik kucnął, przyjrzał się pustemu miejscu po łodzi. – Napiszę doniesienie, jak tylko wrócę do komisariatu. Ale zacznijmy od przystani Ratownictwa Morskiego. Sprawdzimy, czy ktoś tam jest. Jeśli wypływają na patrol, mogliby się porozglądać.

Gunnar nie odpowiedział. Ruszył za Patrikiem przez mostek, potem krótszą drogą koło szop na łodzie aż do przystani, gdzie znajdowało się biuro i łodzie Ratownictwa Morskiego. W środku chyba nikogo nie było. Patrik chwycił za klamkę, ale drzwi były zamknięte. Zobaczył jakiś ruch w iluminatorze najmniejszej łodzi, „MinLouis". Podszedł i zapukał w szybę. Jakiś mężczyzna pokazał się na rufie. Patrik rozpoznał w nim Petera, który bardzo im pomógł tamtego nieszczęsnego dnia, gdy zamordowano uczestniczkę reality show *Fucking Tanum*.

– Czołem. W czym dzisiaj mogę wam pomóc? – Uśmiechał się, wycierając dłonie w ścierkę.

– Szukamy zaginionej łódki. – Patrik wskazał na pobliską przystań. – Chodzi o motorówkę Gunnara. Nie ma jej tam, gdzie powinna być. Nie wiemy, gdzie się podziała. Może byście się rozejrzeli podczas patrolu?

– Oczywiście, słyszałem, co się stało – powiedział z wahaniem Peter i skinął Gunnarowi głową. – Składam wyrazy współczucia. Postaramy się pomóc. Czy mogła się zerwać z cumy? Jeśli tak, to daleko nie popłynęła, zniosłoby ją raczej w stronę lądu, nie morza.

– Podejrzewamy, że została ukradziona – odparł Patrik.

– Co za cholerni ludzie. – Peter potrząsnął głową. – Drewniana snipa*, prawda? Z niebieską czy zieloną osłonką?

– Z niebieską. Na rufie jest napis: „Sophia". – Teraz zwrócił się do Patrika: – W młodości kochałem się w Sophii Loren. Gdy poznałem Signe, wydała mi się bardzo podobna. Dlatego nazwałem łódkę „Sophia".

– Dobrze wiedzieć. Za chwilę wypływam na krótki patrol, rozejrzę się za „Sophią".

– Dziękuję – powiedział Patrik. Spojrzał w zamyśleniu na Gunnara. – Jest pan pewien, że Mats korzystał z niej jako ostatni?

– Pewności nie mam. – Gunnar przeciągał słowa. – Ale powiedział, że wybiera się do Annie, więc przyjąłem, że...

– A zakładając, że jej nie wziął, kiedy ostatni raz ją pan widział?

Peter wrócił do swoich zajęć w kajucie, Gunnar i Patrik zostali na nabrzeżu sami.

– W takim razie w zeszłą środę, ale przecież wystarczy spytać Annie. Jeszcze z nią nie rozmawialiście?

– Mamy zamiar zrobić to jutro. Wtedy ją spytam.

– Dobrze – bezgłośnie odparł Gunnar. Nagle drgnął. – Boże, ona nawet nie wie. Nie pomyśleliśmy, żeby do niej zadzwonić. Jakoś nie...

---

* Snipa – łódka o konstrukcji z czasów wikingów, wiosłowa albo motorowa, używana w rejonie Bałtyku i Morza Północnego, aż po Wyspy Owcze i Islandię. Charakteryzuje się spiczastą rufą.

Patrik położył mu dłoń na ramieniu.

– Mieliście co innego na głowie. Przekażę jej tę wiadomość. Proszę się tym nie niepokoić.

Gunnar kiwnął głową.

– Podwieźć pana do domu? – spytał Patrik.

– Tak, będę wdzięczny – odparł Gunnar z westchnieniem ulgi i poszedł z Patrikiem do samochodu. Milczeli przez całą drogę do Mörhult.

Fjällbacka 1871

Lody puszczały. Promienie kwietniowego słońca topiły śnieg, w szczelinach skał na wyspie pojawiły się zielone kępki. Miała niewyraźne wspomnienie tego, co się wtedy stało. Wirujący nad głową sufit, ból, przebłyski ich twarzy. Czasem wracał strach tak wielki, że nie mogła złapać tchu.

Nigdy o tym nie rozmawiali, bo po co. Słyszała, jak Julian mówił do Karla, że teraz wreszcie ojciec będzie miał, czego chciał. Nietrudno było się domyślić, że wszystko to stało się przez list z domu, co bynajmniej nie umniejszyło jej wstydu i upokorzenia. Trzeba było gróźb teścia, żeby jej mąż dopełnił małżeńskiego obowiązku. Pewnie teść się dziwił, dlaczego do tej pory nie mają dzieci.

Następnego ranka obudziła się zdrętwiała z zimna, na podłodze, z zadartą do pasa grubą czarną spódnicą i białą halką. Obciągnęła je pośpiesznie. Dom był pusty. Nikogo nie było. Wstała. Miała sucho w ustach, w głowie tętnił ból. Pobolewało ją między nogami, a później, w wychodku, zobaczyła zaschniętą krew na wewnętrznej stronie ud.

Po wielu godzinach Karl i Julian przyszli z latarni i zachowywali się tak, jakby się nic nie stało. Emelie cały dzień szorowała wszystkie kąty szarym mydłem. Nikt jej nie przeszkadzał. Zmarli zachowywali się dziwnie cicho. Zrobiła obiad, żeby był gotowy na piątą. Machinalnie obrała ziemniaki i usmażyła rybę. *Tylko lekkie drżenie rąk, kiedy słyszała kroki Karla i Juliana, zdradzało, co przeżywa. Gdy weszli do domu, wieszali grube kurtki w sieni i zasiadali przy kuchennym stole, nic nie było po nich widać. Tak upłynęły ostatnie zimowe dni. W cieniu niewyraźnych wspomnień i mrozu skuwającego morze.*

Teraz jednak lód pękał, bywały dni, gdy Emelie siadała na ławce przed domem i wystawiała twarz do słońca. Łapała się na tym, że czasem się do siebie uśmiecha. Już wiedziała. Początkowo nie miała pewności, nie znała na tyle swego ciała, ale potem już wiedziała. Była w odmiennym stanie. Tamten wieczór, który wspominała jako koszmarny sen, przyniósł coś dobrego. Będzie miała maleństwo, będzie się nim opiekować i dzielić z nim życie na wyspie.

Przymknęła oczy i położyła rękę na brzuchu, słońce ogrzewało jej policzki. Ktoś usiadł obok niej, spojrzała, ale nikogo nie było. Znów zamknęła oczy i uśmiechnęła się. Jak dobrze, że nie jest sama.

Słońce stało jeszcze nad horyzontem, ale Annie go nie widziała. Stojąc na pomoście, patrzyła ponad wyspami, na Fjällbackę.

Nie chciała gości, nie chciała, żeby ktokolwiek wdzierał się do świata, który dzieliła z Samem. Wyspa należała tylko do nich. Ale gdy zadzwonili z policji, nie mogła odmówić. W dodatku potrzebowała pomocy. Kończyło się jedzenie, a na to, żeby zadzwonić do rodziców Mattego, jakoś się nie zdobyła. Skoro już musiała się zgodzić, żeby przyjechali, niech jej przynajmniej zrobią niezbędne zakupy. Była to dość obcesowa prośba, zwłaszcza że ich nie znała, ale nie miała wyboru. Sam wciąż nie czuł się na tyle dobrze, żeby mógł z nią płynąć do Fjällbacki, ale przy pustej lodówce i spiżarni grozi im śmierć głodowa. Jednak dalej niż na pomost ich nie wpuści. To jej wyspa, jej i Sama.

Matte był jedynym człowiekiem, którego chciałaby tu widzieć. Patrzyła na morze oczami pełnymi łez. Czuła jeszcze jego dotyk i pocałunki. Zapach znajomy, a jednak inny, zapach mężczyzny, już nie chłopca. Nie wiedziała, co przyniesie przyszłość, jeśli się znów zejdą, jak będą żyć. Przez chwilę wydawało jej się, że to spotkanie jest szansą, że otwiera okna i wpuszcza światło do ciemności, w których tkwiła od tak dawna.

Wierzchem dłoni starła łzy. Nie wolno się poddawać żalowi. Kurczowo chwyciła się życia i teraz nie wolno jej zrezygnować. Matte odszedł, ale jest Sam. Musi go chronić. Nikt nie jest od niego ważniejszy. To jej największe, jedyne zadanie w życiu. Teraz płyną tu inni ludzie, tylko o tym powinna myśleć.

Coś się zmieniło. Ani na chwilę nie dawali jej spokoju. Stale czuła przy sobie czyjąś obecność, ktoś leżał obok niej, oddychał, przenosił na nią swoje ciepło i energię. Nie życzyła sobie tego, wolałaby nadal tkwić w pustej, ale bezpiecznej krainie cieni. Wyjście z niej oznaczało cierpienie, a jej ciało i dusza były zbyt obolałe. Nie zniosłaby kolejnych ciosów.

Przecież nie była im potrzebna. Ściągała na swoich bliskich same nieszczęścia. Emmę i Adriana naraziła na doświadczenia, które nie powinny być udziałem żadnego dziecka. W oczach Dana widziała ból i żałobę po utracie synka. Nie mogła tego znieść.

Na początku zachowywali się tak, jakby rozumieli. Zostawili ją w spokoju, nie przeszkadzali jej tak leżeć. Od czasu do czasu próbowali rozmawiać, ale szybko dawali za wygraną, więc rozumiała, że czują to samo co ona. Jest winna ich nieszczęścia i dla dobra wszystkich powinna zostać tam, gdzie jest.

Ale po ostatnich odwiedzinach Eriki coś się zmieniło. Czuła, jak ciepło promieniujące od siostry przechodzi na nią, jak ją wyciąga spomiędzy cieni i ciągnie do rzeczywistości. Erika mówiła niewiele. Ale pod wpływem jej dotyku po ciele Anny rozchodziło się ciepło, aż do samych stóp, zmarzniętych mimo okrywającej je kołdry. Próbowała się opierać, koncentrować na tym ciemnym punkcie gdzieś w środku, nieczułym na ciepło ciała drugiego człowieka.

Ciepło Eriki szybko zastąpiło inne. Najłatwiej było jej się oprzeć ciału Dana, bo bił od niego taki żal, że jeszcze wzmacniał jej własny ból. Nie musiała się nawet wysilać, żeby się trzymać krainy cieni. Najtrudniej było z dziećmi. Miękkie ciałko Emmy tulące się do jej pleców, ramionka, którymi obejmowała ją w pasie. Musiała mobilizować wszystkie siły, żeby się temu przeciwstawić. Adrian był mniejszy i nie miał tyle pewności siebie co Emma, za to promieniował jeszcze silniejszą energią. Nie musiała sprawdzać, kto się koło niej położył. Leżała bez ruchu na boku i wpatrywała się w niebo za oknem, ale doskonale wiedziała, kto jej daje swoje ciepło.

Chciała, żeby ją zostawili w spokoju, żeby jej pozwolili leżeć. Strach ją ogarniał na samą myśl, że nie starczy jej sił, żeby stawić opór.

Teraz była u niej Emma. Poruszyła się. Pewnie zasnęła. Anna zarejestrowała, że córeczka głębiej oddycha. Zmieniła pozycję i przytuliła się jeszcze mocniej, jak szukające pociechy zwierzątko. Anna poczuła, że znów coś ją odciąga, życiodajna energia przenikała najdalsze zakamarki jej ciała. Musi się skoncentrować na ciemnym punkcie.

Otworzyły się drzwi. Łóżko ugięło się pod ciężarem jeszcze kogoś. Ten ktoś skulił się u jej nóg. Ramionka objęły ją za nogi, jakby nie chciały już nigdy ich puścić. Ciepło Adriana zaczęło przechodzić na nią, coraz trudniej jej było tkwić wśród cieni. Mogła się opierać jednemu, ale nie obojgu naraz. Za dużo jej dawali energii. Anna poczuła, że ustępuje, że wciąga ją rzeczywistość.

Westchnęła i odwróciła się. Spojrzała w twarz śpiącej córeczki, na jej znajome rysy, na które długo nie była w stanie patrzeć. I po raz pierwszy od dawna zapadła w prawdziwy sen, z dłonią na policzku córki i nosem przytkniętym do jej noska. Adrian, jak mały piesek, zasnął u jej nóg. Już nie ściskał jej tak mocno. Wszyscy spali.

Wsiadając do łodzi, Erika zaśmiewała się do łez.

– Więc mówisz, że zażyłeś kąpieli w algach? – Wytarła oczy wierzchem dłoni i widząc obrażoną minę Patrika, ze śmiechu dostała czkawki.

– Chcesz powiedzieć, że mężczyznom nie wolno? O ile mi wiadomo, sama robiłaś mnóstwo bardzo dziwnych rzeczy. Jakiś czas temu sama byłaś w jakimś spa, leżałaś wysmarowana błotem, zawinięta w folię, prawda?

Cofnął łódkę, wypłynęli z przystani na Badholmen.

– Pewnie, ale... – Erika znów dostała ataku śmiechu i ledwo mogła mówić.

– Uważam, że to zmurszałe przesądy – powiedział Patrik, rzucając jej pełne złości spojrzenie. – Kąpiel w algach jest bardzo zdrowa, zwłaszcza dla mężczyzn, bo usuwa z ciała toksyny i rozmaite złogi, a ponieważ nam, mężczyznom, trudniej się ich pozbyć, odnosimy większą korzyść z zabiegu.

Erika nie mogła mówić, trzymała się za brzuch. Patrik ostentacyjnie ignorował żonę, skupiał się na sterowaniu łódką. Oczywiście trochę przesadził, żeby z niej zażartować, ale prawda była taka, że zabiegi w Badis i jemu, i jego kolegom sprawiły niezwykłą przyjemność.

Początkowo nieufnie patrzył na wannę z algami. Potem się przekonał, że wbrew jego obawom zapach wcale nie jest niemiły, a woda jest ciepła i przyjemna. Gdy jeszcze kazali mu się pochylić i wymasowali plecy pękami alg, był już całkiem przekonany. Nie dało się zaprzeczyć: po kąpieli skórę miał jak nową. Bardziej miękką i elastyczną, zmienił się nawet jej kolor. Ale gdy zaczął o tym opowiadać Erice, zaczęła się histerycznie śmiać. Nawet jego matka, która przyszła posiedzieć z Mają i bliźniętami, chichotała, słuchając jego entuzjastycznego sprawozdania.

Wiatr się wzmógł, Patrik zmrużył oczy, wystawił twarz na podmuchy. Na morzu nie było jeszcze zbyt wielu łodzi, ale za parę tygodni na trasie między portem i pełnym morzem będzie wielki ruch.

Erika przestała się śmiać, spoważniała. Objęła stojącego przy sterze męża i oparła głowę na jego ramieniu.

– Jak zareagowała, kiedy zadzwoniłeś?

– Bez entuzjazmu – odparł. – Nie miała ochoty nikogo przyjmować, ale powiedziałem jej, że w takim razie musi przyjechać do nas. Powiedziała, że woli, żebyśmy przypłynęli na wyspę.

– Powiedziałeś jej, że przyjadę z tobą? – Łódź podskoczyła na fali i Erika mocniej objęła męża w pasie.

– Tak. Powiedziałem też, że jesteśmy małżeństwem i że chciałabyś się z nią zobaczyć.

– Na co liczysz? Czego chcesz się od niej dowiedzieć? – Erika puściła męża i usiadła na ławce.

– Szczerze mówiąc, nie wiem. Ale nadal nie wiadomo, czy Matte popłynął do niej w piątek. Przede wszystkim to chciałbym ustalić. Poza tym trzeba jej powiedzieć, co się stało.

Wyrównał kurs, żeby uniknąć kolizji ze zbliżającą się zbyt szybko motorówką.

– Co za idioci! – zapienił się, gdy minęła ich o włos.

– Nie mogłeś jej spytać przez telefon? – Erika również patrzyła za oddalającą się motorówką. Nie znała kierujących nią nastoletnich chłopców. Wkrótce we Fjällbace zaroi się od takich wczasowiczów.

– Oczywiście mogłem, ale wolę porozmawiać twarzą w twarz. Więcej można wtedy wyciągnąć. Chciałbym sobie stworzyć pełniejszy obraz Matsa. Teraz jawi mi się jak tekturowa sylwetka naturalnej wielkości, jednowymiarowa i płaska. Nikt nic o nim nie wie, nawet rodzice, a mieszkanie przypomina hotel, bez żadnych rzeczy osobistych. W dodatku to pobicie... Muszę się o nim dowiedzieć więcej.

– Z tego, co mówiłeś, Matte i Annie przez wiele lat nie mieli ze sobą kontaktu.

– Tak twierdzą jego rodzice, ale nie wiemy, jak było naprawdę. Tak czy inaczej, wydaje się, że była dla niego ważna, a jeśli do niej pojechał, może powiedział jej coś, co nam się przyda. Może się okaże, że była jedną z ostatnich osób, które go widziały żywego.

– No tak – odparła Erika z pewnym niedowierzaniem. Rozpierała ją ciekawość i głównie dlatego chciała popłynąć z Patrikiem. Ciekawa była, jak czas obszedł się z jej koleżanką i jakim człowiekiem się stała.

– To chyba Gråskär, co? – Patrik zmrużył oczy.

Erika wyciągnęła szyję. Wypatrywała.

– Zgadza się. Latarnia jest przepiękna. – Osłoniła dłonią oczy, żeby lepiej widzieć.

– Na mnie ta wyspa robi nieprzyjemne wrażenie – stwierdził Patrik, ale zdał sobie sprawę, że nie umiałby powiedzieć dlaczego. Musiał się skupić na przybijaniu do maleńkiego pomostu.

Stała tam już wysoka, szczupła kobieta. Podniosła linę, którą rzuciła Erika.

– Cześć – powiedziała Annie, wyciągając rękę, żeby im pomóc wysiąść z łódki.

Piękna kobieta, ale zdecydowanie za chuda, pomyślał Patrik, chwytając jej dłoń. Wyraźnie wyczuwał kości i choć wydawała się szczupła z natury, musiała ostatnio sporo schudnąć, bo miała na sobie za duże dżinsy, mocno ściśnięte paskiem.

– Mój syn nie czuje się dobrze. Śpi w domu. Pomyślałam, że wypijemy kawę i porozmawiamy tu, na pomoście. – Annie wskazała na koc, który rozłożyła na deskach.

– Nie ma problemu – powiedział Patrik, siadając. – Mam nadzieję, że to nic poważnego.

– Małe przeziębienie, nic takiego. Macie dzieci? – Usiadła przed nimi i nalała kawy z termosu. Pomost był prawie zupełnie osłonięty od wiatru, świeciło słońce, było ciepło. Przyjemne miejsce.

– Można tak powiedzieć – odparła Erika ze śmiechem. – Maja ma prawie dwa lata, a bliźniacy Noel i Anton wkrótce skończą cztery miesiące.

– Ojej, macie pełne ręce roboty. – Annie uśmiechnęła się, ale jej uśmiech nie objął oczu. Podała talerzyk z sucharkami.

– Niestety nie mam was czym poczęstować.

– No właśnie – powiedział Patrik, wstając. – Przywiozłem zakupy, o które prosiłaś.

– Dziękuję, mam nadzieję, że nie narobiłam wam

kłopotu. Teraz, gdy Sam jest chory, wolałabym nie ciągnąć go ze sobą na ląd, na zakupy. Wcześniej pomogli mi rodzice Mattego, ale nie chcę ich prosić za często.

Patrik wskoczył do łódki i postawił na pomoście dwie pełne torby z Konsumu.

– Ile jestem winna? – Annie sięgnęła do leżącej obok torebki.

– Wyszło tysiąc koron – odparł przepraszającym tonem Patrik.

Annie wyjęła z portfela dwie pięćsetki i podała mu.

– Dziękuję bardzo – powtórzyła.

Patrik kiwnął głową i usiadł na kocu.

– Trochę tu pusto, co? – Rozejrzał się po wysepce. Latarnia rzucała na skały długi cień.

– Bardzo mi z tym dobrze – odparła Annie, wypijając łyk kawy. – Przez wiele lat w ogóle tu nie przyjeżdżałam, mój syn nigdy nie widział wyspy. Uznałam, że najwyższa pora.

– A dlaczego właśnie teraz? – spytała Erika z nadzieją, że nie jest nazbyt wścibska.

Annie nie spojrzała na nią, utkwiła wzrok w jakimś punkcie na horyzoncie. Lekki wiaterek, który od czasu do czasu jednak do nich docierał, rozwiał jej długie jasne włosy. Odgarnęła je z twarzy niecierpliwym ruchem.

– Mam do przemyślenia kilka spraw. Uznałam, że przyjazd tutaj dobrze mi zrobi. Nic tu nie ma, nic nie przeszkadza. Tylko myśli i czas.

– I duchy, jak słyszałam – zauważyła Erika, sięgając po sucharka.

Annie się nie roześmiała.

– Masz na myśli tę nazwę? Wyspa Duchów?

– Gdyby coś w tym było, na pewno zdążyłabyś to zauważyć. Pamiętam, jak najedliśmy się strachu, gdy przyjechaliśmy tutaj jeszcze w liceum.

– Może i tak.

Widać było, że nie ma ochoty o tym rozmawiać. Patrik zebrał się w sobie. Musiał jej przekazać wiadomość. Nie mógł tego dłużej ukrywać. Mówił spokojnie. Annie w pewnym momencie zaczęła dygotać, wpatrywała się w niego bez ruchu, jakby nie rozumiała. Nie odezwała się, ale nie mogła zapanować nad drżeniem, jakby za chwilę, na ich oczach, miała się rozlecieć na kawałki.

– Nadal nie mamy pewności, kiedy został zamordowany. Dlatego próbujemy się dowiedzieć jak najwięcej o ostatnich dniach jego życia. Jego rodzice mówili, że wybierał się do ciebie w piątek.

– Tak, był tutaj. – Annie odwróciła się i spojrzała na dom. Patrik odniósł wrażenie, że nie chciała pokazać twarzy.

Odwróciła się do nich. Nadal miała szklany wzrok, ale przestała się trząść.

Erika odruchowo pochyliła się i położyła rękę na jej dłoni. Annie była tak krucha i delikatna, że budziła opiekuńcze instynkty.

– Zawsze byłaś miła – powiedziała Annie i nie patrząc na Erikę, cofnęła dłoń.

– W piątek... – podpowiedział ostrożnie Patrik.

Annie drgnęła, patrzyła jak przez mgłę.

– Przypłynął pod wieczór. Nie wiedziałam, że przyjedzie. Nie widzieliśmy się od wielu lat.

– Od ilu? – Erika zerknęła na dom. Niepokoiła się, że syn Annie mógł się obudzić i wymknąć. Od kiedy sama miała dzieci, czuła się tak, jakby była mamą wszystkich dzieci świata.

– Pożegnaliśmy się, gdy wyjeżdżałam do Sztokholmu. Miałam dziewiętnaście lat. Całe wieki temu. – Zaśmiała się krótko, gorzko.

– Utrzymywaliście kontakt?

– Nie. Chociaż tak, z początku wysyłaliśmy sobie jakieś kartki. Ale oboje wiedzieliśmy, że to nie ma sensu, więc po co się męczyć udawaniem? – Znów odgarnęła z twarzy kilka kosmyków.

– Które z was zdecydowało, że to koniec? – spytała Erika. Była tak ciekawa, że nie mogła się powstrzymać. Tyle razy widziała ich razem, widziała bijący od nich blask. Złota para.

– To słowo chyba nigdy nie padło. Ale to ja zdecydowałam o wyjeździe. Nie mogłam zostać, musiałam stąd wyjechać, pojechać w świat, żeby zobaczyć i robić różne rzeczy, poznać innych ludzi. – Zaśmiała się tym samym gorzkim śmiechem, dla Eriki i Patrika niezrozumiałym.

– Przypłynął w piątek. I co zrobiłaś? – Patrik pytał, choć nie był pewien, ani czy to coś da, ani czy ma znaczenie dla śledztwa. Annie wydała mu się tak krucha, bał się, że mógłby ją złamać, mówiąc coś niestosownego.

– Zdziwiłam się, chociaż jego matka mi powiedziała, że wrócił do Fjällbacki. W głębi duszy chyba się spodziewałam, że mnie odwiedzi.

– Czy to była miła niespodzianka? – spytała Erika, sięgając po termos, żeby sobie dolać kawy.

– Z początku nie. Zresztą, czy ja wiem... Nie wierzę w żadne powroty, a Matte należał do przeszłości. Ale... – Pomknęła gdzieś myślami. – Ale chyba nigdy się z nim naprawdę nie rozstałam. Sama nie wiem. W każdym razie przyjęłam go.

– Pamiętasz, o której przypłynął? – spytał Patrik.

– Wydaje mi się, że była szósta, może siódma. Nie pamiętam dokładnie. Czas nie ma tutaj wielkiego znaczenia.

– Jak długo został? – Patrik poruszył się i lekko skrzywił. Nie mógł wytrzymać tak długo na twardych deskach. Zatęsknił za rozkoszną ciepłą kąpielą z algami.

– Odpłynął w nocy. – Ból malował się na jej twarzy tak wyraźnie, jakby go wykrzyczała.

Patrik poczuł się nieswojo. Jakim prawem węszy w prywatnych sprawach dwojga ludzi, którzy kiedyś się kochali? Jakim prawem zadaje takie pytania? Zmusił się jednak do zadawania kolejnych. Przed oczami miał leżące w przedpokoju ciało z wielką dziurą w potylicy, kałużę krwi na podłodze i pochlapane ściany. Musi szukać tak długo, aż znajdzie zabójcę. Morderstwo i prawo do prywatności nie układają się w jedno równanie.

– Nie wiesz, która była godzina? – spytał miękko.

Annie przygryzła wargę, oczy jej się zaszkliły.

– Nie wiem, spałam, kiedy odpłynął. Myślałam... – Raz za razem przełykała ślinę, próbowała się opanować, nie stracić kontroli nad sobą.

– Próbowałaś do niego dzwonić? Albo do jego rodziców, żeby o niego zapytać?

Słońce się przesunęło i długi cień latarni padał coraz bliżej.

– Nie. – Znów zaczęła dygotać.

– Czy powiedział coś, co mogłoby nam pomóc znaleźć sprawcę?

Annie potrząsnęła głową.

– Nie. Nie potrafię sobie wyobrazić, jak ktoś mógłby chcieć mu zrobić coś złego. On był... Erika, przecież ty wiesz. Był taki jak zawsze. Dobry, wrażliwy, kochający. Jak dawniej. – Spuściła wzrok i przesunęła dłonią po kocu.

– No tak, wiemy, że Mats był bardzo lubiany – powiedział Patrik. – Ale w jego życiu były rzeczy, których nie potrafimy rozgryźć. Na przykład krótko przed powrotem do Fjällbacki został ciężko pobity. Mówił ci o tym?

– Niewiele, ale zobaczyłam blizny i spytałam. Powiedział, że o niewłaściwej porze znalazł się w niewłaściwym miejscu. Napadło go kilku chłopaków.

– Opowiadał ci o swojej pracy w Göteborgu? – Patrik miał nadzieję, że mimo wszystko dowie się czegoś więcej o pobiciu i znajdzie wytłumaczenie dla przeczucia, które nie dawało mu spokoju. Jak dotąd nic, same ślepe uliczki.

– Mówił, że bardzo lubił swoją pracę, ale była bardzo wyczerpująca. Same nieszczęśliwe kobiety, pogruchotane w środku... – Głos jej się załamał, odwróciła twarz w stronę domu.

– Nie mówił nic, co by się nam mogło przydać? O kimś, kto mu groził?

– Nie. Powiedział tylko, że ta praca wiele dla niego znaczyła, ale w końcu poczuł pustkę, opadł z sił i po pobycie w szpitalu postanowił tu wrócić.

– Na zawsze czy na jakiś czas?

– Chyba sam nie wiedział. Powiedział, że próbuje żyć z dnia na dzień, leczyć ciało i duszę.

Patrik pokiwał głową. Zanim zadał następne pytanie, przez chwilę się wahał.

– Mówił, czy w jego życiu była jakaś kobieta? Może kobiety?

– Nie, a ja nie pytałam. On też mnie nie pytał o mojego męża. Kogo kochamy czy też kochaliśmy kiedyś... to tamtego wieczoru było bez znaczenia.

– Rozumiem – odparł Patrik. – Nawiasem mówiąc, łódź zniknęła – dodał.

Annie była zaskoczona.

– Jaka łódź?

– Należała do Sverinów. Mats przypłynął nią do ciebie.

– Zniknęła? Chcesz powiedzieć, że ją ukradli?

– Nie wiemy. Nie było jej na przystani, gdy ojciec Matsa przyszedł rzucić na nią okiem.

– Matte musiał nią odpłynąć do domu – powiedziała Annie. – Bo jak by wrócił?

– Na pewno przypłynął tu swoją łódką? Może ktoś go podwiózł?

– Niby kto? – spytała.

– Nie wiem. Wiemy tylko, że jej nie ma i nie wiadomo, co się z nią stało.

– Przypłynął nią, więc musiał nią wrócić. – Jeszcze raz przesunęła dłonią po kocu.

Patrik spojrzał na Erikę. Była dziwnie milcząca i tylko się przysłuchiwała.

– Na nas już pora – powiedział. – Annie, dziękujemy, że się zgodziłaś, żebyśmy przyjechali. Składam ci wyrazy współczucia.

Erika również wstała.

– Miło było znów cię zobaczyć, Annie.

– I wzajemnie. – Annie uściskała ją niezgrabnie.

– Dbaj o Sama i daj znać, gdybyś czegoś potrzebowała. Gdyby się poczuł gorzej, załatwimy, żeby przyjechał do niego lekarz.

– Dam znać. – Annie podeszła z nimi do łódki.

Patrik uruchomił silnik. Nagle się zatrzymał.

– Pamiętasz może, czy Mats miał ze sobą teczkę?

Annie zmarszczyła czoło, zastanawiała się, po chwili się rozjaśniła.

– Brązową? Skórzaną?

– Właśnie. Jej też nie ma – powiedział Patrik.

– Zaczekaj. – Annie odwróciła się na pięcie i pobiegła do domu. Po chwili wyszła. Niosła coś wysoko nad głową. Podeszła bliżej i wtedy zobaczył. Teczka. Serce zabiło mu szybciej.

– Zapomniał, nie ruszałam jej. Mam nadzieję, że nie narobiłam wam kłopotu. – Przyklękła na pomoście i podała Patrikowi teczkę.

– Cieszę się, że się znalazła. Dziękuję! – powiedział. Po głowie chodziły mu różne domysły. Co też może w niej być?

Gdy wycofał łódkę i skierował ją w stronę Fjällbacki, oboje się odwrócili, żeby pomachać Annie. Ona też do nich pomachała. Cień latarni sięgał teraz aż do pomostu. Wyglądał, jakby miał ją połknąć.

– Moglibyśmy wypłynąć, żeby jej poszukać? – Gunnar stał na nabrzeżu, próbował opanować drżenie głosu.

Peter podniósł wzrok i już miał odmówić, ale zmiękł.

– Dobrze, ale na chwilę. Jest niedziela, muszę wracać do domu.

Gunnar nie odpowiedział, patrzył przed siebie pustym, mrocznym wzrokiem. Peter westchnął i wszedł do kabiny, żeby uruchomić silnik. Pomógł Gunnarowi zejść do łodzi, założył mu kamizelkę ratunkową i powoli wypłynął z portu. Już mógł przyśpieszyć.

– Gdzie chciałby pan zacząć? Rozglądaliśmy się podczas patrolu, ale nigdzie jej nie było.

– Sam nie wiem. – Gunnar patrzył przez osłonę kabiny. Nie potrafił siedzieć w domu, czekać i patrzeć na Signe siedzącą bez ruchu na kuchennym krześle. Przestała gotować, piec i sprzątać, czyli robić to, z czym ją utożsamiał. A kim bez syna był on sam? Nie wiedział. Był tylko pewien, że musi znaleźć cel w życiu, bo zupełnie straciło sens.

Trzeba odnaleźć łódkę. To go wyciągnie z domu, w którym dorastał Matte, z ciszy i wspomnień. Odcisk jego stóp na betonowym podjeździe. To on go wylał. Matte miał wtedy pięć lat. Ślad po jego zębach na komodzie w przedpokoju, gdy biegnąc szybko, poślizgnął się na chodniku i mocno uderzył zębami w blat. Rozmaite drobne ślady i szczegóły dowodzące, że był tu Matte, ich Matte.

– Płyń na Dannholmen – powiedział Gunnar, choć nie miał żadnej pewności. Nic nie wskazywało na to, żeby łódź była właśnie tam, ale od czegoś musieli zacząć.

– Jak tam w domu? – ostrożnie spytał Peter, w skupieniu sterując łodzią. Od czasu do czasu rozglądał się, czy łódki nie wyrzuciło gdzieś na brzeg.

– Jakoś idzie – odparł Gunnar.

Kłamał, ale co miał powiedzieć? Jak mówić o pustce po stracie dziecka? Chwilami nawet się dziwił, że jeszcze oddycha. Jak ma żyć i oddychać bez Mattego?

– Jakoś idzie – powtórzył.

Peter kiwnął głową. Jest, jak jest. W takiej sytuacji ludzie nie wiedzą, co powiedzieć. Ograniczają się do niezbędnych słów, bo tak trzeba. Starają się okazać współczucie, a jednocześnie dziękują losowi, że nie ich spotkało nieszczęście, że ich dzieci i inni ukochani żyją. Jest, jak jest, to bardzo ludzkie.

– Przecież nie mogła się zerwać z cumy. – Gunnar sam nie wiedział, czy mówi do siebie, czy do Petera.

– Nie przypuszczam. Zniosłoby ją między inne łodzie. Wydaje mi się, że ktoś ją sobie wziął. Ceny starych drewnianych łódek poszły w górę, więc mogli to zrobić na zamówienie. Jeśli tak, to jej nie znajdziemy. Złodzieje płyną wtedy dalej, gdzieś, gdzie mogą wynieść łódź na ląd i wywieźć przyczepą.

Peter skręcił w prawo, przepływali koło Småsvinningarna.

– Dopłyniemy do Dannholmen, ale potem będę musiał zawrócić, bo rodzina zacznie się niepokoić.

– Dobrze – odparł Gunnar. – A czy jutro rano też możemy wypłynąć?

Peter spojrzał na niego.

– Oczywiście. Niech pan przyjdzie na nabrzeże koło dziesiątej, popłyniemy poszukać. Chyba że ogłoszą alarm.

– Dobrze. Będę. – Nie przestawał wodzić wzrokiem między wysepkami.

Mette zaprosiła ich na kolację. Często to robiła. Udawała, że teraz jej kolej, jakby Madeleine się kiedykolwiek rewanżowała. Madeleine robiła dobrą minę, chociaż czuła się upokorzona, że sama nie może jej zaprosić. Marzyła, że kiedyś mimochodem powie: A może wpadlibyście do nas na skromną kolację? Ale nie było jej stać na to, żeby zaprosić na kolację Mette z trójką dzieci. Ledwo jej starczyło na jedzenie dla nich, dla Kevina, Vildy i dla niej.

– Czy to na pewno nie kłopot? – spytała, siadając do stołu w przytulnej kuchni Mette.

– Oczywiście, że nie. I tak gotuję dla trójki żarłoków, jeszcze troje nie robi większej różnicy. – Mette czule potargała czuprynę średniego syna, Thomasa.

– Mamo, przestań – złościł się, ale Madeleine widziała, że jest zadowolony.

– Wina? – Nie czekając na odpowiedź, Mette nalała do kieliszka czerwonego wina z kartonu. Odwróciła się do kuchenki i zamieszała w garnkach. Madeleine sączyła wino.

– Uważacie na dzieciaki?! – zawołała Mette w głąb mieszkania. Usłyszała dwukrotne „tak". Jej młodsze dzieci, dziesięcioletnia córka i trzynastoletni Thomas, przyciągali Kevina i Vildę niczym magnesy. Natomiast najstarszy, siedemnastolatek, był ostatnio w domu rzadkim gościem.

– Obawiam się, że zamęczą twoje dzieci – powiedziała Madeleine, wypijając kolejny łyk.

– Nie ma obawy, przecież wiesz, że za nimi przepadają. – Mette wytarła ręce w ścierkę, nalała wina również sobie i usiadła naprzeciwko Madeleine.

Trudno o dwie kobiety bardziej różniące się wyglądem, pomyślała Madeleine, jakby przez chwilę patrzyła z zewnątrz. Sama była niewysoka, jasnowłosa, wyglądała raczej na dziecko niż na kobietę. Mette natomiast przypominała słynną kamienną figurę kobiety matki, którą pokazywali w szkole. Wysoka, obfite kształty i rude włosy, bujne i niesforne. Zawsze z błyskiem w zielonych oczach, chociaż mogłoby się zdawać, że ciosy, których życie jej nie skąpiło, na zawsze powinny ją go pozbawić. Wadą Mette było to, że wybierała słabych mężczyzn, którzy bardzo szybko i skutecznie się od niej uzależniali, a potem siedzieli z założonymi rękami i tylko wymagali, otwierając dziobki jak pisklęta w gnieździe. W końcu przychodziła chwila, kiedy miała dość. Nie mijało jednak wiele czasu, a do jej łóżka trafiał kolejny pisklak. W związku z tym każde dziecko miało innego ojca i gdyby nie rude włosy, które wszyscy odziedziczyli po matce, nikt by się nie domyślił, że są rodzeństwem.

– Co się dzieje, kochana? – spytała Mette, obracając kieliszek w dłoniach.

Madeleine zesztywniała, bo choć Mette otworzyła się przed nią, opowiedziała wszystko o sobie i swoich porażkach, ona się na to nie zdobyła. Przyzwyczaiła się żyć w ciągłym lęku, również przed tym, by nie powiedzieć za dużo. Zachowywała dystans właściwie wobec wszystkich.

Ale w ten niedzielny wieczór w kuchni Mette, wśród bulgotania garnków, rozgrzana winem, nie mogła się pohamować i zaczęła mówić. Łzy popłynęły jej z oczu. Mette przysunęła się do niej, objęła ją. W jej bezpiecznych objęciach opowiedziała o wszystkim. Nawet o nim, bo choć była w obcym kraju i żyła nie swoim życiem, on nadal był bardzo blisko.

Fjällbacka 1871

W miarę jak dziecko rosło w jej brzuchu, Karl niena-widził jej coraz bardziej. Zdawała sobie sprawę, że jej nienawidzi, choć nie rozumiała dlaczego. Co złego mu zrobiła? Jeśli już na nią patrzył, to z nieskrywanym wstrętem. Czasem jednak wydawało jej się, że widzi w jego oczach rozpacz, jak u schwytanego zwierzęcia, które wpadło w sidła i nie może się oswobodzić. Z nie-znanych jej powodów obrócił to przeciwko niej, jakby była strażniczką jego więzienia. Obecność Juliana jesz-cze to pogłębiała. Jego ponure usposobienie źle wpły-wało na Karla. Dawna obojętność, którą z początku można było wziąć za uprzejme roztargnienie, całkowi-cie znikła. Emelie stała się wrogiem.

Zdążyła się już przyzwyczaić do przykrych słów. Ciągle na wszystko narzekali. Na jedzenie, że za gorące albo za zimne, porcje za małe albo za duże, dom zapusz-czony, ich ubrania brudne. Z niczego nie byli zadowole-ni. Słowa mogłaby wytrzymać, potrafiła się przeciw nim uzbroić. Gorzej było z biciem. Kiedyś Karl nigdy by jej nie uderzył. Ale od czasu, gdy mu powiedziała, że jest w odmiennym stanie, to się zmieniło. Musiała się na-uczyć żyć z bólem. Bił ją po twarzy i nie tylko. Pozwolił też, żeby Julian podnosił na nią rękę. Nie pojmowała. Czy nie o to chodziło, żeby zaszła w ciążę?

Gdyby nie dziecko, pewnie by się utopiła. Lód stopniał dawno temu, lato miało się ku końcowi. Gdyby nie kopnięcia, które dodawały jej sił, weszłaby do wody i ze wzrokiem wlepionym w horyzont szłaby przed siebie do miejsca, skąd niebezpieczne prądy zabrałyby ją do morza. Ale bardzo się cieszyła na dziecko. Po każdym przykrym słowie, po każdym uderzeniu zwracała się ku życiu rosnącemu w jej brzuchu. Było jej kołem ratunkowym. Zepchnęła w niepamięć wspomnienie wieczoru, gdy zostało poczęte. To przestało być ważne. Dziecko ruszało się w jej brzuchu, należało do niej.

Skończyła szorować podłogę i podniosła się z wysiłkiem. Chodniczki wywiesiła do wietrzenia. Właściwie powinna je wyprać już na wiosnę. Przez całą zimę gromadziła popiół z kuchni, żeby mieć je czym wyczyścić, ale przeszkodził jej brzuch i ciągłe zmęczenie. Postanowiła, że w tym roku tylko je wywietrzy. Dziecko urodzi się w listopadzie. Jeśli wszystko dobrze pójdzie, może jej się uda zebrać siły i uprać je na Boże Narodzenie.

Rozprostowała bolące plecy, otworzyła drzwi i wyszła za dom. Zrobiła sobie małą przerwę. Tam znajdował się przedmiot jej dumy: grządki, które uprawiała z mozołem mimo trudnych warunków. Koper, pietruszka i szczypiorek na przemian z malwami i serduszkami okazałymi. Na tym kamiennym pustkowiu śliczny spłachetek ogródka wyglądał wręcz rozbrajająco. Patrzyła na niego i za każdym razem ściskało ją w gardle ze wzruszenia. To był jej ogródek, sama go stworzyła na wyspie, na której wszystko należało do Karla i Juliana. Oni zaś byli w ciągłym ruchu. Albo pracowali w latarni, albo majstrowali, naprawiali *i rąbali. Nie lenili się, musiała przyznać, ale było coś z manii w tych nieustannych zajęciach i upartych zmaganiach z wiatrem i słoną wodą, bezlitośnie niszczącymi wszystko, co przed chwilą naprawili.*

– Drzwi zostawiłaś otwarte. – Karl wyszedł zza domu. Emelie drgnęła i chwyciła się za brzuch. – Ile razy ci mówiłem, żebyś zamykała drzwi? Tak trudno to zrozumieć?

Miał zawziętą minę. Wiedziała, że jest po nocnej zmianie. Jego zmęczone oczy wydawały się jeszcze ciemniejsze. Skuliła się ze strachu.

– Przepraszam, myślałam...

– Myślała! Ty głupia kobieto, nawet drzwi zamknąć nie umiesz. Marnujesz czas, zamiast robić, co do ciebie należy. Ja i Julian harujemy na okrągło, a ty się tym zajmujesz. – Zrobił krok i zanim zdążyła cokolwiek uczynić, wyrwał z korzeniami obsypaną pąkami malwę.

– Nie, proszę. Nie! – Nie zastanawiała się, co robi, widziała tylko łodygę w zaciśniętej dłoni, jakby ją dusił. Uwiesiła mu się na ramieniu i próbowała wyrwać kwiat.

– Na co ty sobie pozwalasz?!

Zbladł i z zadziwiającą nienawiścią i jednocześnie rozpaczą w oczach podniósł rękę, żeby ją uderzyć. Jakby miał nadzieję, że razy złagodzą jego cierpienie, chociaż za każdym razem doznawał zawodu. Gdyby chociaż wiedziała, dlaczego cierpi i dlaczego uważa, że to jej wina.

Tym razem nie uchyliła się, nadstawiła twarz i przygotowała się na nieunikniony piekący cios. Jego uniesiona ręka zawisła w powietrzu. Popatrzyła na niego zdziwiona, podążyła za jego spojrzeniem. Patrzył na morze, w stronę Fjällbacki.

– Ktoś do nas płynie – powiedziała, puszczając jego ramię.

Przez niemal rok, jaki minął od jej przybycia na wyspę, nigdy nie mieli gości. Od dnia, gdy wsiadła na łódź, która ich zawiozła na Gråskär, poza Karlem i Julianem nie widziała żywej duszy.

– Chyba pastor. – Karl opuścił rękę i spojrzał na malwę, jakby się zastanawiał, skąd się wzięła w jego dłoni. Wypuścił ją i nerwowym ruchem wytarł ręce o spodnie.

Emelie zobaczyła w jego oczach niepokój i przez mgnienie oka pomyślała, że dobrze mu tak. Ale natychmiast sama się skarciła. To jej mąż, a w Piśmie jest napisane, że żona powinna szanować męża. Cokolwiek zrobi i jakkolwiek ją potraktuje, powinna słuchać tego nakazu.

Pastor był już blisko i gdy jego łódź dzieliło od pomostu zaledwie kilkaset metrów, Karl podniósł rękę w geście pozdrowienia i wyszedł mu na spotkanie. Serce jej waliło. Co zwiastuje ta nieoczekiwana wizyta? Coś dobrego czy raczej złego? Położyła rękę na brzuchu, jakby chciała go chronić. Była bardzo zaniepokojona.

Patrik był zły, że poprzedniego dnia niewiele im się udało zrobić. Chociaż była niedziela, pojechał do komisariatu, napisał zgłoszenie o zaginięciu łodzi i sprawdził, czy została wystawiona na Blocket albo innym serwisie, ale nic nie znalazł. Porozmawiał z Paulą i poprosił, żeby przejrzała teczkę Sverina. Sam tylko rzucił okiem i stwierdził, że jest w niej laptop i plik papierów. Choć raz im się podczas tego śledztwa poszczęściło: w teczce był również telefon komórkowy.

Wczesnym rankiem wsiedli z Martinem do samochodu i pojechali do Göteborga. Mieli sporo spraw do załatwienia.

– Od czego zaczniemy? – spytał Martin. Jak zwykle siedział po stronie pasażera, chociaż bezustannie przekonywał Patrika, żeby mu pozwolił prowadzić.

– Myślę, że od opieki społecznej. Rozmawiałem z nimi w piątek, uprzedziłem, że będziemy koło dziesiątej.

– A potem Fristad? Mamy do nich jakieś nowe pytania?

– Mam nadzieję, że dowiemy się o nich więcej w opiece społecznej i znajdziemy jakiś punkt zaczepienia.

– Jego była dziewczyna nic nie wie? Nic jej nie mówił? – Martin patrzył na drogę i gdy Patrik brawurowo wyprzedził TIR-a, instynktownie złapał za uchwyt nad drzwiami.

– Nie. Rozmowa z nią niewiele dała. Poza teczką, oczywiście, bo może się okazać prawdziwym odkryciem, ale tego dowiemy się dopiero, gdy Paula przejrzy zawartość. Na laptopa pewnie się nie porwiemy, odszyfrowanie hasła i takie tam... trzeba go wysłać do specjalistów.

– Jak przyjęła wiadomość, że nie żyje?

– Wyglądała na wstrząśniętą. W ogóle sprawia wrażenie bardzo delikatnej, chyba trudno ją rozgryźć.

– Czy nie powinieneś tu zjechać? – Martin wskazał na zjazd z autostrady. Patrik zaklął i skręcił tak raptownie, że niewiele brakowało, a wjechałby w nich samochód, który jechał za nimi. – Patrik, do cholery! – Martin zbladł.

Dziesięć minut później dojechali do ośrodka opieki społecznej. Od razu skierowano ich do szefa. Przedstawił się: Sven Barkman. Wymienili uprzejmości i usiedli przy niewielkim stole konferencyjnym. Barkman był niski, drobny, miał podłużną twarz i ostry podbródek zakończony szpicbródką, co wzmacniało efekt. Patrikowi skojarzył się z profesorem Lakmusem*. Podobieństwo było wręcz uderzające. Ale głos, ku zaskoczeniu i Patrika, i Martina, kłócił się z jego wyglądem. Nieduży człowieczek mówił głębokim basem, wypełniającym całą przestrzeń. Byłby dobrym śpiewakiem, pomyślał Patrik, rozglądając się po pokoju. Na ścianach znalazł potwierdzenie: zdjęcia, dyplomy i nagrody. Sven Barkman śpiewa w chórze. Jego nazwa nic Patrikowi nie mówiła, ale najwyraźniej miał na koncie wiele sukcesów.

---

* Profesor Lakmus, szalony wynalazca z komiksowej serii *Przygody Tintina*.

– Więc macie pytania dotyczące Fristad – zaczął Barkman, nachylając się nad stołem. – Można spytać dlaczego? Bardzo wnikliwie sprawdzamy wszystkie instytucje, z którymi w tych sprawach współpracujemy, więc się zmartwiliśmy, gdy się dowiedzieliśmy, że interesuje się nimi policja. Poza tym, jak wam może już wiadomo, Fristad jest organizacją o dość szczególnym charakterze, więc, szczerze mówiąc, zachowujemy wobec nich zwiększoną czujność.

– Chodzi panu o to, że pracują tam zarówno mężczyźni, jak i kobiety, tak? – spytał Patrik.

– Tak, zwykle wygląda to zupełnie inaczej. Proponując ten eksperyment, Leila Sundgren mocno się wychyliła, ale ma nasze poparcie.

– Nie ma powodu do niepokoju. Zamordowano ich byłego pracownika, badamy jego przeszłość. Pracował u nich jeszcze cztery miesiące temu, a biorąc pod uwagę, czym się zajmują, chcemy im się przyjrzeć bliżej. Ale nie ma powodu zakładać, że były jakieś nieprawidłowości.

– Uspokoił mnie pan. No to zobaczmy... – Sven Barkman przeglądał leżące na stole papiery. Mruczał pod nosem. – Tak, właśnie...

Patrik i Martin cierpliwie czekali.

– Mam już jasny obraz. Musiałem sobie tylko odświeżyć pewne szczegóły. Współpracujemy z nimi od pięciu lat, właściwie od pięciu i pół, jeśli chodzi o ścisłość. Domyślam się, że w śledztwie o morderstwo tego właśnie trzeba. – Zarechotał. – Liczba spraw, które im przekazujemy, rośnie z roku na rok. Z oczywistych względów początki były skromne. Chcieliśmy zobaczyć, jak się ułoży współpraca. W ostatnim roku przekazaliśmy im sprawy czterech kobiet. Oceniam, że rocznie zajmują się około trzydziestoma. – Spojrzał na nich, jakby oczekiwał kolejnego pytania, jakby miało wynikać z jego odpowiedzi.

– Jak to przebiega? Jakie sprawy przekazujecie Fristad? Domyślam się, że to ostateczność i że najpierw próbujecie innych rozwiązań – powiedział Martin.

– Zgadza się. Sami zajmujemy się wieloma takimi sprawami, a włączenie takich organizacji jak Fristad to ostateczność. Doniesienia o problemach w rodzinie otrzymujemy na różnym etapie. Raz sygnał przychodzi wcześnie, innym razem mamy do czynienia z problemem już nabrzmiałym.

– A jak wygląda typowy przypadek?

– Bardzo trudno na to odpowiedzieć. Podam przykład. Dostajemy sygnał ze szkoły, że z dzieckiem źle się dzieje. Zaczynamy badać sprawę, odwiedzamy rodzinę i dość szybko mamy obraz sytuacji. Bywa i tak, że możemy sięgnąć do wcześniejszej dokumentacji i odkryć coś, na co wcześniej nie zwróciliśmy dostatecznej uwagi.

– Jakiej dokumentacji? – spytał Patrik.

– Na przykład z licznych pobytów w szpitalu. Kiedy się je zestawi z doniesieniami ze szkoły, powstaje pewien obraz. Zbieramy jak najwięcej informacji i przede wszystkim staramy się pracować nad rodziną taką, jaka jest. Z lepszym lub gorszym skutkiem. Udzielenie pomocy kobiecie i dzieciom w ucieczce to dla nas ostateczność. Niestety nie jest to tak rzadkie, jak byśmy chcieli.

– Jak się zwracacie do organizacji w rodzaju Fristad?

– Zgłaszamy się do nich – odparł Sven. – Jeśli chodzi o Fristad, to kontaktujemy się głównie z Leilą Sundgren. Z nią omawiamy sytuację danej kobiety.

– Czy zdarza się, że Fristad odmawia podjęcia się jakiejś sprawy? – Patrik musiał zmienić pozycję. Okropnie niewygodne krzesło.

– Do tej pory się nie zdarzyło. Z uwagi na dzieci przebywające w ich schronisku nie przyjmują kobiet z nałogami ani z poważnymi problemami psychicznymi. Wiemy o tym, więc nie przekazujemy im takich przypadków. Dla takich kobiet są inne ośrodki. Tak więc do tej pory nigdy nam nie odmówili.

– A co się dzieje dalej, gdy już zgodzą się przyjąć polecaną przez was kobietę? – spytał Patrik.

– Rozmawiamy z nią i podajemy namiary na Fristad. Pilnujemy, żeby wszystko się odbyło bardzo dyskretnie. Chodzi przecież o to, żeby kobiety były bezpieczne, żeby nie dało się ich znaleźć.

– Jak monitorujecie sprawy? Często macie problemy z mężami i partnerami tych kobiet? Wyobrażam sobie, że niektórzy mężczyźni, kiedy żona i dzieci znikają, na was wyładowują wściekłość – powiedział Martin.

– Cóż, oni nie znikają na zawsze. Byłoby to niezgodne z prawem. Nie możemy ukrywać dziecka przed ojcem. Ojciec ma prawo odwołać się do sądu. Ale zgadza się, dostajemy pogróżki i regularnie musimy wzywać policję. Ale do tej pory – odpukać – nic poważnego się nie stało.

– A co z monitorowaniem? – nalegał Martin.

– Nadal przyglądamy się sprawie. Utrzymujemy stały kontakt z organizacją, której ją przekazujemy. Chodzi o polubowne rozwiązanie problemu. Najczęściej jest to niemożliwe, ale kilka razy się udało.

– Słyszałem, że czasami takie organizacje pomagają kobietom uciec za granicę. Wie pan coś o tym? Zdarza się, żeby kobiety znikały, kiedy rozpoznajecie sprawę?

Barkman poruszył się niespokojnie.

– Wiem, o czym pan mówi. Ja też czytam tabloidy. Zdarzyło się kilka razy, że kobiety, z którymi pracowaliśmy, zniknęły, ale nie da się udowodnić, że ktoś im w tym pomógł. Zakładamy, że zrobiły to z własnej inicjatywy.

– A off the record*?

– Off the record przypuszczam, że jakieś organizacje im pomogły. Ale co możemy zrobić bez dowodów?

– Czy któraś z kobiet skierowanych przez was do Fristad zniknęła w ten sposób?

Barkman chwilę milczał, potem nabrał powietrza.

– Tak.

Patrik postanowił nie drążyć tematu. Pewnie nie dowiedziałby się więcej, niż gdyby spytał we Fristad. Opieka społeczna najwyraźniej stosowała zasadę: im mniej wiemy, tym lepiej. Więc wątpił, żeby mógł się dowiedzieć czegoś więcej.

– W takim razie dziękujemy, że zechciał pan nam poświęcić czas. Chyba że ty masz jeszcze jakieś pytania? – Spojrzał na Martina. Martin potrząsnął głową.

Patrik szedł do samochodu. Był trochę przybity. Nie zdawał sobie sprawy, że tyle kobiet musi uciekać z domów. A przecież słyszeli tylko o przypadkach, którymi zajmowała się Fristad. Ledwo poskrobali.

* *Off the record* – ang. nieoficjalnie.

Erika nie mogła przestać myśleć o Annie. Niby była taka jak dawniej, a jednak nie. Była bladą kopią dawnej Annie, w dodatku dziwnie nieobecną. Zabrakło złocistego blasku, który bił od niej w czasach szkolnych, chociaż była tak samo piękna i niedostępna jak wtedy. Erika miała wrażenie, jakby coś z jej osobowości zniknęło. Nie umiała powiedzieć co. Wiedziała tylko, że bardzo jej po tym spotkaniu smutno.

Pchała wózek pod Galärbacken. Kilka razy musiała przystanąć.

– Mama męciona? – spytała Maja, stojąc na platformie doczepionej do wózka. Chłopcy przed chwilą zasnęli i można było mieć nadzieję, że pośpią dłużej.

– Tak, mama zmęczona – potwierdziła Erika. Zasapała się.

– Hop, mamusiu. – Maja podskoczyła na platformie, żeby jej pomóc.

– Dziękuję, córeczko. Hop. – Erika zebrała siły. Już ostatni odcinek, koło sklepu tekstylnego.

Zostawiła Maję w przedszkolu i wracała do domu. Uderzyła ją pewna myśl. Tam, na Gråskär, obudziła się w niej ciekawość. Przypomniała sobie długi cień latarni i spojrzenie Annie, gdy wspomniała o duchach. Zastanowiła ją historia wysepki. Może warto się dowiedzieć czegoś więcej?

Zawróciła i poszła do biblioteki. Miała przed sobą cały dzień, mogłaby chwilę spędzić w bibliotece, gdy bliźnięta śpią. W każdym razie będzie z tego większa korzyść niż z siedzenia na kanapie i oglądania Oprah i Rachel Ray*.

* Oprah Winfrey, Rachel Ray – amerykańskie producentki i prezenterki popularnych talk show pokazywanych również w telewizji szwedzkiej.

– Cześć, to ty? – May uśmiechnęła się radośnie, gdy Erika postawiła wózek koło drzwi. Nie chciała, żeby przeszkadzał. W bibliotece było pusto i raczej nie zanosiło się na tłok. – Wzięłaś ze sobą te dwa maleństwa! – May pochyliła się nad wózkiem. – Czy są tak samo grzeczni jak śliczni?

– Jak dwa aniołki – zgodnie z prawdą odparła Erika. Naprawdę nie mogła narzekać. Ani śladu problemów, jakie ją dręczyły, kiedy Maja była niemowlęciem. Na pewno wynikało to również z jej nastawienia. Kiedy się budzili w nocy z płaczem, była szczęśliwa, że są, a nie zdenerwowana. Poza tym nieczęsto miewali zły humor. W nocy budzili się na karmienie tylko raz.

– Sama sobie wszystko znajdziesz, ale gdybyś potrzebowała pomocy, mów. Zaczęłaś pisać nową książkę? – May przyjrzała jej się uważnie.

Erika zdążyła już zauważyć, i to z prawdziwą przyjemnością, że cała okolica jest z niej dumna i z zaciekawieniem śledzi jej dokonania.

– Nie, jeszcze nie. Chciałam poszperać, tak z ciekawości.

– A co cię interesuje?

Erika się roześmiała. Mieszkańcy Fjällbacki nie słyną z dyplomacji. Jeśli nie spytasz, to się nie dowiesz. Nie miała nic przeciwko temu. Sama była ciekawska. Patrik podkreślał to przy każdej okazji.

– Chciałabym sprawdzić, czy są książki o naszym archipelagu. Interesuje mnie historia Gråskär.

– Wyspy Duchów? – powiedziała May, idąc do regału w głębi. – Pewnie chodzi ci o opowiadania o duchach?

Powinnaś pogadać ze Stellanem z „Nolhotten"*. O naszych wyspach sporo wie również Karl-Allan Nordblom**.

– Dziękuję, najpierw zobaczę, co tu jest. W każdym razie ciekawi mnie wszystko, co się wiąże z duchami i historią latarni morskiej. Myślisz, że coś znajdziesz?

– Hmm... – May w skupieniu przeglądała zawartość półek. Wyciągnęła jakąś książkę, przerzuciła kartki i odstawiła. Wzięła następną, przejrzała i nie odłożyła. Wybrała cztery. – Może tu coś będzie. Akurat o Gråskär chyba niewiele znajdziesz. Popytaj też w muzeum prowincji – powiedziała, siadając na swoim krześle.

– Zacznę od tego – odparła Erika, wskazując na kupkę książek. Upewniła się, że bliźnięta śpią, i zabrała się do czytania.

– Co to jest? – Stali na szkolnym dziedzińcu, wśród kolegów z klasy. Jon miał rozkoszne uczucie, że jest w centrum uwagi. – Ja to znalazłem. Zdaje mi się, że to oranżada w proszku – powiedział, dumnie pokazując papierową torebkę.

Melker trącił go w bok.

– Jakie znalazłem? Chyba razem znaleźliśmy?

– Wyciągnęliście ze śmietnika? Fuj, obrzydliwość! Jon, wyrzuć to. – Lisa skrzywiła się i odeszła.

* Stellan Johansson, postać autentyczna, kapitan statku wycieczkowego M/s „Nolhotten", który obwozi turystów po archipelagu Fjällbacki i opowiada im miejscowe legendy.
** Karl-Allan Nordblom, również postać autentyczna, malarz i autor książki o tamtejszych wyspach.

– Przecież to jest zamknięte w torebce. – Ostrożnie otworzył. – Poza tym nie ze śmietnika, tylko z kosza na śmieci.

Dziewczyny są beznadziejne. Dawniej, gdy był mniejszy, bawił się również z dziewczynami, ale odkąd wszyscy poszli do szkoły, coś się z nimi stało, zmieniły się. Jakby w nie coś wstąpiło. Tylko by chichotały i się mizdrzyły.

– Rany, ale te dziewczyny są głupie – powiedział głośno. Stojący wokół chłopcy go poparli. Rozumieli, o co mu chodzi. Dlaczego leżenie w koszu miałoby zaszkodzić oranżadzie w proszku?

– Przecież to jest w torebce – powtórzył Melker. Chłopcy kiwnęli głowami.

Z otwarciem zaczekali na dużą przerwę. Jedzenie słodyczy w szkole było zabronione. Tym bardziej byli podekscytowani. Znalazcy czuli się jak poszukiwacze przygód. Co najmniej jak Indiana Jones. Zostaną bohaterami dnia. Pozostało pytanie, ile muszą oddać kolegom, żeby pozostać bohaterami. Jeśli się nie podzielą, będą kwasy, a jeśli będą za bardzo częstować, zabraknie dla nich.

– Możecie spróbować. Każdy po trzy razy weźmie na palec – powiedział w końcu Melker. – Ale to my znaleźliśmy i próbujemy pierwsi.

Melker i Jack oblizali palce i włożyli je do torebki. Pokrył je biały proszek. Pożądliwie wetknęli palce do ust. Będzie słodkie, słone czy kwaśne? Jak proszek z opłatków z apteki? Spotkało ich rozczarowanie.

– To w ogóle nie ma smaku. Jakaś mąka, czy co? – powiedział Melker i poszedł sobie.

Jon z zawiedzioną miną zajrzał do torebki. Zwilżył

palec jak tamci i zanurzył głęboko. W nadziei, że Melker się myli, włożył palec do ust i oblizał. Nie poczuł żadnego smaku. Zaszczypało trochę w język, i tyle. Ze złością wrzucił torebkę do kosza i ruszył do szkoły. Czuł niesmak w ustach. Wystawił język i wytarł go w rękaw, ale nie pomogło. Na dodatek serce zaczęło mu walić, strasznie mocno. Spocił się, nogi nie chciały iść. Kątem oka zobaczył, jak Melker i Jack się przewracają. Musieli się potknąć, chyba że się wygłupiają. A potem zobaczył, jak asfalt zbliża się do niego z dużą prędkością. Pociemniało mu w oczach i runął na ziemię.

Chętnie pojechałaby do Göteborga zamiast Martina. Ale przynajmniej mogła spokojnie przejrzeć zawartość teczki Matsa Sverina. Laptopa od razu wysłała do wydziału informatyki. Znają się na tym lepiej od niej. Wiedzą, co z tym zrobić.

– Słyszałem, że teczka się znalazła. – Gösta wetknął głowę do jej pokoju.

– Tak, mam ją. – Wskazała palcem na biurko.

– Już zdążyłaś zajrzeć? – Gösta wszedł, przystawił sobie krzesło i usiadł koło niej.

– Wyjęłam tylko laptopa i wysłałam informatykom.

– Tak, lepiej, żeby oni się tym zajęli. Chociaż będziemy musieli poczekać, żeby się czegoś dowiedzieć – stwierdził z westchnieniem.

Paula kiwnęła głową.

– Nic na to nie poradzimy. Nie odważyłabym się tego dotknąć, żeby niczego nie zepsuć. Obejrzałam sobie za to komórkę. Szybka sprawa. Bardzo mało zapisanych numerów, dzwonił wyłącznie do pracy i do rodziców. Żadnych zdjęć ani esemesów.

– Dziwny facet – zauważył Gösta. Wskazał na teczkę. – Obejrzyjmy resztę, co?

Paula przyciągnęła teczkę i ostrożnie rozłożyła rzeczy na biurku. Upewniła się, że to wszystko, i postawiła teczkę na podłodze. Leżało przed nimi kilka długopisów, kalkulator, spinacze, paczka gumy do żucia Stimorol i spory plik papierów.

– Podzielimy się? – Paula z pytającym wyrazem twarzy chwyciła papiery. – Ja pół i ty pół.

– Mhm... – mruknął, biorąc od niej papiery. Położył sobie na kolanach i mrucząc pod nosem, zaczął przeglądać.

– Przecież możesz je zabrać do siebie, prawda?

– Co? A tak, oczywiście. – Gösta poczłapał do swego pokoju, sąsiadującego z pokojem Pauli.

Zabrała się do czytania. Z każdą kartką zmarszczki na jej czole stawały się coraz głębsze. Po półgodzinie wczytywania się poszła do Gösty.

– Rozumiesz coś z tego?

– Nic a nic. Mnóstwo liczb i niezrozumiałych określeń. Trzeba kogoś poprosić o pomoc. Tylko kogo?

– Nie mam pojęcia – odparła. Liczyła, że będzie coś miała dla Patrika, kiedy wróci z Göteborga. Ale to nic jej nie mówiło. – Nie możemy prosić nikogo z urzędu gminy, bo są stroną zainteresowaną. Trzeba znaleźć kogoś z zewnątrz, kto spojrzy na to i wyjaśni nam, co to znaczy. Oczywiście zawsze możemy się zwrócić do wydziału przestępczości gospodarczej, ale wtedy znów trzeba będzie czekać.

– Niestety nie znam żadnego ekonomisty.

– Ja też nie – powiedziała Paula, bębniąc palcami po framudze.

– Lennart! – powiedział Gösta i twarz mu się rozjaśniła.

– Jaki Lennart?

– Mąż Anniki. Chyba jest ekonomistą?

– Rzeczywiście. – Przestała bębnić. – Chodź, spytamy ją. – Zebrała papiery i wyszli. Gösta szedł krok za nią.

– Annika? – Paula lekko zapukała w otwarte drzwi. Annika odwróciła się razem z krzesłem i uśmiechnęła.

– Słucham, mogę ci w czymś pomóc?

– Zdaje się, że twój mąż jest ekonomistą.

– Tak – odparła ze zdziwieniem. – Odpowiada za finanse w Extra-Film.

– Myślisz, że mógłby nam pomóc? – Paula machnęła papierami. – Z teczki Matsa Sverina. Jakieś finansowe sprawy. Oboje z Göstą ni w ząb tego nie rozumiemy. Potrzebujemy pomocy, żeby ustalić, czy jest w nich coś, co powinno nas zainteresować. Sądzisz, że Lennart zechce nam pomóc?

– Spytam go. Na kiedy wam to potrzebne?

– Na dziś – odpowiedzieli jednocześnie. Annika roześmiała się.

– Już do niego dzwonię. Jeśli tylko mu to dostarczycie, na pewno nie będzie problemu.

– Mogę je zaraz zawieźć – powiedziała Paula.

Czekali chwilę, aż Annika porozmawia z mężem. Poznali Lennarta, czasem przychodził do żony do komisariatu. Nie dało się go nie lubić. Miał prawie dwa metry wzrostu i był najsympatyczniejszym facetem,

jakiego można sobie wyobrazić. Po wielu latach bez-
owocnych starań o dziecko postanowili adoptować małą dziewczynkę z Chin. Oczy obojga od razu odzyskały
dawny blask.

– Jedź do niego. Chwilowo ma w pracy spokój.
Obiecał, że przejrzy.

– Super! Dziękuję! – Paula uśmiechnęła się szeroko,
nawet Gösta zdecydował się rozciągnąć usta w uśmiechu. Całkowicie zmienił jego najczęściej ponurą twarz.

Paula szybko wyszła i wsiadła do samochodu. Żeby
dojechać do firmy Lennarta, potrzebowała zaledwie
kilku minut. Wracając, pogwizdywała. Urwała, gdy zajechała przed komisariat. Gösta czekał na nią przed budynkiem. Popatrzyła na niego i pomyślała, że coś się
musiało stać.

Leila otworzyła im drzwi. Miała na sobie te same wytarte dżinsy co poprzednio i równie luźną koszulkę, tyle
że szarą zamiast białej, a na szyi długi srebrny łańcuszek
z wisiorkiem w kształcie serca.

– Wejdźcie – powiedziała i poprowadziła ich do
swojego pokoju. Tak samo schludnie jak poprzednio.
Patrik zaczął się zastanawiać, jak ludziom udaje się
utrzymać taki porządek. Nawet się starał, ale wystarczyło, żeby odwrócił wzrok, a od razu miał wrażenie,
że do jego pokoju zakradają się krasnoludki i wszystko
wywracają do góry nogami.

Leila podała rękę Martinowi i przedstawiła się.
Martin z zaciekawieniem przyglądał się dziecięcym ry-
sunkom porozwieszanym na ścianach.

– Wiadomo już, kto go zabił? – spytała Leila.

– Kontynuujemy śledztwo i na razie nie możemy powiedzieć nic więcej – wykręcił się Patrik.

– Zakładam jednak, że podejrzewacie, że nasza organizacja ma z tym jakiś związek, czyż nie? – Leila bawiła się wisiorkiem. Była to jedyna oznaka, że jest zaniepokojona.

– Jak powiedziałem, śledztwo nie jest jeszcze zbyt zaawansowane i badamy kilka tropów – odparł spokojnie Patrik. Przyzwyczaił się do tego, że ludzie się denerwują w kontakcie z policją, i wiedział, że to niekoniecznie oznacza, że coś ukrywają. Wystarczyła sama obecność policjanta. – Chcielibyśmy zadać kilka pytań i zapoznać się z dokumentami dotyczącymi kobiet, którymi się opiekowaliście w czasie, gdy pracował tu Sverin.

– Nie jestem pewna, czy mogę się na to zgodzić. To poufne dane, nie możemy ich udostępniać ot tak. Te kobiety mogą wpaść w poważne tarapaty.

– Rozumiem, ale u nas te dane będą bezpieczne. Dodam, że prowadzimy śledztwo w sprawie morderstwa. Mamy prawo zajrzeć do tych dokumentów.

Leila chwilę się zastanawiała.

– Dobrze – powiedziała w końcu. – Ale wolałabym, żeby dokumenty nie opuściły naszego biura. Może moglibyście je przejrzeć na miejscu?

– Dobrze. Dziękujemy – wtrącił Martin.

– Dopiero co byliśmy u Svena Barkmana – powiedział Patrik.

Leila znów zaczęła się bawić wisiorkiem. Pochyliła się w ich stronę.

– Dobra współpraca z opieką społeczną ma dla nas decydujące znaczenie i mam nadzieję, że nie sugerowaliście, że robimy coś podejrzanego. Już i tak nas krytykują za niestandardowe metody.

– Ależ skąd. Bardzo dokładnie wyjaśniliśmy powód naszej wizyty. Nie mamy żadnych podejrzeń w stosunku do Fristad.

– Cieszę się – powiedziała Leila, ale nie wyglądała na całkiem uspokojoną.

– Barkman szacuje, że za pośrednictwem różnych placówek opieki społecznej rocznie trafia do was około trzydziestu spraw. Zgadza się? – spytał Patrik.

– Wydaje mi się, że mówiłam o tym, kiedy tu byliście poprzednio. – Zabrzmiało to bardzo rzeczowo, splotła dłonie na brzuchu.

– Jak często miewacie, jak by to powiedzieć... problemy? – spytał pośpiesznie Martin i Patrik uświadomił sobie, że częściej powinien go dopuszczać do głosu.

– Ma pan na myśli mężczyzn? Że przychodzą do nas?

– Tak.

– W ogóle nie mamy tego problemu. Większość facetów bijących żony i dzieci nie zdaje sobie sprawy, że postępuje niewłaściwie. W ich oczach winna jest kobieta. To kwestia potrzeby sprawowania władzy i kontroli. Grożą swoim kobietom, nie nam.

– Ale bywają i inni? – drążył Patrik.

– Naturalnie. Kilka przypadków rocznie. Dowiadujemy się o nich głównie od opieki społecznej.

Patrik zatrzymał wzrok na rysunku wiszącym na ścianie, za Leilą, tuż nad jej głową. Przedstawiał olbrzymią postać i dwie mniejsze. Olbrzym miał groźną minę, szczerzył wielkie kły. Mniejsze postaci płakały rzewnymi łzami, które kapały na ziemię. Patrik przełknął ślinę. Co to za facet, co bije kobietę? I nawet dziecko? Na samą myśl o tym, że ktoś mógłby skrzywdzić Erikę albo dzieci, ręce mu się zacisnęły na podłokietnikach.

– Co robicie, gdy się podejmujecie jakiejś sprawy? Od czego się zaczyna?

– Dzwoni opieka społeczna i krótko referuje sprawę. Czasami kobieta razem z przedstawicielem opieki społecznej nas odwiedza, zanim się do nas wprowadzi. Czasem same przyjeżdżają taksówką albo przywozi je ktoś znajomy.

– A potem? – spytał Martin.

– To zależy. Czasem wystarczy, że spędzą tu jakiś czas, aż wszystko się uspokoi, wtedy przystępujemy do rozwiązywania problemu normalną drogą. Zdarza się, że trzeba je przenieść do innego schroniska, jeśli zauważymy, że pobyt tutaj może być dla nich niebezpieczny. Czasem trzeba udzielić pomocy prawnej, gdy kobieta powinna się ukrywać. Mamy w końcu do czynienia z kobietami, które od wielu lat żyją w ciągłym strachu. Często miewają objawy, które się obserwuje u jeńców wojennych. Są zupełnie niezdolne do działania. Wtedy musimy się włączyć i pomagać rozwiązywać problemy praktyczne.

– A co z problemami psychicznymi? – Patrik spojrzał na olbrzyma z kłami. – Czy takiej pomocy też udzielacie?

– Nie w takim stopniu, jak byśmy chcieli. To kwestia środków. Współpracujemy z kilkoma psychologami, pracują społecznie na rzecz naszych podopiecznych. Przede wszystkim zależy nam na tym, żeby pomóc dzieciom.

– Gazety rozpisywały się o kobietach, którym udzielono pomocy w ucieczce za granicę i które zostały oskarżone o porwanie dzieci. Zna pani takie przypadki? – Uważnie obserwował Leilę, ale nie dostrzegł żadnych oznak zakłopotania.

– Jak już wspomniałam, współpraca z opieką społeczną ma dla nas decydujące znaczenie i nie możemy sobie pozwolić na takie rzeczy. Oferujemy pomoc taką, jaką dopuszcza prawo. Inna rzecz, że są kobiety, które postanawiają uciec i zejść pod ziemię. Fristad w tym nie pomaga i nie odpowiada za to.

Patrik postanowił zostawić tę kwestię. Jej odpowiedź brzmiała przekonująco, poza tym czuł, że naciskając, więcej z niej nie wyciągnie.

– Jeśli się pojawiają większe problemy, przenosicie kobietę do innego schroniska, tak? – spytał Martin.

Leila potwierdziła skinieniem.

– Można tak powiedzieć.

– Jak to wygląda w praktyce? – Patrik poczuł, że telefon wibruje mu w kieszeni. Trudno, ktokolwiek dzwoni, musi poczekać.

– Zdarzało się, że mężowie odnajdywali nasze bezpieczne adresy, na przykład śledząc naszych pracowników. Za każdym razem wyciągaliśmy wnioski i zaostrzaliśmy środki bezpieczeństwa. Ani na chwilę nie wolno zapominać, że niektórzy z tych mężczyzn potrafią się zachowywać jak szaleńcy.

Telefon nadal wibrował, Patrik musiał go przytrzymać.

– Czy Sverin miał kiedyś do czynienia z takim przypadkiem?

– Nie. Przywiązujemy dużą wagę do tego, żeby żaden z pracowników nie angażował się za mocno w konkretną sprawę. Mają taki grafik, żeby nasze podopieczne co jakiś czas dostawały nowego opiekuna.

– Czy przez to nie czują się mniej pewnie? – Telefon znów zaczął wibrować. Patrik się rozzłościł. Aż tak trudno zrozumieć, że nie może odebrać?

– Może i tak, ale to konieczne, żebyśmy mogli zachować dystans. Osobiste relacje i zaangażowanie oznaczałyby dla tych kobiet większe ryzyko. To dla ich dobra.

– Na ile bezpieczny jest taki adres? – Martin przeskoczył na inny tor, rzucając Patrikowi pełne zdziwienia spojrzenie.

Leila westchnęła.

– Niestety nie dysponujemy dostatecznymi środkami, żeby zapewnić tym kobietom całkowite bezpieczeństwo. Już mówiłam, że jeśli jest taka potrzeba, przenosimy je do schroniska innej organizacji, w innym mieście, utajniamy dane, na ile to możliwe, i we współpracy z policją wyposażamy je w urządzenia alarmowe.

– Jak to działa? U nas w Tanumshede rzadko mamy do czynienia z czymś takim.

– Urządzenie ma połączenie z policją, naciśnięcie guzika uruchamia alarm na policji. Jednocześnie włącza się telefon głośnomówiący, dzięki czemu słychać, co się dzieje w mieszkaniu.

– A kwestie prawne, opieka nad dziećmi i tak dalej? Czy wtedy kobieta nie musi się stawić w sądzie? – spytał Patrik.

– To się da załatwić przez pełnomocników. Tak to rozwiązujemy. – Leila odgarnęła włosy za ucho.

– Chcielibyśmy się przyjrzeć tym bardziej problematycznym sprawom, które mieliście za czasów Sverina – powiedział Patrik.

– Dobrze. Ale nie prowadzimy oddzielnego rejestru, zresztą nie wszystkie u nas zostały. Gdy kobieta się wyprowadza, jej akta najczęściej wysyłamy do opieki społecznej. Poza tym nie trzymamy ich dłużej niż rok. Wyjmę, co mamy, a wy sobie przejrzycie. Może coś was zainteresuje. – Podniosła ostrzegawczo palec. – Ale, jak mówiłam, proszę niczego nie zabierać, tylko notować. – Podeszła do szafy z dokumentami.

– Proszę – powiedziała, kładąc przed nimi około dwudziestu skoroszytów. – Wychodzę na lunch, możecie spokojnie popracować. Gdybyście mieli jakieś pytania, wrócę za godzinę.

– Dziękuję – odparł Patrik. Spojrzał ponuro na teczki. Trochę to potrwa. W dodatku nie wiedzą, czego szukają.

Nie posiedziała w bibliotece długo. Bliźnięta zgodnie postanowiły, że pośpią tylko trochę. A zdążyła się rozkręcić. Pisząc o prawdziwych zbrodniach, wiele godzin poświęcała na przygotowywanie rzetelnej dokumentacji. Dawało jej to co najmniej tyle samo satysfakcji co pisanie. Wychodząc z biblioteki, postanowiła, że nadal będzie szukać legend o Wyspie Duchów.

Chwilowo musiała porzucić te myśli, bo gdy wjechała na podjazd przed domem, bliźnięta zaczęły wrzeszczeć z głodu. Pośpiesznie weszła do domu i szybko przygotowała dwie butelki. Miała wyrzuty sumienia, że się cieszy, że nie musi karmić piersią.

– No już, maleńki, uspokój się – powiedziała do Noela. Był bardziej żarłoczny i czasem rzucał się na jedzenie tak gwałtownie, że się krztusił. Anton ssał wolniej. Potrzebował dwa razy więcej czasu, żeby opróżnić butelkę. Karmiąc jednocześnie dwoje niemowląt, Erika czuła się jak supermama. Obaj się w nią wpatrywali. Próbowała patrzeć na obu jednocześnie i niemal dostawała zeza. Tyle miłości naraz.

– Już lepiej, prawda? Mama może się już rozebrać? – spytała ze śmiechem, gdy się zorientowała, że nie zdjęła ani kurtki, ani butów.

Włożyła dzieci do nosidełek, powiesiła kurtkę w przedpokoju i zaniosła synków do salonu. Rozsiadła się na kanapie i nogi oparła na stoliku.

– Zaraz mama się zajmie domem, ale najpierw coś dla duszy. Oprah Winfrey.

Chłopcy nie zwracali na nią uwagi.

– Nudzi wam się, kiedy nie ma siostry, co?

Z początku starała się jak najczęściej zatrzymywać Maję w domu, ale po pewnym czasie zauważyła, że córeczka wariuje. Potrzebowała kontaktu z innymi dziećmi i tęskniła za przedszkolem. Duża zmiana. Kiedyś każda próba zostawienia jej w przedszkolu kończyła się niemal wojną.

– Może byśmy ją dziś wcześniej odebrali? Jak uważacie? – Milczenie uznała za zgodę. – Mama jeszcze nie piła kawy – powiedziała, podnosząc się z kanapy. – A wy już wiecie, co się z mamą dzieje, jak się nie napije kawy. *Un poco loco**, jak mawia wasz tata. Ale nie trzeba go słuchać.

* *Un poco loco* – hiszp. trochę stuknięta.

Roześmiała się i poszła do kuchni włączyć maszynkę do kawy. Dopiero teraz zauważyła, że świeci się lampka automatycznej sekretarki. Ktoś się nagrał. Wcisnęła odtwarzanie. Usłyszała głos i z wrażenia upuściła miarkę do kawy i zakryła ręką usta.

– Cześć, siostro. To ja. Anna. Chyba że masz jeszcze inną siostrę. Jestem trochę przetrącona i mam najbrzydszą fryzurę stulecia. Ale jestem. Tak mi się zdaje. Prawie. Wiem, że byłaś i że się martwisz. Nie mogę obiecać, że... – Głos ją zawiódł. Brzmiał chrypliwie, inaczej niż zwykle, Erika słyszała w nim ból. – Tylko to ci chciałam powiedzieć. Że jestem. – Kliknięcie odkładanej słuchawki.

Erika chwilę stała jak wryta. Potem osunęła się na podłogę i rozpłakała, z puszką kawy w objęciach.

– A ty nie musisz przypadkiem iść do pracy? – Rita zmieniała wnukowi pieluszkę. Spojrzała surowo na Mellberga.

– Do lunchu pracuję w domu.

– Ach tak, pracuję... – Rita zerknęła znacząco na telewizor. Leciał program o ludziach budujących ze złomu pojazdy. Potem się na nich ścigali.

– Zbieram siły. To też jest ważne. Jak człowiek jest policjantem, to jest narażony na wypalenie zawodowe. – Chwycił Lea i podrzucił go do góry. Chłopczyk aż piszczał z radości.

Rita zmiękła. Nie potrafiła się na niego gniewać. Oczywiście wiedziała, jak wszyscy, że jest gburem, że bywa okropnie nietaktowny i bezmyślny, a w dodatku zrobiłby wszystko, żeby się tylko nie przemęczyć. Ale dostrzegała również inne rzeczy. Że promieniał na widok małego Lea, że się nie wzdragał przed zmienianiem pieluszek, że chętnie wstawał do małego w nocy, jeśli płakał, a ją samą traktował jak królową i patrzył na nią tak, jakby była darem niebios. No i z największym zapałem uczył się tańczyć salsę, którą ona uwielbia. Nie ma wprawdzie szans, żeby został królem parkietu, ale prowadzi całkiem przyzwoicie, nie masakruje jej stóp aż tak bardzo. Wiedziała też, że swego syna Simona darzy wielką, szczerą miłością. Simon, liczący obecnie prawie siedemnaście lat, pojawił się w jego życiu dopiero kilka lat temu, ale Bertil zawsze mówił o nim z dumą i utrzymywał z nim kontakt. Chciał, żeby wiedział, że ma ojca. Wszystko to sprawiało, że go pokochała. Miłość aż rozpierała jej serce.

Poszła do kuchni. Przygotowując lunch, pomyślała z troską o dziewczynach. Zauważyła, że coś jest nie tak. Bolało ją, kiedy widziała nieszczęśliwą minę Pauli. Domyślała się, że ona też nie rozumie, co się dzieje. Johanna zamknęła się i odsunęła od nich, nie tylko od Pauli. Może ma dość mieszkania w ciasnocie. Domyślała się, że dla niej mieszkanie pod jednym dachem z matką i ojczymem Pauli, i z dwoma psami nie jest szczególną atrakcją. Z drugiej strony tak było praktycznie: Bertil i ona zawsze mogli się zaopiekować dzieckiem, gdy one obie były w pracy.

Oczywiście zdawała sobie sprawę, że to jednak uciążliwe i że powinna je namówić, żeby zamieszkały osobno. Zamieszała w garnku i serce jej się ścisnęło na myśl, że już nie mogłaby rano wyjmować z łóżeczka zaspanego, ale uśmiechającego się do niej wnuka. Otarła łzy. Pewnie od cebuli, którą dodała do mięsa. Przecież nie płakałaby tak w biały dzień. Przełknęła łzy i pomyślała z nadzieją, że przecież dziewczyny same znajdą jakieś rozwiązanie.

Zadzwoniła komórka Bertila, leżała na kuchennym stole. Rita spojrzała na wyświetlacz. Z komisariatu. Pewnie się zastanawiają, gdzie się podział. Wzięła dzwoniący telefon, żeby mu go zanieść, ale stanęła w drzwiach salonu. Bertil spał. Siedział na kanapie z głową na oparciu i otwartymi ustami, a na jego wielkim brzuchu spał skulony Leo, z piąstką pod policzkiem. Oddychał w rytm oddechów dziadka. Wyłączyła telefon. Komisariat musi poczekać. Bertil ma teraz ważniejsze sprawy.

– Udała się sobotnia impreza. – Anders badawczo przyglądał się Vivianne. Wyglądała na zmęczoną. Wątpił, czy zdaje sobie sprawę, jak ją to wszystko wyniszcza. Może przeszłość w końcu ich dopadła. Wiedział, że nie ma sensu o tym mówić, bo i tak nie zechce słuchać. Jest uparta i stanowcza. Dzięki temu udało jej się przetrwać, pewnie jemu też. Zawsze była jego ostoją, opiekowała się nim, zawsze była gotowa zrobić dla niego wszystko. Zastanawiał się, czy to się nie zmieniło i czy przypadkiem nie zamienili się rolami.

– Jak ci się układa z Erlingiem? – spytał, a ona się skrzywiła.

– Gdyby nie to, że co wieczór słodko zasypia, nie wiem, jak bym wytrzymała.

– Już niedaleko – powiedział pocieszająco, ale chyba jej nie przekonał. Kiedyś biło od niej jakieś światło. Teraz widział, na razie tylko on, że to światło gaśnie.

– Myślisz, że znajdą laptopa?

Vivianne drgnęła.

– Nie, bo już by znaleźli, prawda?

– Chyba tak.

Zapadła cisza.

– Wczoraj do ciebie dzwoniłam – powiedziała ostrożnie.

Anders poczuł, że się spina.

– Tak?

– Nie odbierałeś przez cały wieczór.

– Widocznie wyłączyłem telefon – odparł wymijająco.

– Na cały wieczór?

– Byłem zmęczony, poleżałem w wannie, trochę poczytałem. Posiedziałem też nad sprawozdaniami.

– Aha.

Widział, że nie uwierzyła.

Kiedyś nie mieli przed sobą tajemnic, ale to też się zmieniło. Z drugiej strony byli sobie bliżsi niż kiedykolwiek. Nie wiedział, jak to się stało, że cel, który już był blisko, nagle przestał być taki oczywisty. Nabrał wątpliwości, nie dawały mu spać po nocach. To, co kiedyś wydawało się proste, okazało się trudne.

Jak jej powiedzieć? Wiele razy miał to na końcu języka. Otwierał usta i milczał. Nie potrafił. Tyle jej zawdzięczał. Miał jeszcze w pamięci woń papierosów i wódki, słyszał szczęk kieliszków i zwierzęce postękiwania ludzi. Leżeli z Vivianne skuleni pod jej łóżkiem. Obejmowała go i choć niewiele była od niego większa, wydawała mu się olbrzymką, która nad nim czuwa.

– Słyszałem, że sobotnia impreza była wielkim sukcesem! – Erling wyszedł z ubikacji, wycierając mokre dłonie o spodnie. – Rozmawiałem z Bertilem, był zachwycony. Jesteś fantastyczna, wiesz?

Usiadł koło Vivianne, objął ją, jakby była jego własnością, i dał jej mokrego całusa w policzek. Anders widział, że siostra musiała się postarać, żeby się nie wzdrygnąć. Uśmiechnęła się czarująco i wypiła łyk z kubka.

– Jedynym problemem było chyba jedzenie. – Erling się zmarszczył. – Bertil nie był zachwycony. Oczywiście nie wiem, czy inni też tak uważają, ale jego opinia się liczy. Zresztą powinniśmy się wsłuchiwać w głosy klientów.

– A konkretnie? Co było nie tak? – zapytała Vivianne lodowato. Erling nawet tego nie zauważył.

– Podobno było strasznie dużo jarzyn i różnych dziwnych rzeczy. No i za mało sosów. Bertil zaproponował bardziej tradycyjny jadłospis, dla ludzi, którzy lubią normalne domowe jedzenie. – Bił od niego entuzjazm. Najwyraźniej oczekiwał owacji na stojąco.

Vivianne wyraźnie miała dość. Wstała i wbiła w niego wzrok.

– Widzę, że twój pobyt w Ljuset był stratą czasu. Myślałam, że rozumiesz moją filozofię życiową, że w zdrowym ciele zdrowy duch. W naszym ośrodku chodzi o zdrowie, dlatego podajemy jedzenie, które jest źródłem siły i pozytywnej energii. Nie karmimy śmieciami, które wywołują zawały i raka – oznajmiła z wściekłością, po czym odwróciła się na pięcie i wyszła. Warkocz podskakiwał jej na plecach w rytm kroków.

– Ojej. – Erling był kompletnie zaskoczony. – Zdaje się, że nadepnąłem jej na odcisk.

– Można to tak nazwać – odparł sucho Anders. Teraz niech Erling robi, co chce. Wkrótce i tak nie będzie to miało znaczenia. Nagle znów ogarnęły go obawy. Musi porozmawiać z Vivianne. Musi jej powiedzieć.

– Czego szukamy? – spytał Martin, patrząc niepewnie na Patrika.

Patrik lekko potrząsnął głową.

– Sam nie wiem. Chyba powinniśmy słuchać intuicji. Przejrzymy to i zobaczymy, czy coś nas zainteresuje.

W milczeniu przeglądali papiery.

– Cholera – powiedział po chwili Patrik.

Martin kiwnął głową.

– A to tylko z tego roku. I to nie z całego. W dodatku Fristad to tylko jedna z wielu takich organizacji. W porównaniu z tym w naszej okolicy panują iście sielankowe stosunki. – Martin odłożył skoroszyt i sięgnął po następny.

– Zupełnie nie rozumiem... – powiedział Patrik, głośno wypowiadając myśl, która go męczyła od chwili, kiedy tu weszli.

– Tchórzliwe gnojki – zgodził się Martin. – Wydaje się, że mogłoby to się przytrafić każdemu. Tylko kilka razy spotkałem twoją szwagierkę, ale sprawia wrażenie kogoś, kto nie da sobie w kaszę dmuchać. Aż trudno uwierzyć, że związała się z kimś takim jak jej były mąż.

– To prawda. – Patrik aż pociemniał na twarzy, gdy przypomniał sobie Lucasa. Na szczęście mieli to już za sobą. Ale Lucas zdążył wyrządzić wielką krzywdę swojej rodzinie. – Łatwo powiedzieć, że się nie rozumie, jak można być z mężczyzną, który bije.

Martin odłożył kolejny skoroszyt.

– Zastanawiam się, jak się czują ci, którzy tu pracują. Stykają się z tym na co dzień. Może nic w tym dziwnego, że Sverin miał dość i wrócił do Fjällbacki.

– Chyba dobrze, że wprowadzili zasadę, o której wspomniała Leila, żeby pracownicy się co jakiś czas wymieniali. Trudno się przecież nie zaangażować.

– Sądzisz, że właśnie to się przydarzyło Sverinowi? – spytał Martin. – Że pobicie miało związek z jedną z tych spraw? Leila powiedziała: szaleńcy. Może jeden z tych facetów uznał, że Sverin stał się kimś więcej niż człowiekiem prowadzącym sprawę jego rodziny, i postanowił go ostrzec.

Patrik kiwnął głową.

– Wydaje mi się to prawdopodobne. No to który? – Wskazał na leżącą na biurku stertę skoroszytów. – Leila twierdzi, że o niczym takim nie wie, i nie sądzę, żeby się dało coś z niej wycisnąć.

– Może trzeba popytać pracowników? Byłoby dobrze porozmawiać z którąś z tych kobiet albo nawet z kilkoma. Wyobrażam sobie, że gdyby tak było, musiałyby się rozejść plotki.

– Hm... masz rację – odparł Patrik. – Ale wolałbym mieć więcej konkretów, zanim na dobre zaczniemy w tym grzebać.

– Jak chcesz to zrobić? – Martin z widocznym zniecierpliwieniem przeciągnął palcami po krótkich rudych włosach. Stanęły dęba.

– Pogadamy z jego sąsiadami. Pobili go przecież pod bramą, ktoś mógł coś widzieć i nie zgłosić się na policję. Będziemy znać nazwiska kobiet, których sprawy prowadził, więc będzie powód, żeby do tego wrócić.

– Okej. – Martin pochylił głowę i czytał dalej.

Ostatni skoroszyt zamknęli w chwili, gdy do pokoju wpadła Leila. Kurtkę i torebkę powiesiła na wieszaku, przy drzwiach.

– Znaleźliście coś ciekawego?

– Na tym etapie trudno powiedzieć. Zanotowaliśmy nazwiska osób, z którymi Sverin miał do czynienia. Dziękuję, że mogliśmy to przejrzeć. – Patrik złożył skoroszyty na kupkę, Leila włożyła je z powrotem do szafy.

– Nie ma za co. Mam nadzieję, że widzicie, jak bardzo nam zależy na dobrej współpracy. – Oparła się plecami o szafę.

– Doceniamy to – odrzekł Patrik. Wstali.

– Bardzo lubiliśmy Mattego. Nie miał w sobie ani odrobiny zła. Pamiętajcie o tym, prowadząc śledztwo.

– Na pewno – powiedział Patrik i podał jej rękę. – Proszę mi wierzyć, pamiętamy.

– Dlaczego żaden z tych skurczybyków nie odbiera? – złościła się Paula.

– Mellberg też nie? – upewnił się Gösta.

– Nie. Ani Patrik. U Martina od razu włącza się poczta głosowa. Musiał wyłączyć telefon.

– Mellberg mnie nie dziwi, pewnie jest w domu i śpi. Ale Hedström zazwyczaj odbiera.

– Pewnie jest zajęty. Sami musimy się tym zająć. Ich poinformujemy potem. – Dojechali do Uddevalli. Zajechała pod szpital, na parking.

– Zdaje się, że są na OIOM-ie – powiedziała, idąc pośpiesznie do głównego wejścia. Gösta podążał za nią.

Znaleźli właściwą windę, potem niecierpliwie czekali, aż się dowlecze na właściwe piętro.

– Bardzo nieprzyjemna sprawa – powiedział Gösta.

– Wyobrażam sobie, jak muszą się martwić ich rodzice. Skąd oni wytrzasnęli to gówno? Przecież to siedmioletnie dzieci!

Gösta potrząsnął głową.

– Oto jest pytanie.

Weszli na oddział. Paula zatrzymała pierwszego napotkanego lekarza.

– Dzień dobry, jesteśmy z policji, w sprawie chłopców ze szkoły we Fjällbace.

Wysoki mężczyzna w lekarskim fartuchu skinął głową.

– Zajmuję się nimi. Proszę za mną. – Sadził tak długie kroki, że Paula i Gösta musieli truchtać, żeby za nim nadążyć.

Paula starała się oddychać ustami. Nie znosiła zapachu i atmosfery szpitala. Wolała się trzymać jak najdalej od tego świata, ale wybrała taki zawód i musiała bywać w szpitalach częściej, niżby sobie życzyła.

– Nic im nie będzie – rzucił lekarz przez ramię. – Szkoła zareagowała natychmiast, karetka była akurat w pobliżu. Trafili do nas dosyć szybko, więc już nam się udało zapanować nad sytuacją.

– Są przytomni? – spytała Paula. Zasapała się. Pomyślała, że powinna popracować nad kondycją. Ostatnio różnie z tym bywało. I że mama podaje za duże porcje.

– Tak. Możecie z nimi porozmawiać, ale pod warunkiem, że ich rodzice się zgodzą. – Przystanął przed drzwiami w końcu korytarza.

– Pozwólcie, że wejdę pierwszy i spytam rodziców. Z medycznego punktu widzenia nie ma przeszkód. Domyślam się, że chcecie się dowiedzieć, gdzie znaleźli kokainę.

– Jest pan pewien, że to kokaina? – spytała Paula.

– Tak, zbadaliśmy krew. – Pchnął drzwi i wszedł do środka.

Paula i Gösta czekali. Przechadzali się po korytarzu. Po kilku minutach drzwi się otworzyły i wyszło kilkoro dorosłych z poważnymi minami i twarzami opuchniętymi od płaczu.

– Dzień dobry, jesteśmy z policji – powiedziała Paula, witając się z każdym z osobna. Gösta zrobił to samo, niektórych z nich znał. Paula kolejny raz uzmysłowiła sobie, że bycie nową w małej miejscowości ma pewne wady. Teraz już znała wiele osób, ale potrzebowała na to sporo czasu.

– Wiecie, skąd wzięli te prochy? – powiedziała jedna z mam, wycierając oczy chusteczką. – Człowiek wierzy, że w szkole są bezpieczni... – Głos jej zadrżał, oparła się o męża. Objął ją.

– Nic wam nie powiedzieli?

– Nie, chyba się wstydzą. Zapewniliśmy ich, że nie będą mieli żadnych przykrości, ale na razie nic nie mówią, a my nie chcieliśmy naciskać – odparł jeden z ojców. On również miał zaczerwienione oczy, ale wydawał się w miarę opanowany.

– Czy zgodzą się państwo, żebyśmy z nimi porozmawiali? Sami? Obiecujemy, że nie będziemy ich straszyć – powiedziała Paula z bladym uśmiechem. Chyba nie wydaje się szczególnie groźna, a Gösta wygląda jak dobry, smutny pies. Nie wyobrażała sobie, żeby ktokolwiek mógł się ich wystraszyć. Rodzice widocznie byli tego samego zdania, bo się zgodzili.

– Może tymczasem napijemy się kawy? – odezwał się ojciec z zaczerwienionymi oczami, a pozostali podchwycili. Zwrócił się do Pauli i Gösty: – Będziemy w tamtej poczekalni. Powiecie nam, jeśli się czegoś dowiecie, prawda?

– Oczywiście – odparł Gösta, klepiąc go po ramieniu.

Weszli do sali. Chłopcy leżeli obok siebie. Wyglądali jak trzy żałosne stworzonka.

– Cześć – powiedziała Paula. Odpowiedziało jej trzykrotne ciche „cześć". Zastanawiała się, przy czyim łóżku usiąść. Zauważyła, że dwóch chłopców szybko zerka na trzeciego, z czarnymi kręconymi włosami, więc zdecydowała, że zacznie od niego.

– Mam na imię Paula. – Przysunęła krzesło do jego łóżka, usiadła i kiwnęła na Göstę, żeby zrobił to samo. – A ty?

– Jon – odpowiedział cicho, ale nie ośmielił się spojrzeć jej w oczy.

– Jak się czujesz?

– Tak sobie. – Nerwowo skubał szpitalny koc.

– Ale heca, co? – Skupiła się na Jonie, jednak kątem oka zauważyła, że dwaj pozostali słuchają z uwagą.

– No... – Podniósł wzrok. – Czy pani jest prawdziwą policjantką?

Paula się roześmiała.

– Oczywiście. A nie wyglądam?

– Nie całkiem. Wiem, że dziewczyny też służą w policji, ale pani jest taka mała. – Uśmiechnął się z zawstydzeniem.

– Mali policjanci też są potrzebni. Na przykład gdy trzeba wejść do bardzo małego pomieszczenia – powiedziała.

Jon kiwnął głową. To oczywiste.

– Chcesz zobaczyć moją legitymację?

Energicznie pokiwał głową. Jego koledzy wyciągnęli szyje.

– Gösta, może też byś pokazał?

Gösta się uśmiechnął i podszedł do najbliższego łóżka.

– O rany, blacha. Zupełnie jak w telewizji – powiedział Jon. Oglądał przez chwilę.

– Proszek, który znaleźliście, jest niebezpieczny. Mam nadzieję, że już o tym wiecie. – Paula postarała się, żeby to nie zabrzmiało zbyt surowo.

– Mhm... – Jon spuścił wzrok i znów zaczął skubać koc.

– Ale nikt się na was nie gniewa. Ani rodzice, ani nauczyciele, ani my.

– Myśleliśmy, że to oranżada w proszku.

– Tak. Lekarstwa, które apteki sprzedają w opłatkach, też tak wyglądają – powiedziała. – Sama mogłabym się pomylić.

Gösta usiadł. Paula czekała, aż o coś spyta, ale najwyraźniej przesłuchiwanie chłopców zostawił jej. Nie miała nic przeciwko temu. Zawsze umiała się dogadać z dziećmi.

– Tata mówi, że to były dragi – powiedział Jon, ciągnąc za nitkę zwisającą z koca.

– Zgadza się. A wiesz, co to jest?

– Coś jak trucizna, chociaż się od tego nie umiera.

– Można umrzeć. Ale masz rację, to coś takiego jak trucizna. Dlatego chcemy, żebyście nam pomogli i powiedzieli, skąd je wzięliście, żeby nikt inny się nie zatruł. – Mówiła spokojnie, serdecznym tonem. Jon rozluźniał się coraz bardziej.

– Na pewno się nie pogniewacie? – Spojrzał jej w oczy, broda mu się trzęsła.

– Na bank. Jak słowo daję – powiedziała z nadzieją, że to wyrażenie nie wyszło z użycia. – Rodzice też się nie gniewają. Tylko się o was martwią.

– To było koło bloków – powiedział Jon. – Graliśmy w squasha. Tam jest chyba jakaś fabryka. Wysokie ściany, bez okien, które można by niechcący wybić. Dlatego tam gramy. Już mieliśmy wracać do domu, ale jeszcze sprawdzaliśmy kosze przed blokami, czy nie ma butelek na wymianę. No i znaleźliśmy tę torebkę. Myśleliśmy, że to oranżada w proszku. – W końcu wyciągnął nitkę, w kocu został wąski ślad.

– Dlaczego od razu nie spróbowaliście? – spytał Gösta.

– Fajnie, jak się znajdzie tyle proszku. Chcieliśmy go zabrać do szkoły, żeby pokazać i razem spróbować. Tak jest jeszcze fajniej. Chcieliśmy poczęstować kolegów. Ale większość mieliśmy sobie zostawić.

– Który to był kosz? – spytała Paula. Domyślała się, o jakiej fabryce mówił, ale chciała się upewnić.

– Przy parkingu. Widać go przez furtkę z tego placu.

– A na prawo skały i las?

– Tak.

Paula spojrzała na Göstę. Kosz na śmieci, w którym znaleźli kokainę, stał przed klatką Matsa Sverina.

– Dzięki, chłopaki. Bardzo nam pomogliście – powiedziała, wstając. Ssało ją w żołądku. Może wreszcie coś się zacznie dziać.

Fjällbacka 1871

Pastor był rosłym, tęgim mężczyzną. Przyjął wyciągniętą dłoń Karla. Karl pomógł mu wyjść na pomost. Emelie, cała w pąsach, dygnęła nieśmiało. Jeszcze nie była na nabożeństwie w miejscowym kościele i miała nadzieję, że pastor nie podejrzewa jej o brak chęci ani wiary.

— Bardzo tu pusto. Ale pięknie — powiedział pastor. — Zdaje się, że mieszka tu jeszcze ktoś?

— Julian — odparł Karl. — Jest w latarni. Jeśli pastor sobie życzy, mogę po niego pójść.

— Tak, proszę. — Nie czekając na zaproszenie, ruszył w stronę domu. — Skoro już się tu wybrałem, powinienem się spotkać ze wszystkimi mieszkańcami.

Roześmiał się i otworzył przed Emelie drzwi. Karl poszedł do latarni.

— Ładnie tu i schludnie — powiedział, rozglądając się.

— Skromnie, nie ma nic do podziwiania. — Emelie schowała ręce pod fartuchem. Były zniszczone od ciągłego szorowania i sprzątania, ale nie mogłaby zaprzeczyć: słowa pastora sprawiły jej przyjemność.

— Nie należy lekceważyć tego, co skromne. Widzę, że Karl miał szczęście, że trafiła mu się pracowita żona — powiedział i usiadł na kuchennej ławie.

Emelie była tak zakłopotana, że nie wiedziała, co odpowiedzieć. Zabrała się do parzenia kawy.

— Mam nadzieję, że się pastor poczęstuje naszą ka-

wą. – Zastanawiała się, czy ma w domu jeszcze coś poza sucharkami własnej roboty. Trudno, to niezapowiedziana wizyta, będą same sucharki.

– Nigdy nie odmawiam wypicia filiżanki kawy – odparł z uśmiechem.

Emelie nie czuła się już taka spięta. Nie był surowym kapłanem, jak pastor Berg z jej dawnej parafii. Na samą myśl, że miałaby z nim siedzieć przy jednym stole, nogi miała jak z waty.

Drzwi się otworzyły. Wszedł Karl, a zaraz za nim Julian. Patrzył na nich czujnie. Unikał wzroku pastora.

– A więc to jest Julian?

Pastor się uśmiechał. Julian tylko skinął głową i lekko uścisnął wyciągniętą dłoń. Usiedli z Karlem naprzeciwko pastora. Emelie nakrywała do stołu.

– Mam nadzieję, że pan pilnuje, żeby żona się nie przemęczała, teraz, gdy jest w błogosławionym stanie. Pięknie dba o dom. Musi pan być z niej dumny, co?

Karl odpowiedział dopiero po chwili:

– Tak, Emelie jest pracowita.

– Proszę, usiądźcie tu. – Pastor klepnął w ławę obok siebie.

Emelie usiadła obok. Nie mogła oderwać wzroku od czarnej sutanny i białej koloratki. Jeszcze nigdy nie była tak blisko żadnego duchownego. Dla starego Berga taka rozmowa przy kawie byłaby absolutnie nie do pomyślenia. Ręce jej się trzęsły, gdy napełniała filiżanki. Sobie nalała na końcu.

– Że też pastor się wybrał aż tu, do nas – powiedział Karl. Pytanie zawisło w powietrzu. Czego on od nich chce?

– Cóż, nie jesteście częstymi gośćmi na nabożeństwach – odparł pastor, siorbiąc kawę. Wrzucił do niej trzy kostki cukru. Emelie pomyślała, że będzie pił ulepek.

– To prawda, ale niełatwo nam się stąd wyrwać. Jest nas tylko dwóch w latarni, więc nie mamy czasu na nic innego.

– Ale na wyprawy do zajazdu Abeli macie, jak rozumiem.

Karl nagle zmalał. Wydał jej się taki niepozorny, że nie mogła zrozumieć, dlaczego się go bała. Potem pomyślała o tamtym wieczorze i jej ręka sama z siebie przeniosła się na brzuch.

– Na pewno nie chodzimy do kościoła tak często, jak by należało – powiedział Julian, pochylając kark. Do tej pory ani razu nie spojrzał pastorowi w oczy. – Ale Emelie prawie co wieczór czyta nam Biblię, więc to nie jest pogański dom.

Emelie spojrzała na niego przestraszona. Jak może okłamywać pastora? Tak prosto w oczy? Owszem, czyta Biblię, gdy ma wolną chwilę, ale sama. Ani Juliana, ani Karla czytanie Pisma Świętego dotychczas nie zainteresowało. Kilka razy nawet z niej szydzili.

Pastor skinął głową.

– Cieszę się. W miejscu takim jak to, jałowym, niedostępnym i położonym z dala od domu bożego, jeszcze pilniej trzeba szukać w Biblii pociechy i drogowskazów życiowych. Cieszę się. A jeszcze bardziej bym się cieszył, gdybym was częściej widywał w kościele. Ciebie również, moja droga.

Poklepał ją po kolanie. Aż podskoczyła. Była taka przejęta, że siedzi przy jednym stole z pastorem. A on *jeszcze jej dotknął. Ze strachu omal się nie rzuciła do ucieczki.*

– Rozmawiałem z waszą ciotką. Martwi się, że dawno was nie widziała. Poza tym, skoro Emelie jest brzemienna, może powinien ją zbadać doktor, żeby się upewnić, że wszystko idzie jak trzeba.

Spojrzał surowo na Karla. Karl odwrócił wzrok.

– No tak – mruknął, wpatrując się w stół.

– Dobrze. A zatem ustalone. Gdy następnym razem popłyniecie do Fjällbacki, zabierzecie ze sobą drogą Emelie i zaprowadzicie ją do doktora. Wasza ciotka bardzo się ucieszy z odwiedzin. – Mrugnął okiem i sięgnął po sucharek. – Bardzo smaczny – powiedział. Z ust posypały mu się okruszki.

– Dziękuję. – Dziękowała nie tylko za komplement, ale przede wszystkim za to, że będzie mogła popłynąć do osady i zobaczyć ludzi. Może Karl od czasu do czasu pozwoli jej pójść do kościoła. O ileż łatwiej byłoby jej żyć.

– Obawiam się, że Karlsson ma dość czekania. To bardzo uprzejmie z jego strony, że mnie tu przywiózł, ale na pewno chciałby już wracać. Dziękuję za kawę i pyszne sucharki.

Wstał. Emelie zerwała się, żeby go przepuścić.

– Proszę, mamy prawie takie same brzuchy – zażartował.

Emelie się zarumieniła, ale natychmiast się uśmiechnęła. Polubiła go. Była gotowa rzucić mu się do nóg z wdzięczności. Zadbał, żeby mogła pojechać do Fjällbacki!

– Pewnie słyszeliście, co mówią o tej wyspie? – powiedział ze śmiechem, gdy Karl i Emelie odprowadzali go na pomost.

Julian mruknął coś na pożegnanie i wrócił do latarni.

– Co pastor ma na myśli? – spytał Karl, pomagając mu wsiąść do łodzi.

– Że tu straszy. Ale to pewnie tylko takie gadanie. A może coś widzieliście? – Zaśmiał się, aż mu się zatrzęsły tłuste policzki.

– Nie wierzymy w takie rzeczy – odparł Karl, rzucając cumę.

Emelie nic nie powiedziała, ale machając mu na pożegnanie, pomyślała o tych, którzy byli tu jej jedynym towarzystwem. O takich rzeczach nie powinno się opowiadać pastorowi. Zresztą i tak by nie uwierzył.

Idąc z powrotem do domu, widziała ich kątem oka. Nie bała się ich. Nawet teraz, kiedy zaczęli się jej pokazywać. Wiedziała, że nie zrobią jej krzywdy.

– Cześć, Annika. Paula do mnie dzwoniła, ale nie mogę jej teraz złapać. – Patrik stał przed siedzibą Fristad. Jedną ręką zasłaniał lewe ucho, drugą przyciskał telefon do prawego. Na ulicy panował taki hałas, że ledwo słyszał, co mówił. – Szkoła? Poczekaj, nie dosłyszałem... Kokaina. Okej, zrozumiałem. W szpitalu w Uddevalli.

– O co chodzi? – spytał Martin.

– Kilku pierwszoklasistów z Fjällbacki znalazło torebkę z kokainą i nałykało się tego świństwa. – Patrik szedł do samochodu z ponurą miną.

– Cholera jasna. I co z nimi?

– Są w szpitalu, ale w stanie niezagrażającym życiu. Gösta i Paula już tam są.

Patrik usiadł za kierownicą, Martin obok. Ruszyli. Martin w zamyśleniu patrzył przez boczną szybę.

– Pierwszoklasiści. Człowiekowi się wydaje, że gdzie jak gdzie, ale w szkole powinni być bezpieczni, zwłaszcza w takim miejscu jak Fjällbacka. Przecież to nie kiepska dzielnica wielkiego miasta. A jednak dzieci nie są bezpieczne. Niedobrze się robi ze strachu.

– Wiem. To nie to co za naszych czasów. No, niech będzie, że za moich – dodał z krzywym uśmiechem. Różnica wieku między nimi była dość spora.

– Myślę, że to samo można powiedzieć o moich czasach – zauważył Martin. – Chociaż myśmy już mieli kalkulatory zamiast liczydeł.

– Ha, ha, bardzo śmieszne.

- Wtedy wszystko było proste. Bawiliśmy się na szkolnym boisku, graliśmy w kulki i w nogę. Było się dzieckiem. Teraz wszyscy się śpieszą, żeby być dorośli. Koniecznie chcą się pieprzyć, palić, pić, nawet jeszcze przed gimnazjum.

- Właśnie - powiedział Patrik. Serce mu się ścisnęło. Nawet się nie obejrzy, jak Maja pójdzie do szkoły. Wiedział, że Martin ma rację. Nic nie jest takie jak dawniej. Nie chciał o tym myśleć. Wolałby, żeby Maja jak najdłużej była mała. I żeby mieszkała z nimi aż do czterdziestki. - Ale z tą kokainą to dziwna sprawa - powiedział, jakby chciał sam siebie pocieszyć.

- Wyjątkowy pech. Dobrze, że nic im się nie stało.

Patrik pokiwał głową.

- Nie jedziemy tam? - spytał Martin, gdy Patrik skręcił w kierunku centrum Göteborga, nie na autostradę E6.

- Myślę, że Paula i Gösta dadzą sobie radę. Zadzwonię jeszcze do Pauli, żeby się upewnić, ale skoro już tu jesteśmy, chciałbym pogadać z facetem, któremu Sverin wynajął mieszkanie. I z sąsiadami. Nie ma sensu przyjeżdżać jeszcze raz.

Patrik zadzwonił do Pauli. Martin słuchał w napięciu. W końcu odebrała. Rozłączył się po kilku minutach.

- Panują nad sytuacją, działamy zgodnie z planem. W drodze powrotnej możemy ewentualnie wpaść do szpitala, jeśli jeszcze tam będą.

- Dobrze. Dowiedziała się, gdzie znaleźli to świństwo?

- W koszu na śmieci. Na osiedlu Matsa Sverina.

Martin milczał przez chwilę.

– Myślisz, że jedno ma coś wspólnego z drugim?

– Kto wie. – Patrik wzruszył ramionami. – Wiemy, że mieszka tam kilka osób, które mogłyby być właścicielami tej torebki. Ale to, że była w koszu przed jego klatką, jest zastanawiające.

Martin pochylił się i zadarł głowę, żeby odczytywać nazwy ulic.

– Skręć tutaj. Erik Dahlbergsgatan. Który numer?

– Czterdzieści osiem. – Patrik zatrzymał się, żeby przepuścić starszą panią. Nieśpiesznie przechodziła na pasach. Niecierpliwie czekał, aż przejdzie, a potem ruszył z piskiem opon.

– Spokojnie! – Martin złapał za uchwyt nad drzwiami.

– Tu – powiedział Patrik. Był nieporuszony. – Czterdzieści osiem.

– Żebyśmy tylko kogoś zastali. Może należało ich uprzedzić.

– Zadzwonimy i zobaczymy, może będziemy mieli szczęście.

Wysiedli i podeszli do bramy pięknej starej kamienicy. Na pewno w mieszkaniach są jeszcze sztukaterie i parkiety.

– Jak się nazywa ten facet? – spytał Martin.

Patrik wyciągnął z kieszeni kartkę.

– Jonsson. Rasmus Jonsson. Pierwsze piętro.

Martin kiwnął głową i nacisnął guzik domofonu, przy nazwisku Matsa Sverina. Prawie natychmiast usłyszał trzask w głośniku.

– Słucham.

– Jesteśmy z policji. Chcemy z panem porozmawiać. Będzie pan uprzejmy otworzyć? – Martin starał się mówić jak najwyraźniej.

– Dlaczego?

– Wyjaśnimy, jak nas pan wpuści. Może pan otworzyć?

Kliknęło, odezwał się brzęczyk.

Na pierwszym piętrze zaczęli czytać tabliczki.

– Tu. – Martin wskazał na drzwi po lewej.

Zadzwonił do drzwi, uchyliły się, zobaczyli łańcuch. Przez szparę spoglądał podejrzliwie młody, dwudziestokilkuletni mężczyzna.

– Rasmus Jonsson? – upewnił się Patrik.

– A kto pyta?

– Jak mówiłem, jesteśmy z policji. Chodzi o Matsa Sverina, od którego wynajmuje pan mieszkanie.

– Naprawdę? – powiedział to bezczelnym tonem. Łańcuch pozostał na swoim miejscu.

Patrik poczuł, że zaczyna się wkurzać. Wbił w niego spojrzenie.

– Albo nas pan wpuści, żebyśmy mogli spokojnie i kulturalnie porozmawiać, albo natychmiast zadzwonię, gdzie trzeba. Skutek będzie taki, że mieszkanie zostanie przeszukane, a pan spędzi w komisariacie resztę dzisiejszego dnia i być może część jutrzejszego.

Martin spojrzał na Patrika. Takie pogróżki nie są w jego stylu. Nie mieli powodu przeszukiwać mieszkania ani zabierać Jonssona na przesłuchanie.

Po chwili łańcuch został zdjęty.

– Cholerni faszyści. – Rasmus Jonsson cofnął się w głąb przedpokoju.

– Słuszna decyzja – powiedział Patrik. Już się zorientował, dlaczego młody człowiek nie kwapił się, żeby wpuścić policjantów. W mieszkaniu unosił się ciężki zapach haszyszu, a w salonie zobaczyli sterty literatury anarchistycznej i anarchistyczne plakaty. Wkroczyli na terytorium wroga.

– Nie rozgośćcie się za bardzo. Nie mam czasu, uczę się. – Usiadł przy niedużym biurku zawalonym książkami i notatnikami.

– Co pan studiuje? – spytał Martin. Facet go zaintrygował. W Tanumshede raczej nie mieli okazji stykać się z anarchistami.

– Politologię – odparł Jonsson. – Żeby zrozumieć, jak to się stało, że wpadliśmy w to gówno, i jak zmienić państwo. – Mówił jak dziecko. Patrik przyjrzał mu się z rozbawieniem. Był ciekaw, co kiedyś z nim zrobią wiek i rzeczywistość.

– Wynajmuje pan to mieszkanie od Matsa Sverina?

– Bo co? – spytał Jonsson. Słońce wpadało przez okna i Patrik stwierdził, że po raz pierwszy widzi kogoś, kto ma dokładnie taki sam kolor włosów jak Martin. W dodatku Jonsson miał brodę, efekt był tym większy.

– Powtarzam: czy wynajmuje pan to mieszkanie od Matsa Sverina? – Patrik zachowywał spokój, ale czuł, że traci cierpliwość.

– Zgadza się – potwierdził niechętnie Jonsson.

– Z przykrością pana informuję, że Mats Sverin nie żyje. Został zamordowany.

Rasmus Jonsson wpatrzył się w niego.

– Zamordowany? Co pan chce przez to powiedzieć? I co to ma wspólnego ze mną?

– Nic, przynajmniej taką mam nadzieję. Próbujemy się o nim jak najwięcej dowiedzieć.

– Nie znam go, więc nie mogę wam pomóc.

– Pozwoli pan, że to my o tym zdecydujemy – odparł Patrik. – Wynajął pan to mieszkanie z meblami?

– Tak, wszystko należy do niego.

– Nic nie zabrał?

Jonsson wzruszył ramionami.

– Nie sądzę. Spakował wszystkie rzeczy osobiste, zdjęcia i tak dalej, ale wywiózł je na wysypisko. Powiedział, że chce się pozbyć starych rupieci.

Patrik rozejrzał się. Podobnie jak w mieszkaniu we Fjällbace, prawie nic osobistego. Z nieznanych mu jeszcze powodów coś kazało Matsowi Sverinowi zacząć wszystko od nowa. Znów zwrócił się do Jonssona:

– Jak pan znalazł to mieszkanie?

– Z ogłoszenia. Chciał to mieć jak najprędzej z głowy. Zdaje się, że dostał manto i postanowił zwiać z miasta.

– Powiedział o tym coś więcej? – wtrącił Martin.

– O czym?

– Że dostał manto – cierpliwie wyjaśnił Martin. Pomyślał, że student jest nieuważny, pewnie przez tę substancję, której słodki zapach unosi się w powietrzu.

– No nie, raczej nie. – Jonsson przeciągał słowa. Zaciekawiło to Patrika.

– Ale?

– Co ale? – Zaczął się kręcić na krześle.

– Jeśli pan coś wie o tym pobiciu, będziemy wdzięczni, jeśli nam pan coś powie.

– Nie gadam z glinami. – Oczy mu się zwęziły.

Patrik odetchnął kilka razy, żeby się uspokoić. Facet działał mu na nerwy.

– Propozycja jest nadal aktualna. Albo pan odpowiada na pytania, albo idziemy na całość, co oznacza przeszukanie mieszkania i podróż do komisariatu.

Rasmus Jonsson znieruchomiał na krześle. Westchnął.

– Ja nic nie widziałem i nie macie się co czepiać. Spytajcie dziadka Petterssona. On chyba coś widział.

– To dlaczego nie powiedział policji?

– Jego spytajcie. Wiem tyle, ile mówią w kamienicy. Że stary coś wie. – Zacisnął wargi. Domyślali się, że więcej z niego nie wycisną.

– Dziękujemy za pomoc – powiedział Patrik. – Proszę, to moja wizytówka, gdyby się panu jeszcze coś przypomniało.

Jonsson spojrzał na nią, wziął z obrzydzeniem w dwa palce i ostentacyjnie upuścił do kosza na śmieci.

Z ulgą wyszli na klatkę, zostawiając za sobą ciężki zapach haszyszu.

– Co za cholerny facet. – Martin potrząsnął głową.

– Życie jeszcze mu da w kość – powiedział Patrik z nadzieją, że nie jest taki złośliwy, jak mu się wydaje.

Weszli na drugie piętro i zadzwonili do drzwi z tabliczką F. Pettersson. Otworzył starszy pan.

– O co chodzi? – powiedział to tak samo opryskliwie jak Jonsson. Patrik pomyślał, że może tutejsza woda zawiera jakieś szkodliwe substancje, bo zachowywali się, jakby wstali lewą nogą.

– Jesteśmy z policji. Mamy kilka pytań. Chodzi o Matsa Sverina, który mieszkał pod panem. – Patrik starał się zachować spokój, ale czuł, że jego cierpliwość dla ponurych anarchistów i zrzędliwych staruszków jest na wyczerpaniu.

– Mats, miły chłopak – odpowiedział stary, nie ruszając się z miejsca.

– Zanim się wyprowadził, został pobity przed domem.

– Policja już była i pytała. – Stuknął laską o podłogę, ale Patrik dostrzegł coś niewyraźnego w jego minie i ruszył do przodu.

– Mamy powody sądzić, że wie pan więcej, niż powiedział policji.

Pettersson spuścił wzrok i kiwnął głową, zapraszając ich do środka.

– Wejdźcie – powiedział i powlókł się przodem. Jego mieszkanie było nie tylko znacznie bardziej widne od tego piętro niżej, ale również przyjemniejsze. I ładnie urządzone. Ze starymi meblami i obrazami na ścianach.

– Siadajcie. – Wskazał laską kanapę.

Patrik i Martin przedstawili się. Okazało się, że F z wizytówki na drzwiach oznacza Folke.

– Nie mam czym poczęstować – powiedział Pettersson ugodowo.

– Nie szkodzi, śpieszy nam się – powiedział Martin.

Patrik chrząknął.

– O ile dobrze rozumiemy, wie pan coś o pobiciu Matsa Sverina.

– Nie powiedziałbym – odparł Pettersson.

– Proszę mówić prawdę. Mats Sverin został zamordowany. – Patrik zobaczył przerażenie na jego twarzy i poczuł złośliwą satysfakcję.

– Niemożliwe!

– Niestety to prawda. Chciałbym usłyszeć, co pan widział.

– Człowiek nie chce się wtrącać. Kto wie, co takim przyjdzie do głów – powiedział Pettersson, kładąc laskę na podłodze i splatając dłonie. Nagle wydał im się niedołężnym staruszkiem.

– Komu? Co pan chce przez to powiedzieć? Mats Sverin zeznał, że napadła na niego banda wyrostków.

– Jakich tam wyrostków – prychnął Pettersson. – Z takimi lepiej nie zadzierać. Że też taki miły chłopiec jak Mats mógł wpaść w takie towarzystwo.

– Jakie towarzystwo?

– No, takie na motorach.

– Na motorach? – Martin ze zdumieniem spojrzał na Patrika.

– Piszą o nich w gazetach. Jak Hells Angels* i Bandyci, czy jak ich zwą.

– Bandidos – odruchowo poprawił go Patrik. W głowie miał gonitwę myśli. – Jeśli dobrze zrozumiałem, Sverin nie został pobity przez nastolatków, tylko przez gang motocyklowy.

– Przecież mówię. Co ty, chłopcze, nie słyszysz?

– Dlaczego okłamał pan policję? Powiedział pan, że nic nie widział. W tutejszym komisariacie powiedzieli mi, że nie było żadnych świadków. – Patrik był przybity. Gdyby od początku o tym wiedzieli!

* Hells Angels – ang. Anioły Piekieł, międzynarodowy gang motocyklowy i organizacja przestępcza. Podobnie Bandidos.

– Z takimi lepiej nie zadzierać – uparcie powtarzał Pettersson. – Nic mi do tego, lepiej się nie wtrącać w cudze sprawy.

– I dlatego pan powiedział, że nic nie widział? – Patrik nie umiał ukryć niechęci. Nie potrafił się pogodzić z tym, że ludzie mogą stać i się gapić, a potem rozłożyć ręce i powiedzieć, że to nie ich sprawa.

– Z takimi trzeba uważać. I nie zadzierać – powtórzył jeszcze raz Pettersson, ale nie patrzył im w oczy.

– Czy zauważył pan coś, co mogłoby nas naprowadzić na ich ślad? – spytał Martin.

– Na plecach mieli orły. Wielkie żółte orły.

– Dziękuję – powiedział Martin, wstając. Podał mu rękę. Patrik zawahał się, ale zrobił to samo.

Chwilę później jechali do Uddevalli. Obaj pogrążeni w myślach.

Erika nie mogła dłużej czekać. Ochłonęła i zadzwoniła do Kristiny. Gdy tylko usłyszała, że pod dom zajeżdża samochód teściowej, narzuciła kurtkę, wybiegła i pojechała do Falkeliden. Już na miejscu dłuższą chwilę siedziała w samochodzie, z wyłączonym silnikiem. Może jednak powinna się trzymać na uboczu, zostawić ich samych. Krótki komunikat nie mówił przecież wszystkiego. Może źle zrozumiała.

Zacisnęła ręce na kierownicy. Nie chciałaby popełnić błędu i ładować się z butami. Anna już kilka razy zarzucała jej brak delikatności i wtrącanie się w nie swoje sprawy. Niestety miała rację. Kiedy dorastały, Erika próbowała zrekompensować siostrze brak matczynej miłości. Wtedy im się wydawało, że matka ich nie kocha. Dziś już wiedziała, jak było naprawdę. Anna również. Matka je kochała, ale nie umiała tego okazać. W ostatnich latach bardzo się z Anną zbliżyły, zwłaszcza po historii z Lucasem.

A teraz nabrała wątpliwości. Przecież Anna ma rodzinę, Dana, dzieci. Może potrzebują pobyć sami. Nagle dostrzegła jej sylwetkę w kuchennym oknie. Przemknęła jak duch, ale wróciła i wyjrzała. Zobaczyła ją w samochodzie, uniosła dłoń i kiwnęła zapraszająco.

Erika szybko otworzyła drzwi i wbiegła na schodki. Dan otworzył, zanim zdążyła zadzwonić.

– Chodź – powiedział. Na jego twarzy kłębiły się emocje.

– Dziękuję. – Przestąpiła próg, powiesiła kurtkę w przedpokoju i w niemal nabożnym napięciu weszła do kuchni.

Anna siedziała przy stole. Erika już ją widziała na nogach, ale od wypadku siostra sprawiała wrażenie, jakby była nieobecna. Dziś było zupełnie inaczej.

– Odsłuchałam wiadomość. – Erika usiadła naprzeciwko niej.

Dan nalał im kawy i dyskretnie wyszedł do dzieci hałasujących w salonie. Chciał im pozwolić spokojnie porozmawiać.

Anna trzęsącą się ręką podniosła filiżankę do ust. Wychudzona, prawie przezroczysta twarz, ale spojrzenie pewne.

– Bałam się o ciebie – powiedziała Erika ze łzami.

– Wiem. Też się bałam. Wrócić.

– Dlaczego? To znaczy, rozumiem... – Usilnie szukała słów. Jak miała nazwać jej rozpacz, skoro tak naprawdę nic nie rozumiała i nie wiedziała?

– Byłam gdzieś w ciemnościach. To mniej bolało niż bycie tu, wśród was.

– Ale teraz jesteś? – Głos jej drżał.

Anna powoli skinęła głową i wypiła kolejny łyk kawy.

– Gdzie bliźnięta?

Erika nie wiedziała, co powiedzieć, ale Anna się domyśliła i uśmiechnęła.

– Jestem bardzo ciekawa. Do kogo są podobni? Do siebie są?

Erika przyglądała jej się, nie wiedziała, jak siostra zareaguje.

– Do siebie niespecjalnie. Z usposobienia też nie. Noel robi więcej krzyku, od razu wiadomo, że czegoś chce, jest uparty jak nie wiem co. Z Antonem jest inaczej. Nigdy się nie złości i uważa, że wszystko jest super. Całkowite zadowolenie z życia. Nie wiem, do kogo są podobni.

Anna uśmiechała się coraz szerzej.

– Żartujesz? Można by pomyśleć, że opisujesz siebie i Patrika. Z zaznaczeniem, że to nie ty manifestujesz pełne zadowolenie z życia.

– No nie... – Erika urwała. Zdała sobie sprawę, że Anna ma rację. Opisała siebie i Patrika, nawet jeśli się wzięło pod uwagę, że w pracy nie zawsze bywał taki spokojny jak w domu.

– Chciałabym ich zobaczyć – powiedziała Anna zdecydowanie. – Jedno z drugim nie ma nic wspólnego, dobrze o tym wiesz. To nie jest tak, że wasze maluchy przeżyły kosztem mojego.

Erika już nie mogła powstrzymać łez. Już nie czuła się winna, choć nie do końca wierzyła, że Anna mówi to, co myśli. Minie sporo czasu, zanim się upewni, że naprawdę tak jest.

– Przywiozę ich, kiedy tylko zechcesz. Jak tylko poczujesz się na siłach.

– A nie mogłabyś teraz? – spytała Anna. – Jeśli to nie kłopot. – Ożywiła się, jej policzki zaczęły nabierać kolorów.

– Zadzwonię do Kristiny, poproszę, żeby przyjechała z dziećmi.

Anna kiwnęła głową. Erika zadzwoniła do teściowej.

– Nadal mi ciężko – powiedziała Anna. – Gdzieś z tyłu czai się mrok.

– Wiem, ale jesteś z nami. – Erika położyła rękę na jej dłoni. – Przychodziłam do ciebie, kiedy leżałaś na górze. To było straszne. Jakbym patrzyła na powłokę, nie na ciebie.

– Pewnie tak było. Przerażenie mnie ogarnia, jak sobie pomyślę, że w pewnym sensie nadal tak jest. Nie wiem, jak mam wypełnić tę pustą powłokę. Jestem pusta. – Położyła rękę na brzuchu.

– Pamiętasz pogrzeb?

– Nie. – Potrząsnęła głową. – Pamiętam tylko, że mi na tym zależało, był mi potrzebny, ale z samej uroczystości nie pamiętam nic.

– Było pięknie – powiedziała Erika. Wstała, żeby dolać kawy.

– Dan powiedział, że to był twój pomysł, żebyście się na zmianę kładli koło mnie.

– No, niezupełnie. – Erika opowiedziała o Vivianne.

– Pozdrów ją ode mnie i podziękuj. Inaczej pewnie nadal tkwiłabym w tych ciemnościach. Może nawet nie potrafiłabym wrócić.

– Pozdrowię.

Rozległ się dzwonek. Erika wyjrzała do przedpokoju.

– To na pewno Kristina z bliźniakami.

Dan otworzył im drzwi. Erika poszła pomóc. Ucieszyła się, że chłopcy nie śpią.

– Grzeczni jak dwa aniołki – powiedziała Kristina, zerkając w stronę kuchni.

– Może wejdziesz? – spytał Dan, ale potrząsnęła głową.

– Nie, pojadę już. Lepiej pogadajcie sobie sami.

– Dziękuję – powiedziała Erika, obejmując ją. Bardzo polubiła teściową, chociaż zwykle takt nie był jej mocną stroną.

– Nie ma za co. Wiesz, że zawsze chętnie pomogę.

Erika chwyciła nosidełka i zaniosła je do kuchni.

– To ciocia Anna – powiedziała, stawiając je na podłodze, obok krzesła Anny. – A to Noel i Anton.

– W każdym razie nie ma wątpliwości, kto jest ojcem. – Anna usiadła na podłodze, Erika poszła za jej przykładem.

– Tak, niektórzy mówią, że są podobni do Patrika, ale ja tego nie widzę.

– Jacy śliczni – powiedziała Anna. Głos jej zadrżał. Erika się przestraszyła. Pomyślała, że może niepotrzebnie ich ściągnęła. Może jeszcze za wcześnie? Może powinna odmówić.

– W porządku – powiedziała Anna, jakby usłyszała jej myśli. – Mogę ich wziąć na ręce?

– No pewnie – odparła Erika. Nie oglądając się za siebie, wyczuła obecność Dana. Pewnie tak samo jak ona wstrzymał oddech. Nie miał pewności, jak się zachować.

– Najpierw małą Erikę – powiedziała Anna z uśmiechem i podniosła Noela. – Jesteś uparciuchem jak mama, tak? No to kiedyś mama dostanie za swoje.

Przytuliła go i przywarła nosem do jego szyjki. Potem to samo zrobiła z Antonem. Trzymała go w objęciach.

– Erika, są cudowni. – Spojrzała na siostrę ponad łysą główką Antona. – Po prostu cudowni.

– Dziękuję – powiedziała Erika. – Dziękuję ci.

– Macie coś nowego? – spytał Patrik, wchodząc wraz z Martinem do szpitalnej poczekalni.

– Czy ja wiem, najważniejsze już wiesz – odparła Paula. – Chłopcy znaleźli torebkę z białym proszkiem. W koszu na śmieci przy blokach, przy zakładach Tetra Pak.

– Gdzie ta torebka?

– Tu. – Paula wskazała na leżącą na stole papierową torbę. – Uprzedzając twoje pytanie: tak, obchodzimy się z nią ostrożnie. Niestety zanim do nas trafiła, zdążyła przejść przez wiele rąk. Dzieci, nauczycieli i pracowników szpitala.

– Trzeba to będzie dokładnie ustalić. Załatw, żeby ją wysłali do Państwowego Laboratorium Kryminalistycznego, a my zdejmiemy odciski palców tych, którzy jej dotykali. Zacznijcie od uzyskania zgody rodziców na zdjęcie odcisków od chłopców.

– Oczywiście. – Gösta kiwnął głową.

– Jak oni się czują? – spytał Martin.

– Według lekarzy mieli cholerne szczęście. Mogło się naprawdę źle skończyć. Całe szczęście, że tylko spróbowali. W przeciwnym razie nie siedzielibyśmy tutaj, tylko w kostnicy.

Zapadła cisza. Straszne.

Patrik spojrzał na torebkę.

– Trzeba porównać odciski na torebce z odciskami Sverina.

– Myślicie, że jego śmierć może mieć związek z narkotykami? – Paula zmarszczyła czoło. Odchyliła się do tyłu. Usiłowała usiąść wygodnie na szpitalnej kanapie, ale okazało się to niemożliwe. Znów pochyliła się do przodu. – Czy w Göteborgu dowiedzieliście się czegoś, co by na to wskazywało?

– Tego bym nie powiedział. Jest inny trop, ale o tym później, na odprawie, w komisariacie. – Wstał. – Pojedziemy z Martinem do Fjällbacki, porozmawiamy z nauczycielami. Paulo, wyślij tę torebkę do laboratorium, dobrze? Powiedz im, że to pilne.

Uśmiechnęła się.

– Domyślą się, jak im powiem, że to od ciebie.

Od czasu wizyty Eriki i Patrika niepokój jej nie opuszczał. Może powinna wezwać lekarza? Od przyjazdu na wyspę Sam nie powiedział ani jednego słowa. Jednocześnie czuła, że ma rację, wierząc swojemu instynktowi, że potrzebuje tylko czasu. Na wygojenie duszy. Nie ciała, na którym skupiłby się lekarz.

Uciekała myślami od tamtej nocy. Jakby pod naporem wspomnień i tamtego przerażenia umysł sam się wyłączał. Więc czy to dziwne, że nie umie sobie z tym poradzić mały chłopiec? Strach był ich wspólnym doświadczeniem. Zastanawiała się, czy Sam też się boi, że ich tu dopadną. Uspokajała go i zapewniała, że są bezpieczni i że źli ludzie ich nie znajdą. Ale nie miała pewności, czy to brzmi przekonująco, bo sama nie bardzo w to wierzyła.

Gdyby tylko Matte... Zadrżała, kiedy o nim pomyślała. Matte mógłby ich obronić. Tej nocy nie powiedziała mu wszystkiego. Trochę, tyle, żeby zrozumiał, dlaczego nie jest tą samą Annie co kiedyś. Wiedziała, że gdyby mieli więcej czasu, opowiedziałaby mu wszystko, zwierzyłaby mu się.

Wstrząsnął nią szloch. Musiała kilka razy głęboko odetchnąć, żeby się opanować. Sam nie powinien widzieć, że jest w rozpaczy. Musi się poczuć bezpieczniej, żeby wymazać z pamięci odgłosy strzałów, krew i tatę. To ona musi to wszystko naprawić. Matte nie mógłby jej pomóc.

Zdejmowanie odcisków palców trwało bardzo długo, a i tak nie zebrali wszystkich. Załoga karetki była na wyjeździe i nie wiadomo było, kiedy wróci. Ale Paula czuła, że tracą czas. Coś jej mówiło, że przede wszystkim należy szybko sprawdzić, czy na torebce są odciski Matsa Sverina.

Zapukała do drzwi.

– Proszę. – Torbjörn Ruud podniósł głowę.

– Cześć, Paula Morales z Tanum, z policji. Spotkaliśmy się już przy kilku okazjach. – Speszyła się, bo uświadomiła sobie, że chce go poprosić, żeby uczynił odstępstwo od zasad. Nieczęsto to robiła. Oczywiście zasady są po to, żeby ich przestrzegać, ale czasem trzeba być elastycznym. Na przykład teraz.

– Tak, pamiętam. – Torbjörn wskazał jej krzesło. – Jak wam idzie? Pedersen się odzywał?

– Nie. Raport przedstawi w środę. Innych tropów właściwie nie mamy, więc nie idzie tak, jak byśmy chcieli... – Umilkła i nabrała tchu. Zastanawiała się, jak mu przedstawić swoją prośbę. – Dzisiaj coś się wydarzyło, ale nie wiemy, czy to ma związek z morderstwem – powiedziała i położyła na stole torebkę.

– Co to jest? – Torbjörn sięgnął po nią.

– Kokaina.

– Gdzie ją znaleźliście?

Paula opowiedziała, co się stało i co zeznali chłopcy.

– Raczej się nie zdarza, żeby mi ktoś kładł na biurku torebkę kokainy – powiedział Torbjörn, patrząc na nią.

– Wiem – powiedziała. Czuła, że się czerwieni. – Ale wiesz, jak jest. Jeśli to wyślemy do Państwowego Laboratorium Kryminalistycznego, będziemy czekać w nieskończoność. A ja czuję, że to ważne, więc pomyślałam, że dobrze byłoby podejść do tej sprawy elastycznie. Gdybyś mógł sprawdzić tylko jedną rzecz... ja to potem załatwię od strony formalnej. Oczywiście biorę na siebie całą odpowiedzialność.

Torbjörn milczał dłuższą chwilę.

– Co mam zrobić? – spytał, chociaż nie wydawał się przekonany.

Powiedziała, o co chodzi. Torbjörn pokiwał głową.

– Niech ci będzie, ale jakby co, bierzesz to na siebie. I dopilnuj formalności.

– Obiecuję. – Paula poczuła dreszcz podniecenia. Nie myli się, wiedziała, że się nie myli. Trzeba to tylko potwierdzić.

– Idziemy – powiedział Torbjörn, wstając. Zerwała się. Będzie jego dłużniczką.

– Mam nadzieję, że się na mnie nie obraziłaś – powiedział Erling. Nie odważył się spojrzeć jej w oczy.

Vivianne grzebała widelcem w talerzu. Nie odpowiedziała. Erling aż się skręcał z zakłopotania, jak zawsze, gdy zdarzyło mu się popaść w niełaskę. Oczywiście nie powinien się powoływać na Bertila. Sam nie wiedział, co mu strzeliło do głowy. Vivianne wie, co robi. Nie powinien się wtrącać.

– Kochanie, chyba się nie gniewasz? – Pogłaskał ją po ręce.

Nadal bez odzewu. Nie wiedział, co robić. Zazwyczaj potrafił ją udobruchać, ale dziś była w wyjątkowo podłym nastroju.

– Wiesz, niespodziewanie dużo ludzi przyjęło zaproszenia na sobotnie przyjęcie. Celebryci z Göteborga. Prawdziwi, żadna tam druga liga, jak ten Martin z *Robinsona**. Poza tym udało mi się zaklepać występ zespołu Arvingarna.

---

* Martin Melin, policjant i bloger, stał się znany dzięki udziałowi w reality show *Expedition Robinson*, czyli *Wyprawa Robinsona*. Od kilku lat partner autorki.

Vivianne zmarszczyła czoło.

– Myślałam, że zagra Garage.

– No to wystąpi jako support czy coś takiego. Chyba rozumiesz, że nie możemy zrezygnować z Arvingarny? Wiesz, jaką przyciągają publiczność? – Już zapomniał, że był w podłym nastroju. Tak elektryzująco działał na niego projekt Badis.

– Pieniędzy możemy się spodziewać dopiero w przyszłą środę. Zdajesz sobie z tego sprawę? – Vivianne podniosła wzrok znad talerza. Chyba się trochę rozchmurzyła.

Erling ciągnął z zachwytem:

– Nie ma obaw. Na razie wyłoży gmina. Większość dostawców zgodziła się poczekać, skoro gwarantujemy, że zapłacimy. Więc się nie martw.

– Miło to słyszeć. Ale tym zajmuje się Anders. Rozumiem, że został poinformowany.

Na jej twarzy pojawił się jakby cień uśmiechu. Erling poczuł motyle w żołądku. Gdy po lunchu męczył się, przeżywając swoją gafę, nagle w jego głowie powstał plan. Nawet się dziwił, że wcześniej o tym nie pomyślał. Na szczęście był człowiekiem czynu i umiał zadziałać z marszu.

– Kochanie – powiedział.

– Mhm... – mruknęła Vivianne, wkładając do ust potrawkę z quorna*.

– Chciałbym cię o coś spytać...

Vivianne przestała żuć, podniosła wzrok. Przez krót-

* Quorn – produkt białkowy wytwarzany w Wielkiej Brytanii, stosowany w kuchni wegańskiej jako zamiennik mięsa.

ką chwilę wydawało mu się, że widzi w jej oczach strach, ale pomyślał, że mu się zdawało. To pewnie z nerwów.

Padł przed nią ciężko na kolana i z wewnętrznej kieszeni marynarki wyjął pudełeczko. Na wieczku widniało logo jubilera Nordholma z Grebbestad, więc nie trzeba było wielkiej wyobraźni, żeby się domyślić, co jest w środku.

Chrząknął. Wielka chwila. Chwycił ją za rękę i mocnym głosem powiedział:

– Mam zaszczyt prosić cię o rękę. – Głupio wypadło, chociaż wcześniej wydawało mu się, że będzie elegancko. Ponowił próbę: – No więc pomyślałem, że może byśmy się pobrali.

Też nie za dobrze. Czekając na odpowiedź, słyszał walenie własnego serca. Właściwie był pewien, co odpowie, ale nigdy nic nie wiadomo. Kobiety bywają kapryśne.

Vivianne milczała tak długo, że Erlinga zaczęły boleć kolana. Ręka z pudełkiem zadrżała, w krzyżu ciągnęło nieprzyjemnie.

W końcu Vivianne odetchnęła głęboko.

– Oczywiście, że się pobierzemy.

Z ulgą wyjął z pudełeczka pierścionek i włożył go jej na palec. Był całkiem niedrogi. Vivianne nie przywiązywała wagi do spraw materialnych, więc po co miałby wyrzucać pieniądze na pierścionek? Poza tym zaproponowali mu dobrą cenę. Myślał o tym z prawdziwą satysfakcją. Liczył, że Vivianne mu to wynagrodzi, i to jeszcze dziś. Od ostatniego razu minęło strasznie dużo czasu, ale dziś będzie co świętować.

Podniósł się, zatrzeszczało mu w krzyżu. Usiadł i z triumfem uniósł kieliszek. Odpowiedziała tym samym. Znów odniósł wrażenie, że ma w oczach coś dziwnego, ale odsunął od siebie tę myśl i wypił łyk wina. Nie miał zamiaru zasnąć na kanapie.

– Wszyscy są? – spytał Patrik. Pytanie było retoryczne, łatwo można było policzyć. Chciał raczej uciszyć gwar.

– Są – odparła Annika.

– Jest parę spraw do omówienia. – Patrik sięgnął po wielki blok, w którym zwykle podczas odpraw robili notatki. – Po pierwsze: chłopcy czują się dobrze, nic im się nie stało.

– Dzięki Bogu – powiedziała z ulgą Annika.

– Pomyślałem, że z kokainą na razie poczekamy i zajmiemy się tym, co się stało dzisiaj. Co z zawartością teczki?

– Jak dotąd nie wiemy nic konkretnego – odparła szybko Paula. – Ale liczymy, że wkrótce dowiemy się więcej.

– W teczce była cała masa dokumentów, jakieś finansowe sprawy – wyjaśnił Gösta, rzucając okiem na Paulę. – Nie znamy się na tym, więc wysłaliśmy je Lennartowi, mężowi Anniki, żeby rzucił okiem, zanim ewentualnie przekażemy je dalej.

– Dobrze – powiedział Patrik. – Kiedy się odezwie?

– Pojutrze – odpowiedziała Paula. – Co do komórki, nie było w niej nic interesującego. Laptopa wysłałam do sekcji technicznej. Nie wiadomo, kiedy coś powiedzą.

– Wkurza mnie to, ale nic nie poradzimy. – Patrik

skrzyżował ramiona na piersi. Wcześniej napisał na bloku: Lennart, środa.

– A co powiedziała dawna flama Sverina? Wniosła coś nowego? – spytał Mellberg. Wszyscy drgnęli, Patrik spojrzał na niego ze zdziwieniem. Nie podejrzewał, że Mellberg się orientuje, co się dzieje w śledztwie.

– Był u niej w piątek wieczorem, ale odpłynął w nocy – odparł i zanotował to w bloku. – To zawęża ramy czasowe. Mógł zginąć najwcześniej w nocy z piątku na sobotę, co się zgadza z zeznaniem sąsiada. Wtedy usłyszał hałas. Miejmy nadzieję, że Pedersen powie coś, co nam pomoże określić czas jeszcze dokładniej.

– Czy ta Wester to jakaś szemrana postać? Może chodzi o dawne sprzeczki kochanków? – ciągnął Mellberg. Leżący u jego nóg Ernst podniósł łeb.

– Nie nazwałbym jej szemraną postacią. Powiedziałbym raczej, że robi wrażenie nieobecnej. Mieszka na wyspie z synem. Wygląda na to, że przez wiele lat nie miała ze Sverinem żadnego kontaktu. To samo mówią jego rodzice. Przypuszczam, że tamtego wieczoru wspominali dawne czasy.

– A dlaczego odpłynął w środku nocy? – spytała Annika, zwracając się odruchowo do Martina. Zrobił obrażoną minę. Teraz był statecznym ojcem rodziny, ale wcześniej prowadził bujne życie erotyczne i potrafił zmieniać dziewczyny co tydzień. Koledzy wciąż z niego pokpiwali. Odkąd w jego życiu pojawiła się Pia, zmienił się o sto osiemdziesiąt stopni i nigdy tego nie żałował.

Niechętnie wrócił myślą do dawnych czasów.

– Co w tym dziwnego? Czasami, jak już człowiek dostanie, czego chciał, woli uniknąć rozmowy przy śniadaniu. – Widząc rozbawione twarze kolegów, wzruszył ramionami. – O co wam chodzi? Facet to facet. – Zarumienił się, aż mu piegi poczerwieniały.

Patrik nie mógł powstrzymać uśmiechu, musiał sobie narzucić powagę.

– A więc wiemy, chociaż nie wiemy dlaczego, że wrócił do domu w nocy z piątku na sobotę. Pytanie brzmi: gdzie się podziała jego łódka? Przecież musiał nią popłynąć.

– Sprawdzaliście Blocket? – Gösta sięgnął po ciasteczko i umoczył je w kawie.

– Sprawdziłem nawet w kilku portalach ogłoszeniowych, ale nic nie znalazłem – odparł Patrik. – Zgłosiliśmy kradzież, poprosiłem też Petera z Ratownictwa Morskiego, żeby jej wypatrywali podczas patroli.

– Dziwne, że akurat teraz zginęła. Dziwny zbieg okoliczności.

– A jego samochód? Został sprawdzony? – Paula wyprostowała się na krześle. Spojrzała na Patrika, kiwnął głową.

– Sprawdzili go, Torbjörn i jego ekipa. Stał na parkingu przed jego klatką. Nic nie znaleźli.

– Aha. – Myślała, że może coś przeoczyli, ale jak się okazuje, Patrik panuje nad sytuacją.

– Czego się dowiedzieliście w Göteborgu? – spytał Mellberg, ukradkiem podtykając ciastko Ernstowi.

Patrik i Martin spojrzeli po sobie.

– Warto było jechać. Martinie, może opowiesz o naszej rozmowie z opieką społeczną?

Martin się rozpromienił. Jasno i przejrzyście zreferował, co Sven Barkman powiedział o Fristad i o współpracy z nimi. Rzucił jeszcze Patrikowi pytające spojrzenie i przeszedł do odwiedzin w biurze Fristad.

– Nadal nie wiemy, czy jako pracownikowi Fristad Sverinowi mogło coś grozić. Jego szefowa mówi, że nic jej o tym nie wiadomo. Pozwoliła nam przejrzeć akta kobiet, którym Fristad pomagała w ostatnim roku jego pracy. To około dwudziesu przypadków.

Patrik kiwnął głową. Martin mówił dalej:

– Na razie trudno powiedzieć, który czy też które z tych przypadków są na tyle interesujące, żebyśmy mieli powód przyjrzeć im się bliżej. Porobiliśmy notatki i zapisaliśmy nazwiska osób, z którymi miał kontakt. Będziemy kontynuować ten wątek. Inna sprawa, że czytanie tego było strasznie przygnębiające. Te kobiety przechodziły piekło, którego nie sposób sobie wyobrazić... – Speszył się i umilkł.

Patrik doskonale go rozumiał. Sam był bardzo poruszony.

– Zastanawiamy się, czy nie przesłuchać pozostałych pracowników Fristad. Albo którejś z kobiet, którym pomagali za czasów Sverina. Ale prawdopodobnie nie będzie to konieczne. Mamy zeznanie świadka, które może nas zaprowadzić dalej. – Zrobił efektowną pauzę i stwierdził, że wszyscy słuchają z największą uwagą. – Cały czas wydawało mi się, że sprawa pobicia jest dziwna. Postanowiliśmy z Martinem pojechać do göteborskiego mieszkania Sverina. Jak wiecie, do pobicia doszło przed samym domem. Wystarczyło pogadać z jednym z sąsiadów i okazało się, że to nie była żadna banda nastolatków, jak mówił Sverin. Według sąsiada, a był świadkiem pobicia, była to banda znacznie dojrzalszych osobników. Facetów na motocyklach, jak ich określił.

– O cholera – powiedział Gösta. – Ale dlaczego Sverin miałby kłamać? I dlaczego sąsiad wcześniej nic nie powiedział?

– Co do sąsiada, to jak zwykle. Nie chciał się wtrącać, bo się bał. Zabrakło odwagi cywilnej.

– A Sverin? Dlaczego nie powiedział, jak było? – upierał się Gösta.

Patrik potrząsnął głową.

– Nie wiem. Może on też się bał. Z drugiej strony te bandy raczej nie napadają na ludzi na ulicy. Musi w tym być coś jeszcze.

– Udało się ich zidentyfikować? – spytała Paula.

– Według tego sąsiada mieli na plecach orły. Nie powinno być problemu z ustaleniem, którzy to – powiedział Martin.

– Skontaktujcie się z Göteborgiem, na pewno pomogą – powiedział Mellberg. – Od początku mówiłem, że ten Sverin to podejrzany gość. Jak ktoś się wdaje w interesy z takimi typami, to nic dziwnego, że kończy w kostnicy z kulką w głowie.

– Nie chciałbym się posuwać tak daleko – powiedział Patrik. – Nie wiemy, co go z nimi łączyło, czy w ogóle coś go łączyło. Na razie nic nie wskazuje na to, żeby popełnił jakieś przestępstwo. Zamierzam zapytać we Fristad, czy rozpoznają tę bandę, czy się z nią zetknęli. Dalej, zgodnie z tym, co powiedział Bertil, zamierzam porozmawiać z kolegami z Göteborga. Zapytam, co o nich wiedzą. Słucham cię, Paulo?

– Więc tak – powiedziała Paula z wahaniem. –

Trochę to przyśpieszyłam. Nie wysłałam torebki z kokainą do Państwowego Laboratorium Kryminalistycznego. Poszłam do Torbjörna Ruuda. Sami wiecie, jak długo trzeba czekać na wyniki. Wysyła im się coś, a potem to coś ląduje na samym spodzie i...

– Wiemy. Mów dalej – powiedział Patrik.

– Pogadaliśmy i, można powiedzieć, poprosiłam go o przysługę. – Poruszyła się niespokojnie, w obawie, że kolegom się to nie spodoba. – Poprosiłam, żeby porównał odciski z torebki z odciskami Sverina. – Zaczerpnęła tchu.

– Mów dalej – powiedział Patrik.

– Zgadzają się. Na torebce z kokainą są odciski palców Sverina.

– Wiedziałem! – Mellberg uniósł ręce w geście zwycięstwa. – Narkotyki i interesy z bandą kryminalistów. Czułem, że to łobuz.

– Myślę, że powinniśmy się uspokoić – powiedział Patrik, ale brzmiało to tak, jakby zaczął mieć wątpliwości. Przez głowę przelatywały mu najróżniejsze myśli, próbował je uporządkować. Częściowo musiał przyznać Mellbergowi rację, choć wszystko się w nim przeciwko temu burzyło. Na podstawie rozmów z Annie i rodzicami, i współpracownikami Sverina stworzył sobie całkiem inny obraz. I choć cały czas miał wrażenie, że coś się nie zgadza, nie wierzył, żeby ten nowy obraz Sverina był prawdziwy.

– Torbjörn jest pewien?

– Tak, absolutnie. Naturalnie wyślemy to do laboratorium, żeby mieć formalne potwierdzenie. Ale Torbjörn gwarantuje, że Mats Sverin miał w ręku tę torebkę.

– To trochę zmienia postać rzeczy. Trzeba przesłuchać miejscowych narkomanów, zapytać, czy mieli z nim do czynienia. Ale muszę powiedzieć, że coś tu nie... – Patrik potrząsnął głową.

– Bzdury – prychnął Mellberg. – Jestem pewien, że po tej nitce dojdziemy do kłębka i złapiemy sprawcę. To zwyczajne porachunki narkotykowe. Raczej nie będzie problemów z rozwikłaniem tej sprawy. Pewnie podprowadził komuś kasę.

– Mhm... Ale dlaczego w takim razie wyrzucił to do kosza przed domem? A może zrobił to ktoś inny? Tak czy inaczej, trzeba to sprawdzić. Może Martin i Paula pogadaliby jutro z naszymi ćpunami?

Paula kiwnęła głową, Patrik zapisał w bloku. Wiedział, że Annika skrupulatnie wszystko notuje, ale zapisywanie w bloku pomagało mu objąć całość.

– Gösta, my przesłuchamy współpracowników Sverina, zadamy konkretne pytania.

– Konkretne, czyli jakie?

– Na przykład czy zwrócili uwagę na coś, co by wyjaśniało, dlaczego miał w ręku torebkę z kokainą.

– Mamy pytać, czy wiedzieli, że brał? – Gösta nie był zachwycony.

– Tego nie wiemy – powiedział Patrik. – Raport Pedersena dostaniemy dopiero pojutrze. Na razie nie wiadomo, co miał we krwi.

– A co z jego rodzicami? – spytała Paula.

Patrik przełknął ślinę. Wszystko się w nim buntowało, ale wiedział, że ma rację.

– Tak, ich też trzeba przesłuchać. Bierzemy to z Göstą na siebie.

– A co ja mam robić?

– Będę ci wdzięczny, jeśli jako szef będziesz na miejscu strzegł pozycji – odparł Patrik.

– Rzeczywiście, tak będzie najlepiej. – Mellberg wstał z wyraźną ulgą. Ernst razem z nim. – Teraz potrzebujemy trochę snu dla urody, bo jutro czeka nas mnóstwo roboty. Wkrótce to rozwikłamy. Po prostu to czuję – powiedział, zacierając ręce, ale nie znalazł poklasku.

– Słyszeliście, co powiedział Bertil. Idziemy do domów. Prześpimy się i od rana zabieramy się do roboty.

– Co z tropem z Göteborga? – spytał Martin.

– Najpierw pociągnijmy wątek kokainy. Jak już będziemy wiedzieć coś więcej, pogadamy. Do Göteborga jeszcze pojedziemy, jak nie jutro, to w środę.

Na tym skończyli. Patrik rozmyślał przez całą drogę do domu.

Fjällbacka 1871

Zaczynała się jesień, gdy po raz pierwszy pozwolili jej opuścić wyspę. Płynąc łodzią, czuła to samo huśtanie co wtedy, ale już się nie bała. Mieszkała nad samym morzem, osłuchała się z jego odgłosami i przyzwyczaiła do jego zmienności. Pewnie by się nawet z nim dogadała, gdyby nie czuła, że to przez nie jest zamknięta na wyspie. Teraz niosło ją do portu.

Było gładkie i nie mogła się powstrzymać, by nie zanurzyć dłoni. Zostawiła na wodzie długi ślad wzdłuż łódki. Oparła się o reling. Drugą ręką osłaniała brzuch. Karl stał przy sterze. Z dala od Gråskär i cienia latarni wyglądał zupełnie inaczej. Był przystojny. Od dawna nie myślała o nim w ten sposób. Szpeciła go ta złość w spojrzeniu. Teraz, gdy stał ze wzrokiem utkwionym w oddali, przypomniała sobie, co kiedyś tak ją w nim pociągało. Może wyspa go zmieniła, a może na wyspie jest coś, co go pcha do zła. Odsunęła od siebie tę myśl. Co za głupstwa. Przypomniała sobie ostrzeżenia Edith.

W każdym razie dziś spędzi kilka godzin na lądzie, z dala od wyspy. Popatrzy na ludzi, zrobi zakupy i napije się kawy u ciotki Karla. Zaprosiła ich. Pójdzie do lekarza. Nie niepokoiła się. Wiedziała, że z jej dzieckiem, które tak energicznie kopie w brzuchu, wszystko jest w najlepszym porządku. Ale dobrze będzie usłyszeć potwierdzenie z ust doktora.

Przymknęła oczy i uśmiechnęła się. Owiewało ją przyjemne tchnienie wiatru.

– Usiądź porządnie – powiedział Karl.

Drgnęła i przypomniała sobie poprzednią podróż, świeżo po ślubie, gdy była pełna nadziei. Wtedy jeszcze był miły.

– Przepraszam – powiedziała, spuszczając wzrok, choć nie wiedziała, za co przeprasza.

– Bez zbędnego gadania – powiedział zimno. Był tym samym Karlem co na wyspie. Brzydkim, z czymś złym w oczach.

– Dobrze, Karl.

Ze spuszczoną głową wpatrywała się w dno łódki. Dziecko kopnęło tak mocno, że zabrakło jej tchu.

Nagle Julian podniósł się ze swego miejsca naprzeciwko i usiadł obok niej, za blisko. Mocno chwycił ją za ramię.

– Słyszałaś. Żadnego gadania. Ani o wyspie, ani o naszych sprawach.

Skrzywiła się, coraz mocniej wbijał palce w jej ramię.

– Dobrze. – Oczy miała pełne łez.

– A teraz siedź spokojnie. Łatwo wypaść za burtę – powiedział Julian cicho. Puścił jej rękę, wstał, wrócił na swoje miejsce i patrzył na dziób, za którym widać było Fjällbackę.

Emelie położyła trzęsące się ręce na brzuchu. Nagle uzmysłowiła sobie, że brakuje jej tych, których zostawiła na wyspie. Oni nigdy się stamtąd nie wydostaną. Przyrzekła sobie, że będzie się za nich modlić. Może Bóg wysłucha jej modlitw i zmiłuje się nad błądzącymi duszami.

*Gdy przybili do przystani przy rynku, zamrugała, że-
by się pozbyć łez. Jej usta rozciągnęły się w uśmiechu.
Nareszcie znów jest wśród ludzi. Co za szczęście, że dane
jej było opuścić Gråskär.*

Mellberg szedł do pracy. Pogwizdywał. Czuł, że to będzie udany dzień. Poprzedniego wieczoru odbył kilka rozmów telefonicznych. Teraz miał pół godziny, żeby się przygotować.

– Annika! – zawołał, gdy doszedł do recepcji.

– Jestem, nie musisz krzyczeć.

– Proszę, przygotuj salę konferencyjną.

– Salę konferencyjną? Nie wiedziałam, że mamy coś takiego. – Zsunęła okulary, zawisły na sznurku na jej szyi.

– Ojej, wiesz, co mam na myśli. Jedyne pomieszczenie, w którym się zmieści kilka dodatkowych krzeseł.

– Krzeseł? – Annika poczuła niepokojące ssanie w żołądku. Już samo to, że przyszedł do pracy tak wcześnie, do tego w tak radosnym nastroju, nie zapowiadało nic dobrego.

– Tak, kilka rzędów krzeseł. Dla prasy.

– Dla prasy? – Niepokój zmienił się w gulę w gardle. Co on znowu wymyślił?

– Tak, dla prasy. Wolno dzisiaj myślisz. Będzie konferencja prasowa. Dziennikarze muszą na czymś siedzieć. – Mówił powoli i wyraźnie, jak do dziecka.

– Patrik o tym wie? – Annika zerknęła na telefon.

– Hedström się dowie, kiedy raczy przyjść do pracy. Już dwie minuty po ósmej – powiedział z naciskiem, chociaż sam nieczęsto zjawiał się przed dziesiątą. –

Konferencja zaczyna się o wpół do dziewiątej. Za niespełna pół godziny. Jak już powiedziałem, potrzebne mi pomieszczenie.

Annika znów zerknęła na telefon, ale zdała sobie sprawę, że Mellberg nie da za wygraną. Będzie musiała ruszyć tyłek i przygotować pokój. Miała nadzieję, że Mellberg zaraz pójdzie do siebie. Wtedy zadzwoni do Patrika, uprzedzi go.

– Co tu się dzieje? – rozległ się od drzwi głos Gösty. Annika zaczęła już ustawiać krzesła.

– Mellberg zwołał konferencję prasową.

Gösta podrapał się w głowę i rozejrzał po pokoju.

– Hedström o tym wie?

– O to samo spytałam. Nie wie. To jeden z tych znakomitych autorskich pomysłów Bertila. Nawet nie miałam jak ostrzec Patrika.

– Ostrzec przed czym? – Patrik wychynął zza pleców Gösty. – Co ty robisz?

– Za... – Annika zerknęła na zegarek – ...dziesięć minut będzie konferencja prasowa.

– Chyba żartujesz? – Patrik patrzył na Annikę i wiedział, że to nie żart.

– Co za cholerny... – Patrik odwrócił się na pięcie i pomaszerował do pokoju Mellberga.

Słyszeli, jak otwierają się drzwi, potem wzburzone głosy, potem drzwi się zamknęły.

– Ojejej... – Gösta znów podrapał się w głowę. – To ja idę do siebie – powiedział i zniknął jak duch, zanim Annika zdążyła się zorientować.

Zajęła się rozstawianiem krzeseł. Pomyślała, że chciałaby teraz być muchą na ścianie w gabinecie Mellberga.

Słyszała, jak rozmawiają, raz głośniej, raz ciszej, ale nie potrafiła rozróżnić słów. Rozległ się dzwonek do drzwi, więc pośpieszyła otworzyć.

Kwadrans później komisariat był pełen dziennikarzy. W pokoju unosił się szum rozmów. Niektórzy się znali: reporterzy z „Bohusläningen", „Strömstads Tidning" i innych lokalnych gazet. Przyszli również przedstawiciele lokalnego radia i oczywiście przedstawiciele „największych gazet", którzy rzadko gościli na prowincji. Annika nerwowo przygryzła wargę. Mellberga i Patrika wciąż nie było. Zastanawiała się, czy ma coś powiedzieć, czy czekać. Wybrała to drugie, ale ciągle zerkała na drzwi Mellberga. W końcu otworzyły się z hukiem i wybiegł Mellberg, czerwony, z fryzurą w nieładzie. Patrik stał w drzwiach, podpierał się pod boki. Widziała z daleka, że jest wściekły. Potem wszedł do swojego pokoju i trzasnął drzwiami. Aż się zakołysały obrazki na ścianach korytarza.

– Smarkacz – mruknął Mellberg, przeciskając się obok Anniki. – Przyjdzie taki i będzie mi mówił, co mam robić. – Przystanął, odetchnął głęboko, poprawił fryzurę i wszedł do pokoju.

– Wszyscy obecni? – spytał z szerokim uśmiechem. Odpowiedział mu pomruk. – Zaczynamy. Jak was poinformowałem wczoraj, nastąpił zwrot w śledztwie w sprawie zabójstwa Matsa Sverina. – Zrobił pauzę, ale jeszcze nie było pytań. – Państwo reprezentujący prasę lokalną na pewno słyszeli o wczorajszym wypadku. Mogło się źle skończyć. Trzech siedmiolatków na sygnale odwieziono do szpitala do Uddevalli.

Kilku dziennikarzy skinęło głowami.

– Znaleźli torebkę z białym proszkiem. Spróbowali. Myśleli, że to coś słodkiego. Ale to była kokaina. Poczuli się źle i zostali odwiezieni do szpitala. – Mellberg zrobił pauzę i wyprostował się. Był w swoim żywiole. Uwielbiał konferencje prasowe.

Reporter z „Bohusläningen" podniósł rękę, a Mellberg władczo skinął głową.

– Gdzie znaleźli tę torebkę?

– We Fjällbace, w koszu na śmieci, przed blokami, koło fabryki Tetra Pak.

– Czy stało im się coś poważnego? – To pytanie zadał reporter z tabloidu. Nie zawracał sobie głowy kolejką.

– Na szczęście nie zdążyli połknąć dużo i według lekarzy szybko powinni odzyskać pełnię zdrowia.

– Czy podejrzewacie, że torebka należała do któregoś ze znanych wam narkomanów? Czy ma to związek z morderstwem? Na początku zasugerował pan coś takiego, prawda? – wtrącił reporter „Strömstads Tidning".

Napięcie rosło, Mellberg był zachwycony. Wiedzieli, że ma w zanadrzu coś ciekawego. Postanowił to wykorzystać. Po chwili milczenia powiedział:

– Znaleźli ją w koszu na śmieci przed klatką Matsa Sverina. – Spojrzał na zebranych. Nie odrywali od niego wzroku. – Na torebce były jego odciski palców.

W pokoju rozległ się szmer.

– To dopiero – powiedział reporter „Bohusläningen". Kilku innych podniosło ręce.

– Czy może chodzić o nieudaną transakcję narkotykową? – Dziennikarz „Göteborgs-Tidningen" pilnie notował, a fotoreporter pstrykał zdjęcie za zdjęciem. Mellberg przypomniał sobie, że powinien wciągnąć brzuch.

– Nie chciałbym się rozwodzić na ten temat, ale owszem, to jedna z naszych hipotez.

Z rozkoszą słuchał własnych słów. Gdyby kiedyś dokonał innych wyborów, może dziś byłby rzecznikiem policji w Sztokholmie albo kimś w tym rodzaju. Stałby przed kamerami, gdy zamordowano Annę Lindh*, albo wygłaszał swoją opinię na temat zabójstwa Palmego w telewizji śniadaniowej**.

– Czy w toku śledztwa wyszło jeszcze coś, co by wskazywało na to, że w tle tej sprawy są narkotyki? – znów spytał dziennikarz „Göteborgs-Tidningen".

– Nie mogę się wypowiadać na ten temat – odparł Mellberg. Trzeba im rzucić kilka kości do obgryzania, ale w sam raz, nie za dużo i nie za mało.

– Czy sprawdziliście przeszłość Matsa Sverina? Czy miał coś wspólnego z narkotykami? – To pytanie zadał reporter „Bohusläningen".

– Na ten temat również nie chcę się wypowiadać.

– Czy przeprowadzono już sekcję zwłok? – dopytywał się dziennikarz „Göteborgs-Tidningen", nie zważając na pełne irytacji spojrzenia grzeczniejszych kolegów.

– Nie. Wyników spodziewamy się w tym tygodniu.

– Macie podejrzanego? – spytał reporter „Göteborgs--Posten". Wreszcie udało mu się dojść do słowa.

– Jeszcze nie. Cóż, więcej nie mamy nic do powiedzenia. Powiedzieliśmy tyle, ile mogliśmy. Oczywiście

---

* Anna Lindh – szwedzka minister spraw zagranicznych. W 2003 roku ugodzono ją nożem, kiedy robiła zakupy w sztokholmskim domu towarowym.

** Olof Palme – premier Szwecji, zastrzelony na sztokholmskiej ulicy w 1986 roku, gdy wracał z kina. Sprawa do dziś nie została wyjaśniona.

będziemy was informować na bieżąco. Ale oceniam, że w śledztwie następuje zwrot.

Jego ostatnie słowa wywołały lawinę pytań, ale on tylko potrząsał głową. Muszą się zadowolić kośćmi, które im rzucił. Wracając sprężystym krokiem do gabinetu, pochwalił samego siebie za fantastyczne wystąpienie. Drzwi pokoju Patrika były zamknięte. Krytykant, pomyślał Mellberg i zachmurzył się. Hedström powinien wreszcie zrozumieć, kto tu rządzi i kto ma największe doświadczenie. A jeśli mu się nie podoba, niech szuka pracy gdzie indziej.

Rozsiadł się na fotelu, nogi oparł na biurku, splótł ręce na karku. Zasłużył na małą drzemkę.

– Od kogo zaczniemy? – spytał Martin, wysiadając na parkingu przed blokami.

– Może od Rollego? Co ty na to?

Martin kiwnął głową.

– Tak, od naszej ostatniej rozmowy minęło trochę czasu. Nie zaszkodzi poświęcić mu nieco uwagi.

– Żeby tylko zechciał mówić.

Weszli na górę. Stanęli pod drzwiami Rollego. Paula nacisnęła dzwonek. Nikt nie otwierał, nacisnęła jeszcze raz. Usłyszeli szczekanie.

– Cholera, zapomniałem o tym wilku. – Martin poczuł się nieswojo. Nie lubił dużych psów, szczególnie psów narkomanów.

– On jest niegroźny. Miałam z nim do czynienia wiele razy. – Paula znów nacisnęła dzwonek. Usłyszeli kroki. Ktoś ostrożnie otworzył drzwi.

– Słucham? – powiedział Rolle podejrzliwie. Paula zrobiła krok w tył, żeby mógł ją dobrze widzieć. Zza jego nóg wystawał łeb głośno szczekającego psa. Próbował się przepchnąć przez szparę. Martin wszedł na schodek, choć nie potrafiłby wyjaśnić, dlaczego tam miałoby być bezpieczniej.

– Paula Morales, policja. Już się znamy.

– Jasne, poznaję cię – odparł, ale nie ruszył się, nie zdjął łańcucha i nie otworzył.

– Chcielibyśmy wejść, pogadać chwilę.

– Pogadać. Już ja to znam. – Rolle nie ruszył się z miejsca.

– Mówię poważnie. Nie zamkniemy cię. – Mówiła spokojnie.

– Dobra, chodźcie. – Otworzył.

Martin wpatrywał się w wilka. Rolle trzymał go za obrożę.

– Cześć, piesku. – Paula przyklękła i zaczęła go drapać za uchem. Pies od razu przestał szczekać i chętnie dał się pogłaskać. – Fajna z ciebie dziewczynka. Fajnie, co? Podobało ci się, prawda? – Drapała dalej, suka była zachwycona.

– Dobra Nikki – powiedział Rolle, puszczając obrożę.

– Chodź, Martin. – Paula kiwnęła ręką. Martin nie był przekonany, ale zszedł ze stopnia i podszedł do Pauli i Nikki. – Przywitaj się z nią. Jest bardzo miła.

Martin posłuchał z wahaniem. Podrapał sukę, w nagrodę polizała go po ręce.

– Widzisz, lubi cię – zaśmiała się Paula.

– Mhm... – mruknął Martin. Był zawstydzony. Z bliska pies nie wydawał się już tak groźny.

– Teraz musimy pogadać z twoim panem. – Paula wstała. Nikki prosząco przekrzywiła łeb, potem pomknęła do mieszkania.

– Fajnie się urządziłeś – powiedziała Paula, rozglądając się.

Rolle zajmował pokój z kuchnią i najwyraźniej nie zależało mu na estetyce. Wąskie drewniane łóżko z pościelą z różnych parafii, na środku podłogi wielki stary telewizor, kanapa z brązowym zmechaconym obiciem, przed nią rozklekotany stolik. Wszystko wyglądało tak, jakby zostało przyniesione ze śmietnika. I zapewne zostało.

– Usiądziemy w kuchni. – Rolle poszedł przodem.

Z jego kartoteki wynikało, że ma trzydzieści jeden lat, ale wyglądał na przynajmniej dziesięć więcej. Wysoki, trochę przygarbiony, tłuste włosy opadające na kołnierzyk spranej kraciastej koszuli. Poplamione dżinsy dużo doświadczyły, sądząc po licznych rozdarciach, niemających nic wspólnego z modą.

– Niestety nie mam czym poczęstować – powiedział z ironią i strzelił palcami, przywołując Nikki. Położyła mu się u nóg.

– Nie szkodzi – odparła Paula. W zlewie i na blacie było tyle brudnych naczyń, że raczej nie znalazłaby się ani jedna czysta filiżanka, gdyby jednak mieli ochotę na kawę.

– O co chodzi? – Rolle westchnął głęboko i zaczął w skupieniu obgryzać paznokieć prawego kciuka. Niektóre miał obgryzione aż do krwi.

– Co wiesz o facecie z sąsiedniej klatki? – Paula przyglądała mu się badawczo.

– O którym?

– A jak myślisz? – powiedział Martin. Złapał się na tym, że przywołał gestem Nikki, żeby się położyła obok jego krzesła.

– Domyślam się, że chodzi o faceta, któremu odstrzelili czaszkę, tak? – Rolle spokojnie patrzył jej w oczy.

– Zgadłeś. No więc?

– Co? Skąd mam wiedzieć? Już mówiłem, jak tu byliście za pierwszym razem.

Paula spojrzała pytająco na Martina, potwierdził skinieniem. Rozmawiał z Rollem, gdy zaraz po morderstwie chodzili do wszystkich sąsiadów.

– Ale od tamtej pory dowiedzieliśmy się kilku rzeczy – powiedziała twardo Paula. Martin pomyślał, że wolałby z nią nie zadzierać. Była nieduża, ale twardsza od większości facetów.

– Tak? – Rolle powiedział to niedbale, ale widać było, że uważnie słucha.

– Słyszałeś, że kilku chłopaczków znalazło torebkę kokainy? Tu, przed domem? – spytała.

Rolle nagle przestał obgryzać kciuk.

– Kokainę? Gdzie?

– W koszu na śmieci. W tamtym. – Wskazała głową na zielony kosz. Widzieli go przez okno.

– Koks w koszu na śmieci? – powtórzył Rolle, patrząc na nią łakomie.

Marzenie narkomana, pomyślał Martin. Znaleźć towar w koszu na śmieci. To jak wygrać w totolotka, nie kupując losu.

– Tak. Dzieciaki spróbowały kokainy. Wylądowały na oddziale ratunkowym, ale mogły się przejechać – powiedziała Paula.

Rolle się speszył, przesunął dłonią po tłustych włosach.

– Straszna sprawa. Dzieci powinny się trzymać z dala od takich rzeczy.

– To siedmiolatki. Myśleli, że to jest oranżada w proszku.

– Ale mówisz, że wyszli z tego cało?

– Tak. Miejmy nadzieję, że już nawet nie spojrzą na to gówno. To, z którym ty masz do czynienia.

– Ja bym nigdy nie sprzedał dzieciakom. Kurde, przecież mnie znacie. W życiu nie dałbym dzieciakom!

– Nie podejrzewamy cię o to. Już mówiłam, znaleźli to w koszu na śmieci. – Paula powiedziała to bardziej miękko. – Ale między ofiarą morderstwa a torebką z kokainą jest jakiś związek.

– Jaki?

– Nieważne. – Paula zbyła go machnięciem ręki. – Jestem ciekawa, czy się znaliście i czy coś wiesz. Nie bój się, nie wsadzimy cię – dodała, zanim Rolle zdążył coś powiedzieć. – Prowadzimy śledztwo w sprawie morderstwa i to jest w tej chwili najważniejsze. Jeśli nam teraz pomożesz, może ci się to kiedyś przydać.

Rolle zastanawiał się głęboko. Wzruszył ramionami i westchnął.

– Niestety. Widywałem go w przelocie, ale nigdy z nim nie rozmawiałem. Myślałem, że nie mamy o czym. Ale jeśli to prawda, co mówicie, może mieliśmy ze sobą więcej wspólnego, niż myślałem. – Roześmiał się.

– Od znajomych też nic o nim nie słyszałeś? – wtrącił Martin. Podrapał Nikki w kark. Położyła się przy jego krześle.

– Nic – niechętnie przyznał Rolle. Chętnie skorzystałby z okazji, żeby zyskać parę punktów u policji, ale najwyraźniej nic nie wiedział.

– Odezwij się, jakbyś się czegoś dowiedział, okej? – Paula podała mu wizytówkę. Rolle znów wzruszył ramionami i wsunął ją do tylnej kieszeni poplamionych dżinsów.

– Pewnie. Traficie do drzwi? – Wyszczerzył się, sięgając po leżącą na stole tabakierkę. Zadarł mu się rękaw, odsłaniając ślady ukłuć w zgięciu ręki. Brał heroinę, nie kokainę.

W zastępstwie pana odprowadziła ich Nikki. Zanim wyszli, Martin jeszcze ją porządnie wygłaskał.

– Jeden z głowy. Zostało jeszcze trzech. – Paula zaczęła schodzić na dół.

– Jak miło spędzić dzień? W norach narkomanów – zauważył Martin.

– Będziesz miał okazję poznać jeszcze parę piesków. Nigdy nie widziałam, żeby ktoś tak szybko przeszedł od przerażenia do zakochania.

– Bo to fajna suka – mruknął Martin. – Ale i tak nie lubię dużych psów.

Erika czuła się tak, jakby zrzuciła z ramion wielki ciężar. Zdawała sobie sprawę, że przed nimi jeszcze długa droga, że Anna w każdej chwili może znów wpaść w czarną dziurę. Niczego nie można brać za pewnik. Ale wiedziała, że Anna jest wojowniczką. Zawsze stawała na nogi siłą woli, teraz na pewno też tak będzie.

Patrik również się ucieszył, gdy poprzedniego wieczoru opowiedziała mu o wielkiej zmianie, jaka zaszła w Annie. Rano, wychodząc do pracy, pogwizdywał. Życzyła mu, żeby dobry humor towarzyszył mu cały dzień. Od czasu kiedy wylądował w szpitalu, uważnie obserwowała, w jakim jest nastroju. Nawet zbyt uważnie. Drętwiała na myśl, że mogłoby mu się coś stać. Był jej przyjacielem, ukochanym i ojcem trójki ich cudownych dzieci. Nie powinien się narażać, wystawiać na zbyt wielki stres. Nie wybaczyłaby mu tego.

– Cześć, to znowu my. – Weszła z wózkiem do biblioteki.

– Witaj! – odpowiedziała wesoło May. – Wczoraj nie zdążyłaś przejrzeć wszystkiego?

– Nie zdążyłam. Zostało mi jeszcze kilka rzeczy w bibliotece podręcznej.

– Jak zwykle: powiedz, gdybyś czegoś potrzebowała.

– Dziękuję. – Erika usiadła przy stole.

Droga do celu była kręta i najeżona przeszkodami. Pracowicie zapisywała w notatniku odnośniki do innych publikacji. Najczęściej nic w nich nie było poza mnóstwem informacji o innych wyspach i rejonach. Ale czasem trafiały się prawdziwe perełki. Dzięki nim posuwała się naprzód. Jak zwykle przy przygotowywaniu dokumentacji.

Wychyliła się, zerknęła do wózka. Bliźnięta spokojnie spały. Rozprostowała nogi i czytała dalej. Stwierdziła, że uwielbia historie o duchach. Dawno nic takiego nie czytała. W dzieciństwie przedzierała się przez najokropniejsze opowiadania, począwszy od Edgara Allana Poe aż po nordyckie sagi. Może właśnie dlatego kiedy dorosła, zaczęła opisywać prawdziwe zbrodnie. Był to swego rodzaju ciąg dalszy makabrycznych opowieści z dzieciństwa.

– Możesz sobie skserować, czego potrzebujesz – uczynnie podpowiedziała May.

Erika podziękowała i poszła zrobić odbitki. Kilka stron wolałaby dokładnie przeczytać w domu. Poczuła w żołądku znajome łaskotanie. Uwielbiała takie szperanie i układanie puzzli, kawałek po kawałku. Takie zajęcie dla dorosłych sprawiało jej tym większą przyjemność, że przez kilka miesięcy myślała wyłącznie o niemowlętach. Uprzedziła wydawnictwo, że do pisania kolejnej książki może przystąpić dopiero za pół roku, i zamierzała wytrwać w tym postanowieniu. Ale musiała czymś zająć głowę i wydawało się, że to będzie dobre na początek.

Włożyła plik skserowanych kartek do torby i raźno ruszyła do domu. Chłopcy nadal spali. Pomyślała, że życie jest piękne.

– Kurwa mać, żeby go... – Patrik nie miał zwyczaju przeklinać, ale tym razem Gösta go rozumiał. Mellberg przeszedł samego siebie.

Patrik tak mocno grzmotnął pięścią w deskę rozdzielczą, że Gösta aż podskoczył.

– Uważaj na serce.

– Dobrze, dobrze – powiedział Patrik. Kilka razy głęboko odetchnął, żeby się uspokoić.

– Tam. – Gösta wskazał wolne miejsce na parkingu. – Jak chcesz to przedstawić? – spytał.

– Nie ma co owijać w bawełnę – odparł Patrik. – I tak wszystko będzie w gazetach.

– Wiem, ale trzeba się zastanowić, jak to zrobić, niezależnie od tego, że Mellberg narozrabiał.

Patrik spojrzał na Göstę ze zdziwieniem, ale i zawstydzeniem.

– Masz rację. Co się stało, to się nie odstanie, musimy pracować dalej. Na początek proponuję przesłuchać Erlinga. Później współpracownicy Sverina. Zapytamy, czy kiedykolwiek zwrócili uwagę na coś, co by miało związek z narkotykami i narkomanią.

– Na przykład? – Gösta miał nadzieję, że nie wychodzi na głupka, ale nie rozumiał, co Patrik ma na myśli.

– Na przykład czy się dziwnie nie zachowywał. Podobno był bardzo sumienny, ale może zdarzyło się coś niezwykłego.

Patrik wysiadł z samochodu. Gösta ruszył za nim. Nie próbowali sprawdzić, kogo mają szansę zastać o tej porze w urzędzie, ale wszyscy byli na miejscu.

– Czy Erling Larsson może nas przyjąć? – spytał Patrik władczym tonem.

Recepcjonistka jakby się przestraszyła. Kiwnęła głową.

– W tej chwili nie ma żadnego spotkania – odparła, wskazując, gdzie jest jego gabinet.

– Dzień dobry – powiedział Patrik, stając w drzwiach.

– Witam! – Erling wstał i podszedł, żeby się przywitać. – Wchodźcie, wchodźcie. Jak wam idzie? Jest jakiś postęp? Słyszałem, co się wczoraj przydarzyło tym malcom. Boże drogi, ku czemu to wszystko zmierza? – Usiadł.

Patrik i Gösta wymienili spojrzenia. Patrik zaczął mówić.

– Chodzi o to, że między tymi sprawami może być jakiś związek. – Odchrząknął, nie wiedział, jak to powiedzieć. – Są powody, żeby sądzić, że Mats Sverin miał coś wspólnego z tą kokainą.

W pokoju zapadła absolutna cisza. Erling patrzył na nich. Patrik i Gösta spokojnie czekali. Wydawał się autentycznie zdumiony.

– Ja... ale... jak... – wyjąkał, a potem tylko kręcił głową.

– Nie przyszło ci to nigdy do głowy? – spytał Gösta, żeby mu pomóc.

– Ależ skąd! Nikomu z nas nigdy by coś takiego nie przyszło do głowy. – Nie było śladu po jego zwykłej swadzie.

– Nigdy nie pomyślałeś, że coś może z nim być nie tak? Zmiany nastroju, spóźnienia, nietypowe zachowania? – Patrik przyglądał mu się uważnie, ale Erling był naprawdę zdumiony

– Nie. Mówiłem już. Mats był wzorem solidności. Trochę skryty, i tyle. – Drgnął. – Może właśnie dlatego? Przez narkotyki? Może nie ma się co dziwić, że nie chciał rozmawiać o prywatnych sprawach, prawda?

– Nie wiemy, czy tak było, ale mogło.

– To straszne. Gdyby wyszło na jaw, że mieliśmy tu kogoś takiego, byłaby to dla nas katastrofa.

– Muszę cię o czymś poinformować – powiedział Patrik, przeklinając w duchu Mellberga. – Widzisz, Bertil Mellberg zwołał rano konferencję prasową i wszystko będzie w jutrzejszych gazetach.

W tym momencie, jak na zamówienie, w drzwiach stanęła recepcjonistka. Miała rozpalone policzki i patrzyła na nich spojrzeniem ściganego zwierzęcia.

– Nie wiem, o co chodzi, ale telefony się urywają. Dzwonili już z kilku gazet. „Aftonbladet" i „Göteborgs--Tidningen" domagają się natychmiastowego połączenia z tobą.

– Boże drogi. – Erling przesunął dłonią po czole. Ukazały się na nim kropelki potu.

– Radzę mówić jak najmniej – powiedział Patrik. – Przykro mi, że media dowiedziały się o tym na tak wczesnym etapie, ale niestety nie miałem na to wpływu. – Powiedział to zjadliwym tonem, ale Erling nie zwrócił na to uwagi. Myślał tylko o sobie.

– Będę musiał odebrać telefon – powiedział, kręcąc się na krześle. – Trzeba jakoś z tego wybrnąć. Tylko jak wytłumaczę, że zatrudniłem narkomana?

Patrik i Gösta wstali. Wiedzieli, że nic tu po nich.

– Chcielibyśmy porozmawiać również z innymi pracownikami urzędu – powiedział Patrik.

Erling podniósł wzrok, był zupełnie rozkojarzony.

– Oczywiście. Rozmawiajcie. Przepraszam, ale muszę odebrać telefon. – Przetarł chustką łysinę.

Zapukali do sąsiedniego pokoju.

– Proszę – zaszczebiotała Gunilla, nieświadoma, co się dzieje.

– Możemy zamienić kilka słów? – spytał Patrik.

Gunilla wesoło kiwnęła głową, ale natychmiast spochmurniała.

– Ojej, ja się zaśmiewam, a wy pewnie przyszliście w sprawie Matsa. Coś już wiadomo?

Patrik i Gösta wymienili spojrzenia. Usiedli. Nie bardzo wiedzieli, jak zacząć.

– Mamy kilka pytań – powiedział Gösta, nerwowo

kiwając nogą. Trudno zadawać sensowne pytania, gdy się wie tak mało.

– Proszę, pytajcie – odparła Gunilla z uśmiechem.

Gösta pomyślał, że Gunilla należy do tych nieznośnie pogodnych osób, których rano, przed wypiciem pierwszej filiżanki kawy, człowiek wolałby nie oglądać. On rano zawsze miał kiepski humor. Na szczęście tak samo było z jego ukochaną żoną nieboszczką. Każde z nich mogło się rozładować, burcząc pod nosem.

– Pewnie słyszałaś, że kilku chłopców trafiło wczoraj do szpitala. Spróbowali kokainy, którą znaleźli w koszu na śmieci – powiedział Patrik.

– Tak, okropna historia. Ale zdaje się, że wszystko dobrze się skończyło.

– Tak, dochodzą do siebie. Ale okazało się, że jest związek między tą sprawą a naszym śledztwem.

– Jaki związek? – spytała, patrząc to na Patrika, to na Göstę.

– Ustaliliśmy, że między Matsem Sverinem i kokainą istnieje pewien związek. – Zdawał sobie sprawę, że nie mówi wprost, jak zawsze, gdy jest zakłopotany. Bardzo mu się nie podobało, że musi o to pytać. Ale może lepiej, żeby dawni koledzy Matsa dowiedzieli się od niego zamiast z gazet.

– Nie rozumiem.

– Wydaje nam się, że Mats miał coś wspólnego z tą kokainą. – Gösta patrzył w podłogę.

– Mats? – Głos jej się załamał. – Nie wierzę. Mówicie, że... Mats?

– Nie wiemy, w jakich okolicznościach to się stało – wyjaśnił Patrik. – Właśnie dlatego tu jesteśmy. Chcemy się dowiedzieć, czy nie przypomina sobie pani żadnej dziwnej sytuacji.

– Dziwna sytuacja – powtórzyła. Patrik widział, że jest wzburzona. – Mats był najsympatyczniejszym człowiekiem, jakiego można sobie wyobrazić. Po prostu nie mogę uwierzyć... Nie, to nie do wiary.

– Nie zauważyła pani niczego dziwnego w jego zachowaniu? Nic nie zwróciło pani uwagi? – Patrik czuł, że czepia się jak pijany płotu.

– To był niezwykle przyzwoity, dobry człowiek. Wykluczone. Nie mógłby nawet dotknąć narkotyków. – Powiedziała to bardzo dobitnie, stukając długopisem w biurko.

– Przykro mi, ale musieliśmy zapytać – powiedział Gösta, jakby się chciał wytłumaczyć. Patrik kiwnął głową i wstał. Gdy wychodzili, Gunilla obrzuciła ich gniewnym spojrzeniem.

Opuścili urząd po godzinie. Przesłuchali pozostałych pracowników. Wszyscy reagowali tak samo. Nikt nie mógł sobie wyobrazić, żeby Mats Sverin mógł mieć cokolwiek wspólnego z narkotykami.

– To tylko potwierdza moje odczucia, chociaż go nie znałem – zauważył Patrik, wsiadając do samochodu.

– Właśnie. A najgorsze jeszcze przed nami.

– Wiem – powiedział Patrik, wyjeżdżając na drogę do Fjällbacki.

Znalazł ich. Już wiedziała. Tak jak wiedziała, że już nie ma dokąd uciec. Wszystkie możliwe drogi były zamknięte. Łatwo mu poszło. Wszystko zniszczył. Wystarczyła pocztówka, bez jednego słowa, bez adresu nadawcy, ale ze szwedzkim stemplem, żeby jej nadzieje rozwiały się jak dym.

Ręka jej się trzęsła, gdy odwracała kartkę, na której wypisano jej nazwisko i nowy adres. Słowa nie były potrzebne, obrazek mówił wszystko. Nie mógłby się wyrazić jaśniej.

Powoli podeszła do okna. Kevin i Vilda bawili się na podwórku, nieświadomi, że ich życie znów się zmieni. Ścisnęła pocztówkę spoconą ręką, próbowała zebrać myśli i coś postanowić. Dzieci były takie radosne. Bawiły się z innymi dziećmi. Wreszcie nie miały w oczach rozpaczy, choć odrobina strachu pewnie zostanie w nich na zawsze. Za dużo widziały. Nie zmieni tego, choćby ich zalała miłością. Wszystko przepadło, a wydawało się, że to jedyne wyjście i jedyna szansa na normalne życie. Wyjechać ze Szwecji i zostawić za sobą jego i całe dotychczasowe życie. Jak im zapewnić bezpieczeństwo, gdy ostatnie koło ratunkowe utonęło?

Madeleine oparła głowę o zimną szybę. Patrzyła, jak Kevin pomaga siostrzyczce wejść po schodkach na zjeżdżalnię. Popychał ją lekko, podtrzymywał za pupę. Może popełniła błąd, pozwalając mu wziąć na siebie rolę mężczyzny. Przecież miał tylko osiem lat. Wszedł w nią tak naturalnie. Opiekował się swoimi dziewczynami, mawiał z dumą. Odpowiedzialność dodała mu powagi. Sam poczuł się z nią bezpiecznie.

Kevin podniósł rękę i odgarnął grzywkę. Był bardzo podobny do ojca, ale w odróżnieniu od niego był wrażliwy. Jak ona. Może to była jej słabość, jak mawiał on, gdy bił.

W poczuciu kompletnej beznadziei uderzała głową o szybę. Z jej planów nic nie zostało. Uderzała głową coraz mocniej, aż poczuła znajomy ból. O dziwo, uspokoiło ją to. Wypuściła z ręki pocztówkę, zdjęcie orła z rozpostartymi skrzydłami upadło na podłogę. Za oknem Vilda zjechała ze zjeżdżalni, uśmiechała się szeroko.

Fjällbacka 1871

– Jak wam się żyje na wyspie? Musi wam dokuczać samotność, prawda? – ciotka Dagmar spojrzała badawczo na Emelie i Karla. Siedzieli sztywno na wąskiej kanapce. Krucha filiżanka wydawała się nie na miejscu w wielkiej dłoni Karla. Emelie elegancko trzymała swoją. Popijała gorącą kawę.

– Jest, jak jest – odparł Karl, nie patrząc na Emelie. – Latarnie są daleko od lądu. Radzimy sobie. Wiecie coś o tym, prawda?

Emelie się zawstydziła. Uważała, że Karl traktuje Dagmar zbyt obcesowo. W końcu to jego ciotka. Nauczono ją, że starszym ludziom należy okazywać szacunek. Poza tym od początku poczuła do niej sympatię. Miała nadzieję, że ją zrozumie, bo sama kiedyś była żoną latarnika. Jej mąż, stryj Karla, był latarnikiem długie lata. Od ojca Karla oczekiwano, że odziedziczy i poprowadzi gospodarstwo. Jego młodszy brat mógł wybrać własną drogę. Stryj stał się dla Karla wzorem. To dlatego wybrał życie na morzu i w latarni. Opowiadał o tym Emelie, gdy jeszcze z nią rozmawiał. Stryj Allan nie żył od wielu lat, a ciotka Dagmar mieszkała sama w małym domku we Fjällbace, w pobliżu Brandparken.

– Oj, wiem, jak to jest – odparła Dagmar. – Ty wiedziałeś, na co się porywasz, bo słuchałeś opowieści Allana. Pytanie, czy Emelie wiedziała.

– Jest moją żoną i musi się z tym pogodzić.

Emelie była bliska płaczu. Wstydziła się, że jej mąż zachowuje się w ten sposób, ale ciotka tylko uniosła brwi.

– Słyszałam od pastora, że dbasz o dom – powiedziała, zwracając się do Emelie.

– Miło mi to słyszeć. – Emelie pochyliła głowę, żeby ukryć rumieniec. Wypiła łyk kawy. Rozkoszowała się jej smakiem. Nieczęsto pijała prawdziwą kawę. Karl i Julian zawsze kupowali za mało. Wolą tracić pieniądze u Abeli, pomyślała gorzko.

– Jak wam się układa z tym człowiekiem, którego macie do pomocy? Porządny? Pracowity? My trafialiśmy na różnych, czasami byli niewiele warci.

– Bardzo dobrze pracuje – odparł Karl, z brzękiem odstawiając filiżankę na spodek. – Prawda, Emelie?

– Tak – wymamrotała, ale nie odważyła się spojrzeć na Dagmar.

– Jak go znalazłeś? Mam nadzieję, że z polecenia, bo w ogłoszenia nie należy wierzyć.

– Julian miał doskonałe referencje, jak się okazało, zgodne z prawdą.

Emelie spojrzała na niego ze zdziwieniem. Karl wiele lat pracował z Julianem na latarniowcu. Wywnioskowała to z ich rozmów. Dlaczego o tym nie wspomniał? Przypomniała sobie czarne, przepełnione nienawiścią oczy Juliana. Wzdrygnęła się i od razu poczuła na sobie badawczy wzrok Dagmar.

– Zdaje się, że dziś masz wizytę u doktora Albrektsona – powiedziała.

Emelie skinęła głową.

– Wybieram się do niego za chwilę, żeby zobaczył, czy wszystko w porządku z małym. Albo małą.

– Brzuch wygląda mi na chłopaka – stwierdziła Dagmar i obrzuciła życzliwym spojrzeniem okrągły brzuch Emelie.

– Macie dzieci? Karl nic nie mówił – powiedziała Emelie. Na wyspie nikt nie poświęcał jej uwagi. Tym bardziej chciała komuś opowiedzieć o cudzie dokonującym się w jej ciele. Najlepiej komuś, kto też tego doświadczył. Ale natychmiast dostała bolesnego kuksańca.

– Nie bądź taka wścibska – syknął Karl.

Dagmar machnęła ręką, ale w oczach miała smutek.

– Trzy razy byłam taka szczęśliwa jak ty teraz. I za każdym razem Pan Bóg chciał inaczej. Moje maleństwa są na górze. – Spojrzała w górę i chociaż była smutna, wydawała się przekonana, że Bóg wie lepiej.

– Przepraszam, ja... – Emelie nie wiedziała, co powiedzieć. Była zrozpaczona. Zachowała się bezdusznie.

– Nic nie szkodzi, kochanie – odparła Dagmar. Pochyliła się i położyła rękę na dłoni Emelie.

Ten życzliwy gest, pierwszy od tak dawna, sprawił, że omal się nie rozpłakała. Wyczuła pogardę w spojrzeniu męża i opanowała się. Chwilę milczeli. Starsza pani przewiercała ją spojrzeniem, musiała dostrzec w jej głowie zamęt i mrok. Ręka spoczywająca na dłoni Emelie była wąska, żylasta, naznaczona latami ciężkiej pracy. Ale w oczach Emelie była piękna. Tak samo jak pociągła twarz z siecią zmarszczek, kreślących obraz dobrego życia, życia w miłości. Siwe włosy upięte w węzeł. Emelie widziała, że nadal są gęste i kiedy je rozpuści, długie do pasa.

– Pewnie miałabyś kłopot z trafieniem do doktora, więc pomyślałam, że pójdę z tobą – odezwała się Dagmar, zabierając rękę.

Karl natychmiast się sprzeciwił.

– Ja pójdę. Trafię, proszę sobie nie robić kłopotu.

– To żaden kłopot.

Przez chwilę mierzyli się wzrokiem. Emelie widziała, że to próba sił. W końcu Karl ustąpił.

– Skoro ciotka tak chce, nie będę nalegał – powiedział, odstawiając filiżankę. – Skorzystam z okazji i zajmę się ważniejszymi sprawami.

– Dobry pomysł. – Dagmar patrzyła na niego, nie drgnęła jej powieka. – Nie będzie nas przeszło godzinę. Potem możecie się spotkać tutaj. Bo chyba nie będziesz robił zakupów bez żony, prawda?

To było pytanie, ale Karl, całkiem słusznie, uznał je za rozkaz, i odpowiedział lekkim skinieniem.

– Dobrze. – Dagmar wstała i kiwnęła na Emelie. – Chodźmy, lepiej się nie spóźnić. Karl niech się zajmie swoimi sprawami.

Emelie nie odważyła się spojrzeć na męża. Przegrał, ale wiedziała, że będzie musiała za to zapłacić. Nie chciała teraz o tym myśleć. Razem z Dagmar wyszły na ulicę i ruszyły w stronę rynku. Postanowiła cieszyć się chwilą, niezależnie od ceny, jaką przyjdzie jej zapłacić. Potknęła się na nierównym bruku. Dagmar natychmiast złapała ją za rękę. Emelie oparła się o nią z ufnością.

– Miałaś jakieś wiadomości od Patrika i Gösty? – Paula zatrzymała się przy recepcji.

– Jeszcze nie – odparła Annika. Chciała coś dodać, ale Paula już ruszyła do kuchni. Po kilku godzinach spędzonych w norach narkomanów chciała się napić kawy z czystej filiżanki. Na wszelki wypadek weszła do toalety i porządnie umyła ręce. Odwróciła się i zobaczyła Martina. Czekał na swoją kolej.

– Dwie dusze zjednoczone jedną myślą. – Roześmiał się.

Paula wytarła ręce i wyszła, robiąc mu miejsce.

– Tobie też filiżankę? – zawołała przez ramię, idąc do kuchni.

– Poproszę! – odparł, przekrzykując szum wody.

Na włączonej płytce stał pusty dzbanek. Paula zaklęła, wyłączyła maszynkę i zabrała się do zeskrobywania zaschniętego osadu.

– Śmierdzi spalenizną – stwierdził Martin, kiedy po chwili wszedł do kuchni.

– Jakiś idiota wypił resztę kawy i zostawił włączoną maszynkę. Poczekaj chwilę, zrobię świeżą.

– Ja też bym się napiła – odezwała się zza ich pleców Annika. Podeszła i usiadła przy stole.

– Co się dzieje? – Martin usiadł koło niej i objął ją.

– To znaczy, że nie słyszeliście?

– O czym mielibyśmy słyszeć? – Paula wsypywała kawę do filtra.

– Mieliśmy rano niezłe zamieszanie.

Paula spojrzała na nią z zaciekawieniem.

– Co się stało?

– Mellberg zwołał konferencję prasową.

Martin i Paula spojrzeli po sobie. Nie wierzyli własnym uszom.

– Konferencję prasową? – Martin rozparł się na krześle. – Żartujesz?

– A skąd. Widocznie wczoraj wieczorem poczuł przypływ geniuszu, po czym obdzwonił gazety i radio. Oczywiście łyknęli to. Był komplet. Nawet „Göteborgs-Tidningen" i „Aftonbladet".

Paula zamocowała filtr w oprawce. Stuknęło głośno.

– Zwariował? Co on, kurde, nie myśli? – Tętno jej przyśpieszyło, musiała głęboko odetchnąć. – Patrik o tym wie?

– A jakże. Zamknęli się na dłuższą chwilę w gabinecie Mellberga. Niewiele słyszałam, ale na pewno nie nadawało się to do powtórzenia przy dzieciach.

– Rozumiem Patrika – powiedział Martin. – Jak ten facet mógł wyjść do mediów na tym etapie? Bo domyślam się, że chodziło o trop narkotykowy, tak?

Annika przytaknęła.

– Jasne, że to za wcześnie. Przecież jeszcze nic nie wiadomo. – W głosie Pauli słychać było przygnębienie.

– Patrik próbował mu to uzmysłowić – powiedziała Annika.

– Jak wypadło? – Paula uruchomiła maszynkę i usiadła. Kawa zaczęła spływać do dzbanka.

– Jak zwykle: cyrk Mellberga. Nie zdziwię się, jeśli jutro gazety wywalą to na pierwszą stronę.

– Cholera jasna – powiedział Martin.

Zapadła cisza.

– A wam jak poszło? – spytała Annika. To był jeden z tych dni, kiedy miała serdecznie dość Bertila Mellberga.

– Nieszczególnie. – Paula wstała i nalała kawy do trzech kubków. – Rozmawialiśmy z kilkoma dilerami z okolicy, ale nie mieli żadnych powiązań ze Sverinem.

– Raczej się nie zadawał ani z Rollem, ani z jego kumplami. – Martin z wdzięcznością przyjął od Pauli kubek gorącej kawy.

– Mnie też trudno to sobie wyobrazić – powiedziała Paula. – Trzeba było to zrobić. Tutaj się raczej nie handluje kokainą. Już prędzej heroiną i amfetaminą.

– Lennart się jeszcze nie odezwał? – spytał Martin.

Annika potrząsnęła głową.

– Nie. Dam wam znać, jak tylko zadzwoni. Wczoraj ślęczał nad tym kilka godzin, więc już coś robi, ale przecież mówił o środzie.

– Okej. – Paula popijała kawę.

– Kiedy wracają Patrik i Gösta? – spytał Martin.

– Nie wiem – odparła Annika. – Na początek mieli pojechać do urzędu gminy, a potem do rodziców Matsa do Fjällbacki, więc trochę to potrwa.

– Mam nadzieję, że zdążą porozmawiać z jego rodzicami, zanim gazety zaczną się do nich dobijać – powiedziała Paula.

– Nie liczyłbym na to – odparł Martin z ponurą miną.

– Niech szlag trafi Mellberga – powiedziała Annika.

– Tak jest, niech szlag trafi Mellberga – mruknęła Paula.

Siedzieli i wpatrywali się w stół.

Po kilku godzinach szperania w internecie Erika czuła, że musi się rozruszać. To nie był stracony czas. Sporo się dowiedziała o Gråskär, o jej historii i ludziach, którzy tam mieszkali, jak również o tych, którzy według legend nigdy nie opuścili wyspy. Nieważne, że nie wierzyła w historie o duchach. Fascynowały ją tak bardzo, że chyba nawet chciała trochę uwierzyć.

– Przyda nam się odrobina świeżego powietrza – powiedziała do chłopców. Leżeli przytuleni na rozłożonym na podłodze kocu.

Ubranie najpierw siebie, a potem dwóch niemowlaków było dość skomplikowanym przedsięwzięciem, ale ostatnio łatwiejszym, bo było ciepło. Od czasu do czasu wiał jednak zimny wiatr, więc na wszelki wypadek włożyła im czapeczki. Mogli wyruszyć. Tęskniła za chwilą, gdy nie będzie już musiała korzystać z nieporęcznego podwójnego wózka. Ciężko się go pchało, choć dzięki temu zażywała tak potrzebnego ruchu. Wiedziała, że to głupota martwić się dodatkowymi kilogramami, które jej zostały po ciąży, ale jakoś nie potrafiła się pogodzić z tym, że tak wygląda. Złościła się na siebie, wiedziała, że to niemądre i okropnie niedojrzałe, a mimo to nie potrafiła zignorować głosiku, który jej podpowiadał, że nie jest taka, jak powinna.

Przyśpieszyła i od razu spłynęła potem. Ruch na ulicach wciąż był niewielki. Kłaniała się napotkanym ludziom, z niektórymi zamieniała kilka słów. Wielu pytało o Annę, ale odpowiadała zdawkowo. Uważała, że jej samopoczucie to sprawa zbyt intymna, żeby o nim rozmawiać. A swoimi nadziejami nie była gotowa się dzielić. Nadal były bardzo kruche.

Minęła rząd czerwonych szop na łodzie, przystanęła i zadarła głowę. Patrzyła na Badis. Chętnie zamieniłaby kilka słów z Vivianne. Podziękowałaby jej za dobrą radę w sprawie Anny, ale schody były nie do pokonania. W końcu wymyśliła, że dostanie się na górę inną drogą. Będzie łatwiej niż schodami. Zawróciła ciężki wózek i skręciła w następną uliczkę. Do szczytu stromego wzgórza dotarła bardzo zasapana. Miała wrażenie, że płuca zaraz jej pękną. Dalej mogła iść górną drogą.

– Halo?! – Zrobiła kilka kroków i weszła do środka. Bliźnięta zostały w wózku, zostawiła go przed wejściem. Nie ma sensu wyjmować dzieci i całego majdanu, póki się nie upewni, czy zastała Vivianne.

– Cześć! – Vivianne wyszła zza rogu i rozpromieniła się na jej widok. – Wpadłaś po drodze?

– Mam nadzieję, że nie przeszkadzam. Jeśli tak, to mów od razu. Po prostu wyszłam z chłopakami na spacer.

– Wcale nie przeszkadzacie. Chodź, zapraszam na kawę. A gdzie oni są? – Vivianne rozejrzała się, Erika pokazała, gdzie stoi wózek.

– Zostali w wózku, nie wiedziałam, czy jesteś.

– Ostatnio mam wrażenie, jakbym w ogóle stąd nie wychodziła – zaśmiała się Vivianne. – Jeśli dasz sobie radę sama, to ja przygotuję kawę.

– Poradzę sobie, nie mam wyjścia – odparła z uśmiechem Erika i poszła po synków. Vivianne miała w sobie coś takiego, że miło było przebywać w jej towarzystwie. Nie umiałaby powiedzieć, na czym to polega, ale czuła się przy niej silniejsza.

Postawiła na stole nosidełka z maluchami i usiadła.

– Domyślam się, że nie namówię cię na zieloną herbatę, więc zaparzyłam tę twoją trutkę.

Mrugnęła porozumiewawczo i postawiła przed Eriką filiżankę. Erika z wdzięcznością spojrzała na smolisty napój. Potem zerknęła podejrzliwie na jasną zawartość filiżanki Vivianne.

– Można się przyzwyczaić, wierz mi – powiedziała Vivianne i wypiła łyk. – Zawiera mnóstwo przeciwutleniaczy, które powstrzymują rozwój komórek rakowych. Między innymi.

– Tak, tak – odparła Erika, sącząc kawę. Niech ta herbata będzie sobie zdrowa jak nie wiem co, ale bez kofeiny nie da się żyć.

– Jak twoja siostra? – spytała Vivianne, głaszcząc Noela po policzku.

– Lepiej, dzięki. – Erika się uśmiechnęła. – Między innymi dlatego wpadłam. Chciałam ci podziękować za radę. Wydaje mi się, że pomogło.

– Tak, badania wskazują na uzdrawiający wpływ dotyku drugiego człowieka. – Noel zakwilił, Vivianne spojrzała pytająco na Erikę i z zachwyconą miną wzięła go na ręce.

– Lubi cię – zauważyła Erika, bo mały natychmiast umilkł. – Nie u wszystkich mu się podoba.

– Oni są naprawdę fantastyczni. – Vivianne potarła nosem o nosek Noela. Próbował pulchnymi rączkami złapać ją za włosy. – Pewnie się zastanawiasz, czy wypada spytać, dlaczego się nie postarałam o dziecko.

Erika przytaknęła z zażenowaniem.

– Jakoś się nie złożyło – powiedziała Vivianne, głaszcząc Noela po pleckach.

Coś błysnęło, Erika spojrzała na jej rękę.

– Ojej, zaręczyliście się? Fajnie. Gratuluję.

– Dziękuję. Rzeczywiście fajnie. – Uśmiechnęła się niewyraźnie i odwróciła wzrok.

– Przepraszam, ale nie wyglądasz na zachwyconą.

– To zmęczenie – odparła Vivianne. Przełożyła warkocz przez ramię, żeby Noel mógł go złapać. – Harujemy dzień i noc. Trudno wykrzesać z siebie zachwyt. Ale oczywiście cieszę się.

– A może... – Erika spojrzała znacząco na Noela. Czuła, że to trochę zbyt nachalne, ale nie mogła się powstrzymać, bo w oczach Vivianne, gdy patrzyła na bliźnięta, widziała prawdziwą tęsknotę.

– Zobaczymy – odparła Vivianne. – Opowiedz mi, czym się teraz zajmujesz. Rozumiem, że chwilowo masz urlop macierzyński i pełne ręce roboty, ale planujesz nową książkę?

– Jeszcze nie. Na razie bawię się w zbieranie dokumentacji. Żeby być w gotowości i nie mieć w głowie wyłącznie gaworzenia.

– Dokumentacji czego? – Vivianne lekko huśtała na kolanie Noela. Wyraźnie mu się podobał taki miarowy ruch. Erika opowiedziała jej o wyprawie na Gråskär, o Annie i o tym, jak nazywają wyspę.

– Wyspa Duchów – powtórzyła Vivianne w zamyśleniu. – W starych opowieściach zawsze tkwi ziarno prawdy.

– No, nie wiem, czy mogę uwierzyć w duchy i zjawy – zaśmiała się Erika. Vivianne spojrzała na nią z powagą.

- Wielu rzeczy nie potrafimy dostrzec, a przecież są.
- Chcesz powiedzieć, że wierzysz w duchy?
- To nie jest właściwe słowo. Wieloletnie doświadczenie w zajmowaniu się zdrowiem i dobrym samopoczuciem mówi mi, że poza ciałem, które widzimy, istnieje jeszcze coś. Człowiek składa się z wielu rodzajów energii, a energia nie ginie, tylko się przekształca.
- Zetknęłaś się z czymś takim? Z czymś, co miało związek z duchami, czy jak to nazwać?

Vivianne przytaknęła.

- Wiele razy. To część życia. W tym, że Gråskär ma taką, a nie inną reputację, musi coś być. Porozmawiaj z Annie. Pewnie niejedno widziała. Oczywiście jeśli jest podatna.
- Co chcesz przez to powiedzieć? – Erika była tak zafascynowana, że chłonęła każde jej słowo.
- Że niektórzy ludzie są podatni na doznania pozazmysłowe bardziej niż inni. Jedni słyszą albo widzą lepiej, inni mają wyostrzoną percepcję, ale każdy może wyćwiczyć zdolność przeżywania doznań pozazmysłowych.
- Trudno mi w to uwierzyć, chociaż chętnie dałabym się przekonać.
- Jedź na Gråskär. – Vivianne mrugnęła okiem. – Wydaje się, że będzie czego doświadczać.
- Przede wszystkim wyspa ma bardzo ciekawą historię. Chętnie bym porozmawiała z Annie. Chciałabym się dowiedzieć, co ona wie. A jeśli nic nie wie, może ją to zaciekawi. Z przyjemnością bym się z nią podzieliła tym, czego się dowiedziałam.
- Nie bardzo cię bawi rola pełnoetatowej mamy, co? – zauważyła Vivianne z uśmiechem.

Erika przyznała jej rację. Rzeczywiście, nie jest to jej najmocniejsza strona. Wzięła na ręce Antona. Annie na pewno z przyjemnością dowie się więcej o historii wyspy. I o mieszkających tam duchach.

Gunnar spojrzał na dzwoniący telefon. Był to aparat starego typu, z tarczą i wygodną, ciężką słuchawką. Matte próbował ich przekonać, żeby kupili przenośny. Dał im nawet taki parę lat temu na Gwiazdkę, ale nie wyjęli go z pudełka. Jest gdzieś w piwnicy. Lubili z Signe ten stary. Teraz było im już wszystko jedno.

Wpatrywał się w dzwoniący telefon. W końcu do niego dotarło, że powinien podnieść słuchawkę.

– Halo. – Słuchał w skupieniu. – To niemożliwe. Co to za idiotyzm? Jak śmiecie dzwonić i... – Nie był w stanie dokończyć. Rzucił słuchawkę.

W następnej chwili rozległ się dzwonek do drzwi. Jeszcze roztrzęsiony poszedł otworzyć. Zobaczył błysk flesza i spadła na niego lawina pytań. Szybko zatrzasnął drzwi, przekręcił zamek i oparł się o nie plecami. Co się dzieje? Spojrzał na schody. Signe leżała w łóżku, w sypialni, na górze. Martwił się, że hałas ją obudził. Co miałby jej powiedzieć, gdyby zeszła na dół? To, co mówili, było tak niedorzeczne, że nic z tego nie rozumiał.

Znów dzwonek. Zamknął oczy, przyciskał plecy do drewnianych drzwi. Po drugiej stronie kłócili się jacyś ludzie. Nie rozróżniał słów, docierał do niego jedynie gniewny, podniesiony ton. W końcu usłyszał znajomy głos.

– Patrik Hedström i Gösta Flygare. Z policji. Może pan nas wpuścić?

Gunnar ujrzał przed sobą Mattego. Najpierw takiego, jaki był za życia, potem leżącego w kałuży krwi w przedpokoju, z rozwaloną głową. Otworzył oczy, odwrócił się i otworzył. Patrik i Gösta wślizgnęli się do środka.

– Co się dzieje? – spytał Gunnar nieobecnym głosem.

– Możemy usiąść? – Patrik, nie czekając na odpowiedź, ruszył w stronę kuchni. Nagle znów usłyszeli dzwonek i sygnał telefonu. Kłóciły się ze sobą. Patrik podniósł słuchawkę, rzucił nią, podniósł jeszcze raz, znów odłożył.

– Dzwonka nie da się wyłączyć – powiedział Gunnar. Był kompletnie zdezorientowany.

Gösta i Patrik wymienili spojrzenia nad jego głową. Potem Gösta poszedł do drzwi. Otworzył i szybko za sobą zamknął. Do uszu Gunnara dobiegła ostra wymiana zdań. Po chwili Gösta wrócił.

– Przez jakiś czas będzie spokój. – Delikatnie poprowadził Gunnara do kuchni.

– Byłoby dobrze, gdyby przyszła pańska żona – powiedział Patrik.

Sverin widział, że Patrikowi jest bardzo przykro. Zaniepokoiło go to jeszcze bardziej. Chciałby się dowiedzieć i zrozumieć, o co chodzi.

– Pójdę po nią – powiedział, odwracając się.

– Już jestem. – Signe właśnie schodziła po schodach. Wyglądała na zaspaną. Mocno owinęła się szlafrokiem, była rozczochrana z jednej strony. – Kto tak bez przerwy dzwoni do drzwi? Co wy tu robicie? Już coś wiadomo? – Spojrzała na Patrika i Göstę.

– Chodźmy do kuchni – powiedział Patrik.

Zobaczyli w jej oczach taki sam niepokój.

– Co się stało? – Zeszła z ostatniego stopnia i poszła za nimi do kuchni.

– Usiądźcie, proszę – powtórzył Patrik.

Gösta podsunął Signe krzesło. Potem sam usiadł. Patrik chrząknął. Gunnar miał ochotę zatkać uszy. Nie miał siły słuchać tego, o czym przed chwilą mówił głos w słuchawce. Nie chciał, ale przecież słyszał, co mówił Patrik. Same kłamstwa, zupełnie niepojęte kłamstwa. Ale wiedział aż za dobrze, co teraz będzie. Kiedy to wydrukują, kłamstwa staną się prawdą. Widział, że Signe nie rozumie, o czym mówią. Widział to w jej coraz bardziej martwym spojrzeniu. Nigdy nie widział umierającego człowieka. Nagle zobaczył, i był bezsilny. Nie potrafił ochronić syna, a teraz siedział jak sparaliżowany i patrzył, jak umiera Signe.

Szumiało mu w głowie i w uszach. Nawet się dziwił, że po nich nic nie widać. Szum narastał z każdą chwilą, w końcu zagłuszył policjantów. Widział tylko ich poruszające się usta. Poczuł, że jego wargi się poruszają, że wypowiedziały jakieś słowa, że musi pójść do toalety. Nogi same zaniosły go do przedpokoju. Miał wrażenie, że ktoś przejął kontrolę nad jego ciałem, a on tylko posłusznie robi, co mu każą. Byle nie słuchać tego, co mówią, i nie patrzeć w martwe oczy Signe.

Mówili i mówili, a on szedł, słaniając się. Minął toaletę i doszedł do drzwi, tuż obok wejściowych. Jego ręka się uniosła, ktoś ją podniósł, nacisnął klamkę, otworzył. Potknął się na schodach, złapał równowagę i krok za krokiem zszedł na dół.

Piwnica była pogrążona w ciemnościach, ale nie przyszło mu do głowy, żeby zapalić światło. Mrok połączył się z szumem. Prowadziły go. Namacał szafkę obok kotła. Nie była zamknięta na klucz, choć powinna. Teraz nie miało to znaczenia. Gdyby była zamknięta, wyłamałby zamek. Ręce wyczuły kształt kolby, po tylu latach polowań na łosie tak dobrze znany. Machinalnie wyjął z pudełka nabój. Potrzebny jest tylko jeden, po co więcej. Włożył nabój, usłyszał kliknięcie. O dziwo, przebiło się przez szum, chociaż nasilał się coraz bardziej.

Usiadł na krześle przy warsztacie stolarskim. Nie wahał się. Sięgnął palcem do spustu. Drgnął, gdy poczuł w zębach stal. Zdążył jeszcze pomyśleć, że dobrze robi, że nie ma wyjścia.

Nacisnął spust. Szum ucichł.

Mellberg czuł dziwny ciężar w piersi. Nie przypominał sobie, żeby kiedykolwiek tak się czuł. Zaczęło się, gdy Patrik zadzwonił z Fjällbacki. Nieprzyjemny ucisk nie ustępował.

Ernst zaskomlał na swoim posłaniu. Wyczuł, że pan jest w kiepskim nastroju. Podniósł się, otrzepał i położył mu się na stopach. Trochę pomogło, ale nadal czuł się kiepsko. Skąd miał wiedzieć, że facet zejdzie do piwnicy, włoży sobie lufę w usta i odstrzeli czaszkę? Jak można mieć do niego pretensje, że nie przewidział czegoś takiego?

Powtarzał w myślach, że to nie jego wina, ale jakoś nie chciało to dotrzeć do jego świadomości. Nagle wstał. Ernst drgnął, gdy zabrano mu poduszkę.

– Chodź, stary, idziemy do domu. – Zdjął smycz z haczyka i przypiął ją do obroży.

Na korytarzu panowała głucha cisza. Wszyscy pozamykali się w swoich pokojach. Mimo to miał wrażenie, że słyszy przez ściany oskarżenia. Czytał to we wszystkich twarzach. I bodaj pierwszy raz w życiu zrobił rachunek sumienia. Usłyszał głos. Powiedział, że może mają rację.

Ernst pociągnął za smycz i Mellberg pośpiesznie wyszedł. Wyparł ze świadomości obraz czekającego na obdukcję ciała Gunnara Sverina. Starał się również nie myśleć o jego żonie, a raczej wdowie po nim. Hedström powiedział, że sprawiała wrażenie całkowicie nieobecnej, nawet nie jęknęła, gdy w piwnicy rozległ się strzał. Zabrali ją do szpitala na obserwację. Hedström powiedział, że chyba już nigdy nie będzie sobą. W ciągu wielu lat służby widział wielu takich ludzi. Niby żyli, oddychali i ruszali się, ale w środku wydawali się puści.

Stanął przed drzwiami mieszkania i musiał głęboko odetchnąć. Był bliski paniki. Marzył o tym, żeby się pozbyć tego ucisku, żeby wszystko było jak dawniej. Wolał nie myśleć o tym, co zrobił, a czego nie zrobił. Nigdy nie lubił brać odpowiedzialności za skutki swoich poczynań. Tak jak nie miał zwyczaju się martwić, gdy coś szło nie tak. Aż do dziś.

– Halo?! – Nagle zatęsknił za głosem Rity i jej kojącym spokojem.

– Cześć, kochanie, jestem w kuchni!

Odpiął smycz, zrzucił buty i poszedł za psem. Ernst, merdając ogonem, pobiegł do kuchni. Suczka Rity, Seniorita, powitała go radosnym merdaniem. Zaczęli się obwąchiwać.

– Obiad będzie za godzinę – powiedziała Rita, nie odwracając się.

Nad kuchenką unosił się apetyczny zapach. Mellberg przecisnął się obok psów. Jak zwykle zajmowały mnóstwo miejsca. Podszedł do Rity i mocno ją objął. Tulił puszyste, znajome ciało.

– Skąd ten przypływ uczuć? – zaśmiała się, odwróciła i objęła go za szyję. Mellberg zamknął oczy. Zdał sobie sprawę, że wyciągnął szczęśliwy los na loterii, choć rzadko o tym myślał. Była wszystkim, o czym mógł marzyć. Zupełnie nie rozumiał, jak kiedyś mógł twierdzić, że stan kawalerski to świetna sprawa.

– Co się dzieje? – Uwolniła się z jego objęć, żeby mu się przyjrzeć. – Mów. Co się stało?

Usiadł przy stole. Nie patrzył na nią, nie miał odwagi. Wyrzucił z siebie wszystko.

– Ależ Bertilu – powiedziała, kucając obok niego. – To nie był najlepszy pomysł.

Nawet mu ulżyło. Nie próbowała go pocieszać jakimiś komunałami. Miała rację. Zachował się bezmyślnie, ale takich skutków nigdy by nie przewidział.

– Co ty we mnie widzisz? – spytał w końcu. Patrzył na nią, jakby chciał nie tylko usłyszeć odpowiedź, ale również ją zobaczyć. Trudno mu było zrobić krok w tył i spojrzeć na siebie z zewnątrz. Zwłaszcza że nigdy tego nie robił. Dotychczas robił wszystko, żeby nie musieć patrzeć na siebie cudzymi oczami. Ale dłużej się nie dało. Byłoby to wręcz niepożądane. Chciał się stać lepszym człowiekiem. Dla Rity. Lepszym mężczyzną.

– Widzę kogoś, kto patrzy na mnie tak, jakbym była ósmym cudem świata. Kto mnie kocha i zrobiłby dla mnie wszystko. Pomógł mojemu wnukowi przyjść na świat, bo był na miejscu, gdy był potrzebny. Oddałby życie za małego chłopczyka, który uważa, że dziadek Bertil jest najlepszy na świecie. Kogoś pełnego uprzedzeń, jak nikt inny ze znanych mi ludzi, ale gotowego się z nimi rozstać, gdy rzeczywistość dowiedzie, że są niepotrzebne. Kogoś mającego wady i braki, i chwilami zbyt wysokie mniemanie o sobie. A teraz tego kogoś boli dusza, bo wie, że zrobił coś bardzo głupiego. – Wzięła go za rękę i ścisnęła ją. – Tak czy inaczej, chcę się co rano budzić u twego boku. Dla mnie jesteś ideałem.

Nie zwracała uwagi na kipiące garnki, a Mellberg poczuł, że ucisk w piersi ustąpił czemuś innemu, równie silnemu. Bertil Mellberg poczuł ogromną wdzięczność.

Nadal czuła ssanie w dołku. Zastanawiała się, czy kiedykolwiek się uwolni od dokuczliwego pragnienia, chociaż wiedziała na pewno, że już nigdy tego nie tknie. Wierciła się w łóżku. Zaczął zapadać wieczór. Pora snu jeszcze nie nadeszła, ale Sam znów spał. Próbowała czytać. Minęło pół godziny. Przewróciła tylko jedną kartkę i już nie pamiętała, o czym czytała.

Fredrik nie lubił, kiedy czytała. Mówił, że marnuje czas. Jeśli ją przyłapał z nosem w książce, natychmiast jej ją wyrywał i rzucał w kąt. Domyślała się, o co tak naprawdę chodzi. Nie chciał się czuć jak niewykształcony prostak. Przez całe życie nie przeczytał ani jednej książki i nie mógł znieść myśli, że ona wie więcej, że ma dostęp do innego świata. Chciał uchodzić za bystrego światowca, a ona miała być ładna i trzymać język za zębami. Nie zadawać pytań, nie mądrzyć się. Kiedyś podczas przyjęcia, które wydali w domu, popełniła błąd. Wtrąciła się do dyskusji o amerykańskiej polityce zagranicznej. W dodatku okazało się, że wie coś o tym dlatego, że czytała co trzeba i wszystko przemyślała. Tego dla Fredrika było za wiele. Do chwili kiedy wyszli ostatni goście, nadrabiał miną, ale później drogo za to zapłaciła. Była w trzecim miesiącu ciąży.

Zabrał jej dużo, nie tylko czytanie. Władzę nad własnymi myślami i ciałem, a także godność. Nie mogła pozwolić, żeby jej odebrał również Sama. Był całym jej życiem, bez niego byłaby nikim.

Położyła książkę na kołdrze i odwróciła się do ściany. Prawie natychmiast wydało jej się, że ktoś usiadł na brzegu łóżka i położył jej rękę na ramieniu. Uśmiechnęła się i zamknęła oczy. Ktoś nucił kołysankę, miłym głosem, ale prawie szeptem. Usłyszała śmiech dziecka. Na podłodze, u nóg kobiety, bawił się mały chłopczyk. Słuchał, podobnie jak ona. Chciałaby zostać u nich na zawsze. Tutaj nic im nie grozi. Ani Samowi, ani jej. Dłoń na jej ramieniu była miękka, sprawiała, że czuła się bezpieczna. Głos śpiewał. Miała ochotę się odwrócić i spojrzeć na dziecko, ale powieki zrobiły się ciężkie.

Ostatnią rzeczą, jaką zobaczyła, już na granicy jawy i snu, była krew. Na jej własnych rękach.

– Erling puścił cię z własnej nieprzymuszonej woli? – Anders pocałował siostrę na powitanie.

– Ma kryzys w pracy – odparła Vivianne, z wdzięcznością biorąc od niego kieliszek wina. – Poza tym wie, że przed otwarciem jest dużo roboty.

– Może zaczniemy od przejrzenia tych papierów? – Anders usiadł przy zarzuconym papierami kuchennym stole.

– Czasem mi się wydaje, że to nie ma sensu – powiedziała Vivianne, siadając naprzeciwko niego.

– Przecież wiesz, po co to robimy.

– Wiem – odparła, wpatrując się w kieliszek. Anders spojrzał na jej serdeczny palec.

– A to co?

– Erling mi się oświadczył. – Vivianne podniosła kieliszek i wypiła porządny łyk wina.

– Aż tak...

– Tak – odparła. Co tu jeszcze mówić?

– Wiemy, co z zaproszeniami? – Anders wiedział, że powinien zmienić temat. Sięgnął po plik spiętych papierów z mnóstwem nazwisk.

– Tak, czas na odpowiedź minął w piątek.

– Dobrze, czyli mamy to pod kontrolą. A jedzenie?

– Zakupy zrobione, kucharz chyba dobry, obsługi tyle, ile trzeba.

– Nie wydaje ci się, że to absurd? – rzucił Anders, odkładając listę gości.

– Dlaczego? – W kącikach jej ust czaił się uśmiech. – Co to szkodzi, że przy okazji trochę się zabawimy?

– Dobrze, ale ile to roboty. – Wskazał na papiery.

– Ale potem będzie fantastyczny wieczór. *Grande finale*. – Uniosła kieliszek, jakby wznosiła toast, i wypiła łyk. Zapach i smak wina przyprawiły ją o lekkie mdłości, przed oczami stanęły jej obrazy, mimo upływu wielu lat nadal bardzo wyraźne.

– Myślałaś o tym, co powiedziałem? – Anders przyjrzał jej się badawczo.

– O czym? – Udawała, że nie wie, o co chodzi.

– O Olofie.

– Już ci mówiłam, nie chcę o nim rozmawiać.

– Nie możemy tego ciągnąć. – Mówił błagalnym tonem, nie rozumiała dlaczego.

Czego on chce? Zawsze znali tylko ten jeden sposób: iść do przodu. Żyli tak od czasu, kiedy się od niego uwolnili, od kwaśnego zapachu wina, dymu papierosowego i dziwnych męskich woni. Zawsze wszystko robili razem. Nie rozumiała, o co mu chodzi, gdy mówił, że nie mogą tego dalej ciągnąć.

– Słuchałeś dziś wiadomości?

– Tak. – Anders wstał i zaczął nakrywać do kolacji. Zebrał papiery i starannie ułożył je w kupkę na krześle.

– I co myślisz?

– Nic – odparł, kładąc talerze.

– W tamten piątek byłam u ciebie w domu. Po tym, jak Matte był u ciebie w Badis. Erling spał, chciałam z tobą porozmawiać. Nie było cię. – Wreszcie powiedziała to, co jej tak długo ciążyło. Patrzyła na Andersa. Niemal modliła się w duchu o wyjaśnienie, żeby mogła się uspokoić. Nie zdobył się na to, żeby na nią spojrzeć. Zastygł ze wzrokiem wlepionym w jakiś punkt na stole.

– Nie pamiętam. Może poszedłem na spacer.

– To było po północy. Kto chodzi o tej porze na spacer?

– Ty poszłaś.

Łzy paliły ją pod powiekami. Kiedyś nie miał przed nią tajemnic ani ona przed nim. Aż do dziś. Przeraziło ją to bardziej, niż mogłoby ją przerazić cokolwiek innego.

Stali w przedpokoju. Patrik zanurzył twarz w jej włosach. Stali tak dłuższą chwilę.

– Wszystko wiem – powiedziała Erika.

Gdy tylko ludzie się dowiedzieli, co się stało, w całej Fjällbace rozdzwoniły się telefony. Gunnar Sverin zastrzelił się we własnej piwnicy.

– Kochanie. – Czuła jego nierówny oddech, a gdy się odsunął, zobaczyła w jego oczach łzy. – Jak to się stało?

Wzięła go za rękę i zaprowadziła do kuchni. Dzieci już spały, w całym domu panowała cisza. Zakłócał ją tylko szum telewizora w salonie. Posadziła go na krześle i zaczęła szykować jego ulubione kanapki: chrupki chleb z masłem, serem i pastą kawiorową. Zwykle maczał je w gorącej czekoladzie.

– Nie dam rady tego zjeść.

– Musisz, chociaż trochę – odparła tonem mamuśki i dalej robiła kanapki.

– To przez tego cholernego Mellberga – powiedział w końcu, wycierając oczy rękawem koszuli.

– Słuchałam wiadomości. Więc Mellberg...

– Tak.

– Tym razem rzeczywiście przeszedł samego siebie. – Wsypała kakao do rondla z mlekiem, potem łyżeczkę cukru.

– Usłyszeliśmy z dołu huk i od razu wiedzieliśmy, co się stało. Powiedział, że idzie do toalety. Nie poszliśmy za nim. Powinniśmy to przewidzieć... – Głos uwiązł mu w gardle, znów musiał wytrzeć oczy rękawem.

– Masz. – Podała mu papierowy ręcznik.

Nieczęsto widziała, żeby płakał. Była gotowa zrobić wszystko, żeby go choć trochę rozweselić. Przygotowała dwie kanapki i wlała czekoladę do dużej filiżanki.

– Proszę. – Zdecydowanym ruchem postawiła wszystko na stole.

Wiedział, że nie ma sensu się sprzeciwiać. Niechętnie umoczył kanapkę w czekoladzie, poczekał, aż zmięknie, i siorbnął, wciągając kęs do ust.

– Co z Signe? – spytała, siadając koło niego.

– Martwiłem się o nią już wcześniej. – Patrik przełknął spory kęs. – A teraz... sam nie wiem. Dali jej coś na uspokojenie i wzięli do szpitala na obserwację. Obawiam się, że nigdy nie dojdzie do siebie. Została sama jak palec. – Z jego oczu znów popłynęły łzy. Erika urwała jeszcze kawałek papierowego ręcznika.

– Co dalej?

– Kontynuujemy śledztwo. Jutro jadę z Göstą do Göteborga. Zbadamy inny trop. Spodziewamy się też raportu Pedersena. Musimy pracować jak zwykle, może wysilić się jeszcze bardziej.

– A prasa?

– Nie możemy im zabronić o tym pisać. Ale wierz mi, w tej sytuacji nikt z nas nie będzie z nimi rozmawiać. Nawet Mellberg. Gdyby próbował, złożę na niego skargę do szefostwa w Göteborgu. Trochę się uzbierało.

– Co prawda, to prawda – przyznała Erika. – Chcesz jeszcze posiedzieć czy idziemy spać?

– Idziemy spać. Chcę się do ciebie mocno przytulić. Mogę? – Objął ją w talii.

– Możesz, a jakże.

Fjällbacka 1871

Badanie było dla Emelie wielkim przeżyciem. Nigdy w życiu nie chorowała. Nie była przyzwyczajona, żeby ją dotykały ręce obcego mężczyzny. Ale obecność Dagmar uspokoiła ją. A po wszystkim doktor powiedział, że według niego wszystko jest w porządku i może się spodziewać, że urodzi zdrowe dziecko.

Kiedy wyszły, rozpierało ją szczęście.

– Będzie chłopiec czy dziewczynka? Jak myślisz? – zapytała Dagmar. Przystanęły na chwilę, żeby odetchnąć, i Dagmar czule położyła rękę na jej brzuchu.

– Chłopiec – odparła Emelie bez wahania. Tak czuła. Nie umiałaby powiedzieć, skąd ma tę pewność, ale wiedziała, że maleństwo, które ją tak mocno kopie, to chłopiec.

– Chłopczyk. Mnie też się wydaje, że brzuch wygląda na chłopca.

– Mam tylko nadzieję, że nie będzie... – urwała w pół słowa.

– Że nie będzie podobny do ojca?

– Tak – wyszeptała. W jednej chwili cała radość zgasła. Na samą myśl o tym, że ma wsiąść do łódki z Karlem i Julianem i wrócić na wyspę, miała ochotę uciekać.

– Karl nie miał łatwo. Ojciec był dla niego naprawdę surowy.

Emelie chciała spytać dlaczego, ale nie miała odwagi. Zawstydziła się, że płacze, i próbowała szybko otrzeć łzy rękawem. Dagmar spojrzała na nią z powagą.

– No cóż, według lekarza nie za dobrze z tobą – powiedziała.

Emelie spojrzała na nią ze zdziwieniem.

– Przecież wszystko jest w porządku.

– Wcale nie. Jest źle do tego stopnia, że aż do porodu powinnaś leżeć i na wszelki wypadek być blisko lekarza. O podróży łódką nie ma mowy.

– Tak. Nie. – Emelie zaczynała rozumieć, co Dagmar ma na myśli, ale bała się uwierzyć. – Nie jest dobrze. Ale gdzie ja się...

– Mam wolny pokój. Wprowadzisz się do mnie, zaopiekuję się tobą. Doktor powiedział, że to dobry pomysł.

– No tak – odparła Emelie i znów zaczęła płakać. – Ale czy to nie będzie za duży kłopot? Nie stać nas, żeby zwrócić koszty.

– Nieważne. Jestem starą ciotką, mieszkam sama w wielkim domu, twoje towarzystwo sprawi mi przyjemność. No i pomogę maleństwu przyjść na świat. Sama radość.

– Więc doktor powiedział, że nie jest za dobrze – powtórzyła Emelie, gdy zbliżały się do rynku.

– Jest naprawdę źle. Kazał natychmiast kłaść się do łóżka, inaczej może być gorzej.

– Właśnie – powiedziała Emelie. Serce jej zabiło, gdy z daleka zobaczyła Karla.

Zauważył je i podszedł. Był zniecierpliwiony.

– Strasznie długo to trwało. Mamy masę spraw do załatwienia, niedługo musimy wracać.

Ciekawe, że zazwyczaj wcale mu nie jest tak pilno, pomyślała Emelie. Gdyby była okazja zahaczyć o knajpę, mogliby wracać później. Za jego plecami stanął Julian. Wpadła w panikę. Pomyślała, że padnie tam, gdzie stoi. Poczuła, że jakaś ręka wsuwa jej się pod ramię.

– Nie ma mowy – spokojnie oznajmiła Dagmar. – Doktor zarządził, że Emelie ma leżeć. Powiedział, że to poważna sprawa.

Karl patrzył na Emelie zaskoczony. Domyślała się, że ma w głowie gonitwę myśli i że nie chodzi mu o nią, że próbuje sobie wyobrazić następstwa. Stała w milczeniu, przestępowała z nogi na nogę. Rozbolały ją od chodzenia. Nogi i krzyż.

– To niemożliwe – powiedział w końcu Karl. Widać było, że gorączkowo próbuje coś wymyślić. – Kto się zajmie domem?

– Sami sobie poradzicie – odparła Dagmar. – Przecież potraficie ugotować parę ziemniaków i usmażyć śledzie. Z głodu nie umrzecie.

– Ale gdzie się podzieje Emelie? Musimy pilnować latarni, więc na ląd nie zejdę. Nie stać nas na to, żeby jej wynająć pokój. Skąd miałbym na to wziąć? – Aż poczerwieniał.

Julian nie odrywał od nich wzroku.

– Może zamieszkać u mnie. Będzie mi bardzo miło. I grosza od was nie chcę. Jestem pewna, że twój ojciec uważałby, że to doskonałe rozwiązanie. Jeśli chcesz, mogę z nim o tym porozmawiać.

Karl patrzył na nią przez chwilę, potem odwrócił wzrok.

– Na pewno będzie dobrze – wymamrotał. – Dziękuję. To miło.

– Dla mnie to będzie prawdziwa przyjemność. Zobaczysz, poradzicie sobie.

Emelie bała się nawet spojrzeć na męża. Nie potrafiła ukryć uśmiechu. Dzięki Bogu. Nie musi wracać na wyspę.

– Ty też nie mogłeś spać w nocy? – Gösta spojrzał na Patrika. On również miał worki pod oczami.

– Tak – odparł Patrik.

– Niedługo będziesz znał tę drogę na pamięć. – Znów jechali do Göteborga. Gösta spojrzał w kierunku Torp.

– Tak.

Gösta się domyślił. Włączył radio. Po przeszło godzinie jazdy i słuchania jałowego popu byli na miejscu.

– Wydał ci się chętny do współpracy, gdy do niego dzwoniłeś? – spytał Gösta. Wiedział z doświadczenia, że ze współpracą między jednostkami policji jest jak ze wszystkim: zależy, na kogo się trafi. Jeśli to będzie ktoś nieżyczliwy, niczego się nie dowiedzą.

– Wydał mi się sympatyczny. – Patrik pierwszy podszedł do recepcji. – Patrik Hedström i Gösta Flygare. Jesteśmy umówieni z Ulfem Karlgrenem.

– To ja – rozległo się za ich plecami. W ich stronę szedł potężny mężczyzna w czarnej skórzanej kurtce i kowbojskich butach. – Pomyślałem, że będzie lepiej, jeśli usiądziemy w naszej kawiarni, bo u mnie w pokoju jest strasznie ciasno. Zresztą tu jest lepsza kawa.

– Oczywiście – powiedział Patrik, taksując go spojrzeniem. Nie mógł się powstrzymać, bo widok był niesamowity. O regulaminowym stroju nie było nawet mowy. Przekonał się o tym, gdy Ulf Karlgren rozchylił kurtkę. Zobaczył sprany T-shirt z napisem AC/DC.

– Tutaj.

Ulf sadził wielkimi krokami, Patrik i Gösta starali się za nim nadążać. Stwierdzili, że skąpe owłosienie na czubku głowy zrekompensował sobie długą kitką ściągniętą na karku gumką. Na tylnej kieszeni odciskał się wyraźny kształt tabakierki.

– Cześć, dziewczyny! Jesteście dziś piękne jak nigdy. – Mrugnął do kobiet stojących za ladą. Zachichotały uszczęśliwione. – Co możecie mi dzisiaj polecić? O taką figurę trzeba dbać! – Ulf klepnął się w wielki, opięty T-shirtem brzuch.

Patrik pomyślał o Mellbergu. Ale na tym podobieństwa się kończyły. Ulf sprawiał znacznie sympatyczniejsze wrażenie.

– Zjemy po takim tortowym – powiedział Ulf, wskazując na olbrzymie ciacha pokryte jasnozielonym marcepanem.

Patrik zaczął protestować, ale Ulf go zbył.

– Przyda ci się trochę tłuszczyku – powiedział, stawiając na tacy talerzyki z ciastkami.

– Jeszcze trzy kawy. I to już wszystko.

– Nie trzeba... – powiedział Patrik, gdy Ulf wyjął z wymiętoszonego portfela kartę.

– Co tam, postawię wam. Chodźcie, usiądziemy.

Poszli za nim do stolika. Wesoły dotychczas Ulf spoważniał.

– Wspomniałeś, że chodzi o jakiś gang motocyklowy.

Patrik skinął głową. Opowiedział w skrócie, co się stało i co im się udało ustalić. Jest świadek, który widział, jak domniemani członkowie gangu motocyklowego z orłami na plecach bili Matsa Sverina.

Ulf kiwnął głową.

– To bardzo prawdopodobne. Sądząc z opisu, może chodzić o gości z IE.

– IE? – Gösta już zdążył zjeść swoje ciastko. Patrik nie mógł się nadziwić, gdzie się podziewa to całe jedzenie, bo Gösta był smukły jak chart.

– Illegal Eagles*. – Ulf wrzucił do kawy cztery kostki cukru. – To gang numer jeden w naszym regionie. Najbardziej okrutny i bezwzględny.

– O cholera.

– Jeśli to rzeczywiście oni, zalecałbym jak najdalej idącą ostrożność. Mieliśmy już z nimi kilka raczej nieudanych konfrontacji.

– Czym się zajmują? – spytał Patrik.

– Prawie wszystkim. Narkotykami, prostytucją, haraczami, szantażem. Łatwiej wymienić dziedziny, którymi się nie zajmują.

– Kokaina?

– Zdecydowanie. Również heroina i amfetamina. I anaboliki.

– Udało ci się sprawdzić, czy nazwisko Mats Sverin przewinęło się w jakimś śledztwie?

– Nie spotkaliśmy się z tym nazwiskiem. – Ulf potrząsnął głową. – Co niczego nie wyklucza. Mógł być w coś zamieszany, tylko go nie namierzyliśmy.

– Jego profil nie bardzo do tego pasuje. Nie przypominał chuligana na motocyklu. – Gösta się najadł i zadowolony rozsiadł się wygodnie.

– Trzon stanowią chuligani na motocyklach, ale wo-

* Illegal Eagles – ang. Nielegalne Orły.

352

kół kręcą się bardzo różni ludzie, zwłaszcza gdy w grę wchodzą narkotyki. Niektóre śledztwa zaprowadziły nas do ludzi z najwyższych kręgów.

– Można się z nimi skontaktować? – Patrik dopił kawę.

Ulf wstał, żeby mu jeszcze raz napełnić filiżankę.

– Należy się dolewka – powiedział, siadając. – Jak powiedziałem, odradzam bezpośrednie kontakty z tymi panami. Mamy złe doświadczenia. Jeśli możecie zacząć od drugiej strony, na przykład od ludzi z otoczenia tego Sverina, radziłbym tak zrobić.

– Rozumiem – odparł Patrik. – Jak się nazywa ich szef?

– Stefan Ljungberg. Neonazista, dziesięć lat temu założył IE. Odkąd skończył osiemnaście lat, kilka razy siedział. A przedtem był w poprawczaku. Domyślasz się, co to za typ.

Patrik skinął głową, chociaż musiał przyznać, że raczej nie miewał do czynienia z takimi ludźmi. Pomyślał, że w porównaniu z nimi chuligani z Fjällbacki i okolic wydają się zupełnie nieszkodliwi.

– Co mogłoby ich skłonić, żeby pojechali do Fjällbacki i wpakowali komuś kulkę w głowę? – Gösta spojrzał uważnie na Ulfa.

– Wyobrażam sobie całe mnóstwo różnych scenariuszy. Najczęstszy powód odstrzelenia: delikwent chce odejść z bandy. Ale to chyba nie ten przypadek, więc może być cokolwiek innego. Zostali oszukani podczas transakcji narkotykowej albo boją się, że zacznie donosić. Pobicie byłoby pierwszym ostrzeżeniem. Nie potrafię zgadnąć. Zapytam kolegów, czy coś słyszeli. Poza tym, jak już wspomniałem, radzę popytać raczej wśród znajomych Sverina. Ludzie zazwyczaj wiedzą więcej, niż im się wydaje.

Patrik miał wątpliwości. Przecież na tym polegał największy problem z tym śledztwem: o Sverinie prawie nic nie wiadomo.

– Dziękujemy za pomoc – powiedział, wstając.

Ulf z uśmiechem podał mu rękę.

– Nie ma za co. Chętnie pomożemy, a gdybyście mieli jeszcze jakieś pytania, odezwijcie się.

– Na pewno się odezwiemy – odparł Patrik.

Trop wydawał się dobry, ale nadal wiele rzeczy się nie zgadzało. Nie mógł rozgryźć tej sprawy. Ani Matsa. Wciąż słyszał wczorajszy wystrzał.

– Co robimy? – Martin stanął w drzwiach pokoju Pauli.

– Nie wiem – odparła. Była tak samo przygnębiona jak on.

To, co się stało, mocno nimi wstrząsnęło. Mellberga nawet nie widzieli, zamknął się w swoim gabinecie. To nawet lepiej. Chyba nie umieliby ukryć odrazy. Paula na szczęście nie widziała go również w domu. Gdy wróciła wieczorem, już spał, a rano, gdy wychodziła, jeszcze spał. Przy śniadaniu matka próbowała mówić o tym, co się stało, ale Paula nie była w nastroju. Johanna nie próbowała. Gdy Paula położyła się do łóżka, odwróciła się do niej plecami. Wyrastał między nimi coraz wyższy mur. Nagle poczuła suchość w ustach, jak podczas ataku paniki, i sięgnęła po stojącą na biurku szklankę wody. Nie miała siły o tym myśleć.

– Co możemy zrobić, kiedy ich nie ma? – Martin wszedł i usiadł.

– Lennart miał się dziś odezwać – odparła. Miała za sobą ciężką noc i choć wiedziała, dlaczego się niecierpliwi, była za bardzo zmęczona, żeby cokolwiek zrobić. Myślała tylko o tym, że kręci jej się w głowie. Tymczasem Martin patrzył na nią wyczekująco.

– Może zadzwonię i dowiem się, czy już skończył? – Sięgnął po komórkę.

– Nie. Jestem pewna, że się odezwie, jak będzie gotowy.

– Okej. – Martin schował komórkę do kieszeni. – No to co robimy? Patrik nic nie powiedział przed wyjazdem. Przecież nie będziemy siedzieć z założonymi rękami.

– Nie wiem. – Paula była coraz bardziej zła. Dlaczego to ona ma wydawać polecenia? W zasadzie są równi wiekiem, w dodatku Martin ma tu dłuższy staż. Choć ona ma doświadczenie z policji sztokholmskiej. Odetchnęła głęboko. Nie ma prawa wyładowywać się na Martinie.

– Pedersen ma dziś złożyć raport z sekcji zwłok. Zacznijmy od tego. Zadzwonię, dowiem się, czy może już coś powiedzieć.

– Właśnie, może się okaże, że jest się czym zająć. – Martin wyglądał jak szczęśliwy psiak, którego właśnie pogłaskano.

Uśmiechnęła się półgębkiem. Nie sposób się na niego długo złościć.

– Już dzwonię.

Obserwował w napięciu, jak wybiera numer. Pedersen najwyraźniej siedział przy telefonie. Odebrał już po pierwszym sygnale.

– Cześć, mówi Paula Morales z Tanumshede. Masz już? O, jak dobrze. – Podniosła do góry kciuk. – Dobrze, przefaksuj, ale może coś powiesz? – Kiwając głową, notowała w bloku.

Martin wyciągał szyję, usiłował coś odczytać. W końcu dał za wygraną.

– Mhm... okej. – Wysłuchała, zapisała i odłożyła słuchawkę.

Martin nie przestawał się w nią wpatrywać.

– Co powiedział? Będzie coś z tego?

– Bezpośrednio nie. Potwierdził to, co już wiedzieliśmy. – Zerknęła do notatek. – Mats Sverin został trafiony w tył głowy jednym strzałem, z broni palnej kaliber dziewięć milimetrów. Przypuszcza, że śmierć nastąpiła natychmiast.

– A czas?

– Dobra wiadomość. Ustalił, że zmarł w nocy z piątku na sobotę.

– Co jeszcze?

– We krwi nie było śladu narkotyków.

– Żadnych?

Paula potrząsnęła głową.

– Żadnych, nawet nikotyny.

– Co nie wyklucza, że mógł nimi handlować.

– Niby mógł, ale człowiek się zastanawia... – Zajrzała do notatek. – Musimy przede wszystkim ustalić, czy da się dopasować tę kulę do broni figurującej w naszych rejestrach. Gdyby się okazało, że jest związek z jakąś inną sprawą, ułatwiłoby nam to bardzo odnalezienie broni. A może i sprawcy.

W drzwiach stanęła Annika.

– Dzwonili z Ratownictwa Morskiego. Znaleźli łódkę.
Paula i Martin spojrzeli po sobie. Nie musieli pytać,
jaką łódkę.

Madeleine wszystko już spakowała. Wiedziała, co ma
robić, jak tylko dostała widokówkę. Dłużej nie może
uciekać. Miała świadomość, co im grozi, ale równie niebezpieczne byłoby pozostanie na miejscu. Może będą
mieli większe szanse, jeśli zdecyduje się wrócić.
Usiadła na walizce, żeby ją zamknąć. To było wszystko, co mogła ze sobą zabrać. Jedna walizka, a w niej całe
życie. Niedawno, gdy z tą walizką wsiadała z dziećmi do
pociągu do Kopenhagi, była pełna nadziei. Było jej żal, że
zostawia wszystko za sobą, a jednocześnie cieszyła się na
to, co może zyskać.
Rozejrzała się po skromnym mieszkanku. Pokój
z kuchnią, jedno łóżko, w którym spały dzieci, razem, bo
tak wolały, i materac dla niej, na podłodze. Komuś innemu pewnie by się nie podobało, ale dla niej przez jakiś
czas było rajem na ziemi. To było ich mieszkanie, czuli się tu bezpiecznie. Teraz stało się pułapką. Nie mogli tu dłużej zostać. Mette, nie pytając o nic, pożyczyła jej
pieniądze na bilet. Może właśnie kupiła sobie śmierć, ale
czy miała wybór?
Włożyła widokówkę do zniszczonej torebki. Wolałaby
ją podrzeć na kawałeczki i spuścić w ubikacji, ale wiedziała, że powinna ją zachować. Jako przypomnienie.
Żeby nie żałować.
Dzieci były u Mette. Bawiły się na podwórku, a potem pobiegły do niej. Dzięki temu mogła jeszcze trochę

pobyć sama. Za chwilę im powie, że muszą wracać do domu. Dom nie kojarzył im się z niczym dobrym. Ucierpieli tam poturbowani i fizycznie, i psychicznie. Miała nadzieję, że wiedzą, że mama nigdy nie zrobiłaby im krzywdy, ale nie miała wyboru. Gdyby ich dopadł uciekających, chowających się jak króliki w norze, nie darowałby ani jej, ani im. Była tego pewna. Królik ma szansę uratować życie tylko wtedy, gdy wyjdzie naprzeciw lisowi.

Wstała, żeby rozprostować zesztywniałe nogi. Trzeba ruszać. Nie mogła dłużej odkładać tego, co nieuniknione. Wmawiała sobie, że dzieci zrozumieją. Gdyby jeszcze sama potrafiła w to uwierzyć.

– Słyszałam o Gunnarze – powiedziała Anna.

Nadal przypominała kruche pisklątko. Erika uśmiechnęła się blado.

– Nie myśl o tym. Masz dość własnych problemów.

Anna zmarszczyła czoło.

– Czy ja wiem... Czasem mi lżej, kiedy mogę współczuć komuś innemu zamiast sobie.

– To musi być dla Signe straszny cios. Została zupełnie sama.

– A jak Patrik? – Anna siedziała na kanapie. Podkuliła nogi. Dzieci były w szkole i w przedszkolu, bliźnięta spały w wózku przed domem.

– Wczoraj wieczorem był załamany – odpowiedziała Erika, sięgając po bułkę z cynamonem.

Upiekła je Belinda, najstarsza córka Dana. Miała kiedyś chłopaka, który mówił, że lubi gospodarne dziewczyny. Chłopak należał już do przeszłości, ale Belinda nadal piekła i trzeba przyznać, że miała do tego talent.

– Ale pyszne. – Erika aż przewróciła oczami.

– Tak, Belinda to prawdziwy talent. Dan mówił, że była nadzwyczajna dla młodszych dzieciaków.

– To prawda. Zwłaszcza kiedy była naprawdę potrzebna.

Belinda sprawiała dość upiorne wrażenie: ufarbowane na czarno włosy, równie czarne paznokcie i krzykliwy makijaż. Ale gdy Anna nie była w stanie nic zrobić, wzięła pod swoje skrzydła młodsze rodzeństwo, łącznie z Emmą i Adrianem.

– Przecież to nie była wina Patrika – powiedziała Anna.

– Wiem, i też mu to mówiłam. Jeśli już, to zawinił Mellberg, ale z niewiadomego powodu Patrik zawsze poczuwa się do odpowiedzialności. Był u nich z Göstą, gdy Gunnar się zastrzelił, i teraz sobie wyrzuca, że tego nie przewidział.

– A jak miał przewidzieć? – parsknęła Anna. – Nikt nikogo nie zawiadamia, że ma zamiar popełnić samobójstwo. Ja też wiele razy o tym myślałam... – Urwała i spojrzała na Erikę.

– Ty byś tego nigdy nie zrobiła. – Erika przysunęła się do siostry i spojrzała jej w oczy. – Bardzo dużo przeszłaś, więcej niż inni, i gdybyś miała to zrobić, już byś zrobiła. W tobie tego nie ma.

– Skąd ta pewność?

– Stąd, że nie zeszłaś do piwnicy, nie wsadziłaś sobie w usta lufy i nie nacisnęłaś spustu.

– Nie mam strzelby – odparła Anna.

– Nie udawaj. Wiesz, o co mi chodzi. Nie rzuciłaś się pod samochód, nie pocięłaś sobie nadgarstków, nie nałykałaś się proszków nasennych. Nie zrobiłaś tego, bo jesteś silna.

– Nie wiem, czy to ma coś wspólnego z siłą – mruknęła Anna. – Wydaje mi się, że trzeba sporej odwagi, żeby do siebie strzelić.

– Chyba nie. Przecież to chwila. Sprzątanie spada na innych, jeśli mogę się tak wyrazić. Dla mnie to żadna odwaga. Raczej tchórzostwo. Przecież Gunnar nie myślał wtedy o Signe. Gdyby myślał, toby tego nie zrobił. Gdyby z nią został, żeby mogli sobie nawzajem pomagać... to byłaby odwaga. Wszystko inne jest tchórzostwem. Ty nie poszłaś tą drogą.

– Według tej pani wszystko będzie dobrze, jeśli się zacznie ćwiczyć jogę, przestanie jeść mięso i poświęci pięć minut dziennie na ćwiczenia oddechowe. – Anna wskazała na telewizor. Jakaś entuzjastka zdrowego trybu życia zachwalała jedyną drogę do szczęścia i dobrego samopoczucia.

– Jak można znaleźć szczęście, nie jedząc mięsa? – spytała Erika.

Anna nie mogła się nie roześmiać.

– Ty naprawdę masz nie po kolei w głowie. – Szturchnęła siostrę łokciem w bok.

– I kto to mówi? Sama wyglądasz, jakby cię wypuścili z zakładu. Na przepustkę.

– Podła. – Anna cisnęła w nią poduszką.

– Proszę bardzo, jeśli tylko będziesz się śmiała – mruknęła pod nosem Erika.

– To była tylko kwestia czasu – stwierdziła Petra Janssen. Co chwila dopadały ją mdłości, chociaż jako matka pięciorga dzieci była dość odporna na paskudne zapachy.

– Rzeczywiście, raczej nie jest to niespodzianka. – Konradowi Spetzowi, jej partnerowi, zdecydowanie trudniej było opanować mdłości.

– Lada chwila powinien tu być wydział narkotykowy.

Wyszli z sypialni. Zapach ciągnął się za nimi, ale piętro niżej, w salonie, już dawało się oddychać. Na kanapie siedziała kobieta około pięćdziesiątki. Płakała rozpaczliwie. Uspokajał ją młody funkcjonariusz.

– Czy to ona go znalazła? – spytała Petra, wskazując na nią głową.

– Tak. To sprzątaczka Westerów. Zwykle przychodzi raz w tygodniu, ale planowali wyjazd, więc wystarczało sprzątanie co dwa tygodnie. Dziś przyszła i go znalazła... – Konrad chrząknął.

– Wiemy, gdzie są żona i dziecko? – Petra przyszła ostatnia. Miała wolny dzień. Kiedy zadzwonili, żeby ją wezwać, była w Gröna Lund*. Wybrała się tam z rodziną.

– Nie. Według sprzątaczki cała rodzina miała spędzić lato we Włoszech.

– Trzeba sprawdzić loty. Oby się okazało, że właśnie się prażą na słońcu – powiedziała Petra z ponurą miną. Doskonale wiedziała, kim jest człowiek leżący na górze.

---

* Gröna Lund – park rozrywki na sztokholmskiej wyspie Djurgården.

I w jakich kręgach się obracał. Pomyślała, że to, że jego żona i dziecko leżą na słońcu, jest mało prawdopodobne. Raczej leżą martwi w jakimś lesie albo na dnie zatoki Nybroviken.

– Już wydałem polecenie.

Petra z zadowoleniem kiwnęła głową. Pracowali z Konradem razem od ponad piętnastu lat i rozumieli się lepiej niż niejedno małżeństwo. Musieli dziwnie razem wyglądać. Petra, licząca przeszło sto osiemdziesiąt centymetrów wzrostu, z figurą naznaczoną pięcioma porodami, mocno górowała nad Konradem. Nie dość, że był niski, to jeszcze drobny. Wydawał się dziwnie aseksualny. Chwilami zastanawiała się nawet, czy wie, jak się robi dzieci. W ciągu wielu lat wspólnej pracy nigdy nie słyszała, żeby miał jakieś życie erotyczne. Nie słyszała nic ani o kobietach, ani o mężczyznach. Ale też nie pytała. Połączyły ich wspólne cechy: błyskotliwy intelekt, ironiczny humor i zaangażowanie w pracę, które udało im się zachować mimo wielu reorganizacji, durnych szefów z politycznego rozdania i idiotycznych rozporządzeń.

– Trzeba rozesłać wiadomość, że ich poszukujemy, i pogadać z facetami z wydziału narkotykowego – dodał.

– Z facetami i dziewczynami – poprawiła go Petra.

Konrad westchnął.

– Dobrze, z facetami i dziewczynami.

Petra miała pięć córek. Równouprawnienie należało do tematów drażliwych. Zdawał sobie sprawę, że w gruncie rzeczy jest przekonana, że kobiety są lepsze od mężczyzn. Mógłby spytać, czy to też nie pachnie dyskryminacją, ale był na tyle roztropny, żeby tę refleksję zachować dla siebie.

– Na górze jest straszny rozgardiasz. – Pokręciła głową.

– Padło dużo strzałów. Łóżko jest mocno podziurawione. Wester też.

– Jak oni mogą wierzyć, że warto? – Omiotła wzrokiem piękny jasny pokój i znów pokręciła głową. – Pewnie, dom jest przepiękny, domyślam się, że żyło im się fantastycznie, ale przecież nawet oni wiedzą, że prędzej czy później szlag to wszystko trafi. Potem leży taki we własnym łóżku w jedwabnej pościeli i gnije podziurawiony kulami.

– Dla takich zwyczajnych ludzi pracy jak my to niepojęte. – Konrad wstał z głębokiej białej kanapy i wyszedł do przedpokoju. – Chyba idzie wydział narkotykowy.

– Dobrze – powiedziała Petra. – Zaraz się okaże, co chłopcy mają do powiedzenia.

– I dziewczyny – dodał Konrad z uśmiechem.

– Co robimy? – spytał Gösta z rezygnacją. – Chyba nie ma co gadać z tymi typami.

– Też tak myślę – przyznał Patrik. – A jeśli już, to na samym końcu.

– No to co robimy? Podejrzewamy, że to IE go pobili, a może i zamordowali, ale nie mamy odwagi z nimi gadać. Nie ma co, fajni z nas policjanci. – Gösta potrząsnął głową.

– Wracamy do Fristad. Rozmawialiśmy tylko z Leilą. Trzeba posłuchać, co mają do powiedzenia inni pracownicy. Widzę w tym jedyną szansę. – Uruchomił silnik i ruszył do Hisingen.

Wpuszczono ich od razu, ale Leila spojrzała na nich ze znużeniem, gdy tylko weszli do jej pokoju.

– Bardzo chcielibyśmy wam pomóc, ale nie rozumiem, czego się po nas spodziewacie. – Rozłożyła ręce. – Pokazałam wam całą dokumentację i odpowiedziałam na wszystkie pytania. Naprawdę nie wiemy nic więcej.

– Chciałbym porozmawiać z innymi pracownikami. Jest ich dwoje, prawda? – Patrik powiedział to uprzejmie, ale zdecydowanie. Zdawał sobie sprawę, że przeszkadzają im w pracy, ale tylko tu mogli się dowiedzieć czegoś więcej. Mats nadal był dla nich niezapisaną kartą. Może zaczną ją zapisywać tu, gdzie pracował z takim oddaniem.

– Okej, możecie siedzieć w pokoju socjalnym – powiedziała Leila z westchnieniem i wskazała na drzwi po prawej. – Przyślę Thomasa, a jak z nim skończycie, on zawoła Marie. – Założyła włosy za ucho. – Byłabym wdzięczna, gdybyście potem dali nam spokojnie popracować. Rozumiem, że policja musi prowadzić śledztwo, i bardzo współczujemy rodzinie Mattego, ale nie mamy nic do dodania, a to, co robimy, też jest ważne. Matte pracował tu cztery lata, ale prawie nic nie wiedzieliśmy o jego życiu prywatnym i nie mamy pojęcia, kto mógł go zamordować. Poza tym stało się to już po jego odejściu i wyjeździe z Göteborga.

Patrik skinął głową.

– Rozumiem. Porozmawiamy tylko z pracownikami i postaramy się już was nie nachodzić.

– Będę wdzięczna. I naprawdę nie chcę być niemiła. – I poszła. Patrik i Gösta zainstalowali się w pokoju socjalnym.

Po chwili wszedł wysoki czarnowłosy mężczyzna, około trzydziestopięcioletni. Patrik już go widział, nawet się z nim witał w przelocie. Zamienili ze sobą kilka słów.

– Znał pan Matsa Sverina? – Patrik oparł łokcie na kolanach i splótł dłonie.

– Tak, przyszedłem tu wkrótce po nim, pracowaliśmy razem prawie cztery lata.

– Spotykaliście się poza pracą? – spytał Patrik.

Thomas potrząsnął głową. Jego brązowe oczy patrzyły spokojnie, nie musiał się namyślać.

– Nie, Matte był bardzo zamknięty w sobie. Nie wiem, z kim się spotykał. Poza siostrzeńcem Leili. Zresztą to chyba też się urwało.

Patrik westchnął w duchu. Znowu to samo. Wszyscy jego znajomi to mówią.

– Nie wie pan, czy miał jakieś problemy? Osobiste albo w pracy? – wtrącił Gösta.

– Nic z tych rzeczy – odparł Thomas bez zastanowienia. – Zawsze był... jak to Matte. Spokojny, przewidywalny, nigdy nie wybuchał. Zauważyłbym, gdyby coś było nie tak. – Patrzył Patrikowi w oczy, nawet nie mrugnął.

– Jak sobie radził z problemami, z którymi się stykacie w pracy?

– Siłą rzeczy bardzo się przejmujemy losem ludzi, z którymi mamy do czynienia. Z drugiej strony trzeba zachować dystans, inaczej człowiek nie dałby rady. Matte dobrze sobie z tym radził. Był ciepły i współczujący, ale nie angażował się zanadto.

– Jak pan tu trafił? Wiem, że Fristad to jedyne schronisko dla kobiet, w którym pracują mężczyźni. Leila zaznaczyła, że dobierała was szczególnie starannie – powiedział Patrik.

– Tak. Bardzo jej się dostało i za mnie, i za Mattego. Pewnie wiecie, że Matte był znajomym siostrzeńca Leili. Moja mama przyjaźni się z Leilą, znam ją od dzieciństwa. Kiedy wróciłem z Tanzanii, gdzie pracowałem jako wolontariusz, zaproponowała mi pracę. Nigdy nie żałowałem, że tu przyszedłem, chociaż to duża odpowiedzialność. Jeśli popełnię błąd, będzie to woda na młyn tych, którzy uważają, że w schroniskach dla kobiet nie powinni pracować mężczyźni.

– Czy był ktoś, z kim Mats szczególnie często się kontaktował? – Patrik wpatrywał się w Thomasa. Zastanawiał się, czy czegoś nie ukrywa, ale wciąż widział tylko spokój.

– Nie, to surowo zabronione. Chociażby z powodów, które wymieniłem. Musimy do tych kobiet i ich rodzin podchodzić profesjonalnie. To zasada numer jeden.

– I Mats jej przestrzegał? – spytał Gösta.

– Wszyscy przestrzegamy – odparł Thomas z urazą. – Bazujemy na dobrej opinii. Najmniejsze potknięcie mogłoby mieć fatalne skutki. Opieka społeczna zerwałaby współpracę z nami. Uderzyłoby to w tych, którym mamy pomagać. Jak już próbowałem wyjaśnić, jako mężczyźni ponosimy większą odpowiedzialność. – Wyraźnie zaostrzył ton.

– Musimy o to pytać – powiedział Patrik, próbując załagodzić sytuację.

Thomas skinął głową.

– Tak, wiem. Przepraszam, że się uniosłem, ale to bardzo ważne. Nie może na nas paść nawet cień podejrzenia. Wiem, że Leila bardzo się martwi, że to się źle na nas odbije. Prędzej czy później ktoś pomyśli, że nie ma dymu bez ognia. I wtedy wszystko się zawali. Dużo zaryzykowała, żeby stworzyć Fristad, żeby to było coś nowatorskiego.

– Doskonale to rozumiemy, ale musimy zadawać pytania. Nawet nieprzyjemne. Na przykład... – Patrik nabrał powietrza. – Czy zauważył pan coś, co mogłoby świadczyć o tym, że Mats brał narkotyki lub nimi handlował?

– Narkotyki? – Thomas wpatrywał się w niego. – No tak, czytałem rano gazety. Wszyscy jesteśmy oburzeni, że wypisują takie świństwa. To kompletny idiotyzm. Sama myśl, że Matte mógłby być zamieszany w coś takiego, to absurd.

– Słyszał pan o IE? – Patrik wiedział, że musi pytać dalej, chociaż czuł coraz wyraźniej, że dłubie w otwartej ranie.

– Ma pan na myśli Illegal Eagles? Niestety słyszałem.

– Mamy świadka, który mówi, że kilku członków gangu postarało się, żeby Mats trafił do szpitala. To nie była banda wyrostków, jak mówił Mats.

– Tylko ludzie z IE?

– Takie mamy informacje – powiedział Gösta. – Zetknęliście się z nimi?

Thomas wzruszył ramionami.

– Zdarzało się, że ich kobiety trafiały do naszego schroniska, ale problemy z nimi niczym się nie różniły od problemów z innymi idiotami. Partnerami czy mężami.

– Czy Mats zajmował się którąś z tych kobiet?

– O ile wiem, nie. Z tym pobiciem... myślę, że to musiał być przypadek. Pewnie w niewłaściwym czasie znalazł się w niewłaściwym miejscu.

– To była jego wersja. Niewłaściwy czas, niewłaściwe miejsce. – Patrik powiedział to z wyraźnym powątpiewaniem. Thomas powinien wiedzieć, że tego rodzaju kryminaliści nie napadają na przypadkowych ludzi na ulicy. Dlaczego próbuje im wmówić, że jest inaczej? – Na razie to wszystko. Proszę nam podać numer swojego telefonu. Zadzwonimy, jeśli będziemy mieć jeszcze jakieś pytania. Żebyśmy się nie musieli tutaj pałętać – dodał z krzywym uśmiechem.

– Naturalnie. – Thomas szybko zapisał numer i podał mu kartkę. – Chcecie porozmawiać z Marie?

– Tak.

Czekali i rozmawiali cicho. Gösta najwyraźniej wziął za dobrą monetę wszystko, co powiedział Thomas. Uznał, że jest absolutnie wiarygodny, ale Patrik miał wątpliwości. Istotnie wyglądał na uczciwego i szczerego, odpowiadał jasno i bez wahania. Ale Patrik miał wrażenie, że dosłyszał wahanie, choć było to właśnie wrażenie, nie pewność.

– Dzień dobry. – Do pokoju weszła kobieta, właściwie dziewczyna. Podała im rękę na powitanie. Dłonie miała chłodne i lekko spocone, na szyi czerwone plamy. W odróżnieniu od Thomasa była wyraźnie zdenerwowana.

– Od dawna pani tu pracuje? – zaczął Patrik.

Marie przebierała palcami po spódnicy. Ładna dziewczyna o urodzie lalki. Miała mały zadarty nosek, długie jasne włosy ciągle opadały na błękitne oczy osadzone w trójkątnej twarzy. Patrik pomyślał, że ma dwadzieścia pięć lat, ale nie miał pewności. Z upływem lat coraz trudniej mu było oceniać wiek osób młodszych od siebie. Może tak właśnie działa instynkt samozachowawczy. Człowiek nadal może sobie wyobrażać, że sam ma dwadzieścia pięć lat.

– Od przeszło roku. – Plamy na jej szyi stawały się coraz bardziej czerwone, co chwilę przełykała ślinę.

– Lubi pani tę pracę? – Chciał, żeby się rozluźniła i przestała się tak spinać. Gösta rozsiadł się i słuchał. Widocznie postanowił ostatecznie oddać mu ster.

– Tak, bardzo. Daje mi satysfakcję, chociaż... no tak... bywa ciężko, ale to satysfakcjonujące, jeśli pan wie, co mam na myśli. – Potykała się o słowa. Wyraźnie miała problem z formułowaniem myśli.

– A jaki był Mats?

– Był kochany. Wszyscy go lubili. I my w pracy, i kobiety. Czuły się przy nim bezpieczne.

– Zaangażował się w jakąś sprawę szczególnie mocno?

– Nie, skąd, to zasada numer jeden: nie angażować się. – Marie gwałtownie potrząsnęła głową, aż jej fruwały włosy.

Patrik zerknął na Göstę. Czy on też widzi, że temat jest drażliwy? Nagle Gösta znieruchomiał. Patrik spojrzał na niego jeszcze raz. Co się z nim dzieje?

– Słuchaj... muszę... Możemy zamienić kilka słów? Na osobności? – Pociągnął Patrika za rękaw.

– Oczywiście, może... – Wskazał na drzwi. Gösta kiwnął głową. – Przepraszamy na chwilę, dobrze?

Marie wyraźnie ulżyło.

– Co się z tobą dzieje? Już myślałem, że wreszcie coś z niej wyciśniemy – syknął, gdy znaleźli się na korytarzu.

Gösta wpatrywał się we własne buty. Chrząknął kilka razy i z przerażeniem spojrzał na Patrika.

– Chyba zrobiłem coś bardzo głupiego.

Fjällbacka 1871

To był najwspanialszy okres w jej życiu. Dopiero gdy Karl i Julian popłynęli na Gråskär, uzmysłowiła sobie, co z nią zrobiło życie na wyspie. Po raz pierwszy od dawna mogła odetchnąć pełną piersią.

Dagmar ją rozpieszczała. Czasem czuła się wręcz skrępowana jej troskliwością. Wstydziła się, że sama robi tak mało. Chciała pomagać przy sprzątaniu i zmywaniu naczyń, i gotowaniu, żeby się do czegoś przydać, a nie tylko być ciężarem, ale Dagmar ją odpędzała i kazała odpoczywać. W końcu się poddała. Oczywiście przyjemnie było odpoczywać, zwłaszcza że bolał ją krzyż i stawy, a dziecko ciągle kopało. Wciąż była zmęczona. W nocy spała dwanaście godzin, po południu ucinała sobie drzemkę, a i tak czuła się niewyspana.

Było jej miło, że ktoś się nią opiekuje. Dagmar parzyła jej herbatki i ziółka, które miały jej dodawać sił. Kazała jeść różne dziwne rzeczy, żeby wzmocnić organizm. Niewiele to dawało. Zmęczenie nie ustępowało, ale Dagmar czuła się potrzebna. Emelie posłusznie zjadała i wypijała wszystko, co dostawała.

Najprzyjemniejsze były wieczory. Siadały w bawialni i rozmawiały, robiąc na drutach albo szydełkiem, albo szyjąc dla dziecka. Wcześniej Emelie niezbyt dobrze sobie radziła z robótkami ręcznymi. Dziewka służebna miała się zajmować czym innym. Za to Dagmar miała wielką wprawę i nauczyła Emelie wszystkiego, co umiała. Rosły stosy ubranek i kocyków, miękkich czapeczek, koszulek, skarpeteczek i wszystkiego, czego maleństwo będzie potrzebować. Najpiękniejsza była jednak kołderka ze ścinków. Co wieczór wyszywały na nich nowy wzór. Same je wymyślały. Emelie najbardziej się podobały te z malwami. Patrzyła na nie i czuła ukłucie w sercu, bo czasem, o dziwo, brakowało jej Gråskär. Nie Karla czy Juliana, za nimi bynajmniej nie tęskniła, ale wyspy, z którą w pewnym sensie się zrosła.

Pewnego wieczoru chciała porozmawiać z Dagmar o wyspie i jej dziwach, o tym, że nigdy nie czuła się tam samotna. To był jedyny raz, kiedy nie mogły się dogadać. Wokół ust Dagmar pojawiły się bruzdy, odwróciła głowę, dając jej do zrozumienia, że nie chce tego słuchać. Może nie było w tym nic dziwnego. Jej samej wydawało się to zdumiewające, teraz, gdy próbowała o tym opowiadać, chociaż na wyspie wydawało jej się, że to coś naturalnego i oczywistego. Ale wtedy byli przy niej.

Nie poruszały jeszcze jednego tematu. Emelie próbowała pytać o Karla, o jego dzieciństwo i młodość, o jego ojca, ale Dagmar tylko spoglądała na nią surowo. Powiedziała jedynie, że ojciec Karla zawsze dużo wymagał od synów i że na Karlu się zawiódł. Zaznaczyła, że nie zna szczegółów i nie chce mówić o sprawach, o których nie ma pojęcia. Emelie dała spokój. Rozkoszowała się spokojem panującym w domu Dagmar i długimi wieczorami, które spędzały na robieniu na drutach skarpetek dla maleństwa. Miało przyjść na świat lada chwila.

Gråskär i Karl mogą poczekać. Należą do innego świata i innego czasu. Teraz liczy się tylko ciche stuka-

nie drutów i blask białej włóczki w świetle lamp nafto-
wych. Kiedyś będzie musiała wrócić do rzeczywistości
i do życia na wyspie. To, co teraz przeżywa, to tylko
krótki sen.

– Jak ją znaleźliście? – Paula chwyciła rękę Petera i weszła na pokład łodzi ratowniczej.

– Ktoś zadzwonił. Powiedział, że niedaleko stąd, w zatoczce, leży łódka. Wyrzuciło ją na brzeg.

– Jak to możliwe, że wcześniej jej nie znaleźliście? – spytał Martin. Z zachwytem rozejrzał się po łodzi. Wiedział, że potrafi wyciągnąć ponad trzydzieści węzłów. Jak wypłyną trochę dalej, może uda mu się namówić Petera, żeby dodał gazu.

– Na archipelagu jest takie mnóstwo zatoczek, że to cud, że się znalazła – odparł Peter.

– A jesteś pewien, że to ta?

– Potrafię rozpoznać łódkę Gunnara.

– Jak ją zabierzemy? – Paula patrzyła przez iluminator. Zbyt rzadko bywała na morzu. Pomyślała, że jest przepiękne. Odwróciła się i spojrzała na coraz bardziej oddalającą się Fjällbackę.

– Weźmiemy ją na hol. Chciałem ją już nawet zabrać, gdy popłynęliśmy, żeby sprawdzić, czy to na pewno ta, ale pomyślałem, że pewnie będziecie chcieli ją zobaczyć na miejscu.

– Raczej niewiele nam to da – powiedział Martin. – Ale taka wyprawa na morze to fajna rzecz. – Zerknął na dźwignię gazu, ale nie odważył się poprosić. W pobliżu pojawiły się inne łodzie. W tej sytuacji niemądrze byłoby się rozpędzać, chociaż miał wielką ochotę.

– Możesz się kiedyś z nami zabrać na dłużej. Będziesz mógł przetestować te konie mechaniczne – powiedział z rozbawieniem Peter, jakby czytał w jego myślach.

– Bardzo chętnie! – Blada twarz Martina rozjaśniła się.

Paula potrząsnęła głową. Ach, ci chłopcy z tymi swoimi zabawkami.

– Tam – powiedział Peter, zmieniając kurs.

Rzeczywiście, w wąskiej szczelinie widać było łódkę. Wyglądała na nieuszkodzoną, chyba się zaklinowała.

– Jestem pewien, że to Gunnara – powiedział Peter. – Kto wyskakuje na ląd?

Martin spojrzał na Paulę. Udawała, że nie rozumie, o co chodzi. Jako dziecko wielkiego miasta skakanie po śliskich skałach wolała zostawić jemu. Martin wygramolił się na dziób i poczekał na właściwy moment. Peter wyłączył silnik i pomógł Pauli wydostać się na ląd. O mało się nie poślizgnęła na wodorostach, ale w końcu złapała równowagę. Gdyby wpadła do wody, Martin nigdy by nie przestał z niej kpić.

Ostrożnie podeszli do łódki. Z bliska też wydawała się nieuszkodzona.

– Jak się tu znalazła? – zachodził w głowę Martin.

– Chyba ją zniosło – powiedział Peter.

– Mogło ją znieść aż tu? – spytała Paula, ale widząc minę Petera, pomyślała, że to głupie pytanie.

– Nie – odparł krótko.

– Ona jest ze Sztokholmu – wyjaśnił Martin.

Paula rzuciła mu gniewne spojrzenie.

– W Sztokholmie też są wyspy.

Martin i Peter zmarszczyli brwi.

– Nie wyspy, tylko zalany las – odpowiedzieli jak na komendę.

– E tam! – Paula obeszła łódkę. Uważała, że ludzie z zachodniego wybrzeża bywają koszmarnie zaściankowi. Jeśli jeszcze raz usłyszy uwagę w rodzaju: O, jesteś z bałtyckich peryferii? – chyba rąbnie delikwenta w głowę.

Peter wskoczył z powrotem na pokład „MinLouis", a Martin przywiązał do niej łódkę. Kiwnął na Paulę.

– Chodź, pomóż mi pchać – powiedział, usiłując wypchnąć łódkę ze szczeliny.

Paula dogramoliła się do niego po śliskich skałach. Po kilku próbach udało im się wypchnąć łódkę. Z wdziękiem wypłynęła na wodę.

– Poszła – powiedziała Paula, kierując się w stronę łodzi. Nagle się zapadła. Zrobiło się bardzo mokro. Cholera. Jeszcze długo będą się z niej śmiać.

Zawsze byli przy niej. W jakiś dziwny sposób czuła się dzięki temu bezpieczna, choć najczęściej widywała ich tylko kątem oka. Chłopiec chwilami przypominał Sama, pewnie przez te kręcone włosy i łobuzerskie spojrzenie. Z tą różnicą, że miał jasne włosy, a Sam czarne. On również stale wodził wzrokiem za matką.

Annie nie tyle widziała tę kobietę, ile wyczuwała jej obecność. Słyszała szuranie sukni o podłogę, słyszała, jak ostrzega chłopca. Była nadopiekuńcza, zupełnie jak ona. Czasem próbowała do niej mówić, chciała coś powiedzieć, ale Annie nie słuchała.

Chłopiec lubił przychodzić do Sama. Chwilami wydawało jej się, że Sam coś mówi, odpowiada, ale nie miała pewności. Bała się podejść bliżej, żeby im nie przeszkadzać. Miała nadzieję, że Sam zacznie rozmawiać także z nią. Zdawała sobie sprawę, że choć zapewnia mu poczucie bezpieczeństwa, kojarzy mu się również ze wszystkimi okropnościami, których w życiu doznał.

Nagle zrobiło jej się zimno, choć w domu było ciepło. A jeśli nie są tu bezpieczni? Może pewnego dnia zobaczy łódź płynącą na wyspę. A w niej zło, które chciała zostawić za sobą.

Z pokoju Sama dobiegł ją szmer głosów. Strach znikł równie szybko, jak się pojawił. Jasnowłosy chłopczyk rozmawiał z Samem, a on mu odpowiadał. Serce jej zadrżało z radości. Nie była pewna, czy dobrze robi. Mogła jedynie, kierując się miłością, słuchać instynktu. Podpowiadał jej, żeby mu dała czas. Spokój i cisza go uleczą.

Żadna łódź tu nie przypłynie, powtarzała jak mantrę, siedząc przy kuchennym stole i patrząc przez okno. Żadna łódź nie przypłynie. Sam coś mówił, to na pewno znaczy, że do niej wraca. Znów usłyszała głos chłopczyka i uśmiechnęła się. Cieszyła się, że Sam ma przyjaciela.

Patrik patrzył, jak Gösta szuka czegoś w kieszeniach kurtki.

– Może mi wyjaśnisz, o co chodzi?

Gösta pogrzebał, znalazł i podał Patrikowi.

– Co to jest? A raczej kto? – Patrik spojrzał na zdjęcie.

– Nie wiem. Znalazłem to w mieszkaniu Sverina.

– Gdzie?

Gösta przełknął ślinę.

– W jego sypialni.

– Powiesz mi, jak się znalazło w twojej kieszeni?

– Wziąłem je, bo uznałem, że może się okazać interesujące, ale potem o nim zapomniałem – wyznał Gösta z pokorą.

– Zapomniałeś? – Patrikowi ze złości pociemniało w oczach. – Jak można zapomnieć o czymś takim? Bez przerwy powtarzamy, że za mało o nim wiemy i jak trudno nam ustalić, z kim się spotykał.

Gösta się skurczył.

– Ale w końcu ci to dałem. Lepiej późno niż wcale, prawda? – Próbował się uśmiechnąć.

– Nie wiesz, kto to jest? – Patrik przyjrzał się zdjęciu.

– Nie mam pojęcia. Ale musiała być dla niego ważna i pomyślałem o tym, gdy... – Wskazał głową pokój, w którym czekała na nich Marie.

– Warto spróbować. Ale nie myśl sobie, że to kończy sprawę. Jeszcze do tego wrócimy.

– Rozumiem. – Gösta patrzył w podłogę, ale poczuł ulgę. Pomartwi się później.

Wrócili do pokoju. Marie wciąż była zdenerwowana. Patrik od razu przystąpił do rzeczy.

– Kto to jest? – spytał, kładąc zdjęcie na stole. Marie otworzyła szeroko oczy.

– Madeleine – odparła. Przestraszyła się i położyła dłoń na ustach.

– Kto to jest Madeleine?

Patrik puknął palcem w zdjęcie, zmuszając Marie, żeby na nie patrzyła. Nie odpowiedziała, zaczęła się nerwowo kręcić na krześle.

– Prowadzę śledztwo w sprawie morderstwa. Ta informacja może nam pomóc w ujęciu mordercy Matsa. Chyba pani tego chce?

Marie patrzyła na nich z nieszczęśliwą miną. Ręce jej się trzęsły, głos drżał. W końcu opowiedziała o Madeleine.

Przyjechali technicy, żeby przeprowadzić dokładne oględziny. Paula i Martin wrócili do komisariatu. W biurze Ratownictwa Morskiego pożyczyli jej wielgachne gumowane spodnie i pomarańczowy polar. Ze złością spoglądała na każdego, kto mógłby się ośmielić z niej zażartować. Z ponurą miną podkręciła ogrzewanie w samochodzie. Po kąpieli w lodowatej wodzie nadal było jej zimno.

Radio grało na cały regulator, Martin ledwo usłyszał sygnał komórki. Ściszył, żeby odebrać.

– Super! Możemy do niego jechać? Właśnie dojeżdżamy, więc możemy wpaść po drodze. – Rozłączył się i zwrócił się do Pauli: – Dzwoniła Annika. Lennart przejrzał papiery i jeśli nam to odpowiada, możemy teraz do niego wpaść.

– Świetnie – odparła Paula z trochę weselszą miną.

Po kwadransie byli przed siedzibą ExtraFilmu. Lennart siedział przy biurku i jadł kanapkę. Kiedy ich zobaczył, odłożył ją i wytarł ręce w serwetkę. Zwrócił uwagę na dziwny strój Pauli, ale przezornie postanowił zmilczeć.

– Dobrze, że przyjechaliście – powiedział.

Biło od niego to samo ciepło co od jego żony. Paula pomyślała, że ich córka nawet nie wie, ile ma szczęścia, że trafiła właśnie do nich.

– Śliczna jest – powiedziała, patrząc na przyczepione do tablicy zdjęcie.

– Oj tak. – Uśmiechnął się szeroko i zapraszającym gestem wskazał krzesła. – Nawet nie wiem, czy jest sens prosić, żebyście usiedli. Przejrzałem te papiery bardzo uważnie, ale nie mam zbyt wiele do powiedzenia. Wydaje się, że finanse są w porządku, nie znalazłem nic dziwnego. Inna rzecz, że nie wiedziałem, czego miałbym szukać. Można powiedzieć, że gmina wpakowała w to sporo pieniędzy, jak również że wynegocjowała długie okresy rozliczeniowe. Ale tu, w środku – Lennart poklepał się po brzuchu – nic mnie nie niepokoi.

Martin chciał coś powiedzieć, ale Lennart ciągnął:

– Berkelinowie osobiście pokrywają część kosztów, a z dokumentów wynika, że większość pieniędzy, które załatwili, powinna spłynąć w poniedziałek. Przykro mi, jeśli niewiele pomogłem.

– Ależ pomogłeś. Tak czy inaczej, dobrze wiedzieć, że gmina dba o nasze pieniądze – stwierdził Martin, wstając.

– Na razie wygląda na to, że jest w porządku. Wszystko zależy od tego, czy potrafią przyciągnąć gości. Jeśli nie, podatnicy drogo za to zapłacą.

– Nam się podobało.

– Tak, słyszałem od Anniki, że wizyta w Badis się udała. Podobno Mellberga całkiem porządnie wymęczyli.

Paula i Martin roześmiali się.

– Szkoda, że tego nie widzieliśmy. Plotka głosi, że był to peeling ostrygowy. Wyobrażam go sobie, jak leży pod warstwą skorupek po ostrygach – powiedziała Paula.

– Tu jest wszystko. – Lennart podał jej papiery. – Przykro mi, że nie mogę powiedzieć nic więcej.

– To nie twoja wina. Musimy poszukać gdzie indziej – powiedziała Paula, ale wyglądała na zniechęconą.

Ożywiła się, kiedy znaleźli łódkę, ale szybko jej przeszło, bo prawdopodobieństwo, że znajdą w niej coś interesującego, było niewielkie.

– Podrzucę cię i pojadę do domu się przebrać – powiedziała, dojeżdżając do komisariatu. Posłała Martinowi ostrzegawcze spojrzenie.

Martin jedynie kiwnął głową, ale wiedziała, że gdy tylko znajdzie się za drzwiami, opowie odpowiednio podkoloryzowaną historię o jej niezamierzonej kąpieli.

Zaparkowała przed domem i wbiegła na górę. Była przemarznięta do kości, ręce jej się trzęsły, gdy wkładała klucz do zamka. W końcu udało jej się otworzyć.

– Halo! – zawołała, spodziewając się, że z kuchni dobiegnie wesoły głos matki.

– Cześć – usłyszała z sypialni. Zdziwiła się. O tej porze Johanna powinna być w pracy.

– Cześć – powiedziała Paula. Zakręciło ją w brzuchu.

Czuła, że coś się dzieje, i nie mogła przez to spać po nocach. Leżała, wsłuchując się w oddech Johanny. Czasem słyszała, że ona też nie śpi, ale bała się odezwać. Nie była pewna, czy chce wiedzieć, o co chodzi. A teraz Johanna siedziała na łóżku z taką rozpaczą w oczach, że miała ochotę uciec. W głowie miała gonitwę myśli, wyobrażała sobie najróżniejsze scenariusze, ale żadnego nie miała ochoty obejrzeć do końca. Stanęły twarzą w twarz w cichym mieszkaniu. Nie mogły się schować za zamieszaniem, które zwykle w nim panowało. Żadnych goniących się psów, żadnych śpiewów Rity z kuchni i zabaw z małym, żadnego Mellberga wykrzykującego sprośności przed telewizorem. Tylko one i cisza.

– Coś ty na siebie włożyła? – powiedziała Johanna, mierząc ją wzrokiem od stóp do głów.

– Wpadłam do wody – odparła Paula, patrząc w dół. Brzydki polar sięgał jej niemal do kolan. – A do domu wpadłam tylko się przebrać.

– No to się przebierz. Musimy porozmawiać, a nie możemy poważnie rozmawiać, dopóki tak wyglądasz. – Uśmiechnęła się półgębkiem. Paula poczuła ucisk w żołądku. Uwielbiała jej uśmiech, ale ostatnio rzadko go widywała.

– Mogłabyś zrobić herbaty? Przebiorę się, a potem sobie usiądziemy w kuchni.

Johanna kiwnęła głową i zostawiła Paulę w sypialni. Paula zgrabiałymi palcami zdjęła ubranie, włożyła dżinsy i białą koszulkę. Odetchnęła głęboko i poszła do kuchni. Nie chciała rozmawiać, ale nie miała wyboru. Trzeba zamknąć oczy i skoczyć w tę przepaść.

Nie mógł znieść myśli, że ją okłamuje. Siostra od tak dawna była całym jego światem, że przeraził się, gdy sobie uzmysłowił, że jest gotów odrzucić to, co ich łączy. Wspinał się stromą ścieżką, szedł w stronę Mörhult. Zasapał się z wysiłku. Musiał na chwilę wyjść, oddalić się od Vivianne. Nie dało się tego wytłumaczyć inaczej.

Chwilami przeszłość wydawała mu się całkiem nieodległa. Znów miał pięć lat, leżał pod łóżkiem i zatykając sobie uszy, tulił się do Vivianne. Ona go obejmowała. Przeszli pod tym łóżkiem istną szkołę przetrwania. Ale teraz nie chodziło już o to, żeby przetrwać, tylko o to, żeby żyć, i nie był pewien, czy Vivianne mu w tym pomaga, czy przeszkadza.

Jakiś samochód minął go z dużą prędkością, musiał zeskoczyć na pobocze. W dole widać było Badis. Ich wspólny, wielki projekt i patent na wszystko. Dzięki Erlingowi. Biedaczysko. W dodatku oświadczył się Vivianne.

Zadzwonił, żeby go zaprosić na kolację z okazji zaręczyn. Anders wątpił, żeby Vivianne wiedziała o jego planach. Zwłaszcza że, jak się okazało, na kolacji miał być również ten mały, tłusty komisarz ze swoją partnerką. Anders na poczekaniu wymyślił wymówkę. Uznał, że towarzystwo Erlinga, a do tego jeszcze Bertila Mellberga, to kiepski sposób na spędzenie wieczoru, a zważywszy na okoliczności, pomysł, żeby świętować, wydał mu się co najmniej dziwny.

Ruszył w dół. Nie wiedział, dokąd idzie, mógłby iść dokądkolwiek. Kopnął kamień. Potoczył się w dół i wpadł do rowu. Anders czuł się dokładnie tak samo. Staczał się coraz prędzej, pytanie tylko, do jakiego rowu wpadnie. Pomyślał, że nie ma wyboru, to musi się skończyć źle. Nie spał całą noc. Zastanawiał się, jak z tego wybrnąć. Nic nie wymyślił. Podobnie jak wtedy, pod łóżkiem, gdy dotykali głowami desek.

Stał na pomoście, przy kamiennym mostku. Łabędzi nie widział. Ktoś mu powiedział, że gniazdują na prawo od mostku i co roku mają małe. Sąsiedztwo drogi było raczej niebezpieczne. Podobno łabędzie łączą się w pary na całe życie. On też by tak chciał, ale na razie miał tylko siostrę. Nie kochankę, tylko towarzyszkę życia. Na zawsze.

Teraz wszystko się zmieniło. Wiedział, że musi podjąć decyzję, choć jeszcze nie wiedział jaką. Nie był w stanie, dopóki czuł dotyk desek i obejmujące go ramiona Vivianne. Pamiętał, że zawsze go broniła i zawsze była jego najlepszą przyjaciółką.

Kiedyś mało brakowało, żeby nie przeżyli. Wódka i smród pojawiały się jeszcze za życia matki, ale zdarzały się również chwile szczęścia. Definitywny koniec dzieciństwa nastąpił, gdy matka postanowiła odejść. Olof znalazł ją w sypialni, na podłodze leżało puste opakowanie po lekarstwach. Zaczęły się krzyki i kary. Ale kiedy przychodziły paniusie z opieki społecznej, brał się w garść i czarował je tymi swoimi błękitnymi oczętami. Oprowadzał po domu, przedstawiał Vivianne i Andersa. Stali i wpatrywali się we własne buty, a paniusie krygowały się przed nim. Potrafił wyniuchać, kiedy przyjdą, więc gdy składały niezapowiedzianą wizytę, mieszkanie zawsze było wysprzątane i czyste. Dlaczego ich nie oddał, skoro tak bardzo ich nienawidził? Anders i Vivianne godzinami wyobrażali sobie, jakich mogliby mieć rodziców, gdyby to zrobił.

Pewnie chciał ich mieć przy sobie i patrzeć, jak się męczą. Ale oni mu jeszcze pokażą. Od wielu lat nie żyje, ale nadal jest siłą, która ich napędza. Chcą mu udowodnić, że mogą odnieść sukces. Teraz sukces jest na wyciągnięcie ręki. Mówił, że są nic niewarci i nic z nich nie wyrośnie. Nie mogą się poddać i przyznać mu racji.

Zobaczył łabędzie. Cała rodzina płynęła w jego stronę. Pisklęta podskakiwały na falach za dostojnymi rodzicami. Były śliczne, porośnięte szarym puszkiem, i zupełnie nie przypominały dorodnych ptaków, którymi kiedyś będą. Czy on i Vivianne stali się dużymi, pięknymi łabędziami, czy nadal są szarymi pisklętami, które też chciałyby być piękne?

Zawrócił, powoli ruszył z powrotem pod górę. Powinien szybko coś postanowić.

– Wiemy o Madeleine. – Patrik, nie czekając na zaproszenie, usiadł przed Leilą.

– Słucham?

– Wiemy o Madeleine – powtórzył spokojnie.

Gösta usiadł obok, wzrok wbił w podłogę.

– Aha, co... – odezwała się po chwili.

Kąciki jej ust drgały.

– Powiedziała pani, że jesteście gotowi współpracować i mówicie nam o wszystkim, co wiecie. Niestety okazało się, że tak nie jest. Chcemy usłyszeć wyjaśnienie. – Starał się, żeby to zabrzmiało władczo, zresztą z dobrym skutkiem.

– Nie sądziłam... – musiała przełknąć ślinę – ...że to istotne.

– Po pierwsze nie wierzę. Po drugie rozstrzyganie o tym nie należy do pani. – Przerwał. – Co może nam pani powiedzieć o Madeleine?

Chwilę milczała. Nagle się zerwała i podeszła do regału. Zza książek wyjęła klucz i otworzyła nim dolną szufladę biurka.

– Proszę – powiedziała z zawziętą miną, kładąc przed nimi skoroszyt.

– Co to jest? – spytał Patrik. Gösta pochylił się, żeby zobaczyć.

– Sprawa Madeleine. To jedna z kobiet potrzebujących czegoś innego, niż oferuje to państwo.

– To znaczy? – Patrik zaczął kartkować skoroszyt.

– To znaczy, że udzieliliśmy jej pomocy wykraczającej poza ramy prawa. – Leila wciąż patrzyła na nich z zaciętą miną, ale bez śladu wcześniejszego zdenerwowania, jakby im rzucała wyzwanie. – Niektóre z kobiet, które do nas przychodzą, próbowały już wszystkiego. My też. Zarówno one, jak i ich dzieci żyją w stanie stałego zagrożenia ze strony mężów i partnerów, którzy za nic mają prawo. Nie możemy nic z tym zrobić, więc pomagamy im uciec. Za granicę.

– Co łączyło Madeleine i Matsa?

– Wtedy o tym nie wiedziałam, ale później się dowiedziałam, że się w sobie zakochali. Długo szukaliśmy rozwiązania dla Madeleine i jej dzieci. Widocznie wtedy właśnie się w sobie zakochali, co oczywiście było absolutnie niedopuszczalne. Ale, jak wspomniałam, nic o tym nie wiedziałam... – Rozłożyła ręce. – Byłam bardzo zawiedziona, gdy się dowiedziałam. Matte doskonale wiedział, jak bardzo mi zależy, żeby udowodnić, że mężczyźni są w takich organizacjach potrzebni. Wiedział, że wszyscy patrzą na Fristad, że wielu tylko czeka na moją porażkę. Nie mieściło mi się w głowie, że mógł nam sprawić taki zawód.

– Co się stało? – spytał Gösta, biorąc teczkę z rąk Patrika.

Leila sprawiała wrażenie, jakby zeszło z niej powietrze.

– Było coraz gorzej. Mąż Madeleine raz po raz odnajdywał ją i dzieci. Wzywaliśmy policję, ale nie pomagało. Ona już nie miała siły. Zdaliśmy sobie sprawę, że sytuacja jest beznadziejna. Że jeśli chce się ratować, musi razem z dziećmi wyjechać ze Szwecji, zostawić dom, rodzinę, przyjaciół, wszystko.

– Kiedy podjęliście decyzję? – spytał Patrik.

– Wkrótce po tym, jak pobito Mattego, Madeleine przyszła do mnie i poprosiła o pomoc. Można powiedzieć, że my również dojrzeliśmy do tej decyzji.

– I co na to Sverin?

Leila patrzyła w stół.

– Nikt go nie pytał. To się stało, gdy był w szpitalu. Kiedy wyszedł, już jej nie było.

– Wtedy pani się dowiedziała, że się spotykali? – Gösta odłożył skoroszyt.

– Tak. Był załamany. Prosił, błagał, żebym mu powiedziała, gdzie są. Ale nie mogłam, nie mówiąc już o tym, że nie było mi wolno. Gdyby ktoś się dowiedział, gdzie są, ona i dzieci znaleźliby się w wielkim niebezpieczeństwie.

– Nie przyszło pani do głowy, że między sprawą Madeleine a pobiciem Matsa jest jakiś związek? – Patrik otworzył skoroszyt i wskazał na nazwisko widniejące na jednej z kartek.

Leila chwilę bawiła się spinaczem.

– Oczywiście, przyszło mi to do głowy. Byłoby dziwne, gdybym tak nie pomyślała. Ale Matte twierdził, że o niczym takim nie ma mowy, więc nie mogliśmy nic zrobić.

– Muszę z nią porozmawiać.

– To niemożliwe – odparła szybko, gwałtownie potrząsając głową. – To zbyt niebezpieczne.

– Zastosujemy wszelkie niezbędne środki bezpieczeństwa, ale muszę z nią porozmawiać.

– Mówię, że to niemożliwe.

– Rozumiem, że chce pani ją chronić, i obiecuję, że nie zrobię nic, co by ją naraziło na niebezpieczeństwo. Miałem nadzieję, że się dogadamy, żeby to – wskazał na skoroszyt – mogło zostać między nami. W przeciwnym razie będziemy musieli się tym zająć.

Leila zagryzła zęby, wiedziała, że nie ma wyboru. Jeden telefon mógłby rozbić w puch całą Fristad.

– Zobaczę, co się da zrobić, ale pewnie to trochę potrwa. Może nawet do jutra.

– Nie szkodzi. Proszę się odezwać, gdy się pani czegoś dowie.

– Dobrze, ale pod warunkiem, że zrobimy to po mojemu. Chodzi o los wielu osób, nie tylko Madeleine i jej dzieci.

– Zdajemy sobie z tego sprawę – odparł Patrik. Wstali i wyszli, żeby po raz kolejny ruszyć do Fjällbacki.

– Witamy serdecznie! – Erling stał w drzwiach i uśmiechał się szeroko. Cieszył się, że Bertil Mellberg przyszedł ze swoją partnerką Ritą, żeby świętować razem z nimi. Naprawdę go lubił. Bliskie mu było jego pragmatyczne podejście do życia. Uważał, że dobrze mieć wśród znajomych tak rozsądnego człowieka.

Z entuzjazmem potrząsnął jego ręką. Ritę ucałował w oba policzki. Na wszelki wypadek. Nie był pewien, jakie obyczaje panują w krajach południowych, ale założył, że nie popełni błędu, całując ją w oba policzki.

Vivianne też przyszła, żeby się przywitać i pomóc gościom się rozebrać. Wręczyli jej kwiaty i butelkę wina. Zgodnie z etykietą podziękowała wylewnie i zaniosła je do kuchni.

– Wejdźcie, proszę – powiedział Erling, machając ręką. Jak zwykle cieszył się na chwilę, gdy będzie mógł pokazać gościom dom. Podczas rozwodu stoczył ciężką walkę, by go zatrzymać, ale było warto.

– Jak tu ładnie – powiedziała Rita, rozglądając się.

– No, fajnie się urządziłeś. – Mellberg grzmotnął Erlinga w plecy.

– Nie narzekam – odparł Erling, wręczając gościom po kieliszku wina.

– A co będzie na kolację? – spytał Mellberg. Wciąż miał w pamięci lunch w Badis, więc jeśli i dziś będą nasionka albo orzechy, trzeba będzie w drodze powrotnej zatrzymać się przy budce z kiełbaskami.

– Nie bój się. – Vivianne mrugnęła do Rity. – Dla ciebie zrobiłam wyjątek i przygotowałam potrawy bogate w węglowodany. Niewykluczone, że trafi ci się też jakaś jarzyna.

– Myślę, że jakoś to przeżyję – odparł Bertil, śmiejąc się zbyt głośno.

– Możemy już siadać do stołu? – Erling objął Ritę i zaprowadził ją do dużej, jasnej jadalni. Nie dało się zaprzeczyć, że jego była żona miała dobry gust. Z drugiej strony, on za to zapłacił, więc można uznać, że to jego dzieło. Często i chętnie to podkreślał.

Szybko się uporali z przystawką. Mellberg rozpromienił się na widok wielkiego kawałka lasagne. Dopiero przy deserze, kiedy Erling kilka razy szturchnął

Vivianne zachęcająco, jego narzeczona zaczęła ostentacyjnie pokazywać lewą dłoń.

– Ojej, czy to jest to, o czym myślę?! – wykrzyknęła Rita.

Mellberg zmrużył oczy, próbując się zorientować, o co tyle szumu, i zobaczył coś błyszczącego na serdecznym palcu lewej dłoni Vivianne.

– Zaręczyliście się? – Wziął ją za rękę i dokładnie obejrzał pierścionek. – Erling, stary łobuzie, musiałeś głęboko sięgnąć do portfela.

– Chcesz się podelektować, to płać. Ona jest tego warta.

– Jaki piękny – powiedziała Rita z serdecznym uśmiechem. – Gratuluję.

– Trzeba to uczcić. Nie masz czegoś mocniejszego, żebyśmy mogli wznieść toast? – Mellberg z obrzydzeniem spojrzał na kieliszek baileysa, który podali do deseru.

– Znajdę chyba jakąś whisky. – Erling wstał i otworzył spory barek. Postawił na stole dwie butelki i przyniósł cztery szklanki do whisky.

– To prawdziwy klejnot. – Erling wskazał na jedną z butelek. – Macallan, dwudziestopięcioletnia. Nie jest tania, tyle powiem.

Nalał do dwóch szklanek i sięgając przez stół, postawił jedną przy swoim talerzu, drugą przy talerzu Vivianne. Potem zakorkował drogocenną butelkę i ostrożnie odniósł do barku. Tam była bezpieczna.

Mellberg patrzył na niego ze zdziwieniem.

– A my? – wymknęło mu się. Rita chyba pomyślała to samo, ale nie odezwała się.

Erling wrócił do stołu i beztrosko otworzył drugą butelkę. Johnnie Walker Red Label za dwieście czterdzieści dziewięć koron. Mellberg pomyślał, że tyle kosztuje w Systemet*.

– Szkoda dla was tej drogiej. I tak byście się na niej nie poznali.

Uśmiechnął się radośnie, nalał do szklanek i podał je Mellbergowi i Ricie. Spojrzeli na nie w milczeniu, a potem na wyraźnie inną zawartość szklanek Erlinga i Vivianne. Vivianne miała minę, jakby się chciała zapaść pod ziemię.

– No to zdrowie! Nasze zdrowie, kochanie!

Erling podniósł do góry swoją szklankę. Mellberg i Rita, nadal oniemiali, zrobili to samo.

Potem szybko podziękowali i pojechali do domu. Skąpiradło, pomyślał Mellberg już w taksówce. Co za cios dla tak dobrze się zapowiadającej przyjaźni!

Wysiedli na pustym peronie. Nikogo nie uprzedziła, że przyjedzie. Matka pewnie będzie w szoku, gdy się zjawią, ale nie mogła jej zawiadomić. Samo to, że u nich przenocuje, będzie dla nich niebezpieczne. Wolałaby ich nie narażać, ale nie mieli się gdzie podziać. We właściwym czasie wszystko wszystkim wyjaśni. Obiecała sobie też, że zwróci Mette za bilety. Nie znosiła pożyczać pieniędzy, ale tylko w ten sposób mogła wrócić do domu. Wszystko inne musiało poczekać.

Nie miała odwagi zastanawiać się, co teraz będzie, ale pewność, że stanie się to, co się musi stać, napełniła

* Systemet, właściwie Systembolaget – państwowa sieć sklepów z napojami o zawartości alkoholu powyżej 3,5%.

ją dziwnym spokojem. Wiedziała, że została zapędzona w pułapkę, że nie ma wyjścia, więc się poddała i w jakimś sensie jej ulżyło. Ciągle uciekała i walczyła, i dużo ją to kosztowało. Już się nie bała o siebie. Tylko na myśl o dzieciach jeszcze się wahała, ale postanowiła zrobić wszystko, żeby zrozumiał i wybaczył. Dzieci nigdy nie tykał, więc sobie poradzą, cokolwiek się stanie. W każdym razie tak sobie mówiła. Inaczej chyba by zwariowała.

Na Drottningtorget wsiedli do trójki. Wszystko było takie znajome. Dzieciom oczy zamykały się ze zmęczenia, ale przyciskały nosy do szyby i rozglądały się z ciekawością.

– Tam jest więzienie. Mamo, prawda, że to więzienie? – spytał Kevin.

Przytaknęła. Tak, minęli więzienie Härlanda. Wymieniała w myślach kolejne przystanki: Solrosgatan, Sanatoriegatan, wysiądą przy Kålltorp. A i tak o mało nie przejechali swojego. Zapomniała nacisnąć guzik. Przypomniała sobie w ostatniej chwili, tramwaj zwolnił i stanął, żeby mogli wysiąść. Letni wieczór. Było jeszcze widno, chociaż latarnie już się paliły. W większości okien widać było światła. Zmrużyła oczy i zobaczyła, że u rodziców też jest jasno. Serce biło jej coraz mocniej. Zaraz zobaczy mamę i tatę. Znajdzie się w ich objęciach, zobaczy, jak patrzą na wnuki. Szła coraz szybciej, dzieci potykały się, żeby nadążyć, chciały zobaczyć dawno niewidzianych dziadków.

Stanęli pod drzwiami. Madeleine trzęsącą się ręką nacisnęła dzwonek.

Fjällbacka 1871

Poród był zaskakująco szybki, chłopczyk urodził się piękny. Przyznała to nawet położna, kiedy go kładła przy jej piersi. Był zawinięty w kocyk. Minął tydzień, z każdą minutą była coraz bardziej szczęśliwa.

Dagmar też była szczęśliwa, w każdej chwili gotowa pomóc. Przewijała małego z tym samym nabożeństwem, jakie Emelie widziała na jej twarzy podczas niedzielnych mszy. Dzieliły ze sobą ten cud.

Sypiał w koszyku przy łóżku Emelie. Godzinami mogła patrzeć, jak śpi z piąstką przy policzku. Czasem drgały mu usteczka. Wtedy wyobrażała sobie, że uśmiecha się z radości, że żyje.

Wyprawka, na której uszycie poświęciły tyle godzin, wreszcie mogła się przydać. Przebierały go kilka razy dziennie, żeby zawsze był czysty. Emelie miała wrażenie, jakby razem z synkiem i Dagmar żyli w innym świecie, wolnym od zmartwień. Wybrała dla niego imię. Postanowiła, że będzie miał na imię Gustav, po jej ojcu. Nawet do głowy jej nie przyszło spytać Karla. Gustav był jej synem, tylko jej.

Karl ani razu jej nie odwiedził. Wiedziała, że bywał we Fjällbace, że zawsze przypływał z Julianem. Cieszyła się, że go nie widuje, chociaż było jej trochę przykro, że tak mało go obchodzi.

Próbowała rozmawiać o tym z Dagmar, ale ta, jak zwykle w takich razach, zamykała się w sobie. Mruczała, że nie chce się mieszać do rodzinnych spraw, że Karl nie miał lekko. Emelie dała za wygraną. Pogodziła się z tym, że nigdy nie zrozumie męża. Pastor powiedział: dopóki śmierć was nie rozłączy. I tak będzie. Teraz miała jeszcze kogoś poza tymi, którzy jej nieśli pociechę w samotni na wyspie. Naprawdę kogoś miała.

Karl przyjechał po nią trzy tygodnie po narodzinach Gustava. Ledwo spojrzał na syna. Stał w sieni, niecierpliwił się. Kazał jej się spakować, powiedział, że gdy tylko zrobią z Julianem zakupy, wracają na wyspę. Zabierają ją i dziecko.

– Słyszała ciotka, żeby ojciec coś mówił o chłopcu? Pisałem do niego, ale nie odpisał – powiedział, patrząc na Dagmar. W jego głosie słychać było niepokój i gorliwość ucznia, który bardzo chce się przypodobać nauczycielowi. Emelie przez chwilę było go żal. Chciałaby coś o nim wiedzieć, żeby zrozumieć.

– Dostał twój list. Ucieszył się. – Dagmar się zawahała. – Wiesz, że się niepokoił.

Wymienili spojrzenia, niezrozumiałe dla stojącej obok z Gustavem na ręku Emelie.

– Niepotrzebnie, nie ma powodu – powiedział Karl ze złością. – Niech mu ciotka powtórzy.

– Powtórzę. A ty mi obiecaj, że będziesz się opiekował rodziną.

Karl wpatrywał się w podłogę.

– Oczywiście, że będę – powiedział, odwracając się. – Przygotuj się, odpływamy za godzinę – rzucił przez ramię.

Skinęła głową, ściskało ją w gardle. Wkrótce znów będzie na Gråskär. Mocno przytuliła Gustava.

– Udało im się ją zlokalizować? – spytał Gösta. Nadal wyglądał na zaspanego.

– Nie mówiła. Prosiła tylko, żebyśmy jak najprędzej przyjechali do niej do biura.

Patrik zaklął. Był duży ruch, co chwila zmieniał pas. Gdy wreszcie dotarli do siedziby Fristad, wysiadł z samochodu i pociągnął za koszulę. Kleiła mu się do ciała.

– Wejdźcie – powiedziała stłumionym głosem Leila, otwierając im drzwi. – Usiądźmy tu, będzie wygodniej niż w moim pokoju. Zaparzyłam kawę i zrobiłam kanapki na wypadek, gdybyście przyjechali bez śniadania.

Istotnie, nie zdążyli nic zjeść. Usiedli w pokoju socjalnym i z przyjemnością sięgnęli po bułki.

– Mam nadzieję, że Marie nie będzie miała z tego powodu przykrości – zaczął Patrik. Wczoraj zapomniał o tym wspomnieć, ale wieczorem, zanim zasnął, zaniepokoił się, że biedna nerwuska może wylecieć z pracy za to, że im powiedziała o Madeleine.

– Skądże znowu. Całą odpowiedzialność biorę na siebie. Powinnam była sama wam powiedzieć, ale przede wszystkim miałam na względzie bezpieczeństwo Madeleine.

– Rozumiem – powiedział Patrik. Był zły, że stracili tyle czasu, ale rozumiał ją. Poza tym nie był pamiętliwy.

– Udało się pani ją namierzyć? – spytał, kończąc kanapkę.

Leila przełknęła ślinę.

– Niestety wszystko wskazuje na to, że ją zgubiliśmy.

– Jak to zgubiliście?

– Jak wiecie, pomogliśmy jej uciec za granicę. Nie będę wchodzić w szczegóły, ale odbywa się to w sposób gwarantujący jak największe bezpieczeństwo. Tak czy inaczej, ulokowaliśmy ją i dzieci w pewnym mieszkaniu. No i... wygląda na to, że się wyprowadziła.

– Wyprowadziła się? – powtórzył Patrik.

– Tak, według naszego współpracownika mieszkanie jest puste. Sąsiadka mówi, że wczoraj wyjechała. Raczej na dobre.

– Dokąd mogła pojechać?

– Zgaduję, że wróciła tutaj.

– Dlaczego pani tak myśli? – spytał Gösta, sięgając po kolejną bułkę.

– Pożyczyła od sąsiadki pieniądze na pociąg. Poza tym nie ma gdzie się podziać.

– Ale dlaczego miałaby wracać, zważywszy na to, co ją tutaj czeka? – Gösta mówił z pełnymi ustami, okruchy spadały mu na kolana.

– Nie mam pojęcia. – Leila potrząsnęła głową, na jej twarzy malowała się rozpacz. – Z psychologicznego punktu widzenia to bardzo złożone. Można się zastanawiać, dlaczego te kobiety nie odchodzą już po pierwszym pobiciu, ale to bardziej skomplikowane, niż się zdaje. Między prześladowcą a ofiarą wytwarza się zależność. Te kobiety nie zachowują się racjonalnie.

– Myśli pani, że mogła wrócić do męża? – spytał Patrik z niedowierzaniem.

– Nie wiem. Może nie mogła znieść izolacji, może się stęskniła za rodziną. Nawet po wielu latach zajmowania się takimi problemami człowiek nie zawsze rozumie ich tok myślenia. Poza tym same o sobie decydują, mają prawo dokonywać własnych wyborów.

– Jak ją znaleźć? – Patrik poczuł się bezradny. Ciągle zamykają się przed nimi jakieś drzwi. Musi z nią porozmawiać, może jest kluczem do wszystkiego.

Leila milczała chwilę.

– Zaczęłabym od jej rodziców – powiedziała w końcu. – Mieszkają w Kålltorp. Mogła się schronić u nich.

– Ma pani ich adres? – spytał Gösta.

– Mam. Ale... – Przeciągała słowa. – Pamiętajcie, że macie do czynienia z bardzo niebezpiecznymi ludźmi. Możecie narazić na niebezpieczeństwo nie tylko Madeleine i jej rodzinę, ale także siebie.

Patrik skinął głową.

– Będziemy działać dyskretnie.

– Z nim też chcecie rozmawiać? – spytała Leila.

– To coraz bardziej nieuniknione. Ale najpierw poradzimy się kolegów stąd. Spytamy, jak się do tego zabrać.

– Bądźcie ostrożni. – Podała mu kartkę z adresem.

– Będziemy uważać – odparł Patrik, ale wcale nie był tak pewny swego, jak by chciał. Skoczyli na głęboką wodę i mogli już tylko płynąć.

– Żadnych wiadomości z lotniska? – upewnił się Konrad.

– Nie – odparła Petra. – Nie wyjechali z kraju. W każdym razie nie pod własnym nazwiskiem.

– No tak. Niestety mogli sobie załatwić fałszywe paszporty.

– Jeśli tak zrobili, nieprędko ich znajdziemy. Najpierw trzeba sprawdzić inne ewentualności. Oboje wiemy, co się mogło stać. – Spojrzeli na siebie ponad stojącymi jedno przy drugim biurkami. Nie musieli sobie nic tłumaczyć, oboje mogli to sobie wyobrazić.

– Jeśli posunęli się do zabicia pięcioletniego dziecka, to przesadzili – stwierdził Konrad. Ale wiedział, że w tych kręgach ludzkie życie nic nie znaczy. Jedni nigdy nie zabiliby dziecka, inni nie mieliby oporów. Pieniądze i narkotyki mogą zmienić człowieka w bestię.

– Rozmawiałam z jej koleżankami. Chyba nie miała ich zbyt wiele. Wygląda na to, że z żadną nie była szczególnie zżyta. Ale wszystkie mówią to samo: że na lato cała rodzina miała wyjechać do Toskanii. Nie miały powodu sądzić, że nie pojechali. – Petra wypiła łyk wody z butelki. Zawsze trzymała ją na biurku.

– Skąd ona jest? – spytał Konrad. – Może pojechała do rodziny? Może stało się coś takiego, że postanowiła nie jechać z dzieckiem do Włoch? Problemy małżeńskie. Może to ona go zastrzeliła?

– Koleżanki sugerują, że małżeństwo nie było udane, ale wydaje mi się, że na tym etapie nie ma co się wdawać w spekulacje. Czy kule zostały wysłane do Państwowego Laboratorium Kryminalistycznego? – Wypiła jeszcze jeden łyk wody.

– Tak, potraktują to priorytetowo. Wydział narkotykowy od dawna zajmuje się tym gościem i jego ludźmi, więc mają to zbadać w pierwszej kolejności.

– Dobrze – powiedziała Petra, wstając. – Ja sprawdzę jej rodzinę, a ty naciskaj na sekcję techniczną i raportuj, jak tylko powiedzą coś, nad czym można by dalej pracować.

– Mhm... – mruknął Konrad z rozbawieniem. Już dawno zdążył się przyzwyczaić. Petra zachowywała się, jakby była szefem, chociaż byli równi stopniem. Nic nie mówił, bo zupełnie mu nie zależało na pozycji. Istotne było to, że słucha go uważnie i liczy się z jego zdaniem. Podniósł słuchawkę, żeby zadzwonić do sekcji technicznej.

– Jesteś pewien, że to tu? – Gösta spojrzał na Patrika.
– Tak. Słyszałem, że w środku ktoś chodzi.
– W takim razie pewnie tu jest – szepnął Gösta. – Inaczej raczej by otworzyli.
Patrik przytaknął.
– Co robimy? Powinni sami nas wpuścić. – Namyślał się chwilę, wyjął notatnik i długopis, napisał coś i wyrwał kartkę. Schylił się i wraz z wizytówką wsunął ją pod drzwiami.
– Co napisałeś?
– Zaproponowałem miejsce spotkania. Mam nadzieję, że połknie haczyk – powiedział Patrik, schodząc na dół.
– A jeśli zwieje? – Gösta truchtał za nim.
– Nie sądzę. Napisałem, że chodzi o Matsa.
– Mam nadzieję, że to dobry pomysł – powiedział Gösta, wsiadając do samochodu. – Dokąd jedziemy?
– Nad Delsjön*. – Patrik ruszył ostro.
Zostawili samochód na parkingu i weszli w las. Szli w stronę pola biwakowego. Czekali. Łono przyrody było przyjemną odmianą, zwłaszcza że dzień był przepiękny.

---

* Delsjön – jezioro w Göteborgu.

Ciepło, ale nie upalnie, słońce na bezchmurnym niebie, świergot ptaków i cichy szum drzew.

Po dwudziestu minutach podeszła do nich drobna kobieta. Rozglądała się niespokojnie, była spięta, wciskała głowę w ramiona.

– Czy Mattemu coś się stało? – Rwała słowa, mówiła wysokim, dziewczęcym głosem.

– Możemy usiąść? – Patrik wskazał jej ławkę.

– Proszę powiedzieć, co się stało – nalegała, ale usiadła. Patrik usiadł obok niej. Gösta wolał stanąć z boku i zostawić to Patrikowi.

– Jesteśmy z policji z Tanumshede – powiedział Patrik. Spojrzał na nią i ścisnęło go w żołądku. Poczuł się jak idiota. Nie pomyślał, że będzie musiał ją zawiadomić o śmierci kogoś, kto był jej bardzo bliski.

– Z Tanumshede? Dlaczego? – Zacisnęła ręce na kolanach i spojrzała na niego błagalnie. – Matte jest stamtąd, ale...

– Kiedy pani zniknęła, Mats wrócił do Fjällbacki. Dostał tam pracę. Mieszkanie w Göteborgu wynajął. Ale... – zawahał się. – Prawie dwa tygodnie temu został zastrzelony. Bardzo mi przykro, Mats nie żyje.

Madeleine zatchnęła się. Jej niebieskie oczy zaszły łzami.

– Myślałam, że go zostawią w spokoju. – Zakryła twarz rękami i wybuchnęła rozpaczliwym płaczem.

Patrik z zakłopotaniem położył rękę na jej plecach.

– Wiedziała pani, że został pobity przez pani byłego męża i jego kumpli?

– No pewnie, że wiedziałam. Ani przez chwilę nie wierzyłam w tę idiotyczną historię o bandzie nastolatków.

– I dlatego pani uciekła? – ostrożnie pytał dalej.

– Myślałam, że jeśli wyjedziemy, zostawią go w spokoju. Wcześniej liczyłam, że w końcu wszystko się jakoś ułoży, że uda mi się ukryć gdzieś w Szwecji. Ale kiedy zobaczyłam Mattego w szpitalu... Zrozumiałam, że jeśli tu zostaniemy, nikt z moich bliskich nie będzie bezpieczny. Musieliśmy zniknąć.

– Dlaczego pani wróciła? Co się stało?

Madeleine zacisnęła usta. Domyślił się, że nie odpowie.

– Ucieczka nic nie da. Jeśli Matte nie żyje... To tylko dowodzi, że dobrze zrobiłam – powiedziała, wstając.

– Możemy pani jakoś pomóc? – Patrik również wstał.

Odwróciła się. Oczy miała pełne łez, ale spojrzenie martwe.

– Nie możecie mi pomóc.

– Długo byliście parą?

– Zależy, jak liczyć – powiedziała i głos jej zadrżał. – Około roku. Nie wolno nam było, więc się ukrywaliśmy. Poza tym musieliśmy być ostrożni ze względu na... – Nie dokończyła, ale Patrik się domyślił. – W porównaniu z tym, do czego byłam przyzwyczajona, Matte był zupełnie inny. Nie potrafiłby zrobić nic złego. Dla mnie... to było coś nowego. – Zaśmiała się gorzko.

– Muszę panią spytać o jedną rzecz. – Patrik wstydził się spojrzeć jej w oczy. – Czy Mats mógł się wplątać w jakieś narkotyki? Kokaina?

Madeleine wpatrywała się w niego.

– Skąd ten pomysł?

– W koszu na śmieci przed jego domem we Fjällbace znaleziono torebkę z kokainą. Są na niej odciski jego palców.

– To jakaś pomyłka. Matte nigdy by nie tknął czegoś takiego. Zresztą wiecie równie dobrze jak ja, kto się zajmuje narkotykami – powiedziała cicho. Z jej oczu znów popłynęły łzy. – Przepraszam, muszę wracać do dzieci.

– Proszę zatrzymać moją wizytówkę i dzwonić, gdybyśmy mogli pani w czymś pomóc.

– Okej – odparła, choć oboje wiedzieli, że nie zadzwoni. – Zróbcie to dla mnie. Posadźcie tego, kto zabił Mattego. Nie powinnam była...

Puściła się pędem, płakała. Patrik i Gösta patrzyli za nią, aż zniknęła.

– Niewiele pytań zadałeś – zauważył Gösta.

– Wystarczyło, żeby się zorientować, kogo podejrzewa.

– Tak. To, co teraz powinniśmy zrobić, nie wydaje się zachęcające.

– Też tak myślę – powiedział Patrik, sięgając po komórkę. – Najlepiej od razu zadzwonię do Ulfa. Będziemy potrzebowali pomocy.

– Mało powiedziane – mruknął Gösta.

Patrik stał ze słuchawką przy uchu. Bardzo się niepokoił. Przez mgnienie oka widział przed sobą Erikę i dzieci. Potem usłyszał głos Ulfa.

– Wieczór był przyjemny? – spytała Paula.

Ona i Johanna wyjątkowo jednocześnie przyszły do domu na lunch. Również Bertil przyszedł zjeść do domu. Wszyscy spotkali się przy kuchennym stole.

– Zależy, jak na to spojrzeć – odparła Rita z uśmiechem. W jej okrągłych policzkach pojawiły się dołeczki. Chociaż tańczyła, nie straciła krągłości. I całe szczęście, pomyślała Paula. Matka wydawała jej się nieskończenie piękna. Za nic by nie chciała, żeby się zmieniła, podobnie jak Bertil.

– Obrzydliwy skąpiec. Podał nam tanią whisky – mruknął Mellberg. Właściwie cenił Johnnie Walkera i przez myśl by mu nie przyszło kupować drogą whisky za własne pieniądze. Co innego, gdy ktoś częstuje.

– Coś podobnego... – powiedziała Johanna. – Tania whisky, można się załamać.

– Sobie i narzeczonej nalał najdroższej, a nam tańszej – wyjaśniła Rita.

– Co za skąpstwo! – powiedziała Paula. Była zdumiona. – Nie przypuszczałam, że Vivianne może być taka.

– I chyba nie jest. Wydawała się bardzo miła. Wstydziła się za niego, wyglądała, jakby się chciała zapaść pod ziemię. Ale musi w nim coś widzieć, bo się zaręczyli. Powiedzieli nam przy deserze.

– Ojej... – Paula próbowała wyobrazić sobie Erlinga i Vivianne jako parę, ale nie potrafiła. Dziwniejszego duetu ze świecą szukać. No tak, chyba że jej matka i Bertil... ale od jakiegoś czasu uważała, że stanowią idealną kombinację. Najważniejsze, że nigdy nie widziała mamy szczęśliwszej. Tym trudniej jej będzie powiedzieć, co uzgodniły z Johanną.

– Jak miło, że obie jesteście w domu. – Rita nalewała gorącą zupę z dużego garnka.

– Właśnie. Ostatnio miałem wrażenie, że się pokłóciłyście. – Mellberg pokazał wnukowi język. Leo śmiał się do rozpuku.

– Uważaj, bo się zakrztusi – powiedziała Rita. Mellberg przestał. Okropnie się bał, że mogłoby mu się coś stać. Był jego oczkiem w głowie.

– Zrób to dla dziadzia, pogryź ładnie – powiedział. Paula musiała się uśmiechnąć. Jeszcze nigdy nie spotkała tak beznadziejnego faceta. Ale gdy widziała, jak mały na niego patrzy, gotowa była wybaczyć mu wszystko. Chrząknęła, zdając sobie sprawę, że to, co powie, spadnie na nich jak grom z jasnego nieba.

– Rzeczywiście, ostatnio nie działo się między nami za dobrze, ale wczoraj miałyśmy wreszcie okazję spokojnie porozmawiać i...

– Chyba się nie rozchodzicie? – wtrącił Mellberg. – Przecież nikogo nowego sobie nie znajdziecie. Mało tu lesbijek, dla was dwóch może nie wystarczyć.

Paula wzniosła oczy do nieba, modliła się o cierpliwość. Policzyła do dziesięciu i zaczęła od nowa.

– Nie rozchodzimy się, ale... – Szukając oparcia, spojrzała na Johannę.

– Nie możemy tu dłużej mieszkać – dokończyła Johanna.

– Nie możecie tu mieszkać? – Rita spojrzała na wnuka i łzy napłynęły jej do oczu. – Ale dokąd chcecie się wyprowadzić? Jak wy... i dziecko... – wyjąkała.

– Do Sztokholmu nie możecie wrócić. Mam nadzieję, że nawet o tym nie myślicie – powiedział Mellberg. – Chyba rozumiecie, że Leo nie powinien się wychowywać w wielkim mieście. Wyrośnie jeszcze na jakiegoś bandziora albo narkomana, albo czy ja wiem kogo.

Pauli nie chciało się przypominać, że obie z Johanną

dorastały w Sztokholmie i wcale im to nie zaszkodziło. Nie ma co się odzywać.

– Ależ skąd, nie wracamy do Sztokholmu – powiedziała pośpiesznie Johanna. – Dobrze nam tutaj. Ale wiemy, że może nam być trudno znaleźć odpowiednie mieszkanie. Pewnie będziemy musiały szukać w okolicy, również w Grebbestad i Fjällbace. Bardzo byśmy chciały zamieszkać blisko was, ale...

– Ale musimy się wyprowadzić – powiedziała Paula. – Bardzo nam pomogliście, a dla Lea jako babcia i dziadek jesteście absolutnie fantastyczni, ale powinnyśmy mieć własny dom. – Ścisnęła rękę Johanny pod stołem. – Wynajmiemy, co się trafi.

– Ale Leo jest przyzwyczajony, że widuje nas codziennie, i tak powinno zostać. – Mellberg zrobił minę, jakby chciał przytulić małego i już nigdy nie wypuścić z objęć.

– Zrobimy, co się da, ale chcemy się wyprowadzić jak najprędzej. A dokąd, zobaczymy.

Przy stole zapadła cisza, tylko Leo był wesoły jak zawsze. Rita i Mellberg spoglądali na siebie. Byli przygnębieni. Dziewczyny się wyprowadzą i zabiorą małego. Niby nie katastrofa, ale właśnie tak to odczuwali.

Nie mogła zapomnieć widoku krwi. Czerwieniła się wyraźnie na tle białego jedwabiu. Przeraziła się. Czegoś takiego jeszcze nie widziała, a przecież przez lata, które przeżyła z Fredrikiem, nieraz się bała. Nie chciała o tym myśleć, spychała to w podświadomość. Wolała się skupić na Samie i miłości do niego.

Tamtej nocy jak skamieniała patrzyła na krew. Po chwili zaczęła działać, i to z determinacją, o jaką się nie podejrzewała. Walizki stały spakowane. Miała na sobie tylko koszulę nocną, ale chociaż była przerażona, przebrała się w dżinsy i koszulkę. Sam pojechał w piżamce. Wzięła go na ręce i zaniosła do samochodu. Nie spał, patrzył i nic nie mówił.

Wokół panowała cisza. Słychać było tylko szum przejeżdżających z rzadka samochodów. Bała się myśleć o tym, czego Sam był świadkiem. Jak to na niego wpłynie i co oznacza jego milczenie. On, zawsze taki gaduła, nie powiedział ani słowa.

Siedziała na pomoście. Podciągnęła kolana pod brodę i objęła je rękami. Sama się dziwiła, że nie ma dość wyspy, choć minęły już dwa tygodnie. Miała wrażenie, że czas pędzi jak szalony. Nie wiedziała, czy dla ludzi Fredrika ona i dziecko mają jakieś znaczenie ani jak długo mogą się tu ukrywać. Najchętniej skryłaby się tu przed światem, została na zawsze. Latem nie ma problemu, ale zimą nie dadzą sobie rady. Zresztą Sam powinien mieć kolegów, stykać się z ludźmi. Prawdziwymi.

Zanim postanowi, co dalej, Sam musi wyzdrowieć i dojść do siebie. Na razie świeci słońce, wieczorami kołysze ich do snu szum fal rozbijających się o nagie skały. W cieniu latarni są bezpieczni. Wszystko inne może poczekać. Wspomnienie krwi z czasem zblaknie.

– Jak się czujesz, kochanie? – Dan stanął za nią i objął ją. Miała ochotę się wyrwać, ale się powstrzymała. Wyszła z mroku, ale tylko po to, by znów być z dziećmi i kochać je. Gdy Dan jej dotykał i patrzył na nią błagalnie, nadal czuła się martwa.

– W porządku – odpowiedziała, uwalniając się z jego objęć. – Jestem zmęczona, ale muszę się chwilę pokręcić, rozruszać mięśnie.

– Jakie mięśnie?

Przypomniała sobie, że gdy kiedyś tak żartował, zawsze się uśmiechała. Teraz też spróbowała, ale jej twarz wykrzywił grymas.

– Mógłbyś odebrać dzieci? – spytała, schylając się z wysiłkiem po leżący na środku kuchni samochodzik.

– Ja podniosę – powiedział Dan, podnosząc go.

– Sama mogę – syknęła i natychmiast zrobiło jej się przykro. Zobaczyła jego smutną minę. Co się z nią dzieje? Skąd ta czarna dziura tam, gdzie dawniej była miłość do niego?

– Ja tylko nie chcę, żebyś się przeliczyła z siłami. – Pogłaskał ją po policzku. Miał zimną rękę. Musiała się pohamować, żeby jej nie odtrącić. Jak może się tak czuć? Przecież to Dan, którego tak mocno kochała, ojciec dziecka, na które tak się cieszyła. Czyżby uczucie do niego umarło wraz z synkiem?

Znów poczuła się zmęczona. Nie miała siły o tym myśleć. Wiedziała, że potrzebuje spokoju, że musi odpocząć, zanim wrócą dzieci. Wtedy znów poczuje, że w jej sercu jest miejsce na miłość.

– Pojedziesz po nich? – wymamrotała. Skinął głową. Nie mogła się zdobyć na to, żeby mu spojrzeć w oczy.

Wiedziała, że zobaczy w nich ból. – To ja pójdę się położyć. – Pokuśtykała na schody.

– Kocham cię, Anno – powiedział cicho.

Nie odpowiedziała.

– Halo! – zawołała Madeleine, wchodząc. W domu panowała niezwykła cisza. Czyżby dzieci spały? Nie byłoby w tym nic dziwnego. Późno przyjechali, a rano wcześnie się obudzili. Byli podekscytowani tym, że są u dziadków.

– Mamo? Tato? – powiedziała cicho, zdejmując buty i płaszcz. Przystanęła przed lustrem w przedpokoju. Nie chciała, żeby widzieli, że płakała. I tak się o nią martwią. Bardzo się wczoraj ucieszyła na ich widok. Otworzyli już przebrani do snu, zaskoczeni. Uśmiechnęli się do nich serdecznie. Dobrze było wrócić do domu, choć zdawała sobie sprawę, że poczucie bezpieczeństwa jest złudne i krótkotrwałe.

Znów zapanował zamęt. Matte nie żyje. W głębi duszy miała nadzieję, że jeszcze im się uda być razem.

Stała przed lustrem. Założyła włosy za uszy i próbowała spojrzeć na siebie jego oczami. Mówił, że jest piękna. Nie rozumiała tego, choć nie wątpiła w jego szczerość. Czytała to z jego oczu, gdy na nią patrzył. Miał tyle planów na wspólną przyszłość, i chociaż postanowiła wyjechać, chciała wierzyć, że pewnego dnia te plany się urzeczywistnią. Znów zebrało jej się na płacz. Spojrzała w górę, żeby łzy nie spłynęły po policzkach. Zamrugała i odetchnęła głębiej. Ze względu na dzieci musi się pozbierać i robić, co do niej należy. Potem będzie mogła płakać.

Odwróciła się i ruszyła do kuchni. Tam rodzice przesiadywali najczęściej. Mama robiła na drutach, a tata rozwiązywał krzyżówki albo, od niedawna, sudoku.

– Mamo... – powiedziała i stanęła jak wryta.

– Witaj, kochanie.

Głos brzmiący miękko, ale szyderczo. Nigdy się od niego nie uwolni.

Mama była przerażona. Siedziała twarzą do niej, z lufą pistoletu przy prawej skroni. Na kolanach trzymała robótkę. Ojciec siedział na swoim miejscu przy oknie, umięśnione ramię przytrzymywało go za szyję.

– Właśnie wspominałem z teściami dawne czasy – spokojnie powiedział Stefan. Madeleine zobaczyła, że mocniej przycisnął lufę do skroni matki. – Miło znów cię widzieć. Dawno się nie widzieliśmy.

– Gdzie dzieci? – spytała ochryple. Zaschło jej w ustach.

– Są bezpieczne. Biedactwa. Ile musiały przejść. Jaka to musiała być trauma znaleźć się w rękach psychicznie chorej matki, bez kontaktu z ojcem. Teraz to nadrobimy. – Uśmiechnął się, błyskając zębami.

– Gdzie są? – Prawie zapomniała, jak bardzo go nienawidzi i jak bardzo się boi.

– Powiedziałem, są bezpieczne. – Znów przycisnął mocniej lufę, matka skrzywiła się z bólu.

– Chciałam do ciebie przyjechać. Dlatego wróciliśmy. – Zabrzmiało to jak błaganie, zdawała sobie z tego sprawę. – Zrozumiałam, że popełniłam błąd, i wróciłam, żeby go naprawić.

– Dostałaś kartkę?

Jakby nie słyszał, co powiedziała. Nie mogła zrozumieć, jak mógł jej się kiedyś podobać. Była zakochana, uważała, że wygląda jak gwiazdor filmowy, włosy jasnoblond, niebieskie oczy, wyraziste rysy. Pochlebiało jej, że wybrał ją, chociaż mógł mieć każdą. Miała zaledwie siedemnaście lat i żadnego doświadczenia. Zalecał się do niej, obsypywał komplementami. Dopiero później zaczęło się tamto, zazdrość i potrzeba kontrolowania. Ale wtedy było już za późno. Spodziewała się Kevina, w dodatku tak się od niego uzależniła, że nie umiała się wyrwać z tego związku.

– Kartka doszła – odparła, i nagle ogarnął ją absolutny spokój. Już nie ma siedemnastu lat. Wie, jak to jest być kochaną. Z twarzą Mattego przed oczami pomyślała, że musi być silna, że jest mu to winna. – Pojadę z tobą, moich rodziców zostaw w spokoju. – Spojrzała na ojca, chciał wstać. Potrząsnęła głową. – Chcę wszystko naprawić. Nie powinnam wyjeżdżać, to był błąd. Bądźmy znów rodziną.

Nagle Stefan zrobił krok w jej stronę i uderzył ją w twarz pistoletem. Poczuła stal na policzku, padła na kolana. Kątem oka zobaczyła, jak goryl Stefana sadza ojca z powrotem. Wolałaby, żeby rodzice nie musieli tego przeżywać.

– Jeszcze zobaczymy, kurwo jedna. – Chwycił ją za włosy i pociągnął. Próbowała wstać. Bolało strasznie, jakby jej zrywał skórę z czaszki. Odwrócił się i z jej włosami w garści machnął pistoletem.

– Żebyście się nie odważyli nic robić. Nawet pisnąć o tym. Bo już nigdy jej nie zobaczycie. Zrozumiano? – Patrzył na nich, pistolet przystawił do jej skroni.

W milczeniu kiwnęli głowami. Madeleine nie spojrzała na nich. Opuściłaby ją wtedy cała odwaga. Nie słyszałaby już głosu Mattego, który przed chwilą mówił, że ma być silna, cokolwiek się stanie. Wpatrywała się w podłogę, odczuwała piekący ból. Czuła dotyk chłodnej lufy. Zastanawiała się, czy zdążyłaby poczuć, jak kula wbija się w jej mózg, czy od razu zapadłaby się w ciemność.

– Dzieci mnie potrzebują. Potrzebują nas obojga. Znów możemy się stać rodziną – powiedziała. Starała się, żeby głos jej nie drżał.

– To się jeszcze zobaczy – powiedział tonem, który ją przestraszył bardziej niż to, że ją trzymał za włosy i przystawiał pistolet do głowy. – To się zobaczy.

Powlókł ją do drzwi.

– Wszystko wskazuje na to, że w tę sprawę jest zamieszany Stefan Ljungberg i jego kumple – powiedział Patrik.

– Jego kobieta jednak wróciła? – spytał Ulf.

– Tak, razem z dziećmi.

– To niedobrze. Powinna się trzymać jak najdalej od niego.

– Nie chciała powiedzieć, dlaczego wróciła.

– Mogła mieć tysiąc powodów. Nieraz to widziałem. Tęsknota za domem, za rodziną i przyjaciółmi. Życie z dala od nich okazało się trudniejsze, niż sobie wyobrażała. Albo facet ją znalazł i zaczął grozić, więc uznała, że równie dobrze może wrócić.

– To znaczy, że wiecie, że takie organizacje jak Fristad czasem robią rzeczy wykraczające poza ramy prawa? – spytał Gösta.

– Tak, ale wolimy patrzeć na to przez palce. Właściwie wolimy nie angażować własnych środków. Przecież te organizacje włączają się wtedy, gdy państwo zawodzi. Nie potrafimy ochronić tych kobiet i dzieci tak, jak by należało, więc... co mamy robić? – Rozłożył ręce. – Ona uważa, że mógł go zabić jej były mąż?

– Tak – odparł Patrik. – Wskazuje na to tyle okoliczności, że powinniśmy go chociaż przesłuchać.

– Wspomniałem już, że to nie będzie łatwe. Po pierwsze nie chcielibyśmy zakłócać innych śledztw w sprawie IE. Po drugie to są goście, których należy unikać.

– Zdaję sobie z tego sprawę – odparł Patrik. – Ale trop prowadzi do Stefana Ljungberga. Nieprzesłuchanie go byłoby niedopełnieniem obowiązków służbowych.

– Bałem się, że to powiesz – powiedział Ulf z westchnieniem. – Zrobimy tak: wezmę ze sobą jednego z najlepszych ludzi i we czterech pojedziemy z nim porozmawiać. Żadnego przesłuchania, żadnej prowokacji, żadnej agresji. Tylko rozmowa. Zrobimy to elegancko, ostrożnie i zobaczymy, co z tego wyjdzie. Co wy na to?

– Chyba nie mamy wyboru.

– Okej. Ale nie zdążymy wcześniej niż jutro rano. Macie gdzie przenocować?

– Myślę, że moglibyśmy się przespać u mojego szwagra. – Spojrzał pytająco na Göstę. Gösta skinął głową. Patrik sięgnął po komórkę, żeby zadzwonić do Görana.

Patrik zatelefonował. Powiedział, że wróci dopiero jutro. Erika posmutniała. Pomyślała: trudno. I tyle. Gdyby to było wtedy, gdy Maja miała tyle miesięcy co bliźnięta teraz, byłoby zupełnie inaczej. Gdyby wtedy jej powiedział, że nie wraca na noc do domu, wpadłaby w panikę. Bałaby się zostać sama z dzieckiem. Dziś było jej tylko przykro, że zaśnie bez Patrika, ale nie bała się zostać sama z trójką dzieci. Wszystko się dobrze układało. Teraz naprawdę się cieszyła dziećmi. Przy Mai nie umiała. Nie znaczyło to wcale, że Maję kochała mniej. Teraz, przy bliźniakach, była po prostu spokojna i wierzyła w siebie.

– Tata wróci jutro – zakomunikowała Mai.

Maja się nie przejęła. W telewizji leciała *Bolibompa*, jej ulubiony program dla dzieci. Nic nie odwróciłoby jej uwagi. Nawet ostrzał artyleryjski za oknem. Bliźnięta, nakarmione i przewinięte, słodko spały we wspólnym łóżeczku. Na parterze panował wyjątkowy porządek, bo kiedy wrócili z przedszkola, naszła ją ochota na sprzątanie. Jakby nie wiedziała, co ze sobą zrobić.

Poszła do kuchni, zrobiła sobie herbatę i rozmroziła w mikrofalówce kilka bułeczek. Po chwili namysłu przyniosła plik wydruków o Gråskär i rozłożyła się z nimi obok Mai. Wkrótce świat duchów pochłonął ją bez reszty. Koniecznie musi to pokazać Annie.

– Nie powinnaś przypadkiem wracać do domu? Do córek? – Konrad spojrzał na nią surowo. Za oknami ich pokoju w komendzie na Kungsholmen właśnie zapalono latarnie.

– Dziś dyżur ma Pelle. Ostatnio tyle pracował wieczorami... niech zakosztuje życia rodzinnego.

Mąż Petry prowadził kawiarnię na Söder. Ich grafik codziennych spraw, kto, kiedy, co, przypominał łamigłówkę.

Chwilami Konrad nie mógł się nadziwić, jak im się udało sprawić sobie piątkę dzieci, skoro tak rzadko się spotykali.

– Jak ci idzie? – Po długim dniu musiał rozprostować kości. Czuł to w krzyżu.

– Rodzice nie żyją, rodzeństwa nie ma. Szukam dalej, ale chyba nie ma rodziny.

– Jak ona mogła się zadać z kimś takim – powiedział Konrad, kręcąc głową, żeby rozluźnić mięśnie karku.

– Nietrudno wykalkulować, co to za kobieta – stwierdziła sucho Petra. – Lalunia, która polega tylko na swojej urodzie i chodzi jej tylko o to, żeby ktoś ją utrzymywał. Ma w dupie, skąd się biorą te pieniądze. Całe dnie spędza na zakupach i u kosmetyczki, a w przerwach przesiaduje w restauracji Sturehof na obiadkach z psiapsiółkami i popija białe wino.

– Coś mi się zdaje, że jesteś uprzedzona – zauważył Konrad z ironią.

– Gdyby moje córki chciały tak żyć, osobiście bym je udusiła. Jeśli ktoś decyduje się wejść do takiego świata i przymykać oczy, bo przecież pieniądze nie śmierdzą, to niech potem ma pretensje do siebie.

– Nie zapominaj, że jest jeszcze dziecko – przypomniał.

Od razu złagodniała. Była prawdziwą twardzielką, ale miękła, jeśli coś złego działo się dziecku.

– Tak, wiem. – Zmarszczyła brwi. – Dlatego tu siedzę, chociaż jest dziesiąta, a Pelle prawdopodobnie ma w domu bunt na „Bounty”, ale na żywo. Przecież nie martwię się o jakąś rozwydrzoną cizię.

Postukała jeszcze chwilę w klawiaturę i wylogowała się.

– Poddajemy się. Rozesłałam kilka zapytań. Nie wydaje mi się, żeby można było zrobić coś jeszcze. Jutro o ósmej mamy wspólną odprawę z wydziałem narkotykowym. Lepiej się prześpijmy, żebyśmy byli przytomni.

– Mądra jak zawsze. – Konrad wstał. – Może jutrzejszy dzień przyniesie coś więcej.

– W przeciwnym razie będziemy musieli się zwrócić do mediów – odparła z obrzydzeniem.

– Zobaczysz, i tak to wywęszą. – Już dawno przestał się przejmować tabloidami. Nie postrzegał ich w tych samych czarno-białych barwach co Petra. Raz pomagały, raz psuły im szyki. Tak czy inaczej, nie znikną, nie ma co walczyć z wiatrakami.

– Dobranoc – powiedziała Petra, wychodząc na korytarz.

– Dobranoc – odparł Konrad, gasząc światło.

Fjällbacka 1873

Teraz było inaczej, choć wiele zostało po staremu. Karl i Julian jak zwykle patrzyli na nią krzywo i od czasu do czasu mówili coś przykrego, ale nic sobie z tego nie robiła, bo miała Gustava. Cudownego synka, który pochłaniał całą jej uwagę. Teraz mogła znieść wszystko, choćby miała do śmierci tkwić na Gråskär. Liczył się tylko Gustav. Myślała o tym i czuła niewzruszony spokój. Do tej pory taki spokój dawała jej tylko wiara w Boga. Jego słowa rozumiała teraz coraz lepiej, z każdym dniem spędzonym na jałowej wyspie. Cały wolny czas poświęcała na czytanie Biblii. Przesłanie Pisma wypełniało jej serce, pozwalało jej odciąć się od rzeczywistości.

Dwa miesiące po tym, jak wróciła na wyspę, ku jej wielkiemu zmartwieniu odeszła Dagmar. Okoliczności jej śmierci były tak straszne, że wolała o tym nie myśleć. Pewnej nocy ktoś włamał się do jej domu. Pewnie chciał ukraść nieliczne cenne przedmioty. Następnego ranka jakaś znajoma znalazła jej zwłoki. Emelie zbierało się na płacz, jak tylko sobie przypomniała, co ją spotkało. Nie potrafiła sobie z tym poradzić. Jak złym trzeba być człowiekiem, jak bardzo nienawidzić innych, żeby pozbawić życia starszą panią, która nigdy nikomu nie zrobiła nic złego.

Czasem zmarli wymawiali szeptem jakieś imię. Znali je i chcieli, żeby ich wysłuchała, ale ona nie chciała ani wiedzieć, ani słuchać. Bardzo jej brakowało Dagmar. Bolała nad jej stratą z całego serca. Było jej łatwiej, kiedy wiedziała, że Dagmar jest we Fjällbace, chociaż nie miała szans się z nią spotkać, bo nadal nie zabierali jej na zakupy. Gdy zabrakło Dagmar, zostali z Gustavem sami.

Ale to nie była cała prawda. Czekali na nią. Gdy wróciła z Gustavem, przywitali ją już na skałach. Nie musiała się starać, żeby ich zobaczyć. Gdy Gustav miał półtora roku, najpierw nie dowierzała, a potem przekonała się, że on również ich widzi. Uśmiechał się do nich serdecznie i wymachiwał rączkami. Cieszył się z ich towarzystwa i tylko to było dla niej ważne.

Jej życie mogło się wydawać monotonne. Każdy dzień był podobny do poprzedniego. Ale jeszcze nigdy nie była tak szczęśliwa. Pastor znów ich odwiedził. Miała wrażenie, że się niepokoił i chciał sprawdzić, jak się sprawy mają. Niepotrzebnie. Odcięcie od świata nie doskwierało jej już tak bardzo jak kiedyś. Miała towarzystwo i cel w życiu. Czego chcieć więcej? Pastor popłynął z powrotem, uspokojony pogodą ducha, którą wyczytał na jej twarzy i leżącą na stole Biblią, wyraźnie podniszczoną od częstego czytania. Pogłaskał po policzku Gustava, ukradkiem dał mu cukierka i pochwalił. Powiedział, że jest wspaniałym dzieckiem. Emelie promieniała.

Karl kompletnie go ignorował. Jakby nie wiedział, że ma syna. Wyprowadził się na dobre z sypialni i zajął pokój na parterze. Julianowi przypadła rozkładana ława w kuchni. Karl twierdził, że krzyki dziecka nie dają mu spać, ale Emelie podejrzewała, że szukał wymówki, żeby nie dzielić z nią małżeńskiego łoża. Wcale się tym nie przejęła. Spała z synkiem. Obejmował ją za szyję i tulił buzię do jej policzka. Więcej nie było jej trzeba. Miała Gustava i Boga.

Spędzili u Görana miły wieczór. Erika i Anna bardzo długo nie wiedziały, że mają brata, ale gdy już go poznały, stał się im bliski. Patrik i Dan również bardzo go polubili. Märta, jego przybrana matka, urocza starsza pani, z radością przyjęta do rodziny, zjadła z nimi kolację.

– Czujni? Gotowi? – spytał Ulf następnego ranka, gdy spotkali się na parkingu przed komendą.

Nie czekając na odpowiedź, przedstawił im kolegę, Javiera. Był, o ile to możliwe, jeszcze potężniejszy od niego i w zdecydowanie lepszej kondycji. Najwyraźniej nie należał do ludzi rozmownych. Bez słowa potrząsnął ręką Patrika, a potem Gösty.

– Jedźcie za nami. – Ulf stęknął i wcisnął się za kierownicę samochodu na cywilnych numerach.

– Dobrze, tylko nie gazuj, bo nie znam drogi – powiedział Patrik. I poszedł z Göstą do samochodu.

– Będę prowadził jak instruktor – zaśmiał się Ulf.

Przejechali przez miasto i znaleźli się na terenach rzadziej zabudowanych. Po kolejnych dwudziestu minutach już prawie nie było budynków.

– Kompletne odludzie – powiedział Gösta, rozglądając się. – W lesie mieszkają, czy co?

– Nie ma się co dziwić, że mieszkają w takiej okolicy. Pewnie nie chcą, żeby sąsiedzi widzieli, co się u nich dzieje.

– Prawda.

Ulf zwolnił i skręcił na podwórze dużego domu. Z głośnym szczekaniem przybiegło kilka psów.

– Cholera, nie lubię psów – powiedział Gösta, patrząc przez szybę. Drgnął, gdy potężny rottweiler rozszczekał się przy jego drzwiach.

– Zdaje się, że pies, który dużo szczeka, nie gryzie. – Patrik wyłączył silnik.

– Tak się tylko mówi – odparł Gösta, nie ruszając się z miejsca.

– Wiesz co, dałbyś spokój. – Patrik wysiadł z samochodu i zdrętwiał. Otoczyły go trzy psy. Szczekały, pokazując zęby.

– Zawołaj psy! – wrzasnął Ulf. Po minucie przed dom wyszedł mężczyzna. Krzyżując ręce na piersi, uśmiechał się z rozbawieniem.

– Daj spokój, Stefan. Chcemy tylko pogadać. Zabierz te cholerne psy.

Stefan się roześmiał i gwizdnął na palcach. Psy natychmiast przestały szczekać, podbiegły do niego i położyły się u jego stóp.

– Zadowolony?

Nie dało się zaprzeczyć: szef IE był postawny, a gdyby nie lodowate spojrzenie, można by go uznać za przystojnego. Ubranie sporo mu ujmowało – wytarte dżinsy, poplamiony T-shirt i czarna kamizelka motocyklisty. Na nogach drewniaki.

Z różnych stron schodziło się coraz więcej mężczyzn. Patrzyli na nich tak samo czujnie i groźnie.

– Czego chcecie? To teren prywatny – powiedział Ljungberg, śledząc każdy ich ruch.

– Tylko pogadać – powtórzył Ulf, unosząc dłonie. – Nie chcemy awantury, pogadamy i odjeżdżamy.

419

Zapadła cisza. Nie odzywali się dość długo. Ljungberg wyglądał, jakby się zastanawiał. Wszyscy czekali bez ruchu.

– Dobra, wchodźcie – odezwał się w końcu i wzruszył ramionami, jakby to nie miało znaczenia.

Ulf, Javier i Gösta ruszyli przodem, Patrik z bijącym sercem podążył za nimi.

– Siadajcie. – Ljungberg wskazał na kilka foteli stojących wokół stolika z zapaćkanym szklanym blatem. Sam usiadł na szpanerskiej skórzanej kanapie, rozłożył ramiona na oparciu. Po stoliku walały się puste puszki po piwie, pudełka po pizzy i pety: część w popielniczkach, część wprost na blacie.

– Nie zdążyłem posprzątać – powiedział, szczerząc zęby, ale natychmiast spoważniał. – O co chodzi?

Ulf spojrzał na Patrika. Patrik chrząknął. Nie najlepiej się czuł w sztabie gangu motocyklowego, ale nie było odwrotu.

– Jesteśmy z komisariatu w Tanumshede – powiedział. Słyszał, że głos mu się trzęsie. Nie bardzo, ale na tyle wyraźnie, że w oczach Ljungberga pojawił się błysk rozbawienia. – Mamy kilka pytań w związku z pobiciem w lutym. Na Erik Dahlbergsgatan w Göteborgu. Pobity nazywał się Mats Sverin.

Zrobił przerwę. Ljungberg spojrzał na niego pytającym wzrokiem.

– No i?

– Z zeznań świadków wynika, że sprawcami pobicia byli mężczyźni z emblematem waszej organizacji na plecach.

Ljungberg zaśmiał się szyderczo i spojrzał na swoich ludzi. Stali za nim. Oni również się roześmiali.

– Coś podobnego. A co powiedział ten gość? Jak mu tam... Max?

– Mats – ostrożnie poprawił go Patrik. Nie miał wątpliwości, że Ljungberg się popisuje, ale wiedział za mało, żeby móc mu zepsuć zabawę.

– O, przepraszam. A co mówi ten Mats? Czy wskazał na nas? – Ljungberg rozłożył ramiona jeszcze szerzej. Wyglądał, jakby zajmował całą kanapę. Jeden z psów położył się tuż przy jego nogach.

– Nie – przyznał Patrik niechętnie. – Nie wskazał.

– To o co chodzi? – Ljungberg znów wyszczerzył zęby.

– Ciekawe, że nawet nie pytasz, o kogo chodzi – powiedział Ulf, przywołując psa. Gösta spojrzał na niego jak na wariata. Pies podniósł się, poczłapał do Ulfa i dał się podrapać za uchem.

– Lolita jeszcze nie znienawidziła zapachu gliniarza. Nauczy się – powiedział Ljungberg. – Jeśli chodzi o tego Matsa, nie mogę wszystkich pamiętać. Jestem człowiekiem interesu i stykam się z mnóstwem różnych ludzi.

– Pracował dla Fristad. Mówi ci coś ta nazwa?

Patrik czuł coraz większą odrazę do tego faceta i do tej gry. Był pewien, że Ljungberg wie, o kogo chodzi, i wie, że oni wiedzą. Wolałby, żeby Ulf zabrał go do komisariatu, żeby sąsiad Matsa mógł go zidentyfikować. Nie mieli pewności, że Ljungberg brał udział w pobiciu, ale Patrik był absolutnie przekonany, że tak. To była osobista sprawa. Nie mógł jej powierzyć swoim ludziom.

– Fristad? Nie, nic mi nie mówi.

– Dziwne. A oni cię znają, i to bardzo dobrze. – Patrik aż się gotował.

– Aha... – Udawał, że nie rozumie.

– Co słychać u Madeleine? – spytał Ulf. Lolita położyła się na grzbiecie, żeby mógł ją drapać po brzuchu.

– Wiesz, jakie są baby. Chwilowo mamy kłopoty, ale to nic takiego. Poradzimy sobie.

– Kłopoty? – powtórzył Patrik przez zęby. Ulf rzucił mu ostrzegawcze spojrzenie. – Jest w domu?

Javier siedział i nie odzywał się ani słowem. Demonstrował tylko mięśnie. Patrik nie miał wątpliwości, że właśnie po to Ulf go zabrał.

– Nie, nie ma jej – odparł Ljungberg. – Na pewno będzie jej przykro, że się z wami minęła. Baby lubią, jak przychodzą goście.

Wydawał się zupełnie spokojny. Patrik miał ochotę przyłożyć mu pięścią w twarz.

Ljungberg wstał. Lolita zerwała się, chyłkiem wróciła do pana i przytuliła się do jego nóg, jakby przepraszała, że wybrała się na podryw. Ljungberg ją pogłaskał.

– Jeśli to wszystko, to mam co innego do roboty.

Patrik chciał zadać jeszcze mnóstwo pytań. O kokainę, Madeleine, Fristad i o morderstwo. Ulf rzucił mu kolejne ostrzegawcze spojrzenie i kiwnął głową w kierunku drzwi. Patrik dał za wygraną. Innym razem.

– Mam nadzieję, że z tamtym facetem wszystko w porządku. Z tym pobitym. Takie historie czasem źle się kończą. – Ljungberg stanął w drzwiach. Czekał, aż wyjdą.

– Nie żyje. Został zastrzelony – powiedział Patrik. Wpatrywał się w jego twarz z tak bliska, że czuł nieświeży oddech, woń piwa i papierosów.

– Zastrzelony?

Już się nie szczerzył, przez ułamek sekundy Patrik widział w jego spojrzeniu autentyczne zdziwienie.

– Czy wczoraj zastałaś dom na swoim miejscu? – Konrad spojrzał na Petrę przez okrągłe okulary.

– Tak – odparła, chociaż nie bardzo go słuchała. W skupieniu wpatrywała się w monitor. Po chwili odwróciła się na krześle. – Znalazłam coś. Żona Westera ma wyspę w prowincji Bohuslän, na archipelagu niedaleko... – nachyliła się, żeby odczytać – ...Fjällbacki.

– Ładnie tam. Byłem tam parę razy na urlopie.

Petra spojrzała na niego zdziwiona. Nie przyszło jej do głowy, że mógłby wyjechać na wakacje. Musiała się ugryźć w język, żeby nie spytać z kim.

– Gdzie to jest? – spytała. – Ma wyspę. To dopiero! Nazywa się Gråskär.

– Między Uddevallą i Strömstad – odparł, przeglądając billingi Fredrika Westera. Sprawdzał połączenia wychodzące i przychodzące. Nudne zajęcie, ale billingi często okazywały się istną kopalnią złota. Mimo to wątpił, żeby akurat w tych miał coś znaleźć. Ci faceci są zbyt cwani, żeby zostawiać ślady. Na pewno korzystali z telefonów na kartę i wyrzucali je natychmiast po tym, jak załatwili interes. Ale nigdy nic nie wiadomo. Cierpliwość była największą zaletą Konrada. Jeśli na tej niekończącej się liście naprawdę jest coś ciekawego, znajdzie to.

– Nie udało mi się znaleźć numeru jej komórki. Będzie szybciej, jeśli się skontaktujemy z tamtejszą policją. Jeśli w ogóle jest tam komisariat, przecież to nie metropolia. Może spróbować w Göteborgu?

– Tanumshede – odparł Konrad, wybierając kolejne numery i porównując je z rejestrem. – Najbliższy komisariat policji znajduje się w Tanumshede.

– Tanumshede? Coś mi to mówi, ale co?

– Kilka dni temu tabloidy rozpisywały się o morderstwie na tle narkotykowym. – Zdjął okulary i potarł nos. Oczy go bolały od wpatrywania się w drobny druk.

– Rzeczywiście. Widać nie tylko w dużych miastach mamy z tym krzyż pański.

– Właśnie. Poza Sztokholmem też jest życie. Może zabrzmi to dziwnie, ale tak jest – powiedział Konrad. Wiedział, że Petra urodziła się w mieście, zawsze tu mieszkała i rzadko bywała na północ od Uppsali albo na południe od Södertälje.

– A ty niby skąd jesteś? – spytała z ironią. W tym momencie zdała sobie sprawę, że pyta o to człowieka, z którym pracuje od piętnastu lat. Jakoś wcześniej się nie zgadało.

– Z Gnosjö – odpowiedział, nie odrywając wzroku od billingów.

Petra była zdziwiona.

– Ze Smalandii? Przecież nie mówisz dialektem.

Konrad wzruszył ramionami. Już otwierała usta, żeby pytać dalej, ale postanowiła dać spokój. Dowiedziała się, skąd pochodzi i gdzie spędza wakacje. Jak na jeden dzień wystarczy.

– Gnosjö – powtórzyła ze zdumieniem. Podniosła słuchawkę. – Dzwonię do Tanumshede.

Konrad kiwnął głową. Pochłonął go świat cyfr.

– Kochanie, wyglądasz na zmęczonego. – Pocałowała go w usta. Na rękach trzymała obu chłopców. Patrik nachylił się i pocałował ich w główki.

– Rzeczywiście, jestem wykończony. A co u ciebie? – spytał z taką miną, jakby miał wyrzuty sumienia.

– W porządku, naprawdę. – Sama się dziwiła, że to mówi, ale naprawdę tak było. Maja poszła do przedszkola, bliźniaki były nakarmione i zadowolone.

– Warto było jechać? Co u Görana i Märty? – spytała, kładąc dzieci na kocu. – Właśnie zaparzyłam kawę.

– Fajnie, napiję się. – Patrik poszedł za nią do kuchni. – Mam tylko chwilę, zaraz muszę jechać do komisariatu.

– Posiedź parę minut, zejdź z obrotów – powiedziała, niemal popychając go na krzesło. Postawiła przed nim filiżankę kawy. Patrik z wdzięcznością wypił łyk.

– Zobacz, upiekłam nawet bułeczki. – Postawiła na stole talerz jeszcze ciepłych bułeczek.

– Coś podobnego. Może jeszcze zostaniesz idealną gospodynią domową. – Spojrzał na nią i zorientował się, że nie doceniła jego żartu.

– Opowiadaj – powiedziała, siadając obok niego.

Opowiedział, co robili w Göteborgu. Słyszała w jego głosie ton rezygnacji.

– U Görana i Märty wszystko w porządku. Chcieliby nas odwiedzić w jakiś weekend, jeśli damy radę ich przyjąć.

Erika rozpromieniła się.

– Fantastycznie! Po południu zadzwonię do Görana i ustalimy kiedy. – Nagle spoważniała. – Przyszło mi coś do głowy. Annie chyba nie wie, co się stało z Gunnarem. Nikt jej nie powiedział, prawda?

Patrik uświadomił sobie, że ma rację.

– Nie wydaje mi się. Chyba że sama zadzwoniła do Signe.

– Signe nadal jest w szpitalu. Podobno zupełnie bez kontaktu.

Patrik skinął głową.

– Zadzwonię do niej przy najbliższej okazji.

– Dobrze. – Erika się uśmiechnęła. Wstała, odsunęła jego filiżankę i okrakiem usiadła mu na kolanach. Przeciągnęła ręką po jego włosach i delikatnie pocałowała w usta.

– Stęskniłam się za tobą...

– A ja za tobą – odparł, obejmując ją w pasie.

Z salonu dochodziło radosne gaworzenie bliźniaków. Patrik dostrzegł w oczach Eriki znajomy błysk.

– Czy moja kochana żona miałaby ochotę udać się na piętro?

– Tak, łaskawy panie, bardzo chętnie.

– To na co czekamy? – Zerwał się tak nagle, że Erika o mało nie spadła z jego kolan. Wziął ją za rękę i zaprowadził na schody. Zdążył postawić nogę na pierwszym stopniu, gdy zadzwoniła jego komórka. Chciał iść dalej, ale Erika go powstrzymała.

– Kochanie, musisz odebrać. Może to z komisariatu.

– Poczekają – powiedział. – Wierz mi, to nie potrwa długo. – Pociągnął ją za rękę, ale nie ruszyła się z miejsca.

– Nie wiem, czy mnie to przekonuje – odparła z uśmiechem. – Poza tym wiesz, że musisz odebrać.

Patrik westchnął. Niestety miała rację.

– Innym razem? – Ruszył do przedpokoju. Komórka dzwoniła w kieszeni jego kurtki.

– Z przyjemnością – odparła, dygając przed nim.

Patrik roześmiał się i wyjął komórkę. Bardzo kochał swoją stukniętą żonę.

Mellberg się martwił. Czuł się tak, jakby całe jego życie zależało od tego, czy potrafi rozwiązać ten problem. Rita poszła na spacer z małym, dziewczyny były w pracy. Wymknął się do domu, żeby zobaczyć, co jest na kanałach sportowych, ale po raz pierwszy w życiu zupełnie nie mógł się skupić na telewizji. Chodził tam i z powrotem, przez głowę przelatywały mu różne myśli.

Nagle stanął w miejscu. Cholera, no pewnie, że wie, jak to załatwić. Rozwiązanie miał przed nosem. Wybiegł na schody, zbiegł na parter i wpadł do biura.

– Cześć, Mellberg – powitał go Alvar Nilsson.

– Witaj. – Mellberg uśmiechnął się szeroko.

– Co ty na to? Dotrzymasz mi towarzystwa? – Alvar otworzył szufladę i wyjął butelkę whisky.

Mellberg walczył ze sobą, ale skończyło się jak zwykle.

– Cholera, a co! – Usiadł.

Alvar podał mu szklankę.

– Widzisz, mam do ciebie sprawę. – Mellberg zakręcił szklanką. Rozkoszował się samym widokiem, zanim wypił pierwszy łyk.

– Mogę ci w czymś pomóc?

– Dziewczyny wymyśliły, że się wyprowadzą. Chcą mieszkać osobno.

Alvar przyjął to z rozbawieniem. „Dziewczyny" miały już dobrze po trzydziestce.

– Chodzi o to, że oboje z Ritą nie chcielibyśmy, żeby uciekły gdzieś daleko.

– Rozumiem, ale w Tanumshede bardzo trudno o mieszkanie.

– Właśnie dlatego pomyślałem, że mógłbyś mi pomóc. – Mellberg pochylił się i wbił w niego wzrok.

– Ja? Przecież wiesz, jak jest. Wszystkie mieszkania są zajęte. Nie mam nawet wolnej komórki.

– Jest ładne trzypokojowe mieszkanie piętro niżej, pod naszym.

Alvar spojrzał na niego zmieszany.

– Przecież jedyna trójka na tym piętrze to... – Urwał. Potrząsnął głową. – Nigdy w życiu. Nie da się. Bente nigdy się nie zgodzi. – Alvar wyciągnął szyję i zerknął niespokojnie w stronę sąsiedniego pokoju, należącego do jego norweskiej sekretarki, a zarazem kochanki.

– To nie mój problem, ale może być twój. – Mellberg ściszył głos. – Nie wydaje mi się, żeby ten twój... układ spodobał się Kerstin.

Alvar spojrzał na niego ze złością i Mellberg się zaniepokoił. Jeśli źle to rozegrał, Alvar zaraz wyrzuci go z biura. Wstrzymał oddech. Ale Alvar zaczął rechotać.

– Cholera, Mellberg, twardziel jesteś! Trudno, żadna baba nie zepsuje naszej przyjaźni. Załatwimy to. Ma się te kontakty, znajdę jej coś innego. Co powiesz na to, żeby się wprowadziły za miesiąc? Tylko nie myśl, że pokryję koszty malowania i innych takich. To już sami musicie zrobić. Umowa stoi? – Wyciągnął rękę.

Mellberg odetchnął. Uścisnęli sobie ręce.

– Wiedziałem, że mogę na ciebie liczyć – powiedział. Z radości zabulgotało mu w brzuchu. Mały się wprawdzie wyprowadzi, ale na tyle niedaleko, że wystarczy zejść piętro niżej, żeby go zobaczyć.

– Uczcijmy to. Jeszcze po łyczku – powiedział Alvar. Mellberg podsunął mu swoją szklankę.

W Badis trwały gorączkowe przygotowania, ale Vivianne miała wrażenie, że działa na zwolnionych obrotach. Tyle problemów wymagało rozstrzygnięcia, powinna ciągle podejmować jakieś decyzje. Tymczasem bez przerwy myślała o Andersie i jego unikach. Wyraźnie coś przed nią ukrywał. Wyrosła między nimi taka przepaść, że prawie nie widziała drugiego brzegu.

– Gdzie ustawić bufet? – spytała jedna z kelnerek. Vivianne musiała się skupić.

– W głębi, po lewej. W długim rzędzie, żeby można było go obchodzić dookoła.

Wszystkiego musi dopilnować. Jedzenie, nakrycia, spa, zabiegi. Zadbać o porządek w pokojach, o to, żeby wstawili kwiaty i kosze owoców dla honorowych gości. Przygotować estradę dla zespołu. Niczego nie może zostawić przypadkowi.

Cały czas odpowiadała na pytania. Płynęły ze wszystkich stron. Głos zaczynał ją zawodzić. Zobaczyła błysk pierścionka. Musiała się opanować, żeby go nie zerwać i nie rzucić o ścianę. Nie wolno ulegać emocjom, zwłaszcza teraz, gdy są tak blisko celu i ich życie nareszcie przybierze inny, lepszy obrót.

– Cześć, pomóc ci w czymś?

Anders wyglądał okropnie, jakby przez całą noc nie zmrużył oka. Włosy miał w nieładzie, pod oczami sińce.

– Od rana do ciebie wydzwaniam. Gdzieś ty był? – Była zdenerwowana. Nachodziły ją różne myśli. Nie dawały jej spokoju. Nie wierzyła, żeby Anders był zdolny do czegoś takiego, ale nie miała pewności. Skąd można wiedzieć, co się dzieje w drugim człowieku?

– Wyłączyłem komórkę. Musiałem się wyspać – powiedział, nie patrząc jej w oczy.

– Ale... – Urwała. To bez sensu. Po tym wszystkim, co razem przeszli, postanowił się przed nią zamknąć. Nie była nawet w stanie wyrazić, jak bardzo ją dotknął. Powiedziała tylko: – Będę ci wdzięczna, jeśli sprawdzisz, czy mamy wystarczająco dużo napojów. I szklanek.

– Oczywiście. Dla ciebie wszystko. Przecież wiesz – odparł. Na chwilę stał się dawnym Andersem. Odwrócił się i poszedł do kuchni.

Nie, nie wiem, pomyślała Vivianne. Starła rękawem łzy i poszła do spa. Nie może się teraz załamać. Potem. Teraz musi zadbać, żeby wystarczyło olejku do masażu i muszli ostryg do peelingu.

– Dzwonili ze Sztokholmu, z wydziału zabójstw. Poszukują Annie Wester. – Patrik widział zdumienie na twarzach kolegów. Pół godziny temu, gdy odebrał w domu telefon od Anniki, musiał wyglądać tak samo.

– Dlaczego? – spytał Gösta.

– Znaleziono zwłoki jej męża. Został zamordowany.

Początkowo obawiali się, że znajdą również ciała Annie i ich syna. Wygląda na to, że Fredrik Wester był jakimś bossem narkotykowym.

– Daj spokój – powiedział Martin.

– Też nie mogłem w to uwierzyć. Okazuje się, że wydział narkotykowy namierzał go już od dawna. Parę dni temu znaleziono go zastrzelonego, w jego własnym łóżku. Prawdopodobnie leżał tam od jakiegoś czasu. Na oko od paru tygodni.

– Dlaczego wcześniej nikt go nie znalazł? – spytała Paula.

– Bo mieli całą rodziną wyjechać do domu we Włoszech i spędzić tam lato. Wszyscy myśleli, że wyjechali.

– A Annie? – spytał Gösta.

– Jak mówiłem, na początku obawiali się, że ich zwłoki z dziurami w głowach leżą w jakimś lesie, ale kiedy potwierdziłem, że jest tutaj z synem, powiedzieli, że mogła uciec przed zabójcami męża, kimkolwiek są. Mogła nawet być świadkiem morderstwa. Jeśli tak, to dobrze, że się ukryła. Nie wykluczają też, że to ona go zastrzeliła.

– I co teraz? – spytała Annika. Była wyraźnie skonfundowana.

– Jutro przyjedzie do nas dwoje funkcjonariuszy prowadzących tę sprawę. Chcą ją przesłuchać, i to jak najprędzej. Nie będziemy teraz do niej jechać.

– A jeśli jej i dziecku grozi jakieś niebezpieczeństwo? – spytał Martin.

– Do tej pory nic im się nie stało, a jutro będą posiłki. Miejmy nadzieję, że wiedzą, jak się do tego zabrać.

– Rzeczywiście, lepiej, żeby się tym zajęli ci ze Sztokholmu – zgodziła się Paula. – Ale czy tylko ja odnoszę wrażenie, że...

– Że te morderstwa może coś łączyć? Mnie też to przyszło do głowy – powiedział Patrik. Myślał, że już wie, kto zabił Matsa Sverina. Ale to wiele zmienia.

– Jak wam poszło w Göteborgu? – spytał Martin, czytając w jego myślach.

– I dobrze, i źle. – Patrik opowiedział, co się działo przez te dwa dni.

Nikt się nie odezwał, gdy skończył. Tylko Mellberg uśmiechał się do własnych myśli. Zalatywało od niego alkoholem.

– Nie mieliśmy żadnego tropu, a teraz mamy dwa. Oba chyba dobre – podsumowała Paula.

– Dlatego ważne jest, żebyśmy się na niczym nie zafiksowali. Musimy sprawdzać dalej. Jutro, gdy przyjadą ze Sztokholmu, przesłuchamy Annie. Czekam również na sygnał z Göteborga od Ulfa, co robimy z tymi z IE. Pozostają wyniki badań technicznych. Nadal nie wiadomo, czy kula pasuje do jakiejś broni? – Pytanie Patrika nie było zaadresowane do nikogo konkretnego.

Paula potrząsnęła głową.

– Sprawdzanie może jeszcze potrwać. Podobnie jak sprawdzanie łodzi.

– A torebka z kokainą?

– Jednego odcisku wciąż nie zidentyfikowali.

– Właśnie, łódź. Trzeba spytać miejscowych o prądy morskie. Skąd mogła przydryfować, jak długo to trwało i tak dalej. – Rozejrzał się, zatrzymał wzrok na Göście.

– Biorę to – powiedział zmęczonym głosem. – Wiem, kogo pytać.

– Dobrze.

Martin podniósł rękę.

– Słucham?

– Rozmawialiśmy z Paulą z Lennartem o papierach Matsa.

– No właśnie. Coś z tego wynikło?

– Niestety nie. Wygląda na to, że wszystko jest w porządku. To znaczy, właściwie to dobrze. Zależy, jak na to spojrzeć. – Martin się zaczerwienił.

– Okej. Co z laptopem?

– Potrzebują jeszcze tygodnia – odparła Paula.

Patrik westchnął.

– Dużo czekania, ale pracujemy dalej. Zamierzam zrobić przegląd tego, co mamy, żeby się zorientować, gdzie jesteśmy i czy mogło nam coś umknąć. Gösta, zajmij się tą łódką. Martin i Paula... – Musiał się zastanowić. – Dowiedzcie się jak najwięcej o IE i Fredriku Westerze. Koledzy z Göteborga i Sztokholmu obiecali pomóc. Podam wam namiary na nich. Poprosicie, żeby nam udostępnili, co mogą. Ustalcie między sobą, kto co robi.

– Okej – powiedziała Paula.

Martin skinął głową i znów podniósł rękę.

– A co z Fristad? Złożymy doniesienie?

– Nie – powiedział Patrik. – Postanowiłem, że tego nie zrobimy. Uznałem, że nie ma powodu.

Martinowi wyraźnie ulżyło.

– A właściwie to jak wpadliście na tę dziewczynę Sverina?

Patrik zerknął na Göstę. Gösta patrzył w podłogę.

– Porządna policyjna robota plus intuicja. – Klasnął w dłonie. – Bierzemy się do pracy.

Fjällbacka 1875

Dni przechodziły w tygodnie, miesiące w lata. Emelie w końcu zadomowiła się na Gråskär i przyzwyczaiła do spokojnego rytmu życia. Zestroiła się z wyspą. Wiedziała, kiedy dokładnie zakwitną malwy, ciepło lata zamieni się w jesienny chłód, kiedy morze skuje lód i kiedy lód puści. Wyspa była jej światem, a syn był jego królem. Gustav był szczęśliwym dzieckiem. Nie do wiary, jak bardzo umiał cieszyć się życiem na tym małym spłachetku ziemi.

Karl i Julian prawie się do niej nie odzywali. Żyli osobno, choć tłoczyli się na niewielkiej powierzchni. Obelżywe uwagi pod jej adresem padały rzadziej, jakby nie była godna, żeby się na nią złościć. Traktowali ją jak powietrze, jakby była niewidzialna. Robiła, co do niej należało, poza tym nie wymagała uwagi. Gustav dostosował się do tych dziwnych zasad. Nigdy nie próbował się zbliżyć ani do Karla, ani do Juliana. Wydawali mu się mniej realni niż zmarli. Karl nigdy nie zwracał się do syna po imieniu. W tych nielicznych razach, gdy w ogóle o nim wspominał, mówił: chłopiec.

Emelie dobrze wiedziała, kiedy nienawiść w jego oczach zastąpiła obojętność. Gustav dopiero co skończył dwa lata. Karl wrócił z Fjällbacki z miną, której nie potrafiła rozszyfrować. Był trzeźwy. Choć raz nie zahaczyli z Julianem o knajpę Abeli, co samo w sobie było niezwykłe. Przez kilka godzin nic nie mówił. Próbowała zgadnąć, o co chodzi. W końcu położył na kuchennym stole list.

– Ojciec nie żyje – powiedział. W tym samym momencie jakby coś w nim puściło, jakby odzyskał wolność. Żałowała, że Dagmar nie powiedziała jej więcej o stosunkach Karla z ojcem. Teraz było za późno. Nic nie mogła na to poradzić. Była wdzięczna, że przynajmniej zostawił ją i Gustava w spokoju.

Z każdym rokiem było dla niej coraz bardziej oczywiste, że we wszystkim, co się dzieje na Gråskär, jest palec boży. Przepełniała ją wdzięczność, że mieszka tu z Gustavem, że czuje obecność Boga w ruchu fal i słyszy Jego głos w szumie wiatru. Każdy dzień na wyspie był Jego darem. Gustav był uroczym chłopcem. Zdawała sobie sprawę, że myśląc tak o rodzonym synu, popełnia grzech pychy. Miała jednak nadzieję, że ten grzech zostanie jej wybaczony. Przecież według Pisma został stworzony na obraz i podobieństwo boże. Był prześliczny, miał jasne, kręcone włosy, błękitne oczy i długie, gęste rzęsy, odcinające się wyraźnie na policzkach, gdy wieczorem zasypiał obok niej. Buzia mu się nie zamykała, stale mówił albo do niej, albo do zmarłych. Czasem podsłuchiwała. Mówił mądrze, słuchali go uważnie.

– Matko, mogę wyjść? – spytał, ciągnąc ją za spódnicę.

– Oczywiście, że możesz. – Nachyliła się i pocałowała go w policzek. – Tylko żebyś się nie poślizgnął i nie wpadł do wody.

Emelie patrzyła za nim, gdy wybiegał na dwór. Nie bała się, wiedziała, że nie jest sam. Czuwali nad nim zarówno zmarli, jak i Pan Bóg.

Nadeszła sobota. Pogoda była wręcz wymarzona: jasne słońce, błękitne niebo i lekki wiaterek. We Fjällbace czuło się atmosferę oczekiwania. Szczęśliwcy, którzy dostali zaproszenia na przyjęcie inauguracyjne, od kilku dni przeżywali udręki, wybierając stroje i fryzury. Mieli przyjść wszyscy, którzy cokolwiek znaczyli w okolicy. Chodziły słuchy, że zjadą nawet celebryci z Göteborga.

Erikę zaprzątało zupełnie co innego: pomysł, który przyszedł jej do głowy tego ranka. Lepiej, żeby Annie dowiedziała się o Gunnarze od niej, bezpośrednio, niż przez telefon. I tak wybierała się na Gråskär. Chciała jej zrobić niespodziankę, zawieźć jej materiały o historii wyspy. A skoro już załatwiła opiekę dla dzieci, skorzysta z okazji.

– Na pewno wytrzymasz z nimi tak długo? – upewniła się.

Kristina prychnęła.

– Z tymi aniołkami? Nie ma problemu – powiedziała. Na rękach trzymała Maję. Bliźnięta spały w nosidełkach.

– Nie będzie mnie dość długo. Najpierw spotkam się z Anną, potem popłynę na Gråskär.

– Uważaj na siebie, płyniesz sama. – Kristina postawiła na podłodze wyrywającą się Maję. Maja dała braciszkom kilka mokrych całusów i pobiegła się bawić.

– Nie ma obaw, świetnie sobie radzę z łódką – zaśmiała się Erika. – W odróżnieniu od twojego syna.

– To prawda – przyznała Kristina, ale wyglądała na zaniepokojoną. – Nawiasem mówiąc, jesteś pewna, że Anna to zniesie?

Erika pomyślała to samo, gdy siostra zadzwoniła i poprosiła, żeby z nią poszła na cmentarz. Doszła do wniosku, że Anna musi zdecydować sama.

– Tak myślę – powiedziała bez wahania. Chociaż miała wątpliwości.

– Mnie się wydaje, że to jeszcze za wcześnie – zauważyła Kristina, biorąc na ręce Noela. Właśnie zaczął popłakiwać. – Obyś miała rację.

Mam nadzieję, że będzie dobrze, pomyślała Erika, idąc do samochodu. Tak czy inaczej, obiecała, więc nie może się wycofać.

Anna czekała przed żelazną bramą remizy. Wydawała się taka drobna i krucha, krótko obcięte włosy jeszcze to podkreślały. Erika miała ochotę wziąć ją w ramiona i kołysać jak małe dziecko.

– Dasz radę? – spytała miękko. – Jeśli chcesz, możemy pójść kiedy indziej.

Anna potrząsnęła głową.

– Dam radę. Chcę. Na pogrzebie byłam nieprzytomna, ledwo co pamiętam. Muszę zobaczyć jego grób.

– Okej. – Erika wzięła Annę pod rękę i razem poszły wygrabioną żwirową ścieżką.

Nie mogły wybrać piękniejszego dnia. Na cmentarzu panował spokój. Ciszę zakłócał jedynie szum przejeżdżających nieopodal samochodów. Słońce odbijało się w nagrobkach. Mijały zadbane, ozdobione świeżymi kwiatami groby... Anna się zawahała. Erika wskazała na mały nagrobek.

– Leży koło Jensa. – Wskazała na okrągły głaz z pięknego granitu, na którym wyryto imię i nazwisko: Jens Läckberg. Był dobrym znajomym ich ojca, zapamiętały go jako sympatycznego brzuchacza, pogodnego, towarzyskiego i skłonnego do żartów.

– Jaki ładny – powiedziała Anna bezbarwnym głosem. Na jej twarzy malował się smutek. Wybrali podobny kamień, też granit, o naturalnym, obłym kształcie. Wyryto na nim napis, również podobny: „Mały". I datę. Tylko jedną.

Erika poczuła, że ściska ją w gardle, ale powstrzymała łzy. Musi być silna, ze względu na Annę. Anna kiwała się lekko. Patrzyła na kamień, jedyne, co jej zostało po upragnionym synku. Płacząc cicho, chwyciła Erikę za rękę. Nagle spytała: – I co teraz będzie? – Erika mocno ją przytuliła.

– Mamy dla was propozycję. – Mellberg objął Ritę i przyciągnął ją do siebie.

Paula i Johanna spojrzały na niego pytającym wzrokiem.

– Nie wiemy, co wy na to – powiedziała Rita. Nie była pewna, czy to dobry pomysł. – Mówiłyście, że chcecie mieć coś własnego... Nie wiem, co przez to rozumiecie.

– O czym wy mówicie? – Paula patrzyła na matkę.

– Zastanawialiśmy się, czy wystarczy, jeśli się przeniesiecie piętro niżej. – Mellberg spojrzał na nie wyczekująco.

– Przecież tam nie ma wolnego mieszkania – powiedziała Paula.

– Za miesiąc będzie, trzypokojowe. Może być wasze, z chwilą gdy wyschnie podpis na umowie wynajmu.

Rita obserwowała dziewczyny. Była zachwycona, gdy Bertil jej o tym powiedział, ale zastanawiała się, czy dla dziewczyn to nie będzie za blisko.

– Nie będziemy wpadać nie w porę, rzecz jasna – zapewniła.

Mellberg spojrzał na nią ze zdziwieniem. To chyba oczywiste, że będą wpadać, kiedy zechcą? Porozmawiają o tym później. Najważniejsze, żeby się zgodziły.

Paula i Johanna spojrzały po sobie. Uśmiechnęły się szeroko i zaczęły mówić jedna przez drugą.

– Świetne mieszkanie. Jasne, okna na dwie strony. Nowa kuchnia, nie trzeba remontować. Mały pokoik, w którym Bente urządziła garderobę, mógłby być dla Lea... – Nagle urwały.

– A co z Bente? – spytała Paula. – Nie słyszałam, żeby miała się wyprowadzać.

Mellberg wzruszył ramionami.

– Nie mam pojęcia. Pewnie znalazła coś innego. Alvar nic nie mówił, kiedy z nim rozmawiałem. Powiedział za to, że odnawianie i tak dalej to już nasza sprawa.

– Nie ma problemu – powiedziała Johanna. – To sama przyjemność. Poradzimy sobie, prawda, kochana? – Oczy jej błyszczały. Paula nachyliła się i pocałowała ją w usta.

– A my nadal będziemy mogli wam pomagać w opiece nad małym – wtrąciła Rita. – Oczywiście nie będziemy się narzucać. Tylko kiedy będziecie nas potrzebowały.

– Bardzo często będziemy potrzebować pomocy – powiedziała Paula, żeby ich uspokoić. – To wspaniale, że

Leo będzie was miał tak blisko. Ale będziemy mieszkać osobno. I to nam w zupełności wystarczy. – Zwróciła się do Mellberga, który wziął na kolana wnuka. – Dziękuję ci, Bertil.

Mellberg się zmieszał. Sam był tym zdziwiony.

– Eee... nie ma za co. – Wtulił twarz w kark wnuka. Leo zaśmiewał się do rozpuku. Po chwili Mellberg podniósł oczy, rozejrzał się i pomyślał, że jest wdzięczny losowi za taką rodzinę.

Anders bez celu krążył po korytarzach. Wszędzie krzątało się mnóstwo ludzi, trwały ostatnie przygotowania. Wiedział, że powinien pomóc, ale paraliżowała go świadomość, że zaraz zrobi to, czego i chce, i nie chce zrobić. Czy ma dość odwagi, żeby ponieść konsekwencje? Nie był pewien. Ale już wkrótce zastanawianie się nie będzie miało sensu. Musi wreszcie coś postanowić.

– Widziałeś Vivianne? – spytała jakaś kobieta z obsługi. Anders wskazał palcem na kuchnię. – Dzięki. Fajny wieczór się zapowiada!

Wszyscy biegali, gdzieś się śpieszyli. Tymczasem Anders miał wrażenie, jakby brnął przez głęboką wodę.

– Tu jesteś, mój drogi przyszły szwagrze. – Erling objął go. Anders chciał się odsunąć, ale się powstrzymał. – To będzie prawdziwa bomba. Celebryci zjawią się około czwartej, żeby się spokojnie rozpakować w pokojach. O szóstej otwieramy podwoje dla ogółu.

– Dużo się o tym mówi.

– Trudno, żeby było inaczej. To największe wydarzenie w okolicy od czasu... – Urwał, ale można się było domyślić, co chciał powiedzieć. Anders słyszał o *Fucking Tanum* i o dotkliwej porażce, jaką wtedy poniósł Erling.

– A gdzie moja gołąbeczka? – Erling rozglądał się, wyciągając szyję.

Anders wskazał w głąb lokalu. Erling pobiegł w tamtą stronę. Dziś wszyscy pożądali Vivianne. Anders poszedł do kuchni, przysiadł na krześle w kącie i zaczął masować skronie. Pomyślał, że zanosi się na migrenę. Przeszukał szufladę z lekarstwami i połknął tabletkę paracetamolu. Już niedługo, pomyślał. Niedługo się zdecyduje.

Erika wypływała z portu. Wciąż czuła ucisk w piersi. Silnik zaskoczył od razu. Lubiła ten znajomy turkot. Kiedyś ta łódka była oczkiem w głowie ojca. Ona i Patrik nie dbali o nią aż tak bardzo, ale starali się utrzymywać ją w dobrym stanie. W tym roku trzeba będzie zeszlifować i na nowo pomalować pokład. Tu i ówdzie odchodziły płaty lakieru. Pomyślała, że byłaby nawet gotowa zrobić to sama, gdyby Patrik zajął się dziećmi. Od czasu do czasu lubiła popracować fizycznie, zwłaszcza odkąd zwykle pracowała na siedząco. Poza tym była bardziej praktyczna od Patrika.

Spojrzała w prawo, na Badis. Miała nadzieję, że chociaż na chwilę uda im się wpaść na przyjęcie inauguracyjne. Ale jeszcze nie zdecydowali. Rano Patrik wyglądał na zmęczonego. Poza tym nie byli pewni, czy Kristina wytrzyma z dziećmi tyle godzin.

Cieszyła się, że płynie na Gråskär. Już za pierwszym razem, gdy była tam z Patrikiem, urzekła ją atmosfera wyspy, a po tym, co przeczytała, była nią wręcz zafascynowana. Obejrzała mnóstwo zdjęć. To z latarnią bez wątpienia należało do najpiękniejszych. Nic dziwnego, że Annie dobrze się tam czuje. Chociaż ona już po kilku dniach pewnie by oszalała bez towarzystwa. Pomyślała o jej synku. Oby czuł się lepiej. Pewnie tak jest, skoro Annie nie zadzwoniła, żeby poprosić o pomoc.

Zobaczyła na horyzoncie Gråskär. Gdy zadzwoniła, żeby zapytać, czy może ją odwiedzić, Annie nie okazała entuzjazmu. Erika nalegała, więc w końcu się zgodziła. Erika była przekonana, że opowieści o przeszłości wyspy ją zaciekawią.

– Dasz radę sama przybić?! – zawołała Annie z pomostu.

– Bez problemu. Chyba że się boisz o swój pomost. – Uśmiechnęła się, po czym elegancko przybiła do pomostu. Wyłączyła silnik i rzuciła cumę. Annie porządnie ją przywiązała.

– Cześć – powiedziała Erika, stając na pomoście.

– Cześć. – Annie uśmiechnęła się blado, ale nie spojrzała jej w oczy.

– Jak się czuje Sam? – Erika spojrzała w stronę domu.

– Lepiej – odparła Annie. Schudła od ostatniego razu, obojczyki odcinały się pod T-shirtem.

– Proszę, domowe bułki. – Erika wręczyła jej torebkę. – A właśnie, nie potrzebowałaś żadnych zakupów? – Była zła, że wcześniej o tym nie pomyślała. Annie na pewno się wstydzi poprosić. Przecież nie są bliskimi koleżankami.

– Nie, bez obaw. Poprzednio tyle mi przywieźliście... zresztą zawsze mogę poprosić Gunnara i Signe. Chociaż teraz nie wiem...

Erika przełknęła ślinę. Nie umiała tego wykrztusić, nie teraz. Powie później, niech najpierw usiądą.

– Nakryłam do kawy w szopie na łodzie. Tak ładnie dziś na dworze.

– Masz rację, szkoda siedzieć w domu. – Poszła za Annie do otwartej szopy. Stał w niej zniszczony od wiatru i wody stół i ławki po obu stronach. Na ścianach wisiały różne sprzęty rybackie, między innymi piękne szklane kule, niebieskie i zielone, których kiedyś używano jako boi. Annie nalała kawy z termosu.

– Jak znosisz życie w tej samotni? – spytała Erika.

– Człowiek się przyzwyczaja – odparła cicho, patrząc na wodę. – Zresztą nie jestem sama.

Erika drgnęła. Była zaskoczona. Spojrzała na Annie pytającym wzrokiem.

– Przecież jest Sam – dodała Annie.

Erika w duchu śmiała się z siebie. Przejęła się opowieściami o Gråskär tak bardzo, że chyba w nie uwierzyła.

– A w tej nazwie... Wyspa Duchów... nie ma nawet ziarna prawdy?

– Kto by tam wierzył w historie o duchach – odparła Annie. Znów patrzyła na wodę.

– W każdym razie dodają wyspie charakteru.

Wyjęła z torebki skoroszyt, w którym zebrała wszystko, co znalazła. Podsunęła go Annie.

– Wysepka jest wprawdzie niewielka, ale za to historię ma barwną. Chwilami nawet dramatyczną.

– Tak, trochę o tym słyszałam. Rodzice sporo o tym wiedzieli, ale niestety nie słuchałam ich zbyt uważnie. – Otworzyła skoroszyt, lekka bryza zaszeleściła kartkami.

– Ułożyłam wszystko chronologicznie – powiedziała.

Annie zaczęła powoli przewracać kartki.

– Ojej, jak dużo – powiedziała. Zaróżowiły jej się policzki.

– Wyszukiwanie tego było prawdziwą przyjemnością. Zrobiłam sobie przerwę w przewijaniu i karmieniu wrzeszczących maluchów. – Wskazała na ksero artykułu, które Annie trzymała w ręku. – To najbardziej zagadkowy epizod w dziejach Gråskär. Z wyspy zniknęła cała rodzina. Nikt nie wie, co się z nimi stało, gdzie się podziali. Dom wyglądał tak, jakby po prostu wstali i wyszli, nic nie zabierając. – Zdawała sobie sprawę, że ponoszą ją emocje, ale bardzo ją ciekawiły takie tajemnicze historie, zwłaszcza jeśli były prawdziwe. – Spójrz, co tu piszą – powiedziała już spokojniej. – Latarnik Karl Jacobsson, jego żona Emelie, syn Gustav i pomocnik Julian Sontag mieszkali na wyspie kilka lat. Pewnego dnia zniknęli, jakby wyparowali. Nigdy nie znaleziono ich ciał ani żadnych innych śladów. Nic nie wskazuje na to, żeby zniknęli z własnej woli. Kompletnie nic. Niesamowite, prawda?

Annie patrzyła na kartkę z dziwną miną.

– Rzeczywiście. Bardzo.

– Nie spotkałaś ich przypadkiem? – zażartowała Erika, ale Annie się nie poruszyła. Wpatrywała się w kartkę. – Bardzo bym chciała wiedzieć, co się stało. Może ktoś przypłynął, zamordował ich wszystkich i pozbył się ciał? Ich łódka została na wyspie, przycumowana do pomostu.

Annie przesunęła palcem po papierze i mruknęła coś pod nosem, coś o jasnowłosym chłopczyku. Ale Erika nie zrozumiała. Spojrzała na dom.

– A jak się obudzi i zdziwi, że cię nie ma?

– Zasnął przed chwilą. Zawsze długo śpi – odparła Annie nieobecnym głosem.

Zapadła cisza. Erika przypomniała sobie, z czym jeszcze przyjechała. Nabrała powietrza.

– Muszę ci o czymś powiedzieć.

Annie podniosła wzrok.

– Chodzi o Mattego? Czy już wiadomo, kto...

– Nie, jeszcze nie wiedzą, chociaż mają jakieś podejrzenia. To w pewnym sensie ma związek z Mattem.

– Co takiego? Mów – nalegała Annie.

Erika jeszcze raz nabrała powietrza i opowiedziała o Gunnarze. Twarz Annie wykrzywił grymas.

– To nie może być prawda. – Nie mogła złapać tchu.

Erika z ciężkim sercem opowiedziała o chłopcach, którzy znaleźli kokainę, odcisku palca Mattego na torebce i o tym, co się działo po konferencji prasowej.

Annie gwałtownie potrząsała głową. Odwróciła wzrok.

– Nie, to nieprawda, nieprawda.

– Wszyscy tak mówią, Patrik też miał wątpliwości. Ale wszystko wskazuje na to, że tak było. To zresztą tłumaczy również, dlaczego został zamordowany.

– Nie – powtórzyła Annie. – Matte nienawidził narkotyków i wszystkiego, co się z nimi wiąże. – Zacisnęła szczęki. – Biedna Signe.

– Bardzo. W ciągu dwóch tygodni stracić syna i męża. To dramat – powiedziała cicho Erika.

– Jak ona się czuje? – dopytywała się Annie. Przepełniały ją żal i współczucie.

– Wiem tylko, że jest w szpitalu i że jest w kiepskim stanie.

– Biedna Signe – powtórzyła Annie. – Co za los. Tyle tragedii. – Znów zerknęła na artykuł.

– Tak. – Erika już nie wiedziała, co powiedzieć. – Mogłabym wejść na latarnię? – spytała w końcu.

– Oczywiście. Tylko pójdę po klucz.

Erika poszła do latarni. Stanęła u podnóża i zadarła głowę. Biel ścian lśniła w słońcu. Kilka mew krążyło nad nią z krzykiem.

– Już mam. – Annie przybiegła, lekko zasapana, z dużym zardzewiałym kluczem w ręku.

Z wysiłkiem przekręciła go w zamku i pchnęła ciężkie skrzypiące drzwi. Erika weszła i zaczęła się wspinać po wąskich, krętych schodach. Już w połowie nie mogła złapać tchu, ale gdy dotarła na szczyt, stwierdziła, że było warto. Widok był zachwycający.

– Ojej! – powiedziała.

Annie z dumą kiwnęła głową.

– To prawda, fantastyczny widok.

– Pomyśleć tylko, że w tym ciasnym pokoiku spędzali wiele godzin – powiedziała, rozglądając się.

Annie stała obok, tak blisko, że niemal się stykały ramionami.

– Taki latarnik musi być bardzo samotny. Jakby się człowiek znalazł na końcu świata. – Myślami błądziła gdzieś daleko.

Erika poczuła dziwny zapach, niby obcy, a jednak znajomy. Kiedyś już go czuła, ale nie mogła sobie przypomnieć gdzie. Annie podeszła do okna i wyjrzała na otwarte morze. Erika stanęła za nią.

– Wystarczy, żeby zwariować.

Ze wszystkich sił próbowała rozpoznać, co tak pachnie. Nagle dotarło do niej, co to jest. Nadal miała w głowie gonitwę myśli, ale kawałki układanki stopniowo zaczęły się układać w całość.

– Mogłabyś chwilę zaczekać? Zejdę do łódki po aparat, zrobię kilka zdjęć.

– Pewnie – odparła niechętnie Annie, siadając na łóżku.

– Super. – Erika zbiegła po schodach, a potem z górki, na której stała latarnia. Ale zamiast skierować się na pomost, pobiegła do domu. Powtarzała sobie, że to pewnie kolejny niedorzeczny pomysł, ale wiedziała, że musi to sprawdzić.

Obejrzała się za siebie i nacisnęła klamkę.

Madeleine słyszała ich wczoraj, z pokoju na górze. Nie wiedziała, że to policjanci, dopóki Stefan nie przyszedł jej powiedzieć. Między jednym biciem a drugim.

Podczołgała się do okna, podciągnęła się z wysiłkiem i wyjrzała. Pokoik znajdował się na poddaszu, pod skosem. Jedynie przez małe okienko wpadało trochę światła. Widziała tylko pola i lasy.

Nie chciało im się zawiązać jej oczu, więc wiedziała, że jest w gospodarstwie. Kiedyś, gdy tu mieszkała, był to pokój dzieci. Przypominał o tym jedynie porzucony w kącie samochodzik.

Dotknęła ściany, przesunęła dłonią po tapecie. Tu stało łóżeczko Vildy. Łóżko Kevina przy dłuższej ścianie. Wydawało jej się, że to było bardzo dawno temu. Ledwo sobie przypominała, że kiedyś naprawdę tu mieszkała. Żyła w nieustannym lęku, ale miała przy sobie dzieci.

Zastanawiała się, gdzie są, dokąd Stefan je wywiózł. Pewnie do którejś z rodzin niemieszkających tu, w gospodarstwie. Jej dziećmi zajmuje się teraz inna kobieta. Tęsknota za nimi była gorsza od fizycznego bólu. Miała ich przed oczami: Vildę zjeżdżającą ze zjeżdżalni w Kopenhadze i Kevina: z dumą patrzył na odważną siostrzyczkę spod opadającej na oczy grzywki. Czy jeszcze kiedyś ich zobaczy?

Osunęła się z płaczem na podłogę, skuliła się. Jej ciało było jednym wielkim sińcem. Stefan sobie nie żałował. Strasznie się pomyliła, sądząc, że bezpieczniej będzie wrócić i prosić o przebaczenie. Zrozumiała to w chwili, gdy zobaczyła go w kuchni rodziców. Nie ma dla niej przebaczenia. Była szalona, wierząc w to.

Biedni rodzice. Wiedziała, że strasznie się niepokoją. Pewnie się zastanawiają, czy zawiadomić policję. Tata na pewno jest za, uważa, że to jedyne wyjście. Mama jest przeciw, śmiertelnie się boi, że to byłby koniec, także koniec nadziei. Tata ma rację, ale jak zwykle ulegnie mamie. Nikt nie przyjdzie jej na ratunek.

Chciała się zwinąć w kłębek, ale bolał ją każdy ruch. Próbowała rozluźnić mięśnie. Zgrzytnął klucz w zamku. Leżała bez ruchu, zamykała się. Szarpnął ją za ramię i postawił na nogi.

– Wstawaj, kurwo.

Zabolało, jakby jej urwał rękę. Coś pękło w barku.

– Gdzie dzieci? – zapytała błagalnie. – Mogłabym się z nimi zobaczyć?

Stefan spojrzał na nią z pogardą.

– Chciałabyś, co? Żeby mi je zabrać i znowu uciec. Nikt, zapamiętaj sobie, nikt mi nie odbierze moich dzieci. – Powlókł ją po schodach na dół.

– Przepraszam. Wybacz mi – szlochała. Na twarzy miała smugi krwi, brudu i łez.

Na parterze zgromadzili się jego ludzie. Sami najważniejsi. Znała ich wszystkich: Roger, Paul, Mały, Steven i Joar. Patrzyli w milczeniu, jak Stefan wlecze ją przez pokój. Nie mogła skupić wzroku. Jedno oko miała zapuchnięte tak bardzo, że ledwie widziała. Drugie zalała krew z rany na czole. W końcu jednak wszystko zobaczyła, bardzo jasno. Wyczytała to z ich twarzy, z zimnego spojrzenia jednych i politowania drugich. Joar, który zawsze traktował ją najlepiej, patrzył w podłogę. Już wiedziała. Przez chwilę rozważała: bić się, walczyć, uciekać? Ale dokąd? Nie miała szans, będzie tylko dłużej cierpieć.

Potykała się, truchtając za Stefanem. Mocno trzymał ją za ramię. Przebiegli przez pole za domem, w stronę lasu. Przed oczami miała Kevina i Vildę. Zaraz po narodzinach, gdy leżeli na jej piersi. Potem dużych, roześmianych, na placu zabaw na podwórzu. Tego, co się działo między jednym a drugim, czasu, gdy w ich spojrzeniach było coraz więcej smutku i zniechęcenia, wolała nie wspominać. Nie chciała myśleć o tym, że wszystko wróciło. Poniosła klęskę. Powinna ich chronić, ale uległa, była za słaba. Teraz otrzyma karę. Niech tak będzie, byle oszczędził dzieci.

Weszli w las. Ptaki śpiewały, promienie słońca przesączały się przez korony drzew. Zahaczyła stopą o korzeń i o mało nie upadła, ale Stefan szarpnął ją i znów biegła, potykając się. Kawałek dalej widać było polankę.

Oczyma wyobraźni ujrzała twarz Mattego, taką ładną, dobrą. Bardzo ją kochał. I on też został ukarany.

Gdy dotarli na polanę, zobaczyła dół, prostokątny, głęboki na jakieś półtora metra. Obok łopatę, mocno wbitą w ziemię.

– Stań na brzegu – powiedział Stefan, puszczając jej ramię.

Madeleine bezwolnie zrobiła, jak kazał. Trzęsąc się, stanęła na skraju dołu. Na dnie zobaczyła wijące się tłuste dżdżownice. Próbowały się zagrzebać w wilgotnej czarnej ziemi. Ostatnim wysiłkiem woli odwróciła się twarzą do niego. Przynajmniej będzie musiał spojrzeć jej w twarz.

– Strzelę ci prosto między oczy. – Wyciągnął rękę i wycelował. Wiedziała, że nie żartuje. Był świetnym strzelcem.

Huknął wystrzał, z drzew zerwało się stado ptaków. Wkrótce znów usiadły na gałęziach. Ich świergot zmieszał się z szumem wiatru.

Przeglądanie dokumentacji okazało się potwornie nudne. Mnóstwo papierów: protokoły z obdukcji, zapisy z przesłuchań sąsiadów i notatki robione podczas dochodzenia. Uzbierał się spory plik. Po trzech godzinach Patrik uzmysłowił sobie z niechęcią, że przebrnął dopiero przez połowę. W drzwiach stanęła Annika. Wreszcie mógł sobie zrobić przerwę.

– Są koledzy ze Sztokholmu. Przysłać ich do ciebie czy usiądziecie w socjalnym?

– W socjalnym – odparł Patrik, wstając. Zatrzeszczało mu w krzyżu. Powinien się prostować co jakiś czas.

Zapalenie korzonków to ostatnia rzecz, jakiej mu trzeba. Dopiero wrócił ze zwolnienia.

Przywitał się z nimi już w korytarzu. Kobieta, wysoka blondynka, niemal zmiażdżyła mu dłoń. Co innego mężczyzna, drobny okularnik.

– Petra i Konrad, prawda? Pomyślałem sobie, że usiądziemy w socjalnym. Jak podróż? Dobrze wam się jechało?

Rozsiadali się w kuchni, nie śpieszyli się. Patrik pomyślał, że są dziwną parą. Ale widział też, że są bardzo zgrani, i domyślał się, że mają za sobą wiele lat wspólnej pracy.

– Musimy przesłuchać Annie Wester – powiedziała Petra, kończąc pogaduszki.

– Jak już mówiłem, jest tutaj. Siedzi na swojej wyspie. Spotkałem się z nią tydzień temu.

– Nie wspomniała nic o mężu? – Petra przygwoździła go wzrokiem, jakby go przesłuchiwała.

– Nie, ani słowem. Popłynęliśmy tam, żeby porozmawiać o jej dawnym chłopaku. Został zamordowany. Znaleziono go martwego we Fjällbace.

– Czytaliśmy o tym – powiedział Konrad. Przywołał Ernsta, który cicho wszedł do pokoju. – To wasza maskotka?

– Można tak powiedzieć.

– Dziwny zbieg okoliczności – przerwała im Petra. – My mamy jej zastrzelonego męża, a wy dawnego chłopaka. Również zastrzelonego.

– Tak. Też mi to przyszło do głowy. Ale my prawdopodobnie mamy podejrzanego.

Opowiedział w skrócie, co wiedzą o Stefanie

Ljungbergu i Illegal Eagles. Opowiedział również o kokainie znalezionej w koszu na śmieci. Petra i Konrad drgnęli.

– Proszę, kolejne wspólne ogniwo – zauważyła Petra.

– Ale pewne jest tylko to, że miał tę torebkę w ręku.

Petra pominęła tę uwagę.

– Tak czy inaczej, trzeba się temu przyjrzeć. Fredrik Wester handlował głównie kokainą i nie ograniczał się do Sztokholmu. Może nawiązali kontakt przez jego żonę i razem zaczęli robić jakieś biznesy.

Patrik zmarszczył czoło.

– Nieee... Mats Sverin nie był człowiekiem tego rodzaju...

– Niestety w tej branży ludzie nie należą do określonego rodzaju – wtrącił Konrad. – Mieliśmy do czynienia z najróżniejszymi: od bogatych łobuzów przez młode matki aż po, właśnie... nawet osoby duchowne.

– Boże, to dopiero był facet. – Petra się roześmiała. Już nie wyglądała tak groźnie jak na początku.

– No tak, rozumiem – powiedział Patrik. Nagle poczuł się bardzo prowincjonalnym gliną. Wiedział oczywiście, że jest na tym polu nowicjuszem i może się mylić. Pewnie tak jest. Powinien zaufać raczej doświadczonym kolegom ze Sztokholmu niż własnej intuicji.

– Możesz nam przedstawić wasze ustalenia? My zaprezentujemy swoje – zaproponowała Petra.

Patrik skinął głową.

– Naturalnie. Kto zaczyna?

– Ty. – Konrad wyjął papier i długopis.

Ernst ułożył się na podłodze. Był wyraźnie zawiedziony.

Patrik chwilę się zastanawiał. Potem odtworzył wszystko, co do tej pory udało im się ustalić. Konrad notował, Petra słuchała w skupieniu, z rękami skrzyżowanymi na piersi.

– To właściwie wszystko – zakończył. – Wasza kolej.

Konrad odłożył długopis i zaczął mówić. Wiedzą już całkiem sporo o Fredriku Westerze i o tym, czym się zajmuje. Mówił o tym niejakiemu Martinowi Molinowi, gdy do nich dzwonił, ale wie, że Patrik chciałby usłyszeć to bezpośrednio od nich.

– Domyślasz się, że blisko współpracujemy z kolegami z wydziału narkotykowego. – Konrad poprawił okulary na nosie.

– Słusznie – mruknął Patrik. W jego głowie zaczęła nabierać kształtu pewna myśl. – Zbadaliście już pociski?

Konrad i Petra pokręcili głowami.

– Wczoraj dzwoniłem do laboratorium. Dopiero zaczęli – powiedział Konrad.

– My też nie dostaliśmy jeszcze raportu, ale...

Petra i Konrad obserwowali go uważnie. Nagle w oku Petry pojawił się błysk.

– A gdyby im kazać porównać pociski z obu spraw...

– ...i trochę się podlizać, i gdybyśmy mieli odrobinę szczęścia, może szybciej byśmy się czegoś dowiedzieli – dokończył Patrik.

– Podoba mi się twój sposób rozumowania. – Petra patrzyła wyczekująco na Konrada. – Zadzwonisz? Masz tam specjalne dojście. Mnie mają dość, odkąd...

Konrad wiedział, o co jej chodzi. Przerwał i sięgnął po komórkę.

– Już dzwonię.

– Zaraz wszystko przyniosę. – Patrik pobiegł do swojego pokoju i niemal natychmiast wrócił. Położył przed Konradem kartkę.

Konrad zaczął od pogawędki, a po chwili przeszedł do rzeczy. Słuchał, kiwał głową i uśmiechał się.

– Jesteś prawdziwą opoką. A ja będę ci winien wielką przysługę. Ogromną. Bardzo ci dziękuję. – Rozłączył się z zadowoloną miną. – Rozmawiałem ze znajomym z laboratorium. Zaraz pojedzie do pracy i porówna. Odezwie się, jak tylko będzie mógł.

– Niesamowite. – Patrik był pod wrażeniem.

Za to Petra była nieporuszona. Przyzwyczaiła się do tego, że Konrad dokonuje cudów.

Anna nieśpiesznie wędrowała do domu. Erika proponowała, że ją odwiezie, ale odmówiła. Falkeliden znajdowało się zaledwie o rzut kamieniem od cmentarza. Zresztą chciała zebrać myśli. W domu czekał na nią Dan. Uraziła go tym, że wolała pójść na grób ich synka z siostrą. Nie z nim. Ale nie miała siły się zastanawiać, co czuje Dan. Myślała o własnych odczuciach.

Napis z nagrobka na zawsze zostanie w jej sercu. „Mały". Może należało mu dać prawdziwe imię. Już po fakcie. Ale to byłoby naciągane. Przecież kiedy był w jej brzuchu, cały czas mówili o nim Mały. I tego Małego kochali. Niech tak zostanie. Nigdy nie dorośnie, nie będzie duży. Pozostanie maleństwem, którego nie dane jej było trzymać w ramionach.

Była nieprzytomna tak długo, że nie zdążyła. Dan mógł to zrobić. Mógł potrzymać zawiniętego w kocyk synka. Mógł go dotknąć i pożegnać się z nim. Wiedziała, że to nie jego wina, ale strasznie ją bolało, że doświadczył czegoś, czego ona doświadczyć nie mogła. W głębi duszy miała mu za złe, że nie uchronił jej i Małego. Zdawała sobie sprawę, że to głupie, nieracjonalne. Przecież sama zdecydowała, że pojadą samochodem. Dan nie miał nic wspólnego z wypadkiem i nie mógł nic zrobić. A jednak miała żal, że jej nie ochronił.

Może dała się zwieść złudzeniu, że wreszcie jest bezpieczna. Że wszystkie dramatyczne przejścia z Lucasem to już przeszłość, że życie z Danem potoczy się gładko, bez wstrząsów, bez nagłych zwrotów. Nie snuła wielkich planów, nie miała wielkich ambicji ani marzeń. Pragnęła zwykłego życia, obiadów z przyjaciółmi w szeregowcu na Falkeliden, spłacania rat, prowadzenia dzieci na treningi i góry butów w przedpokoju. Czy to tak wiele?

Miała nadzieję, że Dan zapewni jej takie życie. Wydawał się taki pewny siebie, opanowany, wszystko widział we właściwych proporcjach. Oparła się na nim, nie potrafiła stać sama. Ale on też sobie nie poradził i nie umiała mu tego wybaczyć.

Otworzyła drzwi, weszła do przedpokoju. Spacer bardzo ją zmęczył, bolało ją całe ciało. Podniosła ręce, żeby zdjąć szal. Wydawały się ciężkie jak z kamienia. Dan wyjrzał z kuchni. Stał w drzwiach, nic nie mówił, tylko patrzył na nią błagalnie. Nie była w stanie spojrzeć mu w oczy.

– Idę się położyć – wymamrotała.

Spakował się. Bardzo spokojnie. Polubił to mieszkanko, czuł się w nim jak w domu. Do tej pory ani jemu, ani Vivianne coś takiego nie przytrafiało się zbyt często. Mieszkali w wielu różnych miejscach i za każdym razem, gdy już się trochę zakorzenili i nawiązali przyjaźnie, musieli się przeprowadzać. Gdy ludzie zaczynali zadawać pytania, gdy sąsiedzi i nauczyciele zaczynali nabierać wątpliwości, a paniusie z opieki społecznej dostrzegały, co się kryje za urokiem Olofa, znów musieli się pakować.

Teraz robili to samo. Jakby zabierali ze sobą poczucie zagrożenia. Ciągle uciekali, ciągle się przeprowadzali. Zupełnie jak dawniej, z Olofem.

Olof od dawna nie żył, ale oni nadal żyli w jego cieniu. Ukrywali się, starali się być niewidoczni. Wciąż powtarzało się to samo. Trochę inaczej, a jednak to samo.

Zamknął walizkę. Zdecydował, że poniesie konsekwencje. Już tęsknił, ale, jak mówiła Vivianne, nie da się zrobić omletu, nie rozbijając jajka. Jeśli ma rację, będzie potrzebował mnóstwa jajek. Nie był pewien, czy potrafi przewidzieć skutki. Ale powie wszystko. Nie da się zacząć wszystkiego od nowa, nie ponosząc konsekwencji tego, co się zrobiło. Potrzebował wielu bezsennych nocy, żeby dojść do tego wniosku, ale w końcu się zdecydował.

Rozejrzał się po mieszkaniu. Czuł ulgę i bardzo się bał. Musiałby mieć dużo odwagi, żeby zostać, żeby nie uciekać. A jednocześnie byłoby to najłatwiejsze. Zdjął walizkę z łóżka, postawił ją na podłodze. Nie ma czasu na rozterki. Musi pójść na przyjęcie, pomóc Vivianne. To musi być sukces stulecia. Przynajmniej tyle jest jej winien.

Czas płynął szybciej, niż Patrik sądził. Skracali go sobie, omawiając szczegóły obu śledztw. Patrik czuł przypływ adrenaliny. Pomyślał, że zarówno Paula, jak i Martin są dobrymi policjantami, ale nie da się nie zauważyć, że koledzy ze Sztokholmu mają zupełnie inną energię. Szczególnie zazdrościł im świetnej współpracy. Widział wyraźnie, że są jakby stworzeni dla siebie. Petra była impulsywna, ciągle rzucała nowe pomysły. Konrad ostrożny i rozważny, rozsądnie je komentował.

Podskoczyli, gdy zadzwonił telefon. Konrad odebrał.

– Słucham... Okej... Coś takiego... Ach tak?

Petra i Patrik nie odrywali od niego wzroku. Robi im na złość? Musi mówić półsłówkami? Rozłączył się i rozparł na krześle. W końcu powiedział:

– Pasują. To takie same pociski.

Zapadła cisza.

– Są absolutnie pewni? – spytał po chwili Patrik.

– Absolutnie. Żadnych wątpliwości. Użyto tej samej broni.

– O cholera. – Petra uśmiechnęła się szeroko.

– Tym bardziej powinniśmy przesłuchać wdowę po Westerze. Coś musi ich łączyć. Zgaduję, że tym czymś jest kokaina. A zważywszy na to, jacy ludzie mogą być w to zamieszani, na jej miejscu nie czułbym się bezpiecznie.

– To co, jedziemy? – Petra wstała.

Patrikowi krążyły po głowie różne myśli. Ledwo słyszał, co powiedziała. Niewyraźne przeczucia zaczęły się układać w całość.

– Chciałbym sprawdzić jeszcze kilka rzeczy. Moglibyście poczekać parę godzin? Potem popłyniemy.

– Pewnie byśmy mogli – odparła Petra, chociaż widać było, że się niecierpliwi.

– To świetnie. Albo się tu rozgośćcie, albo idźcie się przejść. A gdybyście chcieli coś zjeść, polecam Tanums Gestgifveri.

Kiwnęli głowami.

– W takim razie idziemy zjeść. Tylko powiedz, jak tam dojść – poprosił Konrad.

Patrik wskazał, w którą stronę mają iść, i poszedł do swojego pokoju. Teraz nie może działać pochopnie. Musi zadzwonić w kilka miejsc. Zaczął od Torbjörna. Miał nadzieję, że będzie miał trochę szczęścia. Choć była sobota, zastał go w pracy. Opowiedział mu w skrócie, czego się dowiedzieli, i poprosił, żeby porównał niezidentyfikowany odcisk z torebki z kokainą z tymi, które znaleźli na drzwiach mieszkania Sverina. I od zewnątrz, i od środka. Uprzedził też, że dośle do porównania jeszcze jeden odcisk. Torbjörn zaczął zadawać pytania, ale Patrik mu przerwał. Później wszystko wyjaśni.

Następnym punktem na jego liście było znalezienie raportu. Wiedział, że musi być gdzieś w stercie papierów. W końcu go znalazł. Jeszcze raz dokładnie przeczytał dziwne skąpe zapiski. Potem poszedł do Martina.

– Potrzebuję twojej pomocy. – Położył przed nim kartkę. – Nie przypominasz sobie nic więcej?

Martin się zdziwił, pokręcił głową.

– Niestety nie. Chociaż długo nie zapomnę tego świadka.

– Mógłbyś do niego pojechać i zadać mu jeszcze kilka pytań?

– Oczywiście. – Martin wyglądał, jakby zaraz miał pęknąć z ciekawości.

– Teraz – powiedział z naciskiem, bo Martin się nie ruszał.

– Okej, okej. – Martin zerwał się na równe nogi. – Zadzwonię, jak tylko będę coś wiedział – rzucił przez ramię. Nagle się zatrzymał. – Mogę wiedzieć dlaczego...

– Jedź, później ci powiem.

Dwie sprawy załatwione. Zostało jeszcze jedno. Podszedł do mapy morskiej wiszącej w korytarzu. Próbował delikatnie wyjąć pinezki, ale w końcu się zniecierpliwił i szarpnął. Rogi zostały na ścianie. Potem poszedł do Gösty.

– Rozmawiałeś z tym znawcą archipelagu Fjällbacki?

Gösta przytaknął.

– Przekazałem mu wszystkie dane, miał się zastanowić. Nie jest to nauka ścisła, ale może się do czegoś przyda.

– Zadzwoń do niego i podaj mu nowe dane.

Patrik położył mapę na biurku i pokazał, o co mu chodzi.

Gösta uniósł brwi.

– To pilne?

– Tak, poproś go o szybką odpowiedź. Wystarczy, żeby powiedział, czy to w ogóle możliwe. Albo prawdopodobne. A potem od razu do mnie przyjdź.

– Już się robi.

Patrik wrócił do siebie i usiadł za biurkiem. Był zdyszany jak po biegu, serce waliło mu w piersi. W głowie wciąż kołatały mu myśli, nowe, zaskakujące szczegóły, znaki zapytania. A jednocześnie czuł, że to dobry trop. Pozostało tylko czekać. Bębniąc palcami po biurku, wyglądał przez okno. Drgnął, gdy zadzwoniła komórka.

Słuchał w skupieniu.

– Dziękuję za telefon, Ulf. Mógłbyś mnie poinformować, jak coś się będzie działo?

Poczuł, że serce znów wali mu jak oszalałe, tym razem z wściekłości. Ten drań znalazł Madeleine i dzieci. Jej ojciec zebrał się na odwagę i zawiadomił policję, że były zięć wdarł się do ich domu i uprowadził ją i dzieci. Nie dostali od nich żadnego znaku życia. Patrik zdał sobie sprawę, że musieli być w gospodarstwie Ljungberga, gdy był tam z Ulfem. Czy siedzieli zamknięci i czekali na pomoc? W poczuciu bezradności zacisnął pięści. Ulf obiecał, że zrobią wszystko, żeby odnaleźć Madeleine, ale słychać było, że nie ma wielkich nadziei.

Godzinę później w drzwiach stanęli Konrad i Petra.

– Możemy już jechać? – spytała Petra od razu.

– Musimy omówić jeszcze jedną sprawę. – Patrik nie bardzo wiedział, jak zacząć. Nadal było sporo niejasności.

– O co chodzi? – zmarszczyła brwi. Nie chciała tracić czasu.

– Zbierzmy się w socjalnym – powiedział Patrik i poszedł zawiadomić kolegów. Po chwili wahania również Mellberga.

Przedstawił Petrę i Konrada, chrząknął i wyłożył swoją teorię. Nie ukrywał, że są w niej luki, nawet je podkreślił. Gdy skończył, zapadła cisza.

– Jaki mógłby mieć motyw? – zapytał po chwili Konrad, z nadzieją, ale też powątpiewaniem w głosie.

– Nie wiem. Musimy się dowiedzieć. Wydaje mi się, że ta hipoteza, mimo luk, jest prawdopodobna.

– Więc co robimy? – spytała Petra.

– Rozmawiałem z Torbjörnem. Uprzedziłem, że prześlemy mu jeszcze jeden odcisk do porównania z tymi znalezionymi na drzwiach i na torebce z kokainą. Jeśli się okaże, że jest zgodność, to mamy bezpośredni związek z morderstwem.

– Z morderstwami – wtrąciła Petra z miną wyrażającą powątpiewanie, ale też uznanie.

– Kto płynie z nami? – Konrad spojrzał na zebranych i wstał.

– Ja – odparł Patrik. – Pozostali pracują zgodnie z nowymi ustaleniami.

Jak tylko wyszli z komisariatu, zadzwoniła komórka Patrika. Zobaczył na wyświetlaczu numer matki i w pierwszej chwili pomyślał, że nie odbierze. W końcu nacisnął na zieloną słuchawkę. Słuchał, niecierpliwiąc się. Powiedziała, że bardzo się niepokoi, bo nie może się dodzwonić do Eriki. Gdy wreszcie powiedziała, dokąd Erika się wybrała, stanął jak wryty. Rozłączył się bez pożegnania i zwrócił się do Petry i Konrada.

– Musimy jechać. Natychmiast.

Erika otworzyła drzwi i aż się zatoczyła. Zemdliło ją. Miała rację. Trupi odór. Ohydny zaduch, którego nie zapomni nikt, kto choć raz go poczuł. Weszła do środka i zasłoniła nos i usta, usiłując się przed nim bronić.

Daremnie. Przenikał wszystko, wnikał w każdy por ciała, w ubranie. Tak jak w ubranie Annie.

Rozejrzała się, oczy jej łzawiły od zjadliwego smrodu. Ostrożnie szła korytarzem. Było cicho i spokojnie, słyszała szum morza. Co chwila zbierało jej się na wymioty, ale jeszcze nie chciała wychodzić na świeże powietrze.

Z miejsca, gdzie stała, widziała cały parter, ale nie zauważyła nic niezwykłego. Przewieszona przez krzesło koszulka, filiżanka po kawie na stole, obok otwarta książka. Nic, co by tłumaczyło ten stęchły, obrzydliwy zapach, który przeniknął wszystko.

Jedne drzwi były zamknięte. Erika truchlała na myśl o tym, że miałaby je otworzyć, ale stwierdziła, że skoro doszła aż tu, to musi. Trzęsły jej się ręce, nogi miała jak z waty. Wolałaby zawrócić, wybiec na dwór, rzucić się do łódki i wrócić do domu, do zapachu niemowlęcych główek. Ale nie mogła. Trzęsącą się ręką sięgnęła do klamki. Nie mogła się zdobyć na to, żeby ją nacisnąć i zobaczyć, co jest za drzwiami.

Nagle poczuła podmuch na nogach i odwróciła się. Za późno. Zapadła się w ciemność.

Goście z Göteborga rozmawiali z ożywieniem, wysiadając z autobusów. W drodze pili wina musujące i wszyscy byli w znakomitych humorach.

– Będzie dobrze – powiedział Anders.

Stali z Vivianne przy wejściu, witali gości. Anders objął ją mocno.

Uśmiechnęła się smętnie. To początek, ale też koniec. Nie potrafiła żyć teraźniejszością. Liczyła się tylko przyszłość. Choć nie była już tego taka pewna.

Spojrzała z boku na stojącego przy otwartej bramie Badis brata. Zaszła w nim jakaś zmiana. Zawsze potrafiła w nim czytać jak w otwartej księdze, a teraz miała wrażenie, jakby się oddalił, jakby nie mogła go dosięgnąć.

– Kochanie, co za wspaniały dzień. – Erling pocałował ją w usta. Wyglądał na wypoczętego. Wczoraj już około siódmej podała mu środek nasenny. Spał po nim trzynaście godzin. Podrygiwał w białym garniturze. Podbiegł do niej, jeszcze raz pocałował w usta i pomknął dalej.

Goście zaczęli wchodzić do środka.

– Witam serdecznie. Mam nadzieję, że będą się państwo dobrze bawić. – Vivianne podawała rękę, uśmiechała się i powtarzała słowa powitania. W białej sukni do ziemi, z włosami jak zwykle splecionymi w warkocz wyglądała jak rusałka.

Gdy prawie wszyscy weszli i na chwilę zostali sami, przestała się uśmiechać. Spoważniała.

– Nadal wszystko sobie mówimy, prawda? – spytała cicho. Aż do bólu pragnęła, żeby odpowiedział tak, jak chciała, i żeby mogła w to uwierzyć. Ale Anders odwrócił wzrok.

Już chciała zadać kolejne pytanie, gdy podeszli do nich spóźnieni goście. Przykleiła do twarzy szeroki uśmiech, ale w sercu czuła lód.

– Po co twoja żona tam popłynęła? – spytała Petra.

Patrik jechał do Fjällbacki najszybciej jak mógł. Opowiedział im, czym Erika się zajmuje i o tym, że dla przyjemności szperała w dziejach Gråskär.

– Pewnie chciała opowiedzieć Annie, czego się dowiedziała.

– Nie denerwuj się, na pewno nic jej nie grozi. Nie ma obaw – uspokajał go Konrad z tylnego siedzenia.

– Wiem – odparł Patrik, chociaż czuł, że powinien jak najprędzej znaleźć się na wyspie. Uprzedził telefonicznie Petera. Obiecał, że łódź będzie na nich czekać.

– Ciągle się zastanawiam nad motywem – powiedział Konrad.

– Wkrótce się dowiemy. Jeśli Patrik ma rację. – Petra nadal miała wątpliwości.

– Chcesz powiedzieć, że według świadka w noc swojej śmierci Mats Sverin przyjechał do domu z kobietą? Jest wiarygodny? – Konrad wsunął głowę między przednie siedzenia. Krajobraz przelatywał im przed oczami z zawrotną prędkością, ale jakoś nie zwracali na to uwagi.

Patrik musiał się zastanowić. Stary Grip nie należał do ludzi najbardziej wiarygodnych. Zeznał na przykład, że kobietę widział kot. Pomyślał o tym od razu, jak tylko się okazało, że kule są takie same. W raporcie z przesłuchania Martin napisał, że kot siedział na parapecie i prychał na samochód, a nieco wcześniej zacytował Gripa: „Marilyn nie znosi kobiet. Prycha na ich widok". Martin nie widział żadnego związku. Patrik zresztą też nie, gdy to czytał po raz pierwszy. Ale kiedy na jaw wyszły inne fakty, postanowił jeszcze raz wysłać Martina do Gripa. Tym razem udało mu się od niego wyciągnąć, że z samochodu, który zatrzymał się przed domem w nocy z piątku na sobotę, wysiadła kobieta. Po chwili wahania potwierdził również, że był to samochód Sverina. Niestety nadal twierdził, że wszystko to widział kot. Patrik postanowił chwilowo przemilczeć ten szczegół.

– Jest wiarygodny – odparł. Miał nadzieję, że ta odpowiedź ich zadowoli. Najważniejsze, żeby szybko znaleźli Erikę i przesłuchali Annie. Reszta może poczekać. I jeszcze łódka Sverina. Znajomy Gösty uznał za możliwe, a nawet wysoce prawdopodobne, że do zatoczki, w której ją znaleziono, zdryfowała aż z Gråskär.

Patrik zaczął układać scenariusze. Mats popłynął odwiedzić Annie. Z jakiegoś powodu popłynęła z nim jego łódką do Fjällbacki. Pojechali do Matsa i tam go zastrzeliła, gdy, niczego się nie obawiając, odwrócił się do niej plecami. Potem dostała się do portu, wróciła na Gråskär jego łódką i nie przywiązała jej. Zniósł ją prąd, a potem zaklinowała się między skałami. Do tego miejsca wszystko wydawało się logiczne. Tyle że nadal nie miał pojęcia, dlaczego Annie miałaby zabić Matsa, a wcześniej męża. Ani dlaczego w środku nocy popłynęli z Gråskär do Fjällbacki. Czy to miało coś wspólnego z kokainą? Czy Mats wdał się w jakieś interesy z jej mężem? Czy niezidentyfikowany odcisk na torebce z kokainą to odcisk jej palca?

Znów dodał gazu. Gdy wjechali do Fjällbacki, musiał zwolnić. O mało nie przejechał starszego pana przechodzącego przez jezdnię w pobliżu Ingrid Bergmans torg. Zaparkował obok łodzi Ratownictwa Morskiego i wyskoczył z samochodu. Z ulgą zauważył, że Peter już czeka, z włączonym silnikiem. Wskoczył na pokład, Konrad i Petra za nim.

– Nie denerwuj się – powtarzał Konrad. – Na razie to tylko domysły. Nawet jeśli masz rację, nie ma powodu, żeby twojej żonie miało coś grozić.

Patrik trzymał się relingu. Łódź wypływała z portu szybciej, niż powinna. Spojrzał na Konrada.

– Nie znasz jej. Ma skłonność do wtykania nosa w nie swoje sprawy. Za dużo pyta. Nawet tych, którzy nie mają nic do ukrycia. Jest uparta, że tak to ujmę.

– Już czuję do niej sympatię – powiedziała Petra.

Patrzyła jak urzeczona na archipelag. Łódka mknęła jak burza.

– W dodatku nie odbiera telefonu – dodał Patrik.

Milczeli do końca podróży. Z daleka widzieli latarnię. Gdy dopłynęli, Patrik poczuł ściskanie w żołądku. Nie mógł przestać myśleć o Wyspie Duchów i o tym, skąd się ta nazwa wzięła.

Peter zwolnił i przybił do pomostu, obok drewnianej łódki Eriki. Nie dostrzegli żadnego ruchu. Ani żywych, ani umarłych.

Wszystko będzie dobrze. Są razem, ona i Sam. Zmarli czuwają nad nimi.

Stała w wodzie i trzymała w objęciach Sama. Nuciła piosenkę. Śpiewała mu ją kiedyś, gdy był mały i kładła go spać. Leżał w jej ramionach lekki i odprężony, unosiła go woda. Delikatnie starła mu z twarzy kilka kropel. Nie lubił, gdy woda kapała mu na twarz. Gdy tylko się trochę ożywi i poczuje lepiej, nauczy go pływać. Jest już na tyle duży, że powinien się nauczyć. Niedługo zacznie gubić mleczne zęby. Szczerba w buzi będzie oznaką, że wyrasta z dzieciństwa.

Fredrik był niecierpliwy, za dużo od niego wymagał. Uważał, że go rozpieszcza, bo chce, żeby zawsze był mały. Mylił się. Oczywiście, że chciała, żeby Sam dorastał, ale upierała się, że ma się rozwijać we własnym tempie.

A potem Fredrik chciał go jej odebrać. Wyniosłym tonem oznajmił, że Samowi będzie lepiej u innej mamy. Chcąc zatrzeć to wspomnienie, zaczęła nucić głośniej. Ale te straszne słowa wryły jej się w pamięć i zagłuszyły piosenkę. Powiedział, że tamta będzie lepsza i że pojedzie z nimi do Włoch. Ona już nie będzie mamą. Zniknie.

Mówił to i był taki zadowolony, że ani przez chwilę nie wątpiła, że mówi poważnie. Jak strasznie go nienawidziła! Poczuła, jak rośnie w niej niepowstrzymany gniew. Ogarnął ją całą. Fredrik dostał, na co zasłużył. Już nic im nie zrobi. Widziała jego nieruchome spojrzenie, widziała krew.

Teraz będą w spokoju mieszkać na wyspie. We dwoje. Spojrzała w twarz Sama. Miał zamknięte oczy. Nikt jej go nie odbierze. Nikt.

Patrik poprosił Petera, żeby poczekał w łodzi. Wyszedł na pomost, za nim Konrad i Petra. W otwartej szopie stały na stole filiżanki po kawie. Spłoszyli kilka mew skubiących bułki.

– Pewnie są w domu. – Petra rozejrzała się czujnie.

– Chodźcie. – Patrik się niecierpliwił, ale Konrad przytrzymał go za ramię.

– Ostrożnie.

Patrik pomyślał, że ma rację. Szedł spokojnie, choć najchętniej puściłby się pędem. Zapukali do drzwi. Nikt nie otwierał. Petra zapukała mocniej.

– Halo! – zawołała.

Nadal nic. Patrik nacisnął klamkę, drzwi się otworzyły. Zrobił krok w przód i cofnął się. Wpadł na Konrada i Petrę. Ze środka buchnął smród.

– O cholera! – powiedział, zatykając nos i usta. Przełknął ślinę, żeby nie zwymiotować.

– O cholera! – jak echo powtórzył Konrad. On również walczył z mdłościami.

Tylko Petry nic nie ruszało. Patrik spojrzał na nią ze zdziwieniem.

– Kiepski węch – wyjaśniła.

Patrik o nic więcej nie pytał. Wszedł do domu i natychmiast zauważył leżące na podłodze ciało.

– Erika? – Podbiegł, padł na kolana i dotknął jej. Miał duszę na ramieniu.

Poruszyła się i jęknęła.

Musiał zawołać kilka razy, wreszcie powoli odwróciła głowę. Zobaczył, że ma ranę na skroni. Z wysiłkiem uniosła rękę i dotknęła jej. Zobaczyła krew na swoich palcach i zrobiła wielkie oczy.

– Patrik? Annie, ona... – Zaszlochała, Patrik pogłaskał ją po policzku.

– Co z nią? – spytała Petra.

Patrik tylko machnął ręką. Petra ruszyła za Konradem na piętro.

– Chyba nikogo nie ma – powiedziała, wracając. – A tu zaglądałeś? – Wskazała na drzwi, pod którymi leżała Erika.

Patrik potrząsnął głową. Petra obeszła ich i otworzyła.

– Jasna cholera! Chodźcie. – Kiwnęła na nich. Patrik ani drgnął, Konrad poszedł za nią.

– Co tam jest? – Patrik spojrzał na uchylone drzwi. Zasłaniały mu widok.

– Nie wiem, w każdym razie smród bije stąd. – Konrad zasłonił nos i usta.

– Trup? – Przez chwilę sądził, że to Annie, a potem nagle zbladł. – Chłopiec? – wyszeptał.

Petra wyszła z pokoju.

– Sama nie wiem. Nikogo nie ma, ale w łóżku jest potworna breja i śmierdzi jak cholera. Nawet ja to czuję.

Konrad pokiwał głową.

– Prawdopodobnie chłopiec. Widzieliście się z nią jakiś tydzień temu, ale ten trup musiał tu leżeć znacznie dłużej.

Erika próbowała usiąść. Patrik podparł ją ramieniem.

– Trzeba ich znaleźć. – Spojrzał na żonę. – Co się stało?

– Byłyśmy w latarni. Ubranie Annie dziwnie pachniało, zastanowiło mnie to. Wymknęłam się, żeby to sprawdzić. Musiała mnie uderzyć w głowę... – mówiła coraz ciszej.

Patrik spojrzał na Konrada i Petrę.

– Nie mówiłem? Zawsze musi wetknąć nos w nie swoje sprawy. – Uśmiechnął się, ale widać było, że się niepokoi.

– Nie widziałaś chłopca? – Petra przykucnęła obok niej.

Erika potrząsnęła głową i natychmiast skrzywiła się z bólu.

– Nie zdążyłam otworzyć drzwi. Musicie ich znaleźć – powiedziała, powtarzając słowa Patrika. – Dam sobie radę. Szukajcie Annie i Sama.

– Zanieśmy ją do łodzi – powiedział Patrik.

Nie zważając na jej protesty, wspólnymi siłami zanieśli ją na pomost, a potem położyli na pokładzie.

– Na pewno możesz poczekać? – Patrik patrzył na jej bladą twarz i krwawiącą ranę na skroni. Nie chciał jej zostawiać.

Machnęła ręką.

– Leć, przecież mówię, że nic mi nie jest.

Patrik zostawił ją w łodzi.

– Dokąd ona mogła pójść?

– Musi być po drugiej stronie wyspy – powiedziała Petra.

– Chyba tak, łódka została tutaj.

Wspięli się na skały. Wyspa wydawała się równie opustoszała jak w chwili, gdy przybijali do pomostu. Poza pluskiem fal i krzykiem mew nic nie było słychać.

– Może są w latarni? – Patrik przechylił głowę do tyłu i zmrużył oczy. Patrzył na szczyt wieży.

– Możliwe, ale najpierw powinniśmy przeszukać wyspę – powiedziała Petra. Osłoniła ręką oczy. Próbowała coś dojrzeć przez szyby, ale nic nie zobaczyła.

– Idziecie? – spytał Konrad.

Niedaleko znajdował się najwyższy punkt wyspy. Patrik pomyślał, że będą mieli widok na prawie całą Gråskär. Szli i czujnie rozglądali się na boki. Nie mieli pojęcia, w jakim stanie jest Annie. Miała przecież pistolet. Nie wiedzieli, czy jest gotowa go użyć. W nozdrzach ciągle czuli lepki trupi odór. Wszyscy mieli w głowach tę samą niewypowiedzianą myśl.

Dotarli do szczytu.

Przypłynęli. Tak jak się obawiała. Słyszała głosy dochodzące z pomostu, później krążyły wokół domu. Odcięli jej drogę ucieczki, już nie mogła dotrzeć do łódki. Ona i Sam znaleźli się w pułapce.

Gdy Erika, o której myślała, że jest po ich stronie, wtargnęła do ich świata, zrobiła to, co musiała zrobić. Broniła Sama, tak jak mu obiecała, kiedy jej go dali zaraz po urodzeniu. Miała pilnować, żeby mu się nie stało nic złego. Długo nie umiała temu sprostać. Z tchórzostwa. Ale od tamtej nocy była silna. Uratowała go.

Powoli wchodziła do wody. Dżinsy kleiły jej się do nóg, ciągnęły. Sam był grzeczny, spokojnie leżał w jej ramionach.

Ktoś szedł obok. Najpierw było płytko, potem robiło się coraz głębiej. Kobieta przytrzymywała ciężką spódnicę. Po chwili puściła i spódnica rozłożyła się na wodzie. Nie odrywała wzroku od Annie. Poruszała wargami, ale Annie nie chciała słuchać, bo wtedy już nie mogłaby uratować Sama. Zamknęła oczy, żeby jej nie widzieć. Po chwili otworzyła i zerknęła w bok, tak jakby coś ją zmuszało, żeby na nią spojrzała.

Tamta też trzymała na rękach synka. Jeszcze przed chwilą go nie było, była tego pewna. A teraz również on patrzył na nią wielkimi oczami, jakby o coś prosił. Rozmawiał z Samem. Chciała sobie zatkać uszy, krzyczeć, żeby zagłuszyć głosy chłopca i kobiety, ale ręce miała zajęte, a krzyk uwiązł jej w gardle. Zamoczyła koszulkę. Gdy zimna woda sięgnęła brzucha, zabrakło jej tchu. Kobieta szła tuż obok. Mówili jednocześnie: kobieta do niej, chłopiec do Sama. Annie nie chciała, ale zaczęła słuchać. Ich głosy przenikały ją, tak jak słona woda przenikała przez ubranie.

Dotarli z Samem do kresu drogi. W każdej chwili mogą ich znaleźć i dokończyć, co zaczęli. Nagły rozbłysk wspomnień. Zobaczyła bryzgi krwi na ścianie i twarzy Fredrika. Potrząsnęła głową, usiłowała odpędzić od siebie ten obraz. Czy to fantazja, sen czy jawa? Nie wiedziała. Pamiętała tylko zimną nienawiść, potem panikę i potworny, paraliżujący strach, i wreszcie dziką furię.

Gdy woda sięgała jej pach, Sam zrobił się lżejszy. Kobieta i chłopiec ciągle byli obok. Wyraźnie słyszała ich głosy, mówili wprost do jej ucha. Zamknęła oczy i poddała się. Pewność, że mają rację, przyniosła jej wszechogarniający spokój. To było oczywiste. Przecież wyraźnie słyszała kobietę i chłopca. Wiedziała, że dobrze życzą i jej, i Samowi. Spokojnie stała w miejscu.

Z oddali dobiegały inne głosy. Wołali do niej, czegoś chcieli, przekonywali. Nie zwracała na to uwagi. Tamte głosy były mniej rzeczywiste niż te obok.

– Puść go – powiedziała miękko kobieta.

– Chcę się z nim pobawić – powiedział chłopiec.

Annie skinęła głową. Musi puścić synka. Cały czas ją namawiali, tłumaczyli. Należał już do nich, do tamtych.

Powoli otworzyła ramiona, pozwalając morzu, żeby go zabrało, wchłonęło i uniosło. Zrobiła krok, potem jeszcze jeden. Głosy wciąż mówiły. Dochodziły z bliska i z oddali, ale znów wolała nie słuchać. Chciała iść za Samem, stać się jedną z nich. Co innego miałaby zrobić?

Kobieta prosiła. Woda sięgała jej już powyżej uszu, zagłuszała wszystkie dźwięki poza szumem krwi w żyłach. Annie wchodziła coraz głębiej, czuła, jak woda zamyka się nad jej głową i ściska powietrze w płucach.

Nagle coś ją szarpnęło w górę. Kobieta była zdumiewająco silna. Wyciągnęła ją na powierzchnię. Annie ogarnęła wściekłość. Dlaczego nie pozwalają jej iść za synem? Opierała się, ale kobieta nie puszczała, ciągnęła ją w górę, do życia.

Chwyciły ją jeszcze jedne ręce. Chwyciły i pociągnęły. Jej płuca napełniły się powietrzem, krzyknęła. Chciała wrócić pod wodę, ale powlekli ją na brzeg.

Potem kobieta i chłopiec zniknęli. Tak jak Sam.

Poczuła, że jacyś ludzie podnoszą ją i niosą. Poddała się. W końcu ją znaleźli.

Zabawa trwała do późnej nocy. Goście jedli i pili, celebryci zmieszali się z miejscowymi, zawierali na parkiecie nowe znajomości. Bardzo udana impreza.

Vivianne podeszła do Andersa. Opierał się o poręcz i patrzył na tańczących.

– Za chwilę musimy jechać.

Kiwnął głową, ale w wyrazie jego twarzy było coś, co ją zaniepokoiło jeszcze bardziej.

– No chodź. – Lekko pociągnęła go za ramię. Poszedł za nią. Nie patrzył jej w oczy.

W jednym z pustych pokojów ukryła walizkę. Teraz postawiła ją przy drzwiach.

– Gdzie twoja? Mamy tylko dziesięć minut, inaczej ucieknie nam samolot.

Nie odpowiedział. Usiadł ciężko na łóżku i patrzył w podłogę.

– Anders? – Kurczowo ściskała uchwyt walizki.

– Kocham cię – szepnął.

Przeraziła się.

– Musimy jechać – powtórzyła, chociaż już wiedziała, że z nią nie pojedzie. Z oddali słyszała rytmiczny puls muzyki.

– Nie mogę. – Podniósł wzrok. Oczy miał pełne łez.

– Coś ty zrobił? – Nie potrafiła się powstrzymać. Musiała zadać to pytanie, chociaż wcale nie chciała znać odpowiedzi. Nie chciała, żeby się spełniły jej najgorsze obawy.

– Zrobił? Boże, myślałaś, że to ja...

– A nie o to chodzi? – Usiadła obok niego.

Anders pokręcił głową i zaczął się śmiać. Wierzchem dłoni wycierał łzy.

– Boże drogi. Nie!

Co za ulga. Ale teraz już zupełnie nie rozumiała, o co mu chodzi.

– Dlaczego? – Objęła go, oparł głowę o jej głowę. Pomyślał, że już tyle razy tak siedzieli.

– Kocham cię i wiesz o tym.

– Wiem. – Nagle zrozumiała. Wyprostowała się, żeby na niego spojrzeć. Z czułością chwyciła jego głowę. – Braciszku, zakochałeś się.

– Nie mogę z tobą jechać – powiedział. Oczy znów miał pełne łez. – Wiem, że przyrzekliśmy sobie, że zawsze będziemy razem. Ale w tę podróż musisz pojechać beze mnie.

– Jeśli jesteś szczęśliwy, to i ja będę. To bardzo proste. Będę za tobą tęsknić, ale niczego ci tak nie życzę jak udanego życia. – Uśmiechnęła się. – Musisz mi jeszcze powiedzieć, kto to jest. Inaczej nie będę mogła wyjechać.

Powiedział. Przypomniała sobie kobietę, którą poznali, gdy tworzyli Badis. Uśmiechnęła się.

– Masz dobry gust. – Chwilę milczała. – Będziesz musiał odpowiedzieć na mnóstwo zarzutów i sporo się natłumaczyć. Mam cię z tym zostawić? Jeśli chcesz, zostanę z tobą.

Anders potrząsnął głową.

– Chcę, żebyś wyjechała. Ciesz się słońcem za mnie. Pewnie przez jakiś czas nie będę go oglądał, ale ona o wszystkim wie i obiecała, że będzie czekać.

– A pieniądze?

– Są twoje – odparł bez wahania. – Nie potrzebuję ich.

– Na pewno? – Znów chwyciła jego głowę, jakby chciała zapamiętać każdy najmniejszy szczegół jego twarzy.

Kiwnął głową i odsunął jej ręce.

– Na pewno. Jedź już. Samolot nie będzie czekał.

Wziął jej walizkę, bez słowa zaniósł do samochodu i wstawił do bagażnika. Nikt ich nie widział. Głosy gości mieszały się z muzyką, wszyscy byli zajęci czym innym.

Vivianne wsiadła do samochodu.

– Nieźle nam to wyszło, prawda? – Spojrzała w górę, na mieniący się w półmroku budynek.

– Cholernie dobrze.

Vivianne zastanawiała się chwilę. Zdjęła pierścionek z serdecznego palca i dała go Andersowi.

– Masz, oddaj Erlingowi. To nie jest zły człowiek. Mam nadzieję, że znajdzie sobie kogoś innego. Kogoś, komu będzie mógł go dać.

Anders włożył pierścionek do kieszeni.

– Przekażę.

Spojrzeli na siebie w milczeniu. Vivianne zatrzasnęła drzwi i ruszyła ostro. Długo za nią patrzył. Potem powoli ruszył na górę, do Badis. Zamierzał się bawić do ostatniego gościa.

Erling był przerażony. Vivianne zniknęła. Od soboty nikt jej nie widział. Nie było również jej samochodu. Coś jej się musiało stać.

Chwycił słuchawkę i zadzwonił na policję.

– Wiecie coś? – spytał, gdy tylko usłyszał głos Mellberga. Znów usłyszał, że nic, i już nie mógł się opanować.

– Czy wy w ogóle coś robicie, żeby znaleźć moją narzeczoną? Przecież musiało jej się coś stać. Przeszukaliście z bosakami wodę przy brzegu? Tak, wiem, że samochodu też nie ma, ale przecież ktoś mógł go zepchnąć do wody. Może była w środku? – Jego głos przeszedł w falset. Wyobraził sobie, jak samochód powoli zanurza się w wodzie, a Vivianne nie może się wydostać. – Domagam się, żebyście jej szukali! Z wykorzystaniem wszelkich możliwych środków!

Rzucił słuchawką. Drgnął, kiedy usłyszał delikatne pukanie do drzwi. Gunilla wsunęła głowę i patrzyła na niego przestraszona.

– Czego chcesz? – Pragnął tylko jednego: żeby mu dali spokój. Całą niedzielę spędził na szukaniu Vivianne. Rano zjawił się w biurze wyłącznie dlatego, że miał nadzieję, że zadzwoni.

– Dzwonili z banku – odparła Gunilla, zdenerwowana jeszcze bardziej niż zwykle.

– Teraz nie mam na to czasu – powiedział, wpatrując się w telefon. Przecież ona w każdej chwili może zadzwonić.

– Coś jest nie tak z kontem Badis. Chcą, żebyś do nich zadzwonił.

– Przecież mówię, że nie mam czasu – syknął.

Ale Gunilla ku jego zdziwieniu powtórzyła:

– Chcą, żebyś natychmiast zadzwonił.

Potem poszła do swojego pokoju.

Erling z westchnieniem podniósł słuchawkę i zadzwonił do doradcy, z którym zwykle się kontaktował.

– Mówi Erling. Podobno jest jakiś problem.

Chciał to załatwić jak najszybciej. Żeby telefon nie był zajęty, jeśli Vivianne zadzwoni. Słuchał, ale nie mógł się skupić. Po chwili wyprostował się na krześle.

– Co to znaczy: na koncie nie ma środków? Sprawdźcie jeszcze raz. Wpłaciliśmy ładnych kilka milionów, a w tym tygodniu ma wpłynąć jeszcze coś, od Vivianne i Andersa Berkelinów. Wiem, że mamy zapłacić dostawcom, ale pieniądze są. – Umilkł i słuchał. – Czy to na pewno nie pomyłka?

Musiał rozpiąć kołnierzyk, zrobiło mu się duszno. Rozłączył się, w głowie miał zamęt. Nie ma pieniędzy. Nie ma Vivianne. Potrafił dodać dwa do dwóch, aż taki głupi nie był, ale wciąż nie mógł w to uwierzyć.

Zdążył wybrać trzy pierwsze cyfry numeru policji, gdy w drzwiach stanął Anders. Erling wbił w niego wzrok. Wyglądał na wyczerpanego, niemal wycieńczonego. Chwilę stał bez słowa. Podszedł do biurka, z wyciągniętą ręką, z otwartą dłonią. Światło padające z okna odbijało się w tym, co w niej trzymał. Rzucało błyski na ścianę za plecami Erlinga. Pierścionek Vivianne.

Erling już nie miał wątpliwości. Gdy wybierał numer komisariatu w Tanumshede, był jak ogłuszony. Anders usiadł naprzeciwko niego i czekał. Na biurku skrzył się pierścionek.

W środę rano Erika wyszła ze szpitala. Rana od uderzenia w głowę okazała się niezbyt poważna, ale ze względu na wcześniejszy wypadek woleli ją zatrzymać na kilka dni.

– Przestań, mogę iść sama – powiedziała do Patrika ze złością. Próbował ją podtrzymywać, gdy wchodzili po schodach. – Słyszałeś, co powiedzieli. Wszystko w porządku. Nie miałam wstrząśnienia mózgu. Założyli mi parę szwów, i tyle.

Patrik otworzył drzwi.

– Tak, wiem, ale... – Urwał. Widział, jak na niego patrzy.

– Kiedy wrócą dzieci? – Zrzuciła buty.

– Mama przywiezie chłopców około drugiej. Potem moglibyśmy wszyscy razem pójść po Maję. Strasznie się stęskniła.

– Moja córeńka kochana – powiedziała Erika, idąc do kuchni. Jest jakoś dziwnie, gdy w domu nie ma dzieci. Prawie zapomniała, jak to jest.

– Siadaj, zaparzę kawę – powiedział Patrik, przepychając się obok niej.

Już miała zaprotestować, ale pomyślała, że powinna skorzystać z okazji. Usiadła na krześle, nogi położyła na drugim.

– Nie wiesz, co dalej z Badis? – W szpitalu była odcięta od świata, jakby tkwiła w szklanej bańce. Chciała się dowiedzieć, co się dzieje. Jak najszybciej. Dotarły do niej słuchy o Vivianne, ale jakoś nie mogła w to uwierzyć.

– Nie ma ani pieniędzy, ani Vivianne – powiedział Patrik. Stał plecami do niej, odmierzał kawę do maszynki. – Jej samochód znaleźliśmy na Arlandzie. Sprawdzamy wszystkie odloty z ostatniego weekendu. Pewnie wyjechała pod fałszywym nazwiskiem, więc to nie będzie proste.

– A pieniądze? Macie jakiś ślad?

Patrik potrząsnął głową.

– Nie. I szanse są marne. Poprosiliśmy o pomoc göteborski wydział przestępczości gospodarczej, ale czasem trudno wytropić wywiezione pieniądze. Podejrzewam, że porządnie to zaplanowała.

– A co mówi jej brat? – Erika podniosła się, żeby sięgnąć do zamrażarki.

– Siedź, ja to zrobię. – Wyjął torebkę bułeczek cynamonowych i włożył je do mikrofalówki. – Anders przyznał się do udziału w oszustwie, ale odmawia ujawnienia, gdzie jest jego siostra. I pieniądze.

– A dlaczego nie wyjechał razem z nią?

Patrik wzruszył ramionami. Wyjął z lodówki karton mleka i postawił go na stole.

– Kto wie? Może się w ostatniej chwili wystraszył? Może nie chciał przez resztę życia uciekać przed wymiarem sprawiedliwości.

– Może i tak. – Zastanawiała się chwilę. – A co na to Erling? I co dalej z Badis?

– Erling wydaje się... zrezygnowany. – Patrik nalał kawy do filiżanek, wyjął z mikrofalówki gorące bułeczki i usiadł naprzeciwko Eriki. – Przyszłość Badis jest niepewna. Prawie nikt z dostawców, także budowlańców, nie dostał pieniędzy. Muszą rozważyć, czy straty będą mniejsze, gdy ośrodek zostanie zamknięty, czy gdy będzie działał. Po sobotnim przyjęciu było sporo rezerwacji, więc może gmina zdecyduje się to ciągnąć. Zależy im na odzyskaniu przynajmniej części pieniędzy, więc nie jest to całkiem niemożliwe.

– Szkoda by było. Tak tam ładnie teraz.

– Mhm... – mruknął Patrik, odgryzając kęs bułki.

– A jak Matte wpadł na to, że coś się nie zgadza? Mówiłeś, że mąż Anniki nic nie znalazł. Dziwię się, że nikt z gminy niczego nie podejrzewał.

– Według Andersa Mats też nie miał pewności, tylko podejrzenia. W piątek, zanim się wybrał do Annie, wpadł do Badis. Mieli porozmawiać. Miał mnóstwo pytań. Dlaczego jest tyle niezapłaconych faktur dla dostawców i kiedy i skąd wpłyną pieniądze, które mieli zainwestować on i Vivianne. Poprosił, żeby mu powiedział coś więcej, żeby mógł wszystko sprawdzić. Anders był mocno wytrącony z równowagi. Mats pewnie odkryłby oszustwo i wszystko ujawnił. Gdyby nie został zastrzelony.

Erika pokiwała głową. Posmutniała.

– Co z Annie?

– Zbada ją biegły psychiatra. Do więzienia chyba nie trafi. Pewnie skażą ją na zakład zamknięty. W każdym razie powinni.

– Głupi byliśmy, że się nie domyśliliśmy, co? – Odłożyła bułkę. Odechciało jej się jeść.

– A jak mieliśmy się domyślić? Przecież nikt nie wiedział, że Sam nie żyje.

– Ale jak... – Musiała przełknąć ślinę. Na samą myśl

o tym, że Annie przez dwa tygodnie patrzyła, jak zwłoki jej dziecka powoli się rozkładają, zrobiło jej się niedobrze. Z obrzydzenia i ze współczucia.

– Nie wiadomo, jak to się stało. I pewnie nigdy się nie dowiemy. Wczoraj wieczorem rozmawiałem z Konradem. Okazuje się, że jakaś kobieta miała zabukowany lot do Włoch razem z jej mężem i Samem. Zeznała, że plan był taki, że to ona z nimi poleci. Annie miała zniknąć.

– Jak on to sobie wyobrażał?

– Chciał wykorzystać przeciwko niej to, że się uzależniła od kokainy. Miał jej zagrozić, że jeśli sama nie odejdzie, wystąpi o pozbawienie jej praw rodzicielskich.

– Co za świnia.

– Mało powiedziane. Prawdopodobnie powiedział jej to wieczorem przed wyjazdem. W małżeńskim łóżku była krew dwóch osób, dwa różne DNA. To chyba Sam zakradł się do taty. Annie wystrzeliła w męża cały magazynek z jego pistoletu. Nie wiedziała, że leży tam również ich syn.

– Pomyśl, co musiała czuć, gdy odkryła, że zastrzeliła własne dziecko.

– Trudno sobie wyobrazić coś gorszego. Pewnie przeżyła taką traumę, że musiała stracić kontakt z rzeczywistością. Nie przyjęła do wiadomości, że Sam nie żyje.

Chwilę milczeli.

Nagle Erice coś przyszło do głowy.

– A dlaczego ta kochanka nic nie zrobiła, gdy Wester się nie zjawił na lotnisku?

– Nie miał opinii człowieka solidnego. Pomyślała, że ją rzucił. Konrad znalazł kilka wiadomości od niej w jego poczcie głosowej. Była wściekła.

Erika myślami była już gdzie indziej.

– Matte pewnie zobaczył zwłoki Sama.

– Tak. I kokainę. Odciski palców Annie były na torebce i na drzwiach jego mieszkania. Nie da się jej przesłuchać, więc nie wiemy na pewno, ale podejrzewamy, że w nocy z piątku na sobotę Mats znalazł zwłoki Sama i torebkę z kokainą. Zmusił Annie, żeby z nim pojechała do Fjällbacki. Zamierzał zawiadomić policję.

– A ona chciała ratować iluzję, że Sam żyje.

– Tak. Nawet kosztem życia Matsa. – Patrik patrzył w okno. On również bardzo współczuł Annie. Zabiła trzy osoby, w tym własnego syna.

– A teraz już wie, co się stało?

– Lekarzom powiedziała, że Sam został na Gråskär ze zmarłymi. Że powinna była ich słuchać i pozwolić mu odejść do nich. Więc pewnie już wie.

– Znaleźli go? – spytała ostrożnie. Wolała sobie nie wyobrażać, jak bardzo musiało być sponiewierane to dziecięce ciałko. Wystarczył ten koszmarny odór.

– Nie. Zniknął w morzu.

– Zastanawiam się, jak mogła znieść ten smród. – Erika wciąż go pamiętała, choć weszła tam tylko na chwilę. A Annie mieszkała tam przecież ponad dwa tygodnie.

– Czasem ludzie zachowują się bardzo dziwnie. Były już takie przypadki, że ktoś mieszkał pod jednym dachem ze zwłokami wiele tygodni, miesięcy, a nawet lat. Wyparcie to bardzo silny mechanizm obronny. – Wypił łyk kawy.

– Biedna – westchnęła Erika. Po chwili spytała: – Sądzisz, że jest coś w tym, co mówią?

– Co masz na myśli?

– Chodzi mi o Gråskär, Wyspę Duchów. Że zmarli nigdy jej nie opuszczają.

Uśmiechnął się.

– Chyba upadłaś na głowę. Albo coś w tym rodzaju. Gadki o duchach to brednie, nic więcej.

– Pewnie masz rację – powiedziała Erika, choć nie wyglądała na całkiem przekonaną. Myślała o artykule, który pokazała Annie. O rodzinie latarnika z Gråskär, która zniknęła bez śladu. Może wciąż tam są.

W środku czuła dziwną pustkę. Zdawała sobie sprawę, co zrobiła, ale nic nie czuła. Ani żalu, ani bólu. Tylko pustkę.

Sam nie żyje. Lekarze starali się powiedzieć jej o tym jak najdelikatniej. I tak wiedziała. Zrozumiała to w chwili, gdy woda zamknęła się nad jego głową. W końcu głosom udało się do niej dotrzeć i namówić ją, żeby go puściła. Przekonali ją, że u nich będzie mu lepiej, że się nim zajmą. Cieszyła się, że ich posłuchała.

Kiedy odpływali z Gråskär, odwróciła się, żeby po raz ostatni spojrzeć na wyspę i latarnię. Zmarli stali na skałach, patrzyli za nią. Wśród nich był jej Sam. Stał z kobietą i jej synem. Dwaj mali chłopcy: jeden miał jasne włosy, drugi kruczoczarne. Sam był wesoły, z jego spojrzenia wyczytała, że jest mu dobrze. Podniosła rękę, żeby mu pomachać, ale natychmiast ją opuściła. Nie była w stanie się z nim pożegnać. Bolało ją, że nie ma go przy niej, że jest już z nimi. Na Gråskär.

Leżała w niewielkim jasnym pokoju, z jednym łóżkiem i biurkiem. Przeważnie siedziała na łóżku. Czasem z kimś rozmawiała, z mężczyzną albo z kobietą. Serdecznym tonem zadawali pytania, na które nie zawsze umiała odpowiedzieć. Ale widziała wszystko coraz wyraźniej. Jakby się obudziła i próbowała rozróżnić, co było snem, a co jawą.

Szyderczy głos Fredrika był jawą. Patrzył, jak się pakuje, i dopiero gdy skończyła, z satysfakcją oznajmił, że nie jedzie, że zamiast niej jedzie tamta. Zagroził, że jeśli się sprzeciwi, powie, że jest uzależniona od kokainy, i pozbawi ją praw rodzicielskich. W jego oczach była słaba. Niepotrzebna.

Nie docenił jej. Zeszła do kuchni i siedziała w ciemnościach, dopóki nie poszedł spać. Kolejny raz cieszył się, że ją zniszczył, że dopiął swego. Ale pomylił się. Może była słaba, zanim urodziła Sama. Do pewnego stopnia nadal była słaba. Ale miłość do Sama dała jej siłę, o której Fredrik nie miał pojęcia. Siedziała w kuchni na stołku barowym, z ręką na zimnym marmurowym blacie, i czekała, aż Fredrik zaśnie. Potem poszła po jego pistolet i pewną ręką tyle razy, ile mogła, wystrzeliła w kołdrę. Nie miała wątpliwości, że robi dobrze.

Poszła do pokoju Sama. Zobaczyła puste łóżko i wpadła w panikę. Wtedy zaczęła ją ogarniać mgła. Od razu wiedziała, gdzie jest Sam. Ale widok zakrwawionego ciałka, gdy odchyliła kołdrę, był dla niej takim szokiem, że runęła na gruby dywan. Mgła zgęstniała. Teraz już wiedziała, że tkwiła we mgle, mimo to nadal wydawał jej się żywy.

Matte. Wszystko sobie przypomniała. Noc, którą spędzili razem, i jego ciało, znajome, kochane. Przypomniała sobie, że czuła się przy nim bezpieczna. Wydawało jej się, że teraźniejszość i przeszłość złożą się w całość, skasują to, co było pomiędzy.

Obudził ją jakiś odgłos. Z dołu. Mattego nie było przy niej, ale czuła jeszcze jego ciepło. Pomyślała, że musiał wstać całkiem niedawno. Owinęła się kołdrą i zeszła na dół. W jego oczach dostrzegła wielki zawód. Trzymał w ręce torebkę z kokainą. Pewnie nie wsunęła do końca szuflady. Chciała mu to wyjaśnić, ale słowa uwięzły jej w gardle. I tak by nie zrozumiał.

Owinięta kołdrą, stała boso na zimnych deskach i patrzyła, jak otwiera drzwi do pokoju Sama. Odwrócił się, patrzył na nią z bezgranicznym zdziwieniem. Kazał jej się ubrać, powiedział, że muszą płynąć na ląd, po pomoc. Wszystko działo się tak szybko. Poszła za nim bezwolnie. To było jak sen. Nie chciała zostawiać synka samego na wyspie. W milczeniu płynęli jego łódką.

Potem wsiedli do jego samochodu. W głowie miała pustkę. Myślała tylko o Samie, o tym, że znów go straci. Wychodząc z domu, bez zastanowienia wzięła torebkę. Siedziała w samochodzie i czuła ciężar pistoletu.

Gdy szli do domu Mattego, zaczęło jej szumieć w uszach. Jak przez mgłę widziała, jak wrzuca kokainę do kosza. W przedpokoju sięgnęła do torebki, namacała zimny metal. Nie odwrócił się. Gdyby to zrobił, gdyby mu spojrzała w oczy, może by się zawahała. Ale on wszedł, nie obejrzał się za siebie. Jej ręka podniosła się, dłoń zacisnęła się na kolbie, palce nacisnęły spust. Huk, uderzenie ciała o podłogę. Cisza.

Myślała tylko o tym, że musi wrócić do Sama. Poszła na nabrzeże, wróciła na wyspę łódką Mattego i tam ją zostawiła. Potem już nic nie mogło jej przeszkodzić. Zostaną razem na zawsze. Mgła wypełniła jej świadomość, świat zniknął, został tylko Sam, Gråskär i myśl, że muszą przetrwać.

Siedziała na łóżku i patrzyła przed siebie. Przed oczami miała Sama i tę kobietę. Trzymała go za rękę. Teraz oni się nim zajmą. Obiecali.

Fjällbacka 1875

– *Matko!*

Emelie zastygła, wypuściła z rąk garnek. Upadł na podłogę. Wybiegła. Niepokój trzepotał w jej piersi jak ptak.

– *Synku, gdzie jesteś?* – *zawołała, rozglądając się na wszystkie strony.*

– *Matko, chodźcie tu!*

Wołanie dobiegało znad wody. Uniosła ciężką spódnicę i pobiegła przez skały. Na środku wyspy tworzyły coś w rodzaju szczytu. Stamtąd go zobaczyła. Siedział nad samą wodą, trzymał się za nogę i płakał. Podbiegła i uklękła przy nim.

– *Boli!* – *zaszlochał, pokazując stopę. Tkwił w niej spory kawałek szkła.*

– *Cśś...* – *Próbowała go uspokoić. Zastanawiała się, co robić. Odłamek tkwił głęboko. Czy powinna go wyciągnąć od razu, czy zaczekać, aż będzie miała czym przewiązać ranę?*

Podjęła decyzję.

– *Idziemy do ojca.* – *Spojrzała na latarnię. Karl kilka godzin wcześniej poszedł pomóc Julianowi. Nie miała zwyczaju prosić go o radę, ale tym razem nie wiedziała, co zrobić.*

Wzięła na ręce płaczącego żałośnie synka. Niosła go jak niemowlę, uważając, żeby nie dotknąć stopy. Było jej ciężko, urósł.

Podeszli do latarni i zawołała Karla. Nie odpowiedział. Drzwi były otwarte, pewnie chcieli przewietrzyć. Gdy świeciło słońce, w środku robiło się bardzo gorąco.

– Karl! – zawołała. – Mógłbyś zejść?

W tym, że ją zignorował, nie było nic niezwykłego. Doszła do wniosku, że sama musi się do niego pofatygować. Pomyślała, że nie da rady wnieść Gustava po stromych schodach. Ostrożnie posadziła go na ziemi i pogłaskała po policzku.

– Zaraz wracam, przyprowadzę ojca.

Gustav spojrzał na nią z nadzieją i włożył kciuk do buzi.

Była zasapana. Wchodząc po schodach, starała się oddychać spokojnie. Dotarła na górę i przystanęła, żeby odetchnąć. Podniosła wzrok. W pierwszej chwili nie zrozumiała. Dlaczego leżą w łóżku? Dlaczego bez ubrań? Zastygła, gapiła się na nich. Nie słyszeli jej, zajęci sobą, pieszczeniem zakazanych części ciała. Emelie była przerażona.

Głośno zaczerpnęła tchu. Wtedy ją zauważyli. Karl podniósł wzrok, ich spojrzenia na chwilę się spotkały.

– Grzeszycie! – Paliły ją słowa, które wyczytała w Biblii. Pismo Święte zakazywało takich rzeczy. Ściągną nieszczęście i gniew boży nie tylko na siebie, ale również na nią i na Gustava. Jeśli nie odkupią winy, Bóg przeklnie Gråskär.

Karl nadal nic nie mówił. Przeszywał ją wzrokiem. Wiedział, co myśli. Patrzył na nią lodowato. Zmarli zaczęli szeptać. Mówili, że musi uciekać, ale nogi jej nie słuchały. Nie mogła się ani ruszyć, ani oderwać wzroku od nagich, spoconych ciał męża i Juliana.

Głosy mówiły coraz głośniej. W końcu coś ją popchnęło. Zbiegła po schodach i z płaczem wzięła synka na ręce. Pobiegła z nim przed siebie. Nie wiedziała, dokąd uciekać. Słyszała, że Karl i Julian biegną za nią. Zdawała sobie sprawę, że daleko nie ucieknie. Rozejrzała się. W domu nie było bezpiecznie. Nawet gdyby zdążyła wbiec i zamknąć za sobą drzwi, z łatwością by je wyłamali. Albo weszliby przez okno.

– Emelie, zatrzymaj się! – wołał Karl.

Właściwie wolałaby się zatrzymać, poddać się. Pewnie by to zrobiła, gdyby była sama, ale niosła na rękach synka. Szlochał z przerażenia, więc biegła dalej. Nie miała złudzeń, że go oszczędzą. Nigdy nic dla Karla nie znaczył. Chodziło tylko o to, żeby udobruchać ojca, żeby myślał, że wszystko jest jak należy.

Dawno nie myślała o Edith, powiernicy z czasów, kiedy służyła w gospodarstwie. Powinna była jej słuchać, ale była młoda i naiwna. Nie chciała przyjąć do wiadomości tego, co teraz widziała wyraźnie. To z powodu Juliana Karl nieoczekiwanie wrócił z latarniowca. A potem szybko wziął ślub z pierwszą z brzegu dziewczyną. Żeby ratować reputację rodziny, wystarczy dziewka służebna. Stało się tak, jak chcieli. Skandal z powodu najmłodszego syna nie wybuchł.

Ale Karl oszukał ojca i za jego plecami ściągnął Juliana na wyspę. Uznał, że dla niego warto się narazić na gniew ojca. Na krótką chwilę zrobiło jej się go żal. A potem usłyszała, że się zbliża, i przypomniała sobie obelgi, rękoczyny i noc, gdy został poczęty Gustav. Nie musiał jej traktować tak źle. Dla Juliana nie miała ani odrobiny współczucia. Miał serce z kamienia i od początku jej nienawidził.

Wiedziała, że nic jej nie uratuje, a jednak wciąż biegła. Gdyby ją gonił tylko Karl, może by jej się udało go ubłagać. Kiedyś był innym człowiekiem, zanim zmieniło go życie w kłamstwie. Ale Julian nie pozwoli, żeby wyszła z tego cało. Zrozumiała, że umrze na wyspie. Ona i Gustav. Nigdy się stąd nie wydostaną.

Czuła, że jakaś ręka łapie ją za ramię. W ostatniej chwili zrobiła unik, jakby miała oczy z tyłu głowy. Zmarli jej pomogli. Kazali biec nad wodę, którą długo uważała za wroga. Teraz mogła się okazać ratunkiem.

Wbiegła do wody, z synkiem na rękach. Woda kłębiła się wokół jej nóg. Po kilku metrach już nie mogła biec, szła powoli. Gustav kurczowo trzymał ją za szyję, ale nie krzyczał. Milczał, jakby rozumiał, co się dzieje.

Słyszała, że Karl i Julian też wbiegli do wody. Miała nad nimi kilka metrów przewagi i wciąż posuwała się naprzód. Woda sięgała jej już do piersi. Była bliska paniki. Przecież nie umie pływać! Ale woda brała ją w objęcia. Tu będzie bezpieczna.

Obejrzała się. Karl i Julian stali w wodzie i patrzyli na nią. Widząc, że przystanęła, ruszyli w jej stronę. Cofnęła się. Woda sięgnęła jej do ramion i uniosła Gustava. Głosy mówiły do niej, uspokajały. Wszystko będzie dobrze. Nikt im nie zrobi nic złego, czekają na nich. Tu zaznają spokoju.

Odprężyła się. Uwierzyła, że otoczą ją i Gustava miłością. Nakłonili ją, żeby skręciła w stronę bezkresnego horyzontu. Ślepo posłuchała tych, którzy byli na wyspie jej jedynymi przyjaciółmi. Z synkiem w objęciach brnęła w stronę wartkich prądów, tam, gdzie dno urywało się pionowo. Karl i Julian mrużyli oczy od słońca. Nie odrywali od niej wzroku, szli za nią.

Przez chwilę, zanim woda zamknęła się nad nią i Gustavem, widziała jeszcze, jak coś wciąga Karla i Juliana pod wodę. Może wir, a może ktoś. Była absolutnie pewna, że już nigdy ich nie zobaczy. Nie zostaną na Gråskär, jak ona i Gustav. Dla nich jest miejsce tylko w piekle.

Podziękowania

Brak mi słów, by wyrazić wdzięczność dla mojej wydawczyni Karin Linge Nordh i redaktorki Matildy Lund za ich wkład wniesiony w przygotowanie tej książki. Jak zawsze. Różnorakiej pomocy udzielili mi również pozostali pracownicy Wydawnictwa Forum, okazując przy tym niezachwiany entuzjazm.

Nordin Agency udziela mi mocnego wsparcia zarówno w Szwecji, jak i za granicą, Joakim Hansson przejął pałeczkę od Bengta Nordina i pobiegł dalej w imponującym stylu. Cieszę się ogromnie, że Bengt, choć nie jest już moim agentem, pozostaje blisko mnie, tym razem jako przyjaciel.

Żadna z moich książek nie mogłaby powstać, gdybym nie miała pomocy w opiece nad moimi dziećmi, dlatego jak zwykle dziękuję mojej mamie Gunnel Läckberg oraz mojemu byłemu mężowi, dziś przyjacielowi, Mickemu Erikssonowi, który bez wahania stawia się na wezwanie. Była teściowa, babcia moich dzieci Mona Eriksson również przyczynia się do procesu twórczego dzięki dostawom swoich klopsików, które na szczęście płyną nadal.

Podziękowania kieruję też do Emmy i Sunita Mehrotrów za oddanie mi do dyspozycji swego wspaniałego domu. Podczas tygodnia spędzonego tam zimą napisałam wiele stron *Latarnika*, mając za oknem śnieg skrzący się na słońcu i ogień trzaskający w kominku. Dziękuję moim teściom Agnecie von Bahr i Janowi Melinowi, których troska i wsparcie wiele znaczyły dla powstania tej książki.

Policjanci z Tanumshede są dla mnie jak zwykle źródłem inspiracji i moimi wiernymi kibicami. Podobnie jak mieszkańcy Fjällbacki, którzy wciąż potrafią się cieszyć, że rozrzucam kolejne zwłoki po ich niewielkim miasteczku.

Christina Saliba i Hanna Jonasson Drotz z Weber Whandwick wniosły szereg nowych pomysłów i spostrzeżeń, przyczyniając się do emocjonującej współpracy. Pomogły również skoncentrować się na tym, co jest dla mnie najważniejsze: na pisaniu.

W pracy nad książką bardzo istotną częścią jest dokumentacja, w której pomogło mi wiele osób. Serdeczne podziękowania kieruję do wszystkich, ale zwłaszcza do Andersa Toreviego, Karla-Allana Nordbloma, Christine Fredriksen, Anny Jeffords i Marii Farm. Niklas Bernstone przyczynił się w sposób istotny, pływając od wyspy do wyspy, aby zdobyć na okładkę idealne ujęcie latarni morskiej.

Czytelnikom mojego bloga dziękuję za niezwykle pozytywną energię, jaką się ze mną dzielą.

Dziękuję wszystkim moim przyjaciołom, których tu nie wymienię, ale wszystkich mam w pamięci, tych, którzy pogodzili się z tym, że w okresach szczególnie intensywnego pisania zapadam się pod ziemię. O dziwo, trwacie przy mnie, na co nie zawsze zasługuję, bo mijają całe miesiące, a ja się nie odzywam. Dziękuję Denise Rudberg, że zawsze znajduje siły i czas, by mnie wysłuchać i powiedzieć słowo zachęty. Dotyczy to zarówno mozołu twórczego, jak i wszelkich innych spraw życiowych, które omawiamy podczas niemal codziennych rozmów przez telefon.

Książki i wszystko, co z nimi związane, nie miałyby znaczenia, gdyby nie moje dzieci: Wille, Meja i Charlie. I jeszcze mój cudowny Martin. Jesteś nie tylko moją miłością, ale także moim najlepszym przyjacielem. Dziękuję za to, że ze mną jesteś.

Camilla Läckberg
Enskede, 29 czerwca 2009

www.camillalackberg.se